LA PITIÉ DANGEREUSE

(ou l'impatience du cœur)

Né à Vienne en 1881, fils d'un industriel, Stefan Zweig a pu étudier en toute liberté l'histoire, les belles-lettres et la philosophie. Grand humaniste, ami de Romain Rolland, d'Émile Verhaeren et de Sigmund Freud, il a exercé son talent dans tous les genres (traductions, poèmes, roman, pièces de théâtre) mais a surtout excellé dans l'art de la nouvelle (*La Confusion des sentiments, Vingt-quatre heures de la vie d'une femme*), l'essai et la biographie (*Marie-Antoinette, Fouché, Magellan…*). Désespéré par la montée du nazisme, il fuit l'Autriche en 1934, se réfugie en Angleterre puis aux États-Unis. En 1942, il se suicide avec sa femme à Petrópolis, au Brésil.

STEFAN ZWEIG

La Pitié dangereuse

(ou l'impatience du cœur)

ROMAN TRADUIT DE L'ALLEMAND PAR ALZIR HELLA.

TRADUCTION RÉVISÉE PAR BRIGITTE VERGNE-CAIN
ET GÉRARD RUDENT

GRASSET

Titre original :

UNGEDULD DES HERZENS
Bernard-Fischer Verlag, Stockholm, 1939

« *On ne prête qu'aux riches* » – *cette parole du Livre de la Sagesse, tout écrivain peut la reprendre à son compte :* « *On ne se raconte qu'à ceux qui ont beaucoup raconté.* » *Rien n'est plus faux que l'idée reçue selon laquelle l'imagination de l'écrivain est sans cesse à l'œuvre, et qu'il trouve dans cette inépuisable réserve ses histoires et ses personnages. En vérité, au lieu d'inventer, il lui suffit de laisser venir à lui les figures et les événements : s'il a su préserver ce don qui lui est propre, de voir et d'entendre, ils viendront toujours différents se présenter au conteur qu'il est. Car à celui qui a souvent expliqué les destinées, beaucoup d'hommes viennent conter la leur.*

Cette histoire m'a elle aussi été confiée, et sous cette forme même, d'une manière très inattendue. À mon dernier séjour à Vienne, éreinté par une journée remplie par mille et une courses, je cherchai un restaurant des faubourgs, que je supposais être depuis longtemps passé de mode, et donc peu fréquenté. Mais à peine entré, je vis avec irritation que je m'étais trompé. À la première table déjà, une personne de connaissance se leva en me témoignant toutes les marques d'une joie sincère (auxquelles je fus loin de répondre avec autant de chaleur)

7

et m'invita à prendre place à ses côtés. Ce serait mentir que d'affirmer que cet empressé était un personnage fâcheux ou désagréable : c'était seulement une de ces natures compulsivement sociables qui, d'une façon aussi acharnée que les enfants, collectionnent les timbres, accumulent les relations et sont fières du moindre exemplaire de leur collection, avec toujours une bonne raison. Pour ce sympathique original – archiviste de son métier, actif et fort cultivé – le sens de la vie se résumait dans le modeste bonheur de pouvoir, à propos de chaque nom qu'il voyait de temps à autre imprimé dans le journal, ajouter : « C'est un bon ami à moi », ou bien « Lui, je l'ai rencontré encore hier soir », ou « mon ami A. m'a dit » ou bien « mon ami B. pense que », et ainsi de suite pour tout l'alphabet. On pouvait compter sur lui pour faire la claque aux premières de ses amis, pour téléphoner aux actrices le lendemain matin et les féliciter ; il n'oubliait jamais un anniversaire, passait sous silence les articles trop critiques, mais vous envoyait les pages d'éloges avec sa cordiale sympathie. Pas un fâcheux, donc, mais plutôt quelqu'un de sincèrement dévoué, déjà très heureux si on lui demandait un menu service ou si l'on ajoutait un nouvel objet au cabinet de curiosités de ses connaissances.

Mais point n'est besoin de décrire davantage l'ami « Adabei » – ce sobriquet bienveillant désigne d'ordinaire à Vienne cette espèce de gentils parasites, à l'intérieur du groupe, plus haut en couleurs, des différents snobs –, car chacun en connaît et sait bien que l'on ne peut résister sans être grossier à leur nature futile et touchante. Je pris donc place à sa table, et un quart d'heure s'était déjà écoulé en bavardages lorsqu'un monsieur pénétra dans le restaurant, grand mais avec un visage jeune et coloré qui avait, chose étrange, des cheveux gris aux tempes ; une certaine raideur dans l'allure trahissait aussitôt l'ancien militaire. Mon voisin se dressa avec son habituel empressement pour le saluer, mais le monsieur répondit avec plus d'indifférence que de courtoisie à cet élan, et à peine le nouvel arrivant avait-il passé sa commande au serveur, vite accouru, que mon ami Adabei se rapprocha de moi et me susurra : « Savez-vous qui c'est ? » Connaissant sa fierté de collectionneur à faire l'éloge de tout exemplaire un peu intéressant de sa galerie, et redoutant de trop longues explications, je répondis seulement « Non », sur un ton fort peu curieux, et continuai à découper mon gâteau, une Sachertorte. Pourtant mon indolence n'enflamma que davantage cet entremetteur de personnalités et, s'abritant avec prudence derrière sa main, il me souffla doucement : « Mais c'est Hofmiller, le contrôleur général – vous savez bien – celui qui a été décoré de l'ordre, pendant la guerre de Marie-Thérèse. » Puis, comme ce fait ne semblait pas me frapper autant qu'il l'espérait, il se mit à énumérer avec l'enthousiasme d'un manuel patriotique les grandioses faits d'armes du capitaine Hofmiller, d'abord dans la cavalerie, puis en patrouille de reconnaissance aérienne au-dessus de la Piave, où à lui seul il avait abattu trois avions ennemis, et enfin dans une compagnie d'artilleurs où il avait commandé et tenu, trois jours durant, un poste sur le front – le tout raconté avec force détails (que je passe ici) et assorti de vives protestations d'étonnement que je n'eusse jamais entendu parler de cet homme remarquable, alors que l'empereur Karl en personne lui avait remis les plus hautes décorations de l'armée autrichienne.

Malgré moi, je me surpris à jeter un coup d'œil vers l'autre table pour considérer à deux mètres de distance un héros dûment estampillé par l'Histoire. Mais je rencontrai un œil dur et irrité, qui disait à peu près : « Que t'a fait accroire ce gaillard sur mon compte ? Il n'y a rien à voir sur ma personne ! » Et avec un geste manifestement mécontent, le monsieur déplaça sa chaise sur le côté et nous tourna résolument le dos. Un peu honteux, je détournai les yeux et j'évitai désormais d'effleurer fût-ce la nappe du moindre regard indiscret. Je pris bientôt congé de mon aimable bavard, non sans remarquer toutefois, en m'en allant, qu'il se transférait aussitôt à la table de son héros, sans doute pour lui faire à mon propos un récit tout aussi empressé qu'il m'en avait fait un sur lui.

Ce fut tout. Un échange de regards… et j'aurais certainement oublié cette brève rencontre, si le hasard n'avait voulu que dès le lendemain je me sois retrouvé dans une société peu nombreuse en face de ce revêche personnage, qui du reste, dans son smoking du soir, était d'une élégance encore plus frappante que la veille en costume de tweed plus sport. Nous eûmes tous deux peine à retenir un léger sourire, le sourire complice de deux personnes qui conservent entre elles, au milieu des autres, un secret bien gardé. Il me reconnaissait lui aussi très bien, et sans doute nous amusions-nous chacun de la même façon en songeant à notre malheureux entremetteur de la veille. Nous évitâmes d'abord de nous parler, mais nous aurions dû de toute manière y renoncer, devant la discussion animée qui s'engageait autour de nous.

L'objet de cette discussion sera aussitôt clair quand j'aurai dit qu'elle avait lieu en 1938. Les chroniqueurs de notre époque constateront, plus tard, que dans tous les pays de notre Europe bouleversée, les moindres conversations étaient alors dominées par les conjectures sur le caractère probable ou improbable d'une deuxième guerre mondiale. C'était le sujet qui infailliblement occupait les rencontres mondaines, et l'on avait parfois l'impression que ce n'étaient pas les hommes qui se libéraient ainsi de leurs hypothèses ou de leurs espoirs, mais l'atmosphère elle-même, l'air du temps, si agité et porteur de tensions secrètes, qui cherchait à s'en décharger dans les paroles que l'on échangeait ainsi.

Ce fut le maître de maison, avocat de son métier et de caractère ergoteur, qui lança la discussion ; avec des arguments éculés, il exprima un lieu commun non moins éculé en disant que la nouvelle génération connaissait la guerre, et ne s'y engagerait pas avec autant de naïveté que dans la dernière. Dès la mobilisation, on mettrait crosse en l'air, car les vieux soldats en particulier, comme lui, n'avaient pas oublié ce qui les attendait. Je fus irrité par l'assurance clinquante avec laquelle, au moment où des dizaines et des centaines de milliers d'usines fabriquaient des explosifs et des gaz toxiques, il écartait la possibilité d'une guerre, juste comme on fait négligemment tomber, du bout du doigt, la cendre de sa cigarette. Je répondis avec fermeté qu'il ne fallait pas toujours se convaincre de ce que l'on voulait croire. Les ministères et les institutions militaires qui dirigeaient l'appareil de guerre ne s'étaient pas assoupis non plus, et tandis que nous nous bercions de douces utopies, ils avaient utilisé la période de paix pour réorganiser les foules à l'avance et les avoir ainsi prêtes à l'emploi, bien en main pour ainsi dire. Maintenant déjà, en temps de paix, la docilité générale avait augmenté de façon incroyable, grâce à la perfection de la propagande, et si l'on voulait bien regarder la réalité en face, il ne fallait attendre aucune résistance nulle part, à partir de la seconde où la radio annoncerait la mobilisation dans les chaumières. La volonté de l'individu, ce grain de poussière, n'avait plus le moindre poids aujourd'hui.

J'eus, bien sûr, tout le monde contre moi, car la tendance invétérée en l'homme à s'aveugler lui-même n'a rien trouvé de mieux, on le sait bien, que de déclarer nuls et non avenus les dangers qu'il pressent. Et mon avertissement ne pouvait que sembler mal venu, face à leur optimisme facile, d'autant plus qu'un somptueux dîner nous attendait déjà dans la pièce à côté.

À ma surprise le chevalier de l'ordre de Marie-Thérèse, en qui j'avais cru, à tort, sentir d'instinct un adversaire, vint me seconder. C'était en effet pure folie, déclara-t-il vivement, de prétendre que la volonté – ou la non-volonté – du bétail humain entrait en ligne de compte ; car dans la prochaine guerre, ce seraient les engins qui décideraient, les hommes étant réduits à n'être plus qu'une sorte d'accessoires. Durant la dernière guerre déjà, il avait rencontré sur le front très peu d'hommes qui eussent clairement approuvé ou réprouvé la guerre. La plupart y avaient été emportés comme un nuage de poussière chassé par le vent, restant ensuite prisonniers du grand tourbillon qui secouait chacun d'entre eux comme un petit pois dans un immense sac.

En résumé, il y avait peut-être même plus d'hommes qui avaient trouvé refuge dans la guerre, et peu qui l'avaient fuie.

Je l'écoutai avec étonnement, fasciné surtout par la violence qu'il manifestait encore. « Ne nous faisons pas d'illusions. Si l'on envoyait aujourd'hui des sergents-recruteurs dans n'importe quel pays pour une guerre exotique, en Polynésie ou dans un coin d'Afrique, des milliers et des centaines de milliers accourraient, sans bien savoir pourquoi, peut-être seulement par désir de se fuir soi-même ou pour échapper aux tracas. J'ai beaucoup de mal à envisager l'éventualité d'une résistance effective à la guerre. Pour l'individu, résister face à une structure exige toujours beaucoup plus de courage que se laisser emporter, et un courage individuel qui, à notre époque où l'organisation et la mécanisation vont croissant, est en voie de disparition. À la guerre, je n'ai pour ainsi dire observé que le phénomène du courage collectif, le courage à l'intérieur des rangs. Or si l'on veut bien l'examiner de près, on y découvre de très singulières composantes : beaucoup de vanité, de légèreté et même d'ennui, mais surtout beaucoup de peur – oui, la peur de rester sur le carreau, d'être tourné en dérision, la peur d'agir seul et surtout la peur de contrecarrer l'élan massif des autres. La plupart de ceux qui sur le champ de bataille passaient pour les plus valeureux me sont apparus ensuite, dans le civil, comme des personnes et des héros très suspects. « Et je vous prie », ajouta-t-il avec civilité en se tournant vers notre hôte, « de ne pas faire d'exception pour moi. »

Cette façon de parler me ravit et j'avais envie d'aller le trouver, mais la maîtresse de maison nous invitait à table ; placés loin l'un de l'autre, nous n'eûmes pas l'occasion de parler. Et c'est seulement au vestiaire, quand tout le monde partait, que nous nous retrouvâmes.

« Je crois », me dit-il en souriant, « que notre commun protecteur nous a déjà indirectement présentés. »

Je souris aussi : « ... et avec force détails ! »

— Il n'a sans doute pas hésité à dire quel Achille je suis, en épinglant à mon revers toutes mes décorations ?

— En effet, c'est cela...

— Oui, il en est diablement fier, tout comme de vos livres...

— Quel drôle d'oiseau ! Mais il y en a de pires... D'ailleurs, si vous voulez, faisons un bout de chemin ensemble. »

Nous partîmes. Brusquement il se tourna vers moi : « Croyez-moi, ce n'est pas une formule creuse si je dis que pendant des années rien ne m'a plus fait souffrir que cette décoration de l'ordre de Marie-Thérèse, trop voyante à mon goût. Pour être tout à fait sincère, quand on me l'épingla sur le champ de bataille, j'en fus très impressionné. Car on a reçu une éducation militaire, et dans l'Ecole des Cadets, cet ordre est toute une légende, en particulier cet ordre de Marie-Thérèse qui n'échoit qu'à douze hommes peut-être, dans toute une guerre, et descend donc vraiment comme une étoile du ciel. C'est vrai que pour un gars de vingt-huit ans, ce n'est pas rien : on se retrouve soudain devant toute l'armée en ligne, ils lèvent tous un regard étonné en voyant briller comme un petit soleil l'étoile sur votre poitrine, et l'Empereur, cette majesté inaccessible, vous félicite en vous serrant la main. Pourtant, voyez-vous, cette dis-

tinction n'avait de sens et de valeur que dans notre univers militaire, et quand la guerre fut finie, il me parut ridicule de me promener ma vie durant comme un héros estampillé, simplement parce qu'un jour j'avais réellement été courageux pendant vingt minutes – pas plus courageux sans doute que des dizaines de milliers d'autres, mais en ayant eu la chance d'être remarqué et celle, encore plus étonnante, d'être revenu vivant. Après un an, voyant que les gens partout fixaient ce petit morceau de métal et me lançaient ensuite un regard respectueux, j'en eus vraiment assez de me balader comme un monument ambulant, et la contrariété d'attirer en permanence l'attention détermina largement mon choix de réintégrer la vie civile. »

Il accéléra un peu le pas.

« J'ai dit : largement –, mais ma raison principale était d'ordre privé, et vous la comprendrez peut-être encore mieux. La raison, c'est qu'au fond de moi-même, je doutais d'y avoir droit et d'être un héros. Car bien mieux que les spectateurs inconnus, je savais que sous cette décoration se trouvait quelqu'un qui était tout, sauf un héros, qui était peut-être entièrement dénué d'héroïsme – l'un de ceux qui ne se sont précipités avec tant de fougue dans la guerre que précisément pour échapper à une situation désespérée. Plutôt des déserteurs face à leurs responsabilités personnelles que des héros pénétrés de leurs devoirs. Je ne sais pas ce que vous en pensez, mais en ce qui me concerne, je trouve antinaturel et insupportable de vivre nimbé d'une auréole, et je me sentis très soulagé de ne plus transporter avec moi, sur mon uniforme, ma biographie de héros. Cela m'irrite, encore aujourd'hui, quand quelqu'un exhume ma gloire passée,

et hier, je peux bien vous le dire, il s'en est fallu de peu que j'aille à votre table apostropher ce bavard et le prier vertement de se faire mousser avec d'autres que moi. Toute la soirée, votre regard respectueux m'a poursuivi, et pour donner tort à ce bavard, j'aurais voulu vous obliger à entendre par quels chemins tortueux je suis devenu un si grand héros. C'est en effet une histoire assez singulière, et qui pourrait montrer que bien souvent, le courage n'est rien d'autre que l'envers de la faiblesse. Tenez... je vous la raconterais bien, là, dans la foulée. Ce qui est vieux d'un quart de siècle ne concerne plus la même personne, n'est-ce pas... Vous auriez le temps ? Et cela ne vous ennuie pas ? »

Bien sûr que j'avais le temps ! Nous continuâmes un long moment nos allées et venues dans les rues désertes, et passâmes ensemble une bonne partie des jours suivants. J'ai transformé très peu de choses dans son récit : peut-être ai-je dit « uhlans » pour « hussards », j'ai un peu bousculé les garnisons sur la carte pour que l'on ne les reconnaisse pas, par prudence j'en ai changé les noms. Mais je n'ai rien ajouté d'important, et je m'efface pour laisser maintenant le narrateur raconter son histoire.

« *Il y a deux sortes de pitié. L'une, molle et senti-mentale, qui n'est en réalité que l'impatience du cœur de se débarrasser au plus vite de la pénible émotion qui vous étreint devant la souffrance d'autrui, cette pitié qui n'est pas du tout la compassion, mais un mouvement instinctif de défense de l'âme contre la souffrance étran-gère. Et l'autre, la seule qui compte, la pitié non senti-mentale mais créatrice, qui sait ce qu'elle veut et est décidée à persévérer avec patience et tolérance jusqu'à l'extrême limite de ses forces, et même au-delà.* »

Toute l'affaire commença par une maladresse commise en toute innocence, une « gaffe », comme disent les Français. Puis vint le désir de réparer ma bêtise. Mais quand on veut remettre trop vite en place une roue dans une montre, on finit le plus souvent par en briser tout le mécanisme. Même aujourd'hui, après des années, je n'arrive pas à fixer la limite où a fini ma maladresse et où a commencé ma faute. Il est probable que je ne le saurai jamais.

J'avais à cette époque vingt-cinq ans et j'étais lieutenant d'active au x-ième régiment de uhlans. Que j'aie jamais eu une passion spéciale ou une vocation véritable pour le métier de soldat, c'est ce que je ne saurais prétendre. Mais quand dans la maison d'un fonctionnaire de la vieille Autriche il y a deux petites filles et quatre garçons affamés autour d'une table pauvrement garnie, on n'a pas le loisir d'interroger les enfants sur leurs goûts, on les case au plus vite dans une profession, pour qu'ils ne pèsent pas trop longtemps sur la famille. Mon frère Ulrich, qui déjà à l'école communale s'était abîmé les yeux à force d'étudier, fut envoyé au séminaire ; quant à moi, je dus à ma forte constitution d'être dirigé sur l'école militaire. De là le fil de la vie se déroule automatiquement, sans qu'on ait à le tirer. L'Etat s'occupe de tout. En quelques années il fait, sans qu'il vous en coûte rien, d'après un modèle fixé à l'avance, d'un pâle adolescent un enseigne à la barbe naissante, qu'il livre, prêt à servir, à l'armée. Un beau jour, qui était l'anniversaire de l'empereur – je n'avais pas encore dix-huit ans – je fus passé en revue et peu de temps après une première étoile apparut à mon col. J'avais franchi la première étape, et désormais tout le cycle de l'avancement pouvait se poursuivre mécaniquement, avec les pauses indispensables, jusqu'à la retraite et la goutte. De même, servir dans la cavalerie, cette arme hélas des plus coûteuses, n'avait jamais été mon désir personnel, mais la marotte de ma tante Daisy, laquelle avait épousé en secondes noces le frère aîné de mon père, au moment où il venait de quitter le ministère des Finances pour le poste plus lucratif de directeur de banque. Riche et snob à la fois, elle ne pouvait accepter qu'un Hofmiller quelconque fît honte à la famille en servant dans l'infanterie. Et comme elle appuyait cette marotte d'un subside de cent couronnes par mois, je devais encore, en toute occasion, lui en manifester de la reconnaissance. Quant à savoir s'il me plaisait ou non de servir dans la cavalerie ou même de faire une carrière d'officier, cela, personne ne se l'était jamais demandé, moi pas plus que les autres. Du moment que j'étais en selle, je me sentais bien et je ne pensais pas plus loin que l'encolure de mon cheval.

En ce mois de novembre 1913, sur un ordre qui avait dû transiter d'un bureau à un autre, notre escadron – boum ! fut muté de Jaroslau à une petite garnison sur la frontière hongroise. Peu importe si je donne à cette petite ville son véritable nom, car deux boutons sur le même uniforme ne peuvent se ressembler davantage qu'une garnison de province autrichienne à une autre. Dans l'une comme dans l'autre, les mêmes quartiers sont disposés de même façon : une caserne, un manège, un terrain d'exercices, un casino pour les officiers, sans compter trois hôtels, deux cafés, une pâtisserie, une taverne, un music-hall de troisième ordre avec quelques divettes sur le retour, dont la principale occupation, en dehors de leurs heures de travail, consiste à se partager le plus aimablement du monde entre officiers et volontaires d'un an. Partout, la vie de garnison signifie la même activité monotone et creuse, divisée heure par heure par le même règlement figé et plusieurs fois séculaire, sans davantage de variété dans les loisirs. Au mess des officiers les mêmes visages et les mêmes conversations, au café les mêmes parties de cartes et le même billard. On s'étonne parfois que le bon Dieu ait jugé bon de placer un ciel différent au-dessus des sept ou huit cents toits de ces villes et de les encadrer de paysages divers.

À vrai dire, ma nouvelle garnison offrait par rapport à celle de Galicie un avantage : elle était station d'express et se trouvait d'une part près de Vienne, et de l'autre pas trop loin de Budapest. Ceux d'entre nous qui avaient de l'argent – et l'on sait que dans la cavalerie servent des jeunes gens très riches, surtout les volontaires d'un an, provenant de la haute aristocratie ou des milieux de la grande industrie – ceux-là pouvaient, en s'y prenant adroitement, se rendre à Vienne par le train de cinq heures du soir et revenir par celui de deux heures et demie du matin, ce qui leur avait donné le temps d'aller au théâtre, de déambuler sur le Ring, de faire le cavalier et de chercher des aventures. Quelques-uns même, parmi les plus enviés, y possédaient un logement ou un pied-à-terre. Mais de telles escapades rafraîchissantes dépassaient les possibilités de mon budget. Il ne me restait donc pour toute distraction que le café ou la pâtisserie, et comme les parties de cartes étaient trop coûteuses pour moi, je devais souvent me rabattre sur le billard, ou le jeu d'échecs, encore moins cher.

C'est ainsi qu'un après-midi – je crois que c'était au milieu de mai 1914 – j'étais assis à la pâtisserie en face d'un partenaire d'occasion, le propriétaire de la pharmacie À l'Ange d'Or et vice-bourgmestre de la ville. Nous avions terminé depuis longtemps nos trois parties et nous ne continuions à placer un mot de temps en temps que par paresse de nous lever, pour aller où ? Mais déjà la conversation s'éteignait en fumant comme une cigarette entièrement consumée. Tout à coup la porte s'ouvre et, avec une bouffée d'air frais, entre dans une grande jupe virevoltante une charmante jeune fille : des yeux bruns en amande, le teint mat, coquettement vêtue, pas du tout province, et, ce qu'il y a de plus important, un visage nouveau dans cette affreuse monotonie. Malheureusement l'élégante nymphe ne fait pas la moindre attention à notre regard respectueux ; vive et altière, d'un pas énergique et sportif – elle passe devant les neuf petites tables de marbre de l'établissement et se dirige droit vers la caisse, où sans hésiter elle commande en bloc une douzaine de gâteaux, des tartes et des liqueurs. Tout de suite, la façon très obséquieuse dont M. le pâtissier s'incline devant elle frappe mon attention. Jamais encore je n'ai vu la couture de son habit si fortement tendue sur son dos. Sa femme elle-même, la plantureuse et vulgaire Vénus provinciale, qui d'ordinaire accueille avec nonchalance les hommages de tous les officiers (il arrive fréquemment qu'on lui doive de petites sommes jusqu'à la fin du mois), se lève de son siège derrière la caisse, et se confond en onctueuses amabilités. Pendant que le pâtissier note la commande, la belle fille croque négligemment quelques pralinés et fait un peu de conversation avec Mme Grossmaier. Mais pour nous, qui tendons le cou avec quelque indiscrétion peut-être, pas la grâce d'un seul regard. Bien entendu la jeune dame ne charge pas du plus petit paquet sa fine main. Tout lui sera envoyé sans faute, ainsi que l'en assure avec soumission Mme Grossmaier. Et elle ne songe pas le moins du monde, comme nous autres mortels, à payer comptant devant la caisse enregistreuse métallique. Nous avons compris : clientèle extrafine, très distinguée !

Au moment où, sa commande faite, elle se tourne pour s'en aller, M. Grossmaier se précipite pour lui ouvrir la porte. Mon compère le pharmacien se lève lui aussi pour s'incliner respectueusement sur son passage. Elle remercie avec un air d'affabilité souveraine – bon Dieu, quels yeux de velours fauve ! À peine a-t-elle quitté la boutique sous une pluie de compliments sucrés, que je me tourne vers mon compagnon pour lui demander que vient faire ce beau brochet dans notre étang de carpes.

« Comment, vous ne la connaissez pas ? Mais c'est la nièce de… (Bon, je vais l'appeler ainsi, mais ce n'est pas son nom véritable) Kekesfalva… Vous connaissez, je pense, les Kekesfalva !… »

Il me lance ce nom de Kekesfalva comme s'il jetait sur la table un billet de mille couronnes et me regarde, semblant en attendre un écho tout naturel, un déférent « Ah ! oui, bien entendu ». Mais moi, le sous-lieutenant nouveau venu dans la garnison, j'ignore tout de ce dieu mystérieux et je prie poliment le pharmacien de me renseigner, ce qu'il fait avec le plus grand plaisir et une fierté toute provinciale, dans un monologue beaucoup plus bavard et détaillé que je ne le rends ici.

« Kekesfalva, m'explique-t-il, est l'homme le plus riche de la contrée. Presque tout lui appartient. Non seulement le château de Kekesfalva – vous le connaissez sans doute, on le voit du champ de manœuvres, à gauche de la route, le château jaune avec sa tour plate et son vieux et vaste parc – mais encore la grande sucrerie sur la route de R… et la scierie de Bruck et le haras de M… Tout cela lui appartient, sans compter six ou sept immeubles à Budapest et à Vienne. Oui, on ne croirait pas qu'il y a chez nous des gens si riches ; et il s'entend à vivre en véritable magnat : l'hiver dans son petit palais de la Jacquingasse à Vienne, l'été dans les villes d'eaux. Il n'habite ici que quelques mois de l'année, au printemps. Et bon Dieu, quel train de maison ! Il y fait venir des quatuors de Vienne, des vins français, du champagne, tout ce qu'il y a de meilleur et de plus cher. » Si cela pouvait m'être agréable, ajoute-t-il, il m'introduirait volontiers, car – ici grand

geste de satisfaction – il était très lié avec M. de Kekesfalva. Ils avaient été autrefois en relations d'affaires, et
il savait qu'il recevait avec plaisir des officiers. Un mot
de lui et je serais invité.

Et pourquoi pas ? On étouffe dans ce maudit panier
de crabes, dans cette garnison de province. On connaît
de vue toutes les femmes sur la promenade, et de
chacune le chapeau d'été et le chapeau d'hiver, et les
vêtements du dimanche et ceux de tous les jours, c'est
du pareil au même ! On connaît, pour les avoir vus
aller et venir, le chien et la bonne et les enfants de
chaque maison. On connaît tous les plats de la grosse
cuisine bohémienne du casino, et rien qu'à lire le
menu, toujours le même, du restaurant, l'appétit s'en
va. On connaît par cœur les noms, les plaques et les
enseignes de chaque rue, la moindre boutique dans
chaque maison, et dans chaque boutique la vitrine. On
sait presque aussi bien qu'Eugène, le garçon, à quelle
heure M. le juge d'arrondissement fera son apparition
au café, et qu'il s'assiéra au coin, à gauche, près de la
fenêtre et commandera à quatre heures et demie
tapant un café crème, tandis que M. le notaire, quant
à lui, – agréable variation –, viendra exactement dix
minutes plus tard, à quatre heures quarante, et à cause
de son estomac fragile, demandera un thé au citron
qu'il dégustera en fumant son éternel Virginia et en
racontant toujours les mêmes anecdotes. Ah ! on
connaît tous les visages, uniformes, chevaux, cochers,
mendiants de la région, on se connaît soi-même
jusqu'à satiété, jusqu'au dégoût. Pourquoi ne pas sortir
un soir de cette galère ? Et puis, cette belle jeune fille,
ces yeux de velours ! Je déclare donc à mon mentor,

avec une feinte indifférence (surtout ne pas se montrer trop affamé devant ce doreur de pilules !), que certainement ce serait pour moi un plaisir de faire connaissance avec la famille Kekesfalva.

Le brave apothicaire n'avait pas galégé : deux jours plus tard il m'apporte, d'un air très fier, une carte sur laquelle mon nom est calligraphié, et cette carte dit que M. Lajos de Kekesfalva prie M. le lieutenant Anton Hofmiller de vouloir bien venir dîner chez lui le mercredi de la semaine suivante, à huit heures. Dieu merci, nous aussi nous savons nous conduire et ne pas débarquer comme un chien dans un jeu de quilles. Dès le dimanche matin j'enfile ma tenue numéro un, gants blancs et souliers vernis, et rasé impeccablement, une goutte d'Eau de Cologne sur ma moustache, je sors pour faire ma première visite de courtoisie. Le domestique – âgé, discret, belle livrée – prend ma carte et murmure en s'excusant que ses maîtres seront très contrariés de n'avoir pu être chez eux pour recevoir M. le lieutenant, mais qu'ils sont à l'église. Tant mieux ! me dis-je. Les visites de courtoisie sont ce qu'il y a de plus affreux, dans le service et hors du service. En tout cas j'ai fait ce que je devais. Mercredi soir tu iras, me dis-je, en espérant que ce sera plaisant. Réglée, cette affaire Kekesfalva, pour le moment. Mais c'est avec joie que, deux jours plus tard, c'est-à-dire le mardi, je trouve, déposée dans ma turne, la carte cornée de M. de Kekesfalva. Parfait, pensai-je, ces gens ont des manières. Me rendre ma visite à moi, petit officier – deux jours après la mienne – même un général ne peut pas demander davantage de politesse et de respect. Et c'est avec une impression très favorable que j'attends maintenant le mercredi soir.

Mais tout de suite survient un contretemps stupide. On devrait être superstitieux et prêter une plus grande attention aux moindres signes. Le mercredi soir, à sept heures et demie, je suis fin prêt, tenue de gala, gants neufs, souliers vernis, pantalon repassé au petit poil ; mon ordonnance est en train de m'arranger les plis de mon manteau et examine encore une fois si tout est bien en ordre (j'ai toujours besoin pour cela de son assistance, car il n'y a qu'un petit miroir dans ma turne mal éclairée). À ce moment-là on frappe à ma porte. C'est l'ordonnance de l'officier de service, mon ami le capitaine comte Steinhübel, qui me fait prier d'aller le voir tout de suite, à la chambrée. Deux uhlans, probablement ivres, se sont battus : l'un d'eux a frappé l'autre d'un coup de crosse à la tête. Et ce balourd est là qui gît à terre, ensanglanté, sans connaissance. On ignore si le crâne est encore intact ou non. Et le médecin-major a filé pour Vienne en permission, et personne ne sait où est le colonel. Dans son embarras le brave Steinhübel n'a trouvé, nom d'une pipe ! personne d'autre que moi pour l'aider, pendant qu'il s'empresse auprès du blessé. Et il faut que je rédige un rapport, que j'envoie de tous côtés des estafettes pour ramener rapidement, du café ou d'ailleurs, un médecin civil. Il est maintenant huit heures moins le quart. Je me rends compte que je ne pourrai pas m'en aller avant un quart d'heure ou une demi-heure. Quelle guigne ! C'est justement aujourd'hui qu'une telle embrouille doit m'arriver, pile aujourd'hui que je suis invité ! Je regarde l'heure, de plus en plus impatient.

Impossible d'arriver à temps s'il me faut encore rester à lambiner ici, ne fût-ce que cinq minutes. Mais pour nous, le service est sacré : il passe avant toute obligation privée. Comme je ne puis sortir, je fais la seule chose possible dans cette situation difficile. J'envoie mon ordonnance en fiacre (une plaisanterie qui me coûte quatre couronnes !) chez les Kekesfalva, en priant qu'on m'excuse si j'arrive en retard, mais un devoir de service imprévu, etc. Heureusement la pagaille à la caserne ne dure pas trop longtemps, car le colonel apparaît en personne avec un médecin qu'on a réussi à trouver je ne sais où, ce qui fait que je peux me glisser au-dehors sans attirer l'attention.

Mais, nouvelle déveine : il n'y a pas un seul fiacre ce jour-là sur la place de l'Hôtel-de-Ville et je dois attendre qu'on fasse venir par téléphone une voiture à deux chevaux. Aussi, lorsque j'arrive dans le vaste vestibule des Kekesfalva, la grande aiguille de la pendule, braquée bien droite, marque huit heures et demie au lieu de huit heures. Au vestiaire les manteaux forment déjà un tas épais. De même je remarque à la mine un peu ennuyée du domestique que je suis très en retard. Désagréable ! désagréable ! Et cela pour ma première visite !

Mais le serviteur – aujourd'hui en frac et gants blancs, chemise et visage empesés – me tranquillise aussitôt en me disant que mon ordonnance a apporté il y a une demi-heure mon message. Et il me conduit dans le salon, une grande pièce à quatre fenêtres, tendue de velours rose, éclairée par des lustres en cristal, et d'une élégance fabuleuse. Je n'ai jamais rien vu de plus beau. Malheureusement je m'y trouve seul, et de la pièce à côté me parvient le bruit joyeux des assiettes. C'est ennuyeux, comme je le pensais, ils sont déjà à table !

Bon, je fais face ; et à peine le domestique a-t-il fait coulisser la porte devant moi que je m'avance sur le seuil de la salle à manger, claque les talons et m'incline. Tous les regards se tournent dans ma direction, vingt, quarante yeux, tous de gens inconnus, fixent le retardataire plutôt gêné qui apparaît dans le cadre de la porte. Aussitôt un vieux monsieur se lève, le maître de maison sans aucun doute. Déposant sa serviette, il vient à moi et me tend la main avec amabilité. Ce M. de Kekesfalva ne ressemble pas du tout à ce que je m'étais figuré, c'est-à-dire à un gentilhomme campagnard, avec une moustache à la hongroise, des joues pleines et grasses, rougies par le bon vin. Derrière leurs lunettes cerclées d'or, des yeux un peu las s'enfoncent au-dessus de deux poches grises, les épaules sont légèrement voûtées, la voix sonne timide et est gênée par un faible toussotement ; l'homme a plutôt l'air d'un savant, avec son doux visage allongé, que termine une petite barbiche blanche en pointe. La cordialité du vieux monsieur a pour effet de calmer mon manque d'assurance. Non, non, dit-il en m'interrompant, c'est à lui de s'excuser. Il comprend parfaitement tout ce qui peut arriver dans le service, et ç'a été très aimable de ma part de l'en avertir. Mais, comme on n'était pas sûr que je viendrais, on a commencé le dîner sans moi. Que je veuille bien prendre place. Il me présentera plus tard à toute la société. « Mais voici, dit-il en me conduisant à la table, ma fille. » Une jeune adolescente, délicate, pâle, fragile comme lui-même, lève timidement vers moi deux yeux gris qui m'effleurent. Mais je ne vois qu'en passant le visage étroit et nerveux : je m'incline devant elle, puis à droite et à gauche pour tous les autres invités, qui sont visiblement heureux de n'avoir pas à déposer leurs fourchettes et couteaux pour des présentations cérémonieuses.

Pendant les deux ou trois premières minutes, je me sens encore plutôt mal à l'aise. Aucun camarade du régiment n'est là, aucune personne de connaissance, et même aucune des notabilités de la petite ville. Rien que des parfaits inconnus. Ce sont sans doute pour la plupart des propriétaires des environs, avec leurs femmes et leurs filles, ou des fonctionnaires. Mais rien que des civils. Pas d'autre uniforme que le mien. Mon Dieu, maladroit et timide comme je le suis, je vais devoir lier conversation avec tous ces gens ? Par bonheur on m'a bien placé. À ma droite est la brune et pétulante créature, la jolie nièce de l'autre jour, qui semble avoir remarqué mon regard admiratif à la pâtisserie, car elle me sourit amicalement, comme à une vieille connaissance. Elle a des yeux comme des grains de café et vraiment, quand elle rit, ils pétillent comme des grains de café en train de griller. Sous sa chevelure noire, opulente, elle a de ravissantes petites oreilles transparentes, comme des cyclamens roses au milieu de la mousse, me dis-je. Ses bras nus sont pulpeux, délicats et lisses ; leur contact doit faire penser à la chair des pêches.

C'est charmant de se trouver auprès d'une jeune fille aussi jolie, et son accent hongrois musical me rend presque amoureux. C'est charmant d'être assis, dans une pièce aussi brillamment éclairée, à une table si élégante, avec derrière soi un serviteur en livrée et devant soi des mets succulents. Ma voisine de gauche, qui parle, elle, avec un léger accent polonais, me paraît, quoiqu'un peu massive, elle aussi assez appétissante. Ou est-ce le vin, d'abord doré, puis rouge sang, et maintenant mousseux comme du champagne, que les domestiques en gants blancs, carafes de cristal ou bouteilles pansues en main, vous servent à profusion, qui me fait cette impression ? Vraiment, ce brave apothicaire n'a pas galéjé. Chez les Kekesfalva c'est comme à la cour. Je n'ai jamais si bien mangé, je n'ai même jamais rêvé qu'on pût manger si bien, de façon si somptueuse et si abondante. Des mets de plus en plus rares et délicieux passent sur des plats innombrables. Des poissons bleu pâle, couronnés de laitue, encadrés de tranches de homard, baignent dans des sauces dorées ; des chapons chevauchent de larges selles de riz bien dressées ; des puddings flambent dans le feu bleu du rhum ; des bombes glacées de toutes couleurs circulent ; des fruits, qui viennent certainement de l'autre bout du monde, se marient dans des corbeilles d'argent. Il y en a encore et toujours… et pour finir, un véritable arc-en-ciel de liqueurs : vertes, rouges, blanches, jaunes, et des cigares gros comme des asperges pour accompagner un délicieux café !

Une maison magnifique, merveilleuse – béni soit le brave apothicaire ! – une agréable, admirable et heureuse soirée ! Je ne sais pas si c'est parce qu'à droite et à gauche et en face de moi les gens ont tout à coup des yeux brillants et des voix claires, et, oubliant toute raideur, bavardent gaiement et sans contrainte, que je me sens soudain si léger, si libéré : mais en tout cas ma gaucherie habituelle s'est dissipée, je parle sans la moindre retenue, fais la cour à mes deux voisines en même temps, je bois, ris, regarde les gens avec audace, et s'il m'arrive de temps à autre d'effleurer, pas toujours par hasard, les beaux bras nus d'Ilona (c'est le nom de la croustillante nièce), elle aussi pleine d'entrain sous l'influence de cette fête somptueuse, elle ne semble pas se formaliser le moins du monde de ces petits gestes caressants.

Peu à peu – est-ce l'effet inhabituel du vin, tokay et champagne conjugués ? – je deviens d'une volubilité, d'une pétulance, qui frise même l'exagération. Il ne me faut plus qu'une chose pour me sentir tout à fait heureux, et je m'en rends compte immédiatement dès que d'une troisième pièce, derrière le salon, dont un domestique vient d'ouvrir les portes, une musique assourdie se fait entendre, celle que je désirais inconsciemment : une musique de danse, une valse, jouée par un quatuor : deux violons ailés, une contrebasse grave et mélancolique, un piano aux vifs staccati. Oui, c'est de la musique qui me manquait encore pour être emporté, pour m'envoler ! De la musique et même peut-être de la danse ! Ah ! se lancer dans le tourbillon d'une valse, se laisser soulever, pour éprouver plus fortement encore cet état de béatitude ! Vraiment, cette maison Kekesfalva doit être un palais enchanté. On n'a qu'à formuler un vœu, aussitôt il est exaucé ! Lorsque nous nous levons de table et, couple par couple – j'offre le bras à Ilona et je sens de nouveau sa peau fraîche, douce et pulpeuse – nous passons dans le salon, je vois que les tables ont disparu comme par magie et que les chaises sont rangées le long des murs.

Le parquet brun, piste céleste de la valse, brille, net et lisse, et de la pièce voisine parvient, invisible, une musique entraînante.

Je me tourne vers Ilona. Elle rit et comprend. Ses yeux ont déjà dit oui : nous tourbillonnons, et bientôt deux couples, puis trois, puis cinq tournent sur le parquet glissant, tandis que les personnes prudentes et plus âgées regardent ou bavardent. J'adore danser, et même je danse bien. Nous tournons enlacés ; je crois que je n'ai jamais aussi bien dansé de ma vie. À la valse suivante j'invite mon autre voisine de table. Elle aussi danse bien et, penché sur elle, je respire, légèrement étourdi, le parfum de sa chevelure. Elle valse admirablement, tout est admirable, je me sens heureux comme jamais je ne l'ai été, je ne me possède plus ! Je voudrais embrasser tout le monde, dire à chacun quelque chose d'aimable, de reconnaissant, tant je me sens léger, débordant et ravi de ma jeunesse. Je passe de l'une à l'autre, je parle, ris, virevolte et, entraîné par le flot de mon bonheur, je ne sens plus le temps couler.

Mais soudain – je regarde l'heure par hasard : dix heures et demie – une pensée me vient à l'esprit et je suis atterré. Il y a déjà près d'une heure que je danse, bavarde et plaisante, et, maroufle que je suis ! je n'ai pas encore invité Mlle de Kekesfalva. J'ai dansé avec mes voisines et deux ou trois autres dames, celles qui me plaisaient le plus, et j'ai totalement oublié la fille de la maison. Quelle grossièreté, quelle impolitesse ! Vite, il faut réparer cela !

Mais, à mon grand effroi, je ne me rappelle plus du tout comment est la jeune fille. Je n'ai fait que m'incliner un court instant devant elle, lorsqu'elle était à table : je me souviens seulement qu'elle était frêle et délicate et qu'elle m'a lancé un bref regard de curiosité. Mais où est-elle donc ? Elle ne peut tout de même pas être partie, étant la fille de la maison ! Avec inquiétude je passe en revue la rangée des dames assises le long du mur. Aucune ne lui ressemble. En fin de compte j'entre dans la troisième pièce, où caché derrière un paravent chinois, joue le quatuor, et je respire, soulagé. Elle est assise là – c'est bien elle – toute mince, dans sa robe bleu pâle, entre deux vieilles dames, dans le coin du boudoir, derrière une table de malachite verte, sur laquelle est posée une coupe pleine de roses. Elle tient sa tête fine un peu penchée, comme plongée dans la musique, et le rouge vif des fleurs me fait apparaître encore plus pâle la blancheur de son front sous les lourds cheveux châtains. Mais je ne perds pas de temps à l'examiner. Dieu soit loué, je suis bien soulagé de l'avoir enfin trouvée ! Cela va me permettre de corriger ma négligence.

Je me dirige vers la table et m'incline en signe d'invitation. Deux yeux perplexes me regardent avec stupéfaction, les lèvres restent entrouvertes d'étonnement. Mais la jeune fille ne fait aucun mouvement pour me suivre. N'a-t-elle pas compris ? Je m'incline donc de nouveau, mes éperons sonnent légèrement : « Permettez-moi, mademoiselle… »

Ce qui se produit alors est affreux. Le buste penché en avant se recule brusquement, comme pour éviter un coup. Un flot de sang monte aux joues blêmes, les lèvres encore entrouvertes se serrent avec violence, seuls les yeux restent immobiles et me regardent avec une étrange expression d'effroi, comme je n'en ai

34

encore jamais vu. L'instant suivant, une vive secousse traverse tout le corps crispé. Elle s'appuie, s'accroche des deux mains à la table, avec une telle force que la coupe cliquette et vibre, et en même temps quelque chose – bois ou métal – tombe avec fracas de son fauteuil sur le plancher. Vingt, trente secondes, elle reste ainsi, s'agrippant des deux mains à la table qui tremble, cependant que les secousses continuent d'ébranler son corps frêle ; mais elle ne s'enfuit pas, elle s'accroche seulement, de plus en plus désespérée, au lourd plateau de la table. Et toujours ces secousses, ces tremblements qui courent depuis ses poings crispés jusqu'à ses cheveux. Et soudain des sanglots éclatent, farouches, élémentaires, comme un cri qu'on cherche à étouffer.

Déjà, à droite et à gauche, les deux vieilles dames s'empressent autour d'elle, la caressent, la flattent, s'efforcent de la calmer, détachent doucement de la table ses mains qui la serrent convulsivement, et elle retombe dans son fauteuil. Mais les pleurs continuent, de plus en plus véhéments, saccadés, comme une hémorragie, une nausée brûlante. Si derrière le paravent la musique, dont le bruit couvre tout, s'arrêtait un seul instant, on entendrait les sanglots jusqu'à la salle de bal.

Je suis là ahuri, effrayé. Quoi ? Qu'est-ce qui s'est passé ? Sans savoir que faire, je regarde les deux vieilles dames qui tâchent d'apaiser la jeune fille, laquelle, maintenant, retrouvant sa pudeur, a posé sa tête sur la table. Mais toujours de nouveaux flots de larmes, vague après vague, agitent jusqu'aux épaules le corps fragile, faisant vibrer à chaque saccade la coupe sur la table. Et je suis là, désemparé, glacé jusqu'aux os, la gorge serrée comme par un nœud coulant.

« Pardon », balbutiai-je enfin doucement, à tout hasard – les deux dames n'ont pas un regard pour moi – et je retourne tout chancelant dans le salon. Il semble qu'ici personne n'ait encore rien remarqué, les couples continuent à tourbillonner avec la même fougue ; je sens qu'il faut que je me tienne au battant de la porte, tellement tout tourne autour de moi. Que s'est-il donc produit ? Ai-je fait quelque chose de mal ? Ai-je dans le fond trop bu à table, trop vite, et commis dans mon ivresse quelque bêtise ?

Brusquement la musique s'arrête, et les couples se séparent. Après s'être incliné devant Ilona, l'administrateur du district la libère et, aussitôt, je me précipite vers elle toute surprise, et je l'entraîne presque violemment dans un coin : « Je vous en prie, venez à mon secours ! Pour l'amour du ciel, aidez-moi, expliquez-moi ! »

Ilona a cru que je l'ai amenée à la fenêtre pour lui chuchoter quelque chose de drôle, car soudain ses yeux deviennent durs : il doit y avoir dans mon agitation quelque chose de pitoyable ou d'effrayant. Le cœur battant, je lui raconte tout. Et, chose bizarre, elle me regarde avec la même expression de pure terreur que la jeune fille dans le petit salon.

« Etes-vous devenu fou ? Ne savez-vous donc pas ?… N'avez-vous donc pas vu ?…

— Non, murmurai-je, accablé par cette nouvelle et tout aussi incompréhensible terreur. Vu *quoi ?*… Je ne sais rien. C'est la première fois que je viens ici.

— N'avez-vous donc pas remarqué qu'Edith est... paralysée ? Vous n'avez pas aperçu ses pauvres jambes rabougries ? Elle ne peut pas faire deux pas sans béquilles, et vous, gross... (elle réprime vivement un mot de colère...) vous invitez la malheureuse à danser !... C'est atroce ! Il faut que j'aille vite la voir !...

— Non... (dans mon désespoir je l'ai saisie par le bras) encore un instant !... Il faut que vous m'excusiez auprès d'elle. Je ne pouvais pas me douter... Je l'ai vue seulement à table, une seconde... Je vous en prie, expliquez-lui !... »

Mais déjà Ilona, les yeux pleins de colère, s'est dégagée et court dans l'autre pièce. Je reste là, le souffle coupé, la nausée à la bouche, sur le seuil de la salle de bal qui tourbillonne, bourdonne et jacasse, avec là, tous ces gens (soudain insupportables pour moi), qui rient et bavardent sans souci et je pense que dans cinq minutes, tout le monde sera au courant de ma gaffe. Encore cinq minutes, et de tous côtés me fixeront des yeux ironiques, désapprobateurs, méprisants ; demain, ressassée par cent bouches, la nouvelle de ma grossière maladresse courra par toute la ville, livrée dès l'aube avec le lait à la porte des maisons, elle passera dans les chambres de domestiques, puis se répandra dans les cafés, les bureaux. Demain tout le régiment saura la chose.

À ce moment j'aperçois le père, comme à travers un nuage. Le visage un peu soucieux – sait-il déjà ? – il traverse justement le salon. Va-t-il venir vers moi ? Non – surtout ne pas le rencontrer maintenant ! Une peur panique de lui, de tous, m'envahit. Et sans bien me rendre compte de ce que je fais, je me précipite à la porte qui donne sur le vestibule pour sortir de cette maison diabolique.

« Monsieur le lieutenant nous quitte déjà ? demande respectueusement le domestique étonné.

— Oui », répondis-je. Le mot est à peine sorti de ma bouche que je m'effraye. Est-ce que vraiment je veux m'en aller ? Dès qu'il a enlevé mon manteau de la patère, il m'apparaît qu'en prenant ainsi lâchement la fuite je commets une nouvelle bêtise, peut-être plus irréparable encore. Mais il est trop tard, maintenant que le domestique m'aide poliment à m'habiller, je ne peux pas tout à coup lui rendre mon manteau, maintenant qu'il m'ouvre la porte en s'inclinant légèrement, je ne peux pas retourner dans le salon. Et c'est ainsi que je me trouve soudain hors de la maison maudite, le visage cinglé par un vent froid, le cœur brûlant de honte et la respiration coupée comme quelqu'un qui étouffe.

Voilà la fatale bévue par où commença toute l'histoire. Aujourd'hui encore, après de nombreuses années, quand je me rappelle de sang-froid cet incident stupide, je dois me répéter que j'étais tout à fait innocent en commettant ce faux pas qui reposait sur un malentendu. De plus intelligents et de plus expérimentés que moi auraient pu eux aussi commettre cette « gaffe » d'inviter à danser une jeune fille paralytique. Mais dans mon premier moment d'affolement, il m'apparut que je m'étais conduit non seulement comme un épouvantable imbécile, mais aussi comme une brute, un criminel. Il me semblait avoir fouetté une pauvre enfant. Pourtant, tout eût pu encore s'arranger avec de la présence d'esprit, mais – je m'en rendis compte dès que la première bouffée d'air froid vint me frapper au front – j'avais compromis la situation d'une façon irrémédiable en prenant la fuite comme un voleur, sans essayer de m'excuser.

Il m'est impossible de décrire l'état d'esprit dans lequel je me trouvais une fois sorti. La musique avait cessé derrière les fenêtres illuminées ; ce n'était sans doute qu'une pause. Mais dans le sentiment exacerbé de ma culpabilité, je m'imaginai aussitôt que la danse s'était arrêtée à cause de moi, que tout le monde affluait à présent dans le petit salon pour consoler la malheureuse, que tous les invités, hommes, femmes et jeunes filles, exprimaient violemment, derrière cette porte fermée, leur indignation unanime à l'égard de l'homme assez pervers pour inviter à danser une infirme et, ensuite, son coup fait, prendre lâchement la fuite. Et demain – à cette pensée la sueur m'en coulait du front – toute la ville, au courant de ma honte, bavarderait, critiquerait ! Déjà je voyais mes camarades Ferencz, Mislywetz et surtout Jozci, ce maudit farceur, s'avancer vers moi en claquant la langue : « Eh bien ! Toni, tu en fais de belles ! Pour une fois qu'on te laisse la bride sur le cou, tu ridiculises tout le régiment ! » Pendant des mois, critiques et railleries allaient continuer au mess. À notre table commune, durant dix, vingt ans, chaque bêtise faite par n'importe lequel de nous était ressassée, chaque ânerie éternisée, le moindre mot d'esprit fossilisé ! Aujourd'hui, seize ans plus tard, ils racontent encore l'ennuyeuse histoire du capitaine Wolinski, qui, rentrant un jour de Vienne, s'était vanté d'avoir fait la connaissance sur le Ring de la comtesse de T… et passé aussitôt la nuit chez elle. Deux jours après, les journaux relataient le scandale de la servante renvoyée de la comtesse de T… qui s'était frauduleusement fait passer dans les magasins pour son ex-maîtresse. De plus, le pauvre Casanova avait dû recourir aux soins du médecin-major pendant plusieurs semaines. Quiconque au régiment s'était rendu risible une fois aux yeux de ses camarades le restait à jamais. Il n'était pour eux ni oubli ni pardon. Et plus je me représentais ma situation, plus dans mon délire j'en arrivais à des idées absurdes. Il me paraissait à ce moment-là cent fois plus facile de presser la détente d'un revolver, par un petit geste rapide de l'index, que de supporter les tourments infernaux des jours à venir, quand je pensais à l'attente impuissante à laquelle j'allais être contraint avant de savoir si mes camarades étaient au courant, si les chuchotements et les sourires entendus derrière moi avaient déjà commencé. Ah ! Je me connaissais bien, je savais que je n'aurais pas le courage de résister quand se déclencheraient les bavardages, les moqueries, les ricanements.

Aujourd'hui encore, je suis incapable de me rappeler comment j'arrivai chez moi. Je me souviens seulement que mon premier geste fut d'ouvrir l'armoire où je tenais toujours prête pour mes visiteurs une bouteille de Slibowitz et que j'en sifflai coup sur coup deux ou trois grands verres à demi remplis afin de me débarrasser de ce goût affreux que j'avais dans la bouche. Puis je me jetai tout habillé sur mon lit et m'efforçai de réfléchir. Mais de même que les plantes ont dans une serre une croissance accélérée, tropicale même, ainsi les hallucinations dans l'obscurité : elles se déploient d'une façon confuse et fantasmagorique dans cette ambiance lourde et deviennent des lianes colorées qui vous étranglent ; avec la vitesse du rêve, elles produisent et font défiler dans votre cervelle surchauffée les cauchemars les plus absurdes. Ridiculisé pour la vie, me disais-je, au ban de la société, la risée de mes camarades, le scandale de toute la ville ! Jamais plus je ne quitterai ma chambre, jamais je ne me risquerai dans la rue, par peur de rencontrer des gens informés de mon forfait (car en cette première nuit de surexcitation, ma simple bévue m'apparaissait comme un forfait, et je me croyais moi-même poursuivi et traqué par les ricanements de tous). Lorsque vint enfin le sommeil, un sommeil très léger et interrompu, mon inquiétude continua à travailler fiévreusement ; devant moi surgit le visage plein de colère de celle que j'avais offensée. Je vois ses lèvres tremblantes, ses mains convulsivement accrochées à la table, j'entends le fracas d'objets tombant à terre (je comprends à présent, *a posteriori*, que c'étaient sans doute des béquilles). Une peur absurde et stupide s'empare de moi, celle de voir la porte s'ouvrir tout à coup et le père – en costume noir, passepoil blanc, avec ses lunettes cerclées d'or, sa barbiche blanche bien soignée – s'avancer vers mon lit. Effrayé, je bondis hors de ma couche. En voyant dans la glace mon visage tourmenté et transpirant d'angoisse, une envie me prend d'envoyer un coup de poing dans la figure de ce crétin qui est là devant moi.

Mais par bonheur voici le matin, des pas résonnent dans le corridor, des voitures roulent sur le pavé. Et devant une fenêtre éclairée par le jour, on pense plus clairement que dans cette sale obscurité, qui crée si volontiers des fantômes. Peut-être, me dis-je, tout cela n'est-il pas aussi effroyable ? Peut-être personne n'a-t-il même rien remarqué ? Certes, la pauvre infirme, la malade si pâle, n'oubliera et ne pardonnera jamais. C'est alors qu'une pensée secourable me vient à l'esprit. En toute hâte je coiffe mes cheveux ébouriffés, j'enfile mon uniforme et sors en courant devant mon ordonnance tout ahuri, qui, dans son mauvais allemand ruthénien, me crie désespérément : « Mon lieutenant, mon lieutenant, est prêt le café ! »

À toute vitesse je descends l'escalier et passe si rapidement à côté des uhlans qui vont et viennent en tenue de quartier dans la cour, qu'ils n'ont pas le temps de se mettre au garde-à-vous et de saluer. En un clin d'œil, me voilà dehors, devant la porte de la caserne. De là jusqu'à la boutique de fleuriste qui se trouve sur la place de l'Hôtel-de-Ville, je cours aussi vite qu'il est permis à un lieutenant de le faire. Dans mon impatience je n'ai pas réfléchi bien sûr qu'à cinq heures et demie du matin les magasins ne sont pas encore ouverts. Heureusement Mme Gurtner vend non seulement des fleurs, mais aussi des légumes. Une charrette de pommes de terre à demi déchargée stationne justement devant sa porte, et comme je frappe avec force contre la fenêtre, je l'entends descendre l'escalier. Aussitôt, j'invente une histoire : j'avais oublié que c'est aujourd'hui la fête d'un de mes amis. Comme nous partons à l'exercice dans une demi-heure, je la prie de bien vouloir envoyer des fleurs immédiatement. Vite, qu'elle apporte les plus belles qu'elle possède ! Aussitôt la grosse commerçante encore en peignoir et dans des pantoufles trouées ouvre la boutique et me montre son trésor, une gerbe épaisse de roses à longues queues. Combien m'en faut-il ? Toutes, dis-je, toutes ! Suffit-il d'en faire un bouquet ou ne les voudrais-je pas plutôt dans une belle corbeille ? Oui, oui, une corbeille ! Le reste de ma solde passe dans cette commande somptueuse. À la fin du mois, il faudra que je me passe de dîner et que je renonce au café, à moins d'emprunter. Mais cela m'est indifférent, ou plutôt je me réjouis que mon idiotie me coûte cher, car je sens tout le temps en moi un violent désir de me punir, de me faire payer amèrement ma double ânerie.

« Alors c'est bien compris ? Les plus jolies roses, bien arrangées dans une corbeille que vous enverrez sans faute tout de suite ! » Mais Mme Gurtner court derrière moi et me rattrape dans la rue. Où et à qui faut-il les porter ? Monsieur le lieutenant ne me l'a pas dit. Ah oui, triple idiot que je suis ! J'avais oublié l'essentiel dans mon excitation. « À la villa Kekesfalva », dis-je ; juste à temps, je me rappelle, grâce au cri de frayeur poussé par Ilona, le prénom de ma pauvre victime, « pour Mlle Edith de Kekesfalva ».

« Oui, bien sûr, ces messieurs-dames de Kekesfalva, dit Mme Gurtner toute fière, nos meilleurs clients ! »

Et, nouvelle question – déjà j'allais repartir en courant – ne voulais-je pas écrire un mot d'accompagnement ? Ecrire un mot… ? Ah oui ! L'expéditeur – le destinataire – comment saura-t-elle, autrement, de qui viennent les fleurs ? Je retourne donc à la boutique, je prends une carte de visite et j'écris : « En vous priant de me pardonner »… Mais non, impossible ! Ce serait la quatrième bourde : pourquoi rappeler encore ma bévue ? Mais alors, quoi ?… « Avec mes sincères regrets »… Non, c'est encore pire, elle pourrait croire au fond que ces regrets la concernent, elle ! Donc, plutôt ne rien écrire du tout, pas un mot.

« Mettez juste la carte, madame Gurtner, la carte toute seule. »

Maintenant ça va mieux. Je retourne en hâte à la caserne, j'avale mon café, je fais plus ou moins bien mon heure d'instruction, probablement d'une façon plus nerveuse et plus distraite que d'habitude. Mais au régiment cela ne tire pas à conséquence. Il n'est pas rare qu'un lieutenant prenne son service le matin en ayant mal aux cheveux. Combien d'entre nous, après une nuit passée à s'amuser, rentrent de Vienne si fatigués qu'ils peuvent à peine tenir les yeux ouverts et s'endorment en plein trot ! D'ailleurs je ne suis pas mécontent d'avoir à donner des ordres sans cesse, à passer l'inspection et à monter à cheval. Car le service me distrait, chasse mon inquiétude. Mais entre mes tempes bourdonne un souvenir pénible, j'ai encore quelque chose de gros dans la gorge, comme une éponge remplie de fiel.

À midi, au moment où je me prépare à aller au mess, mon ordonnance court derrière moi en faisant entendre un retentissant « Panje lieutenant ». Il tient à la main une grande enveloppe carrée en papier anglais, bleue, légèrement parfumée, portant au revers un sceau finement gravé. La suscription en caractères minces, très droits, trahit une main de femme. Je déchire vite l'enveloppe et lis : « Mes remerciements les plus cordiaux, Monsieur le lieutenant, pour les magnifiques fleurs que je ne méritais pas et qui m'ont causé une très grande joie. Venez, je vous prie, un après-midi que vous serez libre, prendre le thé chez nous. Il n'est pas nécessaire de prévenir. Je suis – hélas ! – toujours à la maison. Edith de K. »

Une écriture fine. Malgré moi, je revois les doigts minces, agrippés à la table, je me rappelle le visage pâle, soudain devenu pourpre, comme un verre dans lequel on verse du bordeaux. Je relis une fois, deux fois, trois fois ces quelques lignes, et je respire. Avec quelle discrétion elle glisse sur ma bêtise ! Avec quel tact, quelle habileté, elle fait en même temps allusion à son infirmité ! « Je suis – hélas ! – toujours à la maison. » On ne peut pardonner d'une façon plus élégante. Pas la moindre note de rancune. Un poids me tombe de la poitrine. Je suis comme l'accusé qui, s'attendant à être condamné aux travaux forcés à perpétuité, voit le juge se lever, se coiffer de sa toque et proclamer : « Acquitté ! » Bien entendu il faudra sans tarder que j'aille la remercier. C'est aujourd'hui jeudi. J'irai donc lui rendre visite dimanche. Ou plutôt non, dès samedi !

Mais je ne pus attendre si longtemps. J'étais trop impatient de savoir ma faute définitivement pardonnée, d'en finir le plus vite possible avec ce malaise d'une situation incertaine. Car j'étais toujours sur les nerfs, craignant qu'au mess, au café ou ailleurs, quelqu'un ne commençât à parler de ma maladresse en me demandant : « Eh bien ! comment c'était, l'autre jour chez les Kekesfalva ? » Je voulais pouvoir répondre tranquillement, d'un air souverain : « Des gens charmants ! J'étais encore hier chez eux pour le thé », afin que chacun pût se rendre compte aussitôt que je m'en étais tiré avec honneur… En finir une fois pour toutes avec cette fâcheuse affaire, et que ce soit bien terminé ! C'est cet état de nervosité qui fit que, dès le lendemain, c'est-à-dire le vendredi, tout en me promenant sur le boulevard avec Ferencz et Jozci, mes meilleurs camarades, je prends soudain ma décision d'aller faire ma visite tout de suite. Et je quitte impromptu mes amis quelque peu interloqués.

Le chemin à parcourir n'est pas très long, une demi-heure tout au plus, en marchant d'un bon pas. D'abord cinq minutes ennuyeuses à travers la ville, puis la route un peu poussiéreuse, qui mène aussi à notre terrain d'exercices et où nos chevaux connaissent chaque détour et chaque pierre (on peut même leur lâcher la bride). Ensuite on tourne à gauche, près d'une petite chapelle adossée au pont, on prend une allée deux fois moins large, ombragée par de vieux châtaigniers, une sorte d'allée privée, peu utilisée, que longe en serpentant un petit ruisseau indolent.

Mais plus je m'approche du château, dont le mur blanc d'enceinte et la grille ajourée sont maintenant visibles, plus je sens mon courage m'abandonner. De même qu'arrivé devant la porte d'un dentiste, on cherche un prétexte pour faire demi-tour avant de tirer la sonnette, l'espace d'une seconde je voudrais m'en retourner. Est-il vraiment nécessaire de venir dès aujourd'hui ? Ne dois-je pas en fait considérer cette pénible affaire comme terminée par la lettre que j'ai reçue ? Sans le vouloir, je ralentis le pas. Après tout il est encore temps de rebrousser chemin. Quand on hésite, on prend volontiers par le plus long. Je traverse donc le petit ruisseau sur un pont de bois branlant, quittant l'allée pour les prairies, afin de contourner tout d'abord le château par l'extérieur.

Derrière son haut mur d'enceinte, l'édifice se présente comme une vaste demeure à un étage, de style rococo, enduite, selon le goût de l'ancienne Autriche, de ce jaune dit de Schönbrunn et pourvue de volets verts. Séparés par une cour, quelques petits bâtiments, sans doute affectés au régisseur, aux domestiques et aux écuries, s'enfoncent dans le grand parc dont, lors de ma première visite nocturne, je n'ai rien vu. C'est seulement à présent que je remarque, en regardant à l'intérieur par les œils-de-bœuf, ces ouvertures ovales percées dans le gros mur d'enceinte, que ce château de Kekesfalva n'est pas, comme je le pensais tout d'abord d'après sa décoration intérieure, une villa moderne, mais une vraie maison de propriétaire terrien, une demeure aristocratique de vieux style comme j'en ai vu çà et là en passant à cheval au cours de manœuvres en Bohême. Ce qui frappe mon attention, c'est l'étonnante tour quadrangulaire qui, rappelant un peu par sa forme les campaniles italiens, se dresse là assez insolite, vestige sans doute d'un château moyenâgeux construit là, bien des siècles auparavant. Je me rappelle maintenant avoir déjà plusieurs fois aperçu du champ de manœuvres cette tour bizarre, en croyant que c'était le clocher d'un village ; c'est seulement aujourd'hui que je constate qu'il n'y a pas de bulbe et que l'étrange cube possède un toit plat, qui peut servir soit de solarium, soit d'observatoire. Mais plus je me rends compte du caractère féodal et hautement aristocratique de cette demeure, plus je me sens mal à l'aise : c'est justement ici, où l'on fait à coup sûr très attention aux formes, que je devais débuter d'une façon si stupide !

Mais finalement, après avoir fait le tour, je me retrouve devant la grille, et j'accomplis le pas décisif : je m'engage dans l'allée de gravier, aux arbres taillés avec symétrie et droits comme des cierges, qui mène au perron, et soulève le lourd marteau de bronze qui sert ici de cloche, à l'ancienne. Aussitôt se montre un domestique, qui, chose étrange, ne semble pas du tout étonné de cette visite inopinée. Sans me poser aucune question ni sans prendre ma carte que j'avais déjà préparée, et comme si ma visite eût été annoncée, il m'invite en s'inclinant à attendre au salon ; ces dames sont encore dans leurs chambres, mais elles ne tarderont pas à descendre. Il semble donc certain que je serai reçu. Avec un regain de malaise, je reconnais le salon tendu de soie rouge où l'on dansait l'autre soir et un goût amer dans ma bouche me rappelle que c'est à côté que doit se trouver la pièce au coin fatal.

Tout d'abord, à vrai dire, une porte à coulisse peinte en jaune crème, avec toutes sortes d'ornements dorés, me cache la vue de l'endroit où j'ai commis ma stupidité ; mais au bout de quelques minutes j'entends derrière cette porte un bruit de chaises, des chuchotements, des allées et venues qui trahissent la présence de plusieurs personnes. J'essaie d'occuper mon attente à examiner le salon : des meubles somptueux, Louis XVI, à droite et à gauche des tapisseries anciennes et, entre les portes vitrées qui donnent sur le jardin, des tableaux de maîtres représentant le Grand Canal et la place Saint-Marc qui, aussi profane que je sois en ces sortes de choses, me paraissent d'une grande valeur. Mais je n'examine pas très en détail tous ces trésors, car je prête l'oreille aux bruits d'à côté. Un léger tintement d'assiettes se distingue, une porte qui grince, et – j'en ai froid dans le dos – le toc toc sec et irrégulier de béquilles frappant le plancher.

Enfin une main encore invisible écarte les deux battants de la porte. C'est Ilona, qui s'avance vers moi : « Que c'est gentil d'être venu, lieutenant ! » Et déjà elle m'introduit dans cette pièce que je ne connais que trop. Dans le même coin du petit salon, le même fauteuil, derrière la même table au plateau de malachite – pourquoi reproduisent-elles la même situation, si pénible pour moi ? – est assise la paralytique, avec sur les genoux une couverture de fourrure blanche qui cache ses jambes. (Pour que je ne pense pas à « cela », manifestement.) Avec une amabilité sans doute calculée Edith m'accueille en souriant, depuis son fauteuil de malade. Mais, quoi qu'elle fasse, notre première rencontre a laissé une gêne entre nous et, à la façon contrainte dont elle me tend la main par-dessus la table, je me rends compte tout de suite qu'elle « y » pense, elle aussi. Ni elle ni moi n'arrivons à trouver un premier mot de cordialité.

Heureusement Ilona lance vite une question, dans ce silence pesant.

« Qu'allons-nous vous offrir, lieutenant ? Du thé ou du café ?

— Ce que vous voudrez, répondis-je.

— Non, ce que vous préférez, lieutenant. Sans cérémonie, les deux sont possibles.

— Alors, du café, si je puis me permettre », dis-je en me décidant et content de constater que ma voix résonne avec plus d'assurance.

C'était bigrement habile de la part de la brune jeune fille d'avoir réussi, par une question d'un caractère aussi banal, à dissiper ce malaise du premier moment. Mais avec quel manque de tact elle quitte aussitôt la pièce pour passer l'ordre au domestique, ce qui fait que je reste désagréablement seul avec ma victime ! Il serait temps à présent de dire un mot, d'engager la conversation. Mais j'ai comme un bouchon dans la gorge et mon regard lui aussi doit être embarrassé, car je n'ose pas le porter dans la direction du fauteuil ; elle pourrait croire que je regarde la fourrure qui cache ses jambes paralysées. Par bonheur, elle a plus de sang-froid que moi et me dit en manifestant une certaine vivacité de langage :

« Pourquoi ne vous asseyez-vous pas, lieutenant ? Tenez, approchez donc ce fauteuil. Et pourquoi ne déposez-vous pas votre sabre ? … Nous faisons la paix, n'est-ce pas… sur la table, là-bas, ou sur l'appui de fenêtre, comme vous voulez. »

J'avance gauchement un siège. Je n'arrive toujours pas à la regarder d'un air dégagé. Mais elle vient énergiquement à mon aide.

« Il faut que je vous remercie encore pour vos magnifiques fleurs… Voyez comme elles font bien dans ce vase ! Et puis… et puis… je dois aussi m'excuser de ma stupide nervosité de l'autre soir… C'est terrible, comme je me suis conduite… Je n'ai pas pu dormir de la nuit, tellement j'avais honte. Vous aviez pourtant eu une bonne intention et… comment eussiez-vous pu vous douter ? D'ailleurs (ici elle rit soudain d'un rire sec et nerveux) vous aviez deviné mes pensées secrètes… Je m'étais placée de façon à voir les danseurs, et lorsque vous êtes venu, je souhaitais justement avec force pouvoir danser, moi aussi… Car je suis folle de la danse. Je peux rester pendant des heures à regarder les gens virevolter… à regarder au point de sentir en moi leurs mouvements… oui chacun de leurs mouvements. Ce n'est plus l'autre qui danse, c'est moi-même qui tourne, qui me plie, m'abandonne, me balance et me laisse emporter… oui, vous ne soupçonniez pas qu'on puisse être aussi folle. Du reste, autrefois, quand j'étais petite, je dansais très bien et avec un plaisir énorme… à présent, quand je rêve, c'est toujours de danse. Oui, aussi bête que cela puisse paraître, je danse en rêve, et peut-être est-ce bien pour papa… que cela me soit arrivé, sinon je serais sûrement partie de la maison pour devenir danseuse… Rien ne me passionne autant, et je pense que ce doit être magnifique de pouvoir empoigner, soulever, tenir en haleine avec ses mouvements, son corps, son être, pendant toute une soirée, des centaines et des centaines de personnes… D'ailleurs, voyez comme je suis folle… Je collectionne les photographies des danseuses célèbres. Je les ai toutes, la Saharet, la Pavlova, la Karsavina. J'ai leurs photographies à toutes et dans tous leurs rôles, et toutes les poses. Attendez, je vais vous les montrer… Elles sont là dans cette cassette, donnez-la-moi… là, sur la cheminée… là, cette cassette de laque chinoise (sa voix devient soudain nerveuse, impatiente). Non, non, non, là, à gauche, près des livres… ah ! que vous êtes maladroit !… Oui, c'est ça (j'avais enfin trouvé la cassette et je la lui apportais). Voyez-vous celle-là, qui est au-dessus, c'est ma photo préférée, la Pavlova dans *La Mort du cygne...* Ah ! si seulement je pouvais la suivre dans ses tournées, la voir, je crois que ce serait le plus beau jour de ma vie ! »

La porte du fond, par où Ilona s'était éloignée, commence à remuer doucement sur ses gonds. Rapidement, comme surprise, Edith ferme la cassette d'un coup sec. Et elle me jette, comme un ordre :

« Rien de tout cela devant les autres, n'est-ce pas ? Rien de ce que je vous ai dit ! »

C'est le domestique aux cheveux blancs et aux belles côtelettes à la François-Joseph qui ouvre la porte avec discrétion. Derrière lui Ilona pousse sur des roulettes de caoutchouc une table à thé abondamment garnie. Elle fait le service, puis s'assied auprès de nous, et aussitôt je me sens plus assuré. Le gros chat angora, qui, sans faire de bruit, s'est glissé dans la pièce avec la table à thé et, maintenant, se frotte familièrement contre mes jambes, nous fournit un excellent sujet de conversation. Je l'admire ; puis toute une série de questions me sont posées : depuis combien de temps je suis ici et si je me trouve bien dans cette garnison, si je connais le lieutenant Un Tel, si je vais souvent à Vienne ; peu à peu une conversation anodine et insouciante s'engage, où se dissout la gêne du début. Je m'enhardis même jusqu'à examiner les jeunes filles à la dérobée. Elles sont complètement différentes l'une de l'autre ; Ilona, déjà tout à fait femme, est bien portante, elle a les formes pleines, elle est exubérante, voluptueuse ; à côté d'elle Edith semble mi-enfant, mi-jeune fille, encore adolescente : dix-sept, dix-huit ans peut-être. Etrange contraste ! La première, on voudrait l'empoigner, danser avec elle, la couvrir de baisers ; l'autre, la caresser, la dorloter comme une malade, la protéger, et surtout l'apaiser. Car toute sa personne dégage une singulière inquiétude. Son visage ne reste pas un instant immobile ; elle regarde tantôt à droite, tantôt à gauche. Tantôt en se crispant, tantôt en se rejetant en arrière comme épuisée ; elle parle avec la même nervosité qu'elle se remue, toujours staccato, sans pauses. Peut-être, pensai-je, que cette inquiétude, cet énervement, est une compensation à l'immobilité forcée de ses jambes, peut-être aussi est-ce une légère fièvre permanente qui précipite ses mouvements et sa conversation. Mais je n'ai pas le temps de me livrer à de longues observations. Car elle sait, avec ses questions pressées et la rapidité de son débit, capter entièrement l'attention. Avec surprise je me vois engagé dans un entretien animé et intéressant.

Une heure s'écoule ainsi, peut-être même une heure et demie, lorsque soudain une silhouette apparaît, venue du salon. Quelqu'un entre doucement, comme s'il avait peur de déranger. C'est Kekesfalva.

« Je vous en prie, je vous en prie ! » dit-il, comme je fais mine de me lever en signe de respect, pour m'obliger à me rasseoir ; puis il se baisse pour déposer un baiser rapide sur le front de sa fille. Il porte encore son costume noir avec passepoil blanc et sa cravate à l'ancienne mode (je ne l'ai jamais vu qu'ainsi). Avec ses yeux qui observent d'une façon prudente derrière ses lunettes d'or, il ressemble à un médecin. Et c'est vraiment comme un médecin au chevet d'un malade qu'il s'assoit auprès de la paralytique. Dès l'instant où il est entré, la pièce semble avoir pris tout à coup un air mélancolique. La façon à la fois craintive, attentive et tendre, avec laquelle, de temps à autre, il regarde sa fille, assombrit notre conversation jusque-là détendue, en entrave le rythme. Il remarque bientôt notre gêne et s'efforce à son tour d'y remédier ; il me pose, lui aussi, des questions sur le régiment, le capitaine, s'informe de l'ancien colonel, actuellement chef de division au ministère de la Guerre. À ma surprise, il semble connaître avec précision les cadres de notre garnison depuis des années. Je ne sais pas pourquoi, mais j'ai le sentiment que c'est avec une intention bien déterminée qu'il souligne les relations privilégiées qu'il a parmi les officiers supérieurs.

Encore dix minutes, pensai-je à part moi, et je pourrai prendre congé sans choquer personne. Mais de nouveau on frappe discrètement à la porte. Le domestique entre, sans faire de bruit, comme s'il marchait pieds nus et chuchote quelque chose à l'oreille d'Edith. Elle ne peut se contenir et s'écrie brusquement :

« Qu'il attende ! Ou, plutôt, non, qu'il me laisse tranquille pour aujourd'hui ! Qu'il s'en aille ! Je n'ai pas besoin de lui ! »

Cette brusque sortie nous cause à tous un malaise évident, et je me lève, avec le sentiment pénible d'être resté trop longtemps. Mais elle me lance avec la même brusquerie qu'au domestique :

« Non, restez ! Cela n'a aucune importance ! »

Il y a dans son ton impérieux quelque chose de mal élevé. Le père semble ressentir, lui aussi, le caractère douloureux de cette scène, car son visage devient soucieux et il essaie de la raisonner :

« Voyons, Edith !... »

À présent, elle-même se rend compte, soit d'après l'effroi de son père, soit d'après mon attitude embarrassée, que ses nerfs l'ont trahie, car elle se tourne soudain de mon côté et dit :

« Excusez-moi. Joseph aurait bien pu attendre, au lieu d'entrer comme cela brusquement. Ce n'est rien d'autre que mon bourreau quotidien, le masseur, qui me fait faire des exercices d'assouplissement. Une pure absurdité : une, deux, une, deux, levez, baissez. C'est avec ça qu'on prétend me guérir ! La dernière invention de notre docteur, une torture superflue. Absurde comme tout le reste ! »

Et elle dévisage son père d'une façon provocante, comme si elle le rendait responsable de tout. Gêné (honteux devant moi), le vieil homme se penche vers elle :

« Voyons, mon enfant !... Crois-tu vraiment que le docteur Condor ?... »

Mais il s'arrête aussitôt : sur les lèvres de la jeune fille s'est dessiné un tressaillement nerveux et ses petites narines palpitent. C'est exactement ainsi que ses lèvres ont tremblé l'autre soir, et déjà je redoute une nouvelle crise. Mais soudain elle rougit et balbutie :

« Bon, bon, j'y vais, quoique cela n'ait aucun sens, aucun. Pardonnez-moi, lieutenant, j'espère que vous reviendrez bientôt. »

Je m'incline et veux prendre congé. Mais déjà elle a changé d'avis.

« Non, restez encore avec papa, pendant que je vais me mettre en marche. » – Elle a insisté sur « mettre en marche » comme une menace. Puis elle saisit une clochette de bronze, qui se trouve sur la table et l'agite (j'ai remarqué plus tard que dans toute la maison, de pareilles clochettes se trouvaient sur les tables à portée de sa main, afin qu'elle pût à tout moment appeler sans avoir à attendre, fût-ce un instant). La clochette fait entendre un son bref et aigu. Aussitôt réapparaît le domestique qui s'était éclipsé lors de l'algarade.

« Aide-moi », lui ordonne-t-elle en rejetant la fourrure qui cachait ses jambes. Ilona se penche vers elle pour lui dire quelque chose à l'oreille, mais elle répond par un « non » énergique. « Que Joseph me soulève. Je m'en irai toute seule. »

Ce qui suit est affreux. Le serviteur se penche sur elle et la soulève d'un geste manifestement bien rodé, en lui passant ses mains sous les bras. Une fois debout, s'appuyant des deux mains au dossier du fauteuil, elle nous toise tous les uns après les autres d'un air batailleur, puis elle s'arc-boute sur les deux béquilles, cachées jusqu'alors sous la couverture, serre les lèvres, et – tap tap, toc toc – se propulse, se balance, se pousse obliquement – on dirait une sorcière – tandis que derrière elle le domestique veille, les bras ouverts, afin de pouvoir la rattraper aussitôt si elle glissait ou se fatiguait. Tap tap, toc toc ! encore un pas et encore un autre. En même temps, quelque chose cliquette et grince légèrement, comme du cuir tendu et du métal. Sans doute – je n'ose pas regarder ses pauvres jambes – porte-t-elle quelque appareil de prothèse aux chevilles. Devant cette furieuse marche forcée, mon cœur se serre comme pris dans un étau de glace, car je comprends pourquoi elle n'a pas voulu qu'on l'aidât ou qu'on la sortît sur son fauteuil roulant. Elle veut me montrer, à moi, justement à moi, à nous tous, qu'elle est une infirme. Elle veut, par je ne sais quel désir de vengeance désespérée, nous faire mal, nous tourmenter tous avec sa souffrance, comme si elle voulait lancer à la place de Dieu, contre nous, les gens bien portants, une espèce d'accusation. Mais devant cet affreux défi je sens – et avec mille fois plus de force que lors de son premier accès de désespoir quand je l'avais invitée à danser – à quel point elle doit souffrir de son impuissance. Enfin – cela dure une éternité – elle a tant bien que mal fait les quelques pas qui la séparaient de la porte, en se jetant d'une béquille sur l'autre, de tout le poids de son maigre corps balancé de droite à gauche. Je n'ai pas le courage de la regarder franchement un seul instant. Car déjà le bruit sec des béquilles, le toc-toc de chaque pas, le grincement et le frottement des instruments de prothèse, le halètement sourd de son effort m'oppressent et me bouleversent à tel point que je sens mon cœur battre sous le drap de mon uniforme. Elle a quitté la pièce, mais je continue à prêter l'oreille, la respiration suspendue, jusqu'à ce que derrière la porte fermée le bruit horrible diminue et s'éteigne.

C'est seulement alors, quand le silence est revenu, que j'ose lever les yeux. Le vieillard – je le remarque maintenant – a quitté doucement son siège et regarde par la fenêtre avec une tension de la volonté qui n'est que trop visible. Dans le contre-jour je n'aperçois que sa silhouette, mais ses épaules voûtées tremblent. Lui aussi, le père qui voit tous les jours les tourments de sa fille, ce spectacle l'a anéanti.

Dans la pièce l'air est comme figé entre nous. Au bout de quelques minutes la silhouette sombre se retourne et s'approche de moi d'un pas incertain, comme craignant de glisser.

« Je vous en prie, mon lieutenant, ne lui en veuillez pas d'avoir été un peu brusque, mais… vous ne pouvez pas savoir comme on l'a fait souffrir durant toutes ces années… Toujours autre chose, et les résultats sont si lents ! Je comprends qu'elle soit nerveuse… Mais que faire ? Nous devons tout essayer, il le faut. »

Le vieillard est resté debout devant la table à thé abandonnée. Il ne me regarde pas pendant qu'il parle. Ses yeux, cachés derrière ses sourcils gris, sont fixés sur la table. Avec des gestes de somnambule il met la main dans le sucrier, saisit un morceau de sucre, le tourne et le retourne sans le voir, puis le replace où il l'a pris. Il y a dans ses attitudes quelque chose d'un homme ivre. Il continue à fixer la table comme si son regard y était retenu par quelque chose de particulier. Inconsciemment il prend une cuiller, la soulève, la repose et parle comme s'il s'adressait à elle :

« Si vous saviez comme elle était autrefois ! Toute la journée elle courait, dans les escaliers, dans les chambres, partout, à tel point qu'on redoutait parfois un accident. À onze ans, elle traversait sur son poney toute la prairie d'une traite et personne ne pouvait la rattraper. Elle était si audacieuse, si pétulante, si agile, elle faisait tout avec tant de légèreté que souvent nous avions peur, ma défunte femme et moi. On avait toujours le sentiment qu'elle n'avait qu'à étendre les bras pour pouvoir s'envoler… et c'est justement à elle que cela devait arriver, oui, à elle !… »

58

Les minces cheveux blancs barrés d'une raie s'inclinent de plus en plus vers la table. La main farfouille nerveusement parmi les objets dispersés ; saisissant maintenant la pince à sucre, elle dessine dans le vide d'étranges figures imaginaires. (Je comprends : c'est de l'embarras, de la honte.)

« ... Et, malgré tout, qu'il est facile encore aujourd'hui de l'égayer. Elle peut se réjouir comme une enfant de la moindre chose, rire de la plus sotte plaisanterie et s'enthousiasmer d'une visite. J'aurais voulu que vous voyiez combien elle était ravie quand vos fleurs sont arrivées et que la crainte de vous avoir offensé était tombée... Vous ne vous doutez pas de sa finesse, de sa délicatesse... Elle sent tout plus fortement que nous. Je le sais, elle est maintenant désespérée, au plus haut point, d'avoir perdu son sang-froid. Mais comment *pourrait*-on se dominer... comment cette enfant ne perdrait-elle pas patience quand la guérison vient si lentement, comment être calme, comment rester calme quand on a ainsi été frappé par Dieu et qu'on n'a cependant rien fait... rien fait à personne ! »

Sa main tremblante continuait à tracer dans le vide des arabesques avec la pince à sucre. Brusquement il la reposa sur la table comme effrayé. On eût dit qu'il s'était réveillé tout à coup et venait de s'apercevoir qu'il n'avait pas parlé tout seul, mais devant une personne tout à fait étrangère. D'une autre voix, d'une voix d'homme lucide à présent, il se mit à s'excuser gauchement :

« Pardonnez-moi, mon lieutenant... De quel droit est-ce que je vous ennuie avec nos soucis ? C'était seulement parce que… c'est venu ainsi soudain… Je voulais vous expliquer… Je ne voudrais pas que vous pensiez du mal d'elle… que vous… »

Je ne sais pas comment je trouvai le courage d'interrompre le vieillard gêné qui balbutiait, mais brusquement je m'avançai. Je ne prononçai aucune parole, je me contentai de prendre sa main osseuse, qui reculait sans le vouloir, et la pressai entre les miennes. Il me regarda étonné, ses lunettes se soulevèrent obliquement et derrière elles un regard incertain et troublé chercha le mien. J'avais peur qu'il parlât. Mais il ne dit pas un mot : seules ses pupilles noires s'élargirent, comme si elles allaient déborder. Moi aussi je ressentais une émotion jamais éprouvée jusqu'alors, et pour lui échapper je m'inclinai et sortis.

Dans l'antichambre le domestique m'aida à mettre mon manteau. Tout à coup je sentis dans le dos un courant d'air. Je n'eus pas besoin de me retourner pour comprendre : le vieillard était derrière moi sur le seuil de la porte, dans l'intention de me remercier. Mais j'aurais été trop confus. Je fis comme si je ne remarquais rien, et le cœur battant, je quittai vite cette demeure tragique.

Le lendemain – un léger brouillard traîne encore au-dessus des toits et les volets qui protègent le sommeil des braves gens sont toujours fermés – notre escadron part, comme tous les matins, pour l'exercice. D'un pas lourd on va d'abord sur le pavé inégal. Encore mal réveillés, mes uhlans se balancent, raides et renfrognés, sur leurs selles. Bientôt nous avons parcouru les quatre ou cinq rues qui nous séparent de la campagne. Une fois sur la route, nous passons au petit trot et obliquons à droite dans les prairies. Je commande : « Au galop ! » et tous ensemble les chevaux s'élancent en avant. Elles connaissent ce terrain souple, agréable, dégagé, les braves bêtes ! Il n'est pas nécessaire de les pousser, on peut leur lâcher la bride, car avec une seule pression du genou les voilà parties à fond de train. Elles éprouvent, elles aussi, la joie de l'excitation et de la détente.

Je galope en tête des autres. Monter à cheval est pour moi une espèce de passion. Je sens, dans le balancement de mes hanches, le sang circuler plus rapide et plus chaud dans mon corps libéré, tandis que le vent froid caresse mon front et mes joues. L'air du matin est superbe. On y perçoit encore la rosée de la nuit, la respiration de la terre, l'odeur des champs et des prés en fleurs, tandis que l'haleine des chevaux lancés en pleine course vous enveloppe d'une buée chaude et sensuelle. Ce premier galop matinal m'est toujours une volupté : il secoue d'une façon délicieuse le corps engourdi par le sommeil et chasse toute lourdeur, comme si c'était un épais brouillard. Malgré moi, l'impression de légèreté qui m'envahit dilate ma poitrine et, la bouche grande ouverte, je laisse entrer en moi l'air frais. « Au galop ! Au galop ! » Mes yeux voient plus clair, mes sens sont plus aigus, et j'entends derrière moi en un rythme régulier le cliquetis des sabres, le souffle haletant des montures, le crissement des selles, le bruit des sabots frappant le sol en cadence. Ce groupe bondissant d'hommes et de chevaux n'est qu'un seul corps de centaure. En avant, en avant ! Au galop, au galop, au galop ! Ah ! chevaucher ainsi, chevaucher jusqu'au bout du monde ! De temps en temps, avec la fierté secrète d'être le maître et le créateur de cette joie, je me retourne sur ma selle pour regarder mes hommes. Et je constate tout à coup qu'ils sont changés, mes braves uhlans ! Leur accablement de Ruthènes, leur expression apathique a été lavée de leurs yeux, comme de la suie. Se voyant observés, ils se redressent sur leurs selles et répondent par un sourire au contentement qu'ils lisent dans mon regard. Je sens que ces lourds paysans ruthènes eux aussi sont envahis par l'ivresse du mouvement, comme par un avant-goût du vol ; ils ressentent tous avec autant de bonheur que moi le plaisir animal de leur jeune corps, de leur force tendue en même temps.

Mais voici que je crie : « Haaalte ! Au trot ! » Surpris ils tirent tous d'un coup brusque sur les rênes. Telle une machine violemment freinée l'escadron d'un coup passe à une allure plus lente. Un peu perplexes, ils me regardent du coin de l'œil. Qu'arrive-t-il ? D'ordinaire – ils connaissent bien ma passion de monter – nous galopons sans arrêt à travers les prairies jusqu'au terrain d'exercices. Mais c'est comme si une main étrangère avait brusquement tendu les rênes de mon cheval. Je me suis soudain souvenu de quelque chose. Sur la gauche, à la lisière de l'horizon, j'ai dû apercevoir le carré blanc des murs du château, les arbres du parc et la tour quadrangulaire. Une pensée a pénétré en moi comme une balle de fusil : quelqu'un te voit peut-être de là-bas ! Quelqu'un que tu as déjà offensé avec ton amour de la danse et que tu offenses de nouveau avec ton amour de l'équitation. Quelqu'un qui a les jambes paralysées, enchaînées, et qui t'envie peut-être de voler comme un oiseau. En tout cas, j'ai eu honte de filer ainsi, sans frein, grisé, plein de santé, j'ai eu honte de cette joie physique comme d'un privilège indu. Je laisse mes hommes, déçus, trotter sur un rythme lent, pesant, derrière moi. En vain ils attendent – je le devine – l'ordre de se remettre au galop.

À vrai dire, au moment même où cette étrange gêne s'empare de moi, je me rends compte à quel point est absurde une telle mortification. Se priver d'une jouissance parce qu'elle est interdite à autrui, se refuser un bonheur parce que quelqu'un d'autre est malheureux, n'a aucun sens. Pendant que nous rions et plaisantons, des hommes râlent et se meurent dans leur lit ; la misère est installée dans des millions de foyers ; des gens souffrent de la faim et de la maladie ; d'autres, en quantités innombrables, sont condamnés à un travail d'esclaves dans les carrières, les mines, les usines, les bureaux ; les prisons sont remplies d'êtres humains. Et aucun d'eux ne verra sa peine allégée parce que quelqu'un se sera stupidement tourmenté. Si l'on voulait penser à toute la misère du monde, on étoufferait toute joie, on en perdrait le sommeil, je le sais bien. Mais ce n'est pas la souffrance imaginée qui vous consterne et vous anéantit, c'est seulement celle que l'on a vue avec compassion de ses propres yeux, qui vous bouleverse. Dans ma galopade effrénée s'était soudain dressé devant moi, proche et impressionnant comme une vision, le visage pâle et contracté de la jeune fille se traînant péniblement à travers le salon, j'avais entendu le bruit de ses béquilles frappant le plancher et le crissement des instruments de prothèse attachés à ses articulations. Et dans une sorte d'effroi, sans penser, sans réfléchir, j'avais tiré sur les rênes. Je sais que cela ne sert de rien de me dire en ce moment : à qui cela peut-il être utile que tu prennes ce trot stupide et lourd au lieu d'un galop excitant et grisant ? Pourtant le coup m'a touché à un endroit du cœur proche de la conscience. Je n'ai plus le courage de jouir librement, avec force, de mon corps vigoureux. Lentement, comme endormis, nous trottons jusqu'à l'entrée du champ de manœuvres. C'est seulement lorsque nous sommes hors de la vue du château que je me secoue et me dis : « C'est stupide ! Laisse donc toute cette sotte sentimentalité ! » Et je commande : « En avant ! Gaa-lop ! »

C'est par ce coup brusque sur les rênes que cela commença. Ce fut comme le premier symptôme de cet étrange empoisonnement par la pitié qui devait tant me tourmenter. Je ne m'aperçus tout d'abord que sourdement qu'il m'était arrivé, ou qu'il m'arrivait quelque chose – comme par exemple lorsque, couvant une maladie, vous vous réveillez avec la tête lourde. Jusqu'alors je m'étais laissé vivre dans le cercle restreint de mon activité. J'avais eu pour souci tout ce qui intéressait mes camarades et mes supérieurs ou ce qui m'amusait moi-même, jamais je n'avais pris une part personnelle à quoi que ce fût. Jamais aucune inquiétude ne m'avait effleuré. Mes rapports avec ma famille étaient réglés, ma carrière bien fixée et délimitée, et cette insouciance avait eu sur ma vie – je le comprenais ce jour-là – une influence heureuse. Et voici qu'il se passait soudain en moi un bouleversement, rien de visible extérieurement, rien d'essentiel en apparence. Mais ce regard de colère de la jeune fille offensée, où j'ai lu une souffrance d'une intensité dont je n'avais jusqu'alors aucune notion, avait fait éclater quelque chose en moi, et une chaleur soudaine m'avait envahi de l'intérieur, provoquant cette fièvre mystérieuse, qui m'était aussi incompréhensible que l'est au malade sa maladie. Tout ce que je comprenais, c'était que j'étais sorti du cercle solide où j'avais mené jusqu'alors une vie calme et tranquille, et que je pénétrais dans une zone nouvelle, passionnante et inquiétante à la fois, comme tout ce qui est nouveau. Je voyais ouvert devant moi un abîme du sentiment qui m'attirait étrangement, dont j'étais tenté, sans savoir pourquoi, de mesurer la profondeur. Mais en même temps un instinct me mettait en garde contre cette curiosité téméraire. Il me disait : « C'est assez ! Tu t'es excusé, cette sotte affaire est terminée pour toi. » Mais une autre voix me chuchotait : « Retournes-y ! Fais encore passer ce frisson sur ta nuque, ce frémissement de peur et d'émotion ! » « Prends garde ! reprenait la première. Ne t'impose pas, ne t'immisce pas là-dedans ! Tu es jeune et simple, tu n'es pas fait pour ces choses extraordinaires. Dans ta naïveté tu commettrais des bêtises encore pires. »

Mais à ma surprise je n'eus à prendre aucune décision, car trois jours plus tard je trouvais sur ma table une lettre de Kekesfalva me priant de venir dîner chez lui le dimanche suivant. Cette fois, m'écrivait-il, il n'y aurait que des messieurs dont il m'avait parlé, entre autres le lieutenant-colonel de F… du ministère de la Guerre. Bien entendu, sa fille et Ilona se réjouiraient tout particulièrement. Je n'ai pas honte de l'avouer :

cette invitation rendit très fier le jeune homme plutôt timide que j'étais. Ainsi on ne m'avait pas oublié, et cette allusion à la présence du lieutenant-colonel de F… semblait même indiquer que Kekesfalva (je compris aussitôt que c'était pour me remercier) avait voulu me procurer d'une façon discrète une protection officielle.

Et vraiment je n'eus pas à regretter d'avoir accepté l'invitation. Ce fut une soirée extrêmement agréable, et j'avais, moi l'officier subalterne dont nul ne se souciait au régiment, le sentiment de rencontrer une cordialité tout à fait particulière chez ces messieurs âgés et distingués. Sans doute Kekesfalva leur avait parlé de moi en termes élogieux. Pour la première fois de ma vie, un de mes hauts supérieurs me traitait amicalement, comme un égal. Il me demanda si j'étais content de mon régiment et si mon avancement était proche. Il m'encouragea, si j'allais à Vienne ou si j'avais besoin de quelque chose, à aller le voir. Le notaire, de son côté, un homme chauve, très gai, avec une bonne figure ronde, m'invita à lui rendre visite. Le directeur de la sucrerie m'adressait sans cesse la parole. Bref, un tout autre genre de conversation que celui auquel j'étais habitué au mess, où chaque fois qu'un supérieur exprimait une opinion, je devais m'y ranger comme à ses ordres. Je fus donc à l'aise plus vite que je ne pensais et au bout d'une demi-heure à peine, je bavardais sans aucune contrainte.

Les serviteurs apportèrent des plats dont jusque-là j'avais seulement entendu parler, que je ne connaissais que par les vantardises de camarades aisés ; du caviar délicieux et glacé, des pâtés de chevreuil et du faisan, et sans cesse de ces vins qui aiguisent si voluptueusement les sens. Je sais que c'est bête de se laisser impressionner par ces sortes de choses. Mais pourquoi le nier ? Le petit lieutenant jeune et modeste que j'étais jouissait avec une vanité presque enfantine du plaisir de banqueter avec de vieux messieurs si honorables. Bon Dieu ! pensais-je sans cesse, bon Dieu ! si Wawruchka et le volontaire au teint crayeux voyaient cela, eux qui nous racontent toujours en se donnant de grands airs comme ils ont bien mangé à Vienne, chez Sacher. C'est ici qu'ils devraient venir ! Ils en ouvriraient des yeux et une bouche ! S'ils pouvaient voir, ces poux jaloux, comme je suis attablé ici et comme le lieutenant-colonel du Ministère boit à ma santé, comme je discute amicalement avec le directeur de la sucrerie et qu'il me dit très sérieusement : « Je suis étonné de voir comme vous connaissez bien tout cela ! »

Le café est servi dans le salon, le cognac arrive, dans de grands verres givrés ; il est accompagné de tout un arc-en-ciel de liqueurs, et, bien entendu, de formidables gros cigares munis de leurs bagues pompeuses. Au milieu de la conversation, Kekesfalva se penche vers moi et me demande ce que je préfère : jouer aux cartes avec ces messieurs ou rester à bavarder avec les demoiselles ? Je choisis immédiatement la seconde proposition, car il ne me serait pas très agréable de risquer un robre contre un lieutenant-colonel du ministère de la Guerre. Si je gagnais, je risquerais de l'offenser, si je perdais, tout mon mois y passerait. D'ailleurs je me rappelle à temps que j'ai en tout vingt couronnes dans mon portefeuille.

Tandis qu'on installe à côté la table de jeu, je m'assois auprès des deux jeunes filles et – est-ce l'effet du vin ou la bonne humeur qui embellit tout ? – elles me semblent aujourd'hui toutes deux particulièrement jolies. Edith ne paraît pas si pâle, si jaune, si maladive que la dernière fois. Peut-être a-t-elle mis un peu de rouge en l'honneur de ses hôtes ou c'est la gaieté qui rend ses joues plus colorées. En tout cas elle n'a pas ce soir ce pli nerveux à la commissure des lèvres et cette contraction obstinée des sourcils. Elle est assise en face de moi dans une longue robe rose, aucune couverture ne cache son infirmité, et cependant personne n'y pense. Quant à Ilona, j'ai comme le sentiment qu'elle est un peu grise, tant ses yeux pétillent, et quand en riant elle rejette ses belles épaules rondes en arrière, il faut que je fasse un effort pour résister à la tentation qui me prend d'effleurer comme par hasard ses bras nus.

Avec un bon cognac, qui vous chauffe d'une façon admirable, un bon et gros cigare, dont la fumée vous chatouille délicieusement les narines, avec à côté de soi, deux belles jeunes filles joyeuses, et après un dîner succulent, il est facile, même à l'homme le plus bête, de se montrer agréable dans la conversation. Quand ma maudite timidité ne m'en empêche pas, je raconte très bien, je le sais. Et cette fois je suis particulièrement en forme et je bavarde avec une véritable animation. Certes ce ne sont que de banales petites histoires que je leur sers, par exemple la dernière qui est arrivée chez nous : la semaine passée le colonel voulait envoyer, avant la fermeture de la poste, une lettre-express par le rapide de Vienne. Il fait appeler un uhlan, un jeune paysan ruthène, et lui explique que cette lettre doit partir immédiatement pour Vienne. Là-dessus, le brave garçon court à l'écurie, selle son cheval et se lance au galop sur la route de la capitale. Si l'on n'avait pas téléphoné à la caserne la plus proche, l'imbécile eût ainsi galopé pendant dix-huit heures. Ce ne sont pas des histoires très profondes dont nous nous amusons, mais des historiettes de tous les jours, des fleurs de caserne toutes fraîches, ou immortelles ! Cela n'empêche – je m'en étonne moi-même – que les deux jeunes filles s'en amusent beaucoup : elles n'arrêtent pas de rire. Chez Edith, c'est particulièrement pétulant, aigu et argenté, un rire qui parfois passe à des notes suraiguës, mais la gaieté vient sans doute de l'intérieur, sans aucune affectation, car ses joues ont un ton de plus en plus vif ; un air de santé et même de joliesse illumine son visage, et ses yeux gris, d'ordinaire plutôt métalliques, brillent d'une joie enfantine. Il est bon de la regarder quand elle oublie son corps paralysé, car ses mouvements en deviennent plus libres, ses gestes plus aisés. Elle se rejette en arrière, elle rit, elle boit, tire à elle Ilona et lui passe son bras autour du cou, tout cela avec beaucoup de naturel. Vraiment mes anecdotes les amusent. Et comme le succès encourage, il m'en vient à l'esprit une foule d'autres que j'avais oubliées depuis longtemps. Moi qui d'habitude suis emprunté, timoré même, je me découvre un courage tout neuf. Je les fais rire et ris avec elles. Groupés tous les trois dans un coin, nous bavardons gaiement comme des enfants exubérants.

Et pourtant, tandis que je plaisante ainsi sans interruption et parais tout à fait incorporé dans notre cercle joyeux, je sens à demi consciemment qu'un regard m'observe. Il vient de là-bas, de la table de jeu, par-dessus des lunettes ; et c'est un regard chaud, heureux, qui ne fait que renforcer ma joie. En secret (je crois qu'il a honte devant les autres), prudemment, le vieillard jette de temps en temps un coup d'œil vers nous par-dessus ses cartes et une fois, comme je saisis son regard au vol, il me fait de la tête un signe amical. En cet instant son visage a l'éclat concentré d'un homme qui écoute de la musique.

Cela dure ainsi presque jusqu'à minuit, sans que notre gai bavardage s'interrompe une seule fois. On nous sert encore une petite collation, d'excellents sandwichs. Et bizarrement, je ne suis pas le seul à y faire honneur. Les jeunes filles, elles aussi, mangent avec appétit et boivent copieusement du bon vieux porto anglais, noir et puissant. Mais il faut prendre congé. Edith et Ilona me serrent la main comme à un vieil ami, un bon vieux camarade. Je dois leur promettre de revenir bientôt, demain ou après-demain au plus tard. Puis je me rends dans le hall avec les trois autres messieurs. L'auto nous reconduira chez nous. Je prends mon manteau, tandis que le domestique aide le lieutenant-colonel à mettre le sien. Brusquement je sens que quelqu'un veut m'aider à l'enfiler : c'est M. de Kekesfalva ; et tandis qu'effrayé je refuse (comment, moi, un jeune homme, puis-je accepter que m'aide un vieux monsieur ?), il s'approche de moi.

Et sur un ton timide : « Mon lieutenant, vous ne savez pas, vous ne pouvez pas savoir comme j'ai été heureux ce soir d'entendre mon enfant rire de tout cœur. Elle n'a jamais aucune joie. Et aujourd'hui elle était comme autrefois, quand… »

À ce moment le lieutenant-colonel s'approche de nous. « Eh bien ! nous partons ? » me dit-il en souriant. Kekesfalva n'ose pas bien sûr continuer devant lui, mais je sens soudain la main du vieillard effleurer ma manche, doucement, avec timidité, comme on caresse un enfant ou une femme. Il y a dans ce geste furtif et discret une telle tendresse, une telle gratitude, j'y sens tant de bonheur et de désespoir en même temps, que j'en suis à nouveau tout bouleversé. Et pendant que respectueusement je descends à côté du lieutenant-colonel les trois marches du perron jusqu'à l'auto, je dois faire appel à tout mon sang-froid pour que personne ne remarque mon trouble.

Je ne pus ce soir-là aller me coucher tout de suite tant j'étais ému. Quelque infime qu'en ait pu être la cause, vue de l'extérieur – que s'était-il passé, en somme, sinon qu'un vieillard avait passé la main avec affection sur la manche de mon manteau ? – ce geste contenu de remerciement ardent avait suffi pour me remuer jusque dans les profondeurs de mon être. Ce contact étonnant m'avait fait pressentir une tendresse si forte, à la fois chaste et passionnée, comme je n'en avais jamais rencontré chez une femme. Pour la première fois j'avais la certitude d'être venu en aide à autrui et mon étonnement était infini d'avoir constaté qu'un modeste officier comme moi, sans aucune assurance, pouvait rendre quelqu'un si heureux. Sans doute pour m'expliquer ce qu'il y avait d'excitant dans cette soudaine découverte dus-je me rappeler que rien depuis mon enfance n'avait pesé à tel point sur mon âme que la conviction d'être un homme inutile et inintéressant. Dans l'école des Cadets, puis à l'Académie militaire, j'avais toujours été parmi les élèves moyens, passant inaperçus, et jamais de ceux que l'on distinguait et qu'on appréciait particulièrement ; et au régiment, cela ne s'était pas amélioré. Ainsi étais-je au fond convaincu que si je disparaissais brutalement, mettons en me rompant les os en tombant de cheval, mes camarades diraient peut-être : « quel dommage ! » ou bien « ce pauvre Hofmiller ! », mais qu'au bout d'un mois personne n'en souffrirait plus vraiment. On en mettrait un autre à ma place, sur mon cheval, et qui ferait mon service aussi bien – ou aussi mal que moi. Quant aux quelques jeunes filles avec qui j'avais eu des aventures, dans mes deux garnisons, ce serait la même chose : à Jaroslau, c'était l'assistante d'un dentiste, à Wiener Neustadt une petite couturière. Nous étions sortis ensemble ; j'avais fait venir Annerl chez moi, à son jour de congé ; je lui avais offert un petit collier de corail pour son anniversaire. On avait échangé les mots tendres d'usage, sincères aussi sans doute de sa part. Mais quand j'avais été muté, nous nous étions vite consolés, l'un et l'autre. Pendant les trois premiers mois, nous nous étions écrit les lettres qu'il fallait, puis chacun avait noué d'autres liens. Toute la différence était que, dans ses élans de tendresse, elle disait maintenant « Ferdl », au lieu de « Toni »... Fini, oublié ! Mais nulle part un sentiment fort et passionné ne m'avait envahi encore ; et à vingt-cinq ans révolus, je n'attendais, et dans le fond je ne demandais à la vie rien de plus que faire mon service sans bavure et ne déplaire à personne.

Mais voilà que l'inattendu était arrivé. Je m'examinais moi-même avec une curiosité inquiète : j'avais une influence sur d'autres hommes ! Moi qui n'avais même pas cinquante couronnes en poche, je pouvais apporter plus de bonheur à un homme riche que tous ses amis ! Moi, le petit lieutenant Hofmiller, j'étais capable d'assister quelqu'un, de le consoler ! Il me suffisait de passer une soirée ou deux auprès d'une jeune fille malade et paralysée, et de bavarder avec elle, pour que ses yeux s'éclairent, que ses joues s'animent, et ma présence pouvait illuminer toute une maison qu'assombrissait la tristesse !

Dans mon excitation, je parcours si vite les ruelles obscures que cela me donne chaud. J'ai envie d'ouvrir mon manteau, ma poitrine éclate. Car à cette surprise vient soudain s'ajouter et s'en mêler une seconde, qui me grise encore davantage : quoi, il serait si facile, si follement facile de devenir l'ami de ces inconnus ? Qu'avais-je accompli de si remarquable ? J'avais manifesté un peu de pitié, j'avais passé dans cette maison deux soirées, et des plus gaies, joyeuses et inspirées ! Et cela seul aurait suffi ? Que c'était donc bête de gaspiller tout son temps libre au café à jouer sottement aux cartes, ou à aller et venir sur le boulevard avec des camarades plus ou moins ennuyeux ! Non, je ne veux plus de ces occupations vides, de ces passe-temps idiots, qui n'ont aucune utilité pour personne et ne font que m'abêtir. Avec un feu sincère, le jeune homme lucide que je suis soudain devenu prend une résolution, tout en marchant de plus en plus vite dans l'air doux de la nuit : je vais changer de vie. J'irai moins au café, je cesserai de jouer bêtement au tarot et au billard, je vais en finir une bonne fois avec ces stupidités. Je rendrai plus souvent visite à cette malade, je me préparerai même chaque fois tout spécialement pour être en mesure de raconter aux deux jeunes filles quelque chose de gai, d'amusant ; nous jouerons aux échecs ou bien nous nous occuperons agréablement. Déjà cette seule résolution de me rendre utile provoque en moi une sorte d'enthousiasme. J'éprouve un tel contentement que l'envie me vient de chanter, de faire quelque folie. C'est seulement quand on sait qu'on n'est pas inutile aux autres que l'existence prend un sens.

C'est ainsi qu'au cours des semaines qui suivirent, je passai toutes les fins d'après-midi et aussi la plupart des soirées chez les Kekesfalva. Bientôt ces visites amicales devinrent une habitude et même une gâterie qui n'était pas sans danger. Mais quel attrait aussi pour un jeune homme ballotté depuis son enfance d'une institution militaire à l'autre, de trouver ainsi d'une façon imprévue un chez-soi, une sorte de foyer, au lieu des froids locaux de la caserne et des mess enfumés ! Quand, mon service terminé, à quatre heures et demie ou à cinq heures, je me rendais chez les Kekesfalva, ma main avait à peine touché le marteau que déjà le domestique ouvrait joyeusement la porte, comme s'il avait guetté mon arrivée par un judas magique. Tout me montrait d'une façon certaine qu'on me considérait comme faisant partie de la famille. Mes désirs y étaient exaucés, mes préférences respectées. Les cigarettes que j'aimais m'y attendaient. Si j'avais, la veille, mentionné au cours de la conversation tel ou tel livre en disant que j'aimerais le lire, je le trouvais, le lendemain, comme par hasard, les pages soigneusement coupées, sur le petit guéridon du salon. Un certain fauteuil en face de celui d'Edith m'était réservé. De petits riens, assurément, mais qui donnent peu à peu à une maison étrangère un caractère hospitalier, chaleureux, et qui vous disposent agréablement. En bavardant et plaisantant sans aucune contrainte, au milieu d'amis, plus à l'aise que je ne l'avais jamais été parmi mes camarades, je comprenais que toute forme de sujétion enchaîne les véritables forces de l'âme et que la réelle mesure de l'individu ne se manifeste que dans le naturel.

Mais il y avait encore autre chose, de beaucoup plus mystérieux, d'inconscient, qui expliquait pourquoi ces rencontres quotidiennes avec les deux jeunes filles me plaisaient à tel point. Depuis que j'étais entré à l'école des Cadets, c'est-à-dire depuis dix, quinze ans, j'avais vécu exclusivement dans un milieu d'hommes mal dégrossis. Du matin au soir et du soir au matin, dans le dortoir de l'Académie militaire, sous la tente, aux manœuvres, dans les chambrées, à table et partout, au manège comme à la salle d'études, toujours et toujours je n'avais respiré autour de moi qu'une odeur de mâles : d'abord des garçons, puis des adolescents, mais toujours des hommes. Certes j'étais habitué à leurs gestes énergiques, leur démarche bruyante, leur voix gutturale, leur odeur de tabac, leur sans-gêne et parfois leur grossièreté ; j'aimais bien la plupart de mes camarades, et je n'avais pas à me plaindre car ils me le rendaient bien. Mais il manquait quand même une certaine légèreté à cette atmosphère, on aurait dit qu'elle ne contenait pas assez d'ozone, pas assez de picotements, de vibrations comme électrisantes. Car de même que notre musique militaire, en dépit de son entrain rythmique exemplaire, n'en restait pas moins une froide musique d'instruments de cuivre, dure, forte et basée uniquement sur la cadence, parce qu'il n'y avait pas le doux son étendu des violons, de même les meilleures heures de notre camaraderie masculine manquaient de ce fluide subtil qu'apporte dans toute réunion la seule présence des femmes. À l'époque déjà où, jeunes garçons de quatorze ans, nous nous promenions deux par deux à travers la ville, dans nos uniformes serrés de cadets, nous avions, en voyant des adolescents de notre âge flirter ou bavarder avec des jeunes filles, ressenti avec nostalgie ce dont nous privait notre encasernement de séminaristes, et ce qui était chaque jour donné aux autres comme allant de soi, dans la rue, sur les boulevards, à la patinoire, au bal : à savoir le commerce libre et sans contrainte avec les jeunes filles – alors que nous les isolés, les encagés, nous suivions des yeux comme des créatures surnaturelles ces elfes en robes courtes qui passaient à côté de nous en trottinant d'un air indifférent, en rêvant d'une simple conversation avec l'une d'elles comme à une chose inaccessible. Pareille privation ne s'oublie pas. Et si plus tard j'eus des aventures assez faciles et brèves avec toutes sortes de femmes, cela ne constituait pas une compensation aux rêves sentimentaux de ma jeunesse ; à la gaucherie, à la maladresse avec lesquelles je me conduisais toujours en société (et bien que j'aie déjà couché avec une douzaine de femmes), lorsque je me trouvais en présence d'une jeune fille, je me rendais compte à chaque fois que la privation dont j'avais longtemps souffert m'empêcherait à jamais d'être naturel et spontané.

Et voici que ce secret désir de mon adolescence de connaître une amitié avec des jeunes filles, au lieu de mes camarades barbus, grossiers et balourds, s'était réalisé soudain de la façon la plus complète. Chaque après-midi j'étais assis, comme un pacha, entre les deux jeunes filles ; le ton clair et caressant de leurs voix me causait (je ne puis pas m'exprimer autrement) un plaisir véritablement physique et c'est pour la première fois et avec un sentiment de bonheur presque indescriptible que je jouissais de mon absence de timidité en face d'elles. Car il y avait dans nos relations un bonheur particulier, amplifié par les circonstances qui excluaient ici les contacts d'ordinaire crépitants et électriques, entraînés forcément par un tête-à-tête prolongé entre jeunes gens de sexes différents. Nos longues causeries n'étaient pas soumises à cette pression qui rend en général si dangereux de rester à deux dans la pénombre. Certes – je l'avoue volontiers – les lèvres pulpeuses et invitantes d'Ilona, ses bras ronds, la sensualité très magyar que révélaient ses mouvements souples et balancés, m'avaient d'abord chatouillé très agréablement. Il m'avait fallu par moments retenir vivement mes mains contre le désir d'attirer à moi, ne serait-ce qu'une fois, cet être souple et chaud, avec ses yeux noirs si rieurs, pour la couvrir de baisers. Mais dès les premiers jours de notre amitié, Ilona me confia sur un ton très grave qu'elle était fiancée depuis deux ans à un futur notaire de Becskeret, et qu'elle n'attendait que le rétablissement, ou qu'un progrès dans l'état d'Edith pour se marier. Je devinai que Kekesfalva avait promis de doter sa parente pauvre, si elle prenait patience jusque-là... Et puis, quelle indélicatesse, quelle perfidie aurions-nous commise si dans le dos de sa touchante compagne, attachée sans forces à sa chaise roulante, nous nous étions embrassés et caressés dans les coins, sans être vraiment amoureux ! Très vite donc, cette attirance physique papillotante se calma, et l'affection dont j'étais capable se tourna avec toujours plus d'intensité vers la jeune malade défavorisée, car dans la mystérieuse alchimie des sentiments, la pitié pour un être impuissant se colore insensiblement de tendresse. Rester à côté de la paralytique, l'égayer dans la conversation, voir sa mince bouche inquiète apaisée par un sourire ou parfois, quand cédant à un violent caprice, elle tressaillait impatiemment, obtenir d'elle par un simple contact de la main une docilité confuse et recevoir pour cela un regard reconnaissant de ses yeux gris – ces petites marques de confiance d'une amitié platonique, venant de cette jeune fille sans forces et sans défense me causaient infiniment plus de plaisir que n'auraient pu le faire les aventures les plus passionnées avec son amie. Grâce à ces petites émotions je découvrais – combien de choses n'ai-je pas apprises pendant ces quelques jours ! – des zones de sentiments qui m'étaient tout à fait inconnues et dont je ne soupçonnais pas la subtilité.

Des zones de sentiments inconnues – mais assurément dangereuses aussi ! Car en dépit des efforts les plus adroits, les rapports entre un homme sain et une malade, entre un être libre et une prisonnière, ne peuvent à la longue rester neutres. Le malheur rend susceptible et la souffrance injuste. De même qu'entre le prêteur et l'emprunteur il subsiste toujours, quoi qu'on en ait, quelque chose de pénible précisément parce que l'un est dans la situation de celui qui donne et l'autre dans celle de celui qui reçoit, de même il subsiste chez le malade une irritation secrète contre les attentions dont il est l'objet. Il fallait être sans cesse sur ses gardes, pour ne pas dépasser la limite à peine perceptible où la sympathie, au lieu d'apaiser la sensible jeune fille, risquait de la blesser. D'une part, gâtée comme elle l'était, elle exigeait que tout le monde la servît comme une princesse et la dorlotât comme un enfant, de l'autre elle se révoltait fréquemment contre ces mêmes égards, parce qu'ils lui faisaient sentir plus nettement son infériorité. Si par exemple on approchait d'elle le guéridon afin de lui épargner l'effort de se pencher pour prendre un livre ou une tasse, elle vous jetait aussitôt un regard furieux : « Croyez-vous que je ne puisse pas prendre moi-même ce que je veux ? » De même qu'une bête enfermée dans une cage se jette parfois sans raison sur le gardien qu'elle caresse d'habitude, il lui venait de temps en temps un désir méchant de détruire notre gaieté par un coup de griffe soudain, en parlant tout à coup d'elle comme d'une « malheureuse infirme ». À de tels moments, on avait vraiment besoin de faire appel à toutes ses forces pour ne pas lui reprocher injustement cette mauvaise humeur agressive.

Mais à mon propre étonnement je trouvais toujours les forces nécessaires. Une première compréhension en entraîne d'autres, c'est mystérieux, et quiconque s'est montré capable une seule fois de compatir à une forme de souffrance terrestre arrive, par cette leçon magique, à les comprendre toutes, même les plus bizarres et les plus absurdes en apparence. Aussi je ne me laissais pas rebuter par les révoltes d'Edith, au contraire, plus ses « sorties » étaient injustes et inattendues, plus elles m'émouvaient. Peu à peu je compris pourquoi mes visites étaient tellement agréables au père et à Ilona, pourquoi ma présence était si bien vue de toute la maison. Une longue maladie fatigue en général non seulement le malade, mais aussi la pitié des autres. Des sentiments forts ne peuvent se prolonger à l'infini. Certes, le père et la cousine souffraient jusqu'au fond de leur âme avec cette pauvre impatiente, mais déjà d'une façon résignée. Ils acceptaient la maladie comme telle, et la paralysie comme un fait ; ils attendaient, le regard baissé, que fussent passés à chaque fois ces accès de nervosité. Ils ne s'effrayaient plus comme moi quand ils éclataient. Et comme j'étais le seul à qui sa souffrance causât chaque fois un nouvel ébranlement, je devins peu à peu le seul devant qui elle avait honte de son manque de sang-froid. Quand elle se déchaînait ainsi, je n'avais qu'à lancer un petit mot d'avertissement : « Voyons, chère mademoiselle Edith !… » pour qu'elle se calmât aussitôt. Elle rougissait, et l'on voyait que si ses jambes n'avaient été paralysées, elle se fût enfuie de honte. Jamais je ne prenais congé sans qu'elle me dît, d'un air suppliant qui me troublait : « Mais vous reviendrez demain, n'est-ce pas ? Vous n'êtes pas fâché à cause de toutes les bêtises que j'ai dites aujourd'hui ? » À ces moments-là je me sentais tout étonné d'exercer, moi qui n'avais pourtant rien d'autre à offrir que ma sincère pitié, un pouvoir si mystérieux sur quelqu'un.

Mais c'est là ce qui caractérise la jeunesse ; chez elle toute nouvelle expérience devient une exaltation dont elle ne peut se rassasier, une fois qu'elle l'a vécue. Une étrange transformation commença en moi dès que je découvris que cette sympathie pour la souffrance d'autrui était une force qui non seulement m'excitait d'une façon presque voluptueuse, mais qui avait sur d'autres une action bienfaisante. Depuis que j'avais laissé pénétrer en moi cette nouvelle aptitude à la pitié, il me semblait qu'une drogue était entrée dans mon sang, le rendait tout à coup plus violent, plus rouge, plus rapide, plus véhément. Du coup, je ne pouvais plus comprendre comment j'avais pu vivre jusqu'alors dans une torpeur et une indolence pareilles, sous un tel ciel gris d'indifférence. Cent choses auxquelles je n'avais prêté aucune attention se mirent à m'émouvoir et à me préoccuper. Comme si ce premier regard jeté sur la souffrance humaine m'eût donné des yeux plus vifs, je commençai à voir partout des occasions de m'occuper, de m'intéresser, de m'enthousiasmer. Et comme ce monde est plein dans la moindre rue, dans toutes les chambres, de destinées émouvantes, et qu'il regorge, jusqu'aux bords, de misère brûlante, mes journées sont dès lors remplies de vigilance attentive. C'est ainsi que je constate, lors des inspections de remonte, que je ne peux plus, comme autrefois, cingler d'un violent coup de cravache la croupe d'un cheval rétif, car je me sens coupable de cette douleur que j'ai causée et j'éprouve sur ma propre peau la brûlure du coup. Ou mes doigts se crispent involontairement quand notre irascible capitaine frappe d'un coup de poing en plein visage un pauvre uhlan ruthénien dont la selle est mal ajustée, et que le garçon reste là immobile, la main à la couture du pantalon. Tout autour les autres regardent ou rient bêtement, je suis seul à voir que sous les paupières baissées du pauvre garçon honteux, les cils se mouillent. Au mess je ne puis plus supporter les plaisanteries que l'on fait sur tel ou tel camarade gauche ou maladroit ; depuis que j'ai senti chez cette jeune fille sans forces et sans défense la souffrance que lui cause son infériorité physique, la brutalité attire ma haine et l'impuissance, ma sympathie. Depuis que le hasard a versé dans mon regard cette goutte brûlante de pitié, d'innombrables petites choses simples et naïves me frappent, qui m'avaient échappé jusque-là, et chacune m'ébranle et m'émeut. Je remarque par exemple que la buraliste à qui j'achète toujours mes cigarettes approche vraiment tout près de ses yeux les pièces de monnaie qu'on lui tend, et aussitôt je m'inquiète à l'idée qu'elle pourrait avoir un glaucome. Demain j'essaierai de l'interroger, et je vais peut-être demander à Goldbaum, le médecin-major, de l'examiner. Ou bien je m'aperçois que ces derniers temps les volontaires d'un an traitent d'une façon méprisante le petit rouquin K... et je me rappelle avoir lu dans le journal (en quoi est-il responsable, le pauvre garçon ?) que son oncle a été arrêté pour malversations ; à dessein je vais m'asseoir près de lui, à la popote, j'engage la conversation avec lui et son regard reconnaissant me montre qu'il a compris que j'agis de la sorte pour le réconforter et faire honte aux autres de leur injustice et de leur méchanceté. Ou bien je prie gentiment de sortir du rang un soldat auquel le colonel aurait normalement donné quatre heures d'arrêts. À mille occasions diverses, je jouis chaque jour de cette impulsion qui m'habite soudain. Et je me dis : désormais il faudra aider les autres autant que tu le pourras ! Finies ton indolence et ton indifférence ! On s'élève en se donnant, on s'enrichit en étant fraternel, en comprenant et en assistant toute souffrance par la pitié. Et mon cœur qui ne se reconnaît plus lui-même vibre de reconnaissance pour la malade que j'ai offensée sans le savoir et qui m'a appris par sa souffrance la magie créatrice de la pitié.

Je fus bientôt arraché à ces sentiments romantiques. Voici comment la chose se produisit. Cet après-midi-là, j'étais comme d'habitude chez les Kekesfalva ; nous avions joué au domino, puis bavardé longuement et passé le temps d'une façon si agréable que nous ne nous apercevions pas que les aiguilles tournaient. À onze heures et demie, je regarde, effrayé, la pendule et prends congé en toute hâte. Mais tandis que le père m'accompagne dans le hall, nous entendons au-dehors un crépitement intense, comme des milliers de bourdons, comme si un nuage entier s'abattait sur la marquise. Kekesfalva me tranquillise aussitôt : « L'auto vous reconduira chez vous. » Je proteste et dis que ce n'est pas nécessaire. Il m'est en effet pénible qu'on fasse s'habiller pour moi le chauffeur à pareille heure, pour aller sortir la voiture rangée dans le garage (tous ces égards et ce respect pour autrui sont tout nouveaux chez moi, ils me sont venus ces dernières semaines !).

Mais finalement, l'idée me séduit de rentrer commodément chez moi par ce temps de chien, dans une voiture moelleuse, aux coussins bien rembourrés, au lieu de barboter pendant une demi-heure, trempé jusqu'aux os, avec de fines bottines vernies, dans la fange de la chaussée : j'accepte donc. Le vieillard tient, malgré la pluie, à m'accompagner jusqu'au garage et à mettre la couverture sur mes genoux. Le chauffeur empoigne le volant. Nous filons d'une traite vers mon logis, sous la pluie battante.

On est rudement bien dans cette voiture qui glisse sans bruit. Mais comme nous approchons de la caserne (le trajet s'est fait avec une vitesse fabuleuse), je frappe contre la vitre et prie le chauffeur d'arrêter sur la place de l'Hôtel-de-Ville. Car il est préférable qu'on ne me voie pas sortir devant la caserne de cette voiture élégante. Je sais qu'il ne convient pas qu'un petit lieutenant se déplace comme un archiduc dans une somptueuse automobile et se fasse aider pour descendre par un chauffeur en livrée. Ces manières de grand seigneur ne sont pas bien vues de nos cols dorés. En outre un instinct secret me conseille depuis longtemps de mêler le moins possible mon monde luxueux du dehors, où je suis un homme libre, indépendant, gâté, avec celui du service, où il faut bien souvent que je m'incline, en pauvre subalterne qui est bien soulagé quand le mois n'a que trente jours, et pas trente-et-un ! Inconsciemment mon premier moi ne veut rien avoir de commun avec le second. Et parfois je n'arrive plus à distinguer lequel est en fait le véritable Toni Hofmiller : celui du service ou celui qui fréquente chez les Kekesfalva, celui du dehors ou celui du régiment.

Le chauffeur, obéissant, arrête la voiture sur la place de l'Hôtel-de-Ville, que deux rues séparent de la caserne. Je descends, relève mon col et m'apprête à traverser rapidement la large place. Mais juste à ce moment l'orage reprend avec intensité, le vent me jette en plein visage des rafales de pluie. Il vaut mieux attendre quelques instants sous une porte cochère. Ou peut-être le café est-il toujours ouvert et pourrais-je m'y abriter jusqu'à ce que le ciel ait fini de déverser ses cataractes. De l'endroit où je suis, il n'y a que cinq ou six maisons pour l'atteindre ; derrière les glaces noyées de pluie j'y vois une lumière incertaine. Peut-être que mes camarades sont encore à notre table réservée ? Excellente occasion de réparer bien des choses, car il est grand temps que je me montre à nouveau. Hier, avant-hier, toute la semaine, et la semaine précédente, je n'ai pas paru à cette table. En fait ils auraient de bonnes raisons d'être fâchés contre moi, car, si l'on veut être infidèle, il faut tout au moins observer les formes.

J'entre. Dans la première pièce presque toutes les lumières sont éteintes, par économie, les journaux sont déployés de tous côtés et Eugène, le garçon-marqueur, est en train de compter sa recette. La salle de jeu, derrière, est encore éclairée et je vois briller des boutons d'uniformes. Ils sont toujours là, les éternels compagnons du tarot, Jozci le lieutenant, Ferencz le sous-lieutenant, et le médecin du régiment, Gold-baum. Ils ont, semble-t-il, terminé leur partie depuis longtemps, mais ils se complaisent dans cette paresse de café que je connais très bien et hésitent à se lever.

Ce sera un vrai cadeau du bon Dieu que j'arrive pour dissiper leur ennuyeuse torpeur.

« Holà, voici Toni ! » dit Ferencz à l'intention des autres. « Quel éclat dans notre humble demeure ! » déclame le major, que nous plaisantons toujours sur sa maladie des citations. Six yeux ensommeillés clignent et me sourient. « Servus ! Servus ! »

Leur joie me fait plaisir. Ce sont vraiment de braves types, me dis-je. Ils ne m'en veulent pas de les avoir abandonnés si longtemps sans m'excuser ni donner aucune explication.

« Un noir ! » commandai-je au garçon qui arrive d'un pas traînant, et j'approche un siège de la table en lançant l'inévitable : « Eh bien ! quoi de neuf ? »

Un large sourire s'épanouit sur la figure de Ferencz, ses yeux clignotants disparaissent presque dans ses pommettes rouges, sa bouche s'ouvre, pâteuse :

« Eh bien, ce qu'il y a de plus neuf, c'est que Votre Honneur nous fait la grâce de reparaître dans notre modeste cercle. »

Et le major se renverse sur sa chaise et posément, en souriant, il déclame sur le ton du grand Kainz : « Mahadöh, le dieu de la terre – descendit une dernière fois – pour connaître avec eux la joie et la souffrance. »

Ils me regardent amusés, tous les trois, et aussitôt un sentiment désagréable m'envahit. Le mieux, pensai-je, est de prendre les devants, de ne pas attendre qu'ils commencent à me demander pourquoi je suis resté si longtemps sans me montrer et d'où je viens. Mais avant que j'aie pu ouvrir la bouche, Ferencz a poussé Jozci du coude.

« Regarde, fait-il, le doigt pointé sous la table. Que dis-tu de cela ? Il porte des bottines vernies par ce temps de cochon ! Et quel noble équipage ! À la bonne heure, il sait y faire, Toni : il a découvert un asile admirable ! Il paraît que c'est fabuleux, chez le vieux manichéen ! Cinq services tous les soirs, a dit le pharmacien, du caviar et des chapons, les meilleurs vins et des cigares de tout premier ordre. Autre chose que l'éternelle goulasch au paprika qu'on nous sert au Lion Rouge ! Oui, notre Toni, nous l'avons tous sous-estimé, c'est un sacré malin ! »

Maintenant c'est le tour de Jozci : « Seulement, avec les camarades il ne se conduit pas bien. Oui, mon cher Toni, au lieu de dire à ton vieux : J'ai quelques copains là-bas, de braves types, qui ne mangent pas non plus d'alouettes rôties, il faut que je vous les amène un jour, au lieu de cela tu t'es dit : qu'ils boivent donc leur mauvaise Pilsen et qu'ils se brûlent la gueule avec leur sale goulasch ! Jolie camaraderie, je dois dire ! Tout pour soi et rien pour les autres ! Eh bien, m'as-tu au moins apporté un bon cigare, un gros upmann ? Dans ce cas on te pardonnera encore pour aujourd'hui. »

Ils rient et ils claquent la langue tous les trois. Mais brusquement je me sens rougir jusqu'aux oreilles. Tonnerre ! comment ce maudit Jozci a-t-il pu deviner que chaque soir, au moment où je prends congé, Kekesfalva me glisse un de ses cigares dans la poche ? Est-ce que par hasard il dépasse de ma tunique, entre deux boutons ? Pourvu qu'ils n'aient rien vu ! Dans ma gêne je me contrains de blaguer avec eux.

« Ben voyons, un upmann ! C'est ta seule condition, n'est-ce pas ? Mais je pense qu'une simple cigarette fera aussi bien l'affaire. » Je tends mon étui tout en parlant. Mais au même instant ma main tressaille. Car avant-hier, au dîner chez les Kekesfalva, j'ai trouvé cet étui sous ma serviette. Cadeau d'anniversaire ! c'était en effet ce jour-là que j'avais vingt-cinq ans (les jeunes filles l'avaient appris je ne sais comment). Déjà Ferencz l'a remarqué. Dans notre cercle étroit la moindre petite chose devient un événement.

« Holà ! qu'est-ce que c'est que ça ? lance-t-il. Une nouvelle pièce d'équipement !... » Il m'enlève l'étui des mains (que puis-je faire ?), le tâte, l'examine, et finalement le soupèse : « Eh ! dit-il en se tournant vers le major, il me semble que c'est du vrai. Regarde ça de près ! Ton digne père s'occupe de ces sortes de choses. Tu dois t'y connaître un peu. » Le major Gold-baum, dont le père est joaillier à Drohobycz, pose son binocle sur un nez assez épais, prend l'étui, le soupèse à son tour, le regarde attentivement sous toutes ses faces et le frappe d'un doigt expérimenté.

« Du vrai, dit-il enfin. Or véritable, poinçonné et terriblement lourd. Il y en a là assez pour plomber les dents à tout le régiment. Valeur marchande : sept à huit cents couronnes. »

Après ce jugement, qui me surprend moi-même, car j'avais cru vraiment que ce n'était que du plaqué, il tend l'étui à Jozci, qui le prend avec plus de respect déjà que les deux autres (c'est étonnant le respect que nous avons, nous autres pauvres diables, pour tout ce qui est objet précieux !). Il l'examine aussi, le tâte, frappe du doigt sur le rubis et sursaute :

« Hein ! une inscription ! Ecoutez, écoutez ! "À notre cher camarade Anton Hofmiller, pour son anniversaire. Ilona, Edith." »

À présent ils me regardent tous les trois fixement. « Nom de Dieu ! souffle enfin Ferencz, c'est ce qui s'appelle bien choisir ses nouveaux camarades ! Mes félicitations ! Moi, je t'aurais donné tout au plus une boîte d'allumettes en tombac. »

Je ressens tout à coup comme une crispation dans la gorge. Demain tout le régiment connaîtra la fâcheuse histoire de l'étui à cigarettes en or offert par les Kekesfalva, et saura par cœur la dédicace : « Fais-le voir un peu, ton bel étui », dira Ferencz au mess, et je devrai en toute obéissance le montrer au capitaine, puis au commandant et peut-être même au colonel. Tout le monde le soupèsera, en estimera la valeur, en lira avec un sourire ironique l'inscription, puis viendront inévitablement les questions et les plaisanteries, et il faudra que je les supporte, car je ne pourrais pas être impoli en présence de mes supérieurs.

Dans ma gêne et désireux de mettre fin à cette conversation je dis : « Si l'on faisait une partie de tarot ? »

Mais aussitôt leur sourire ironique se transforme en un rire éclatant : « As-tu jamais entendu cela, Ferencz ? fait Jozci. C'est maintenant, à minuit et demi, au moment où on va fermer la boutique, qu'il voudrait commencer une partie de tarot !

— Pour les heureux il n'y a pas d'heure ! » dit le major, bonhomme, en s'appuyant sur son dossier.

Ils rient et plaisantent encore un peu de cette médiocre blague. Mais Eugène, le garçon-marqueur, s'est approché discrètement : « Messieurs, on ferme ! » Nous nous levons et – la pluie a faibli – nous rentrons ensemble à la caserne. Au moment de nous séparer, nous nous serrons la main. Ferencz me frappe sur l'épaule : « C'est bien que tu sois revenu », dit-il. Et je sens qu'il est sincère. Pourquoi étais-je si furieux contre eux ? Ce sont tous de braves types, sans un atome de jalousie, de bons camarades. Et s'ils m'ont un peu plaisanté, c'est sans penser à mal.

Certes ils n'ont pas pensé à mal, les braves garçons ! N'empêche qu'avec leurs railleries ils ont irrémédiablement brisé quelque chose en moi : mon assurance, que mes extraordinaires relations avec les Kekesfalva avaient accrue d'une façon singulière. J'avais pour la première fois l'impression d'être celui qui donne, qui aide ; maintenant je me rendais compte comment les autres considéraient ces relations, de l'extérieur nécessairement, sans en connaître les raisons cachées. Les étrangers ne pouvaient pas comprendre cette volupté subtile de la pitié qui s'était emparée de moi comme – je ne trouve pas d'autres termes – une sombre passion. Pour eux il n'y avait pas de doute : je ne m'étais introduit dans cette demeure luxueuse que pour gagner les bonnes grâces de gens riches, économiser un repas chaque jour, me faire donner des cadeaux. Ils n'y trouvaient d'ailleurs rien à redire. Tout au contraire ils se réjouissaient, les braves garçons, que j'eusse trouvé un bon coin plein de gros cigares ; ce qui m'irrite, c'est justement qu'ils ne trouvent ni indécent ni déshonorant que je me laisse choyer et dorloter par ces « nababs », parce qu'à leur avis un officier de cavalerie fait encore trop d'honneur à un gros épicier, en s'asseyant à sa table. Quand Ferencz et Jozci avaient admiré mon étui à cigarettes en or, c'était sans aucune réprobation. Au contraire, cela leur inspirait plutôt du respect que je sache ainsi prendre de haut mon mécène. Mais ce qui à présent me contrarie beaucoup, c'est que je commence à ne plus savoir ce que je dois penser de moi. Est-ce que vraiment je ne joue pas les pique-assiettes ? Ai-je le droit, en tant qu'officier, en tant qu'homme, de me laisser ainsi soir après soir entretenir par la jeune fille d'une maison que je fré-quente ? Cet étui, par exemple, je n'aurais pas dû l'accepter, pas plus que ce foulard de soie qu'elles m'ont mis l'autre soir autour du cou, comme il faisait un temps de chien. Un officier de cavalerie ne se laisse pas fourrer des cigares dans la poche au moment de partir. Pardieu, je vais le lui dire dès demain, à Kekes-falva, et aussi à propos du cheval. Avant-hier je me souviens qu'il m'a fait remarquer que mon valaque brun (que je paye naturellement par mensualités) n'a pas une bonne allure et pour cela il a raison. Mais qu'il veuille me prêter un poulain de trois ans de son haras, un bon cheval de course qui me fera honneur, cela ne me plaît pas du tout. Car « prêter », je sais ce que cela signifie chez lui ! De même qu'il a promis une dot à Ilona pour qu'elle serve d'infirmière à la pauvre Edith, de même il veut m'acheter, me payer comptant ma pitié, mes plaisanteries, ma société ! Et moi, idiot que je suis, un peu plus je tombais dans le piège, sans remarquer que je devenais un parasite.

Mais non, c'est absurde ! me dis-je ensuite. Et je revois l'émotion avec laquelle le vieillard m'a caressé la manche, et comme son visage s'éclaire dès que j'arrive. Je me rappelle la cordiale camaraderie qui me lie aux deux jeunes filles, comme entre frère et sœurs, qui ne font certainement pas attention si je bois peut-être un verre de trop à table et qui, si elles s'en aper-çoivent, se réjouissent seulement que je me sente bien chez elles. Absurde, fou ! me répétais-je. Absurde ! le vieillard m'aime plus que mon père.

Mais à quoi servent toutes ces explications, quand on a commencé à perdre son équilibre intérieur ? Je le sens bien : les plaisanteries de Ferencz et Jozci ont chassé mon innocence, ma légèreté naïve. Est-ce vrai-ment par pure pitié, par sympathie, que tu vas chez ces gens riches ? me demandais-je soupçonneux. N'y a-t-il pas là-derrière, une bonne part de vanité et un désir de jouissances ? En tout cas il faut tirer cela au clair. Pour commencer, je décide d'espacer mes visites à l'avenir, et dès demain après-midi de ne pas faire ma visite chez les Kekesfalva.

Le lendemain je n'y vais donc pas. Aussitôt après la fin du service, je pars au café avec Ferencz et Jozci. Nous lisons les journaux, puis entamons l'inévitable partie de tarot. Mais je joue effroyablement mal, car juste au-dessus de moi il y a une pendule enchâssée dans la boiserie du mur. Quatre heures vingt, quatre heures trente, quarante, cinquante : au lieu de voir mes cartes, je regarde la pendule. C'est à quatre heures et demie que j'arrive d'ordinaire pour le thé et tout est déjà prêt sur la table. Lorsque je suis, exceptionnelle-ment, un quart d'heure en retard, elles ne manquent pas de me dire : « Qu'y a-t-il donc eu aujourd'hui ? » Car il est devenu tout naturel que j'arrive à l'heure, et elles y comptent comme si je m'y étais formellement engagé ; depuis deux semaines et demie je n'ai pas manqué un seul après-midi ; aussi elles doivent être en train de regarder l'horloge avec la même inquiétude que moi et de se demander pourquoi je ne suis pas là. Ne conviendrait-il pas tout au moins que je téléphone pour me décommander ? Ou, peut-être, ferais-je mieux d'envoyer mon ordonnance…

« Voyons, Toni, c'est scandaleux, comme tu es distrait aujourd'hui ! Joue donc un peu mieux ! » me crie Jozci en me regardant d'un air furieux. Mon étourderie lui a déjà coûté un surcontre ! J'essaie d'être plus attentif.

« Puis-je changer de place avec toi ? dis-je.

— Si tu veux. Mais pourquoi ?

— Je ne sais pas (pur mensonge). Je crois que le bruit me rend nerveux. »

En réalité c'est la pendule que je ne veux plus voir, et de minute en minute l'avance impitoyable de ses aiguilles. À chaque instant j'ai des fourmis dans les jambes, je n'arrive pas à me concentrer, je pense que je devrais aller au téléphone pour m'excuser. Je commence à me rendre compte qu'une véritable sympathie n'a rien de commun avec un contact électrique qu'on met ou qu'on enlève à volonté, et que le fait de s'occuper du sort d'autrui vous enlève un peu de votre liberté. Mais bon sang ! (je me fais la leçon à moi-même) je ne suis quand même pas obligé de faire chaque jour mon pèlerinage d'une demi-heure jusque là-bas. Et, suivant la loi secrète de l'imbrication des sentiments, qui pousse inconsciemment quelqu'un de contrarié à répercuter sa contrariété sur ceux qui n'y sont pour rien – comme la boule de billard répercute le coup reçu –, mon irritation se porte non pas sur Jozci et

Ferencz, mais sur les Kekesfalva. Ils n'ont qu'à m'attendre, pour une fois ! Ils verront qu'on ne peut pas m'acheter avec des cadeaux et des amabilités, que je ne me présente pas toujours à l'heure dite, comme le masseur ou le professeur de gymnastique ! Surtout ne pas créer de précédent, l'habitude est un carcan, et je ne veux pas me lier... Je reste donc assis au café pendant trois heures et demie, dans ce défi stupide pour me convaincre et me démontrer que je suis entièrement libre de mes allées et venues, et que la bonne chère et les gros cigares me sont tout à fait indifférents.

À sept heures et demie nous nous levons. Ferencz a proposé de faire un petit tour sur le boulevard. Mais à peine ai-je franchi la porte du café derrière mes deux amis qu'une silhouette de femme passe devant moi et qu'un regard bien connu m'effleure rapidement. N'était-ce pas Ilona ? Même si je n'avais pas admiré, avant-hier encore, sa belle robe bordeaux et son large panama garni de rubans, je l'aurais reconnue de dos, à sa démarche souple et balancée. Mais où va-t-elle avec tant de précipitation ? Ce n'est pas là un pas de promenade, mais d'une course effrénée. En tout cas il faut que je la rattrape, si vite que le bel oiseau puisse voler !

« Excusez-moi », dis-je à mes camarades, et je me dépêche de traverser, pour rattraper cette jupe endiablée. Car je suis vraiment très content de rencontrer une fois par hasard la nièce de Kekesfalva, dans l'univers de la garnison.

« Ilona ! Ilona ! » criai-je en courant derrière elle. Elle s'arrête sans paraître le moins du monde étonnée de me voir. Bien sûr, elle m'a remarqué en passant !

« Ça, c'est épatant, Ilona, de vous rencontrer en ville. Il y a longtemps que je désirais faire un brin de promenade avec vous dans notre résidence. Ou préférez-vous que nous fassions un saut jusqu'à la pâtisserie ?

— Non, non, murmure-t-elle avec embarras. Je suis pressée. On m'attend à la maison.

— Eh bien ! on patientera cinq minutes de plus. Et si vous avez peur qu'on vous mette au coin, je vous donnerai un mot d'excuse. Venez et ne faites pas une mine si sévère. »

Je voudrais la prendre par le bras. Car vraiment je suis heureux de me trouver là avec elle, la plus présentable des deux, surtout en pensant que mes camarades me verront avec une jeune fille si jolie, si distinguée. Mais Ilona reste nerveuse.

« Non, il faut vraiment que je rentre, dit-elle en hâte. L'auto m'attend là-bas. » Et en effet, de la place de l'Hôtel-de-Ville le chauffeur salue déjà respectueusement.

« Mais vous permettrez au moins que je vous accompagne jusqu'à la voiture ?

— Bien entendu, répond-elle, étrangement distraite. Bien entendu... D'ailleurs... pourquoi n'êtes-vous pas venu cet après-midi ?

— Cet après-midi ? fais-je avec une lenteur calculée, comme si je devais faire appel à des souvenirs. Cet après-midi ? Ah ! oui, on a eu une histoire idiote ! Le colonel voulait acheter un nouveau cheval et nous avons dû aller avec lui pour le voir et l'essayer. » (En réalité cela s'est passé le mois dernier. Je mens vraiment mal.)

Elle hésite et veut répliquer. Mais pourquoi tord-elle ainsi son gant, pourquoi se balance-t-elle si nerveusement d'un pied sur l'autre ! Puis avec une hâte soudaine : « Vous ne voulez pas au moins revenir avec moi et rester à dîner ? »

Il faut tenir, me dis-je. Il ne faut pas céder ! Ne fût-ce qu'un seul jour. « Quel dommage ! Je serais venu avec grand plaisir, dis-je en soupirant. Mais aujourd'hui, rien ne marche. Ce soir nous avons une réunion à laquelle je ne peux pas manquer. »

Elle me regarde d'un air pénétrant – c'est étrange, ses sourcils ont le même pli impatient que chez Edith – et ne répond rien, impolitesse voulue ou embarras, je ne sais. Le chauffeur ouvre la portière, elle monte et la referme d'un coup sec. Puis elle lance à travers la vitre : « Et demain on vous verra, n'est-ce pas ?

— Demain, oui, sûrement. » Et l'auto démarre. Je ne suis pas très content de moi. Pourquoi cette nervosité d'Ilona, sa gêne, comme si elle avait peur d'être vue avec moi ? Pourquoi ce départ précipité ? Et puis, j'aurais dû tout au moins, par politesse, la prier de saluer Kekesfalva et dire un mot agréable pour Edith. Après tout ils ne m'ont rien fait. Mais, d'autre part, je suis content de mon attitude réservée. J'ai tenu bon. Maintenant ils ne pourront pas penser que je veux m'imposer chez eux.

Quoiqu'il ait été entendu avec Ilona que je viendrais à l'heure habituelle le lendemain, j'annonce prudemment ma visite par téléphone. Il vaut mieux observer les formes, car les formes sont des garanties. Je tiens à montrer par là que je ne veux pas tomber chez les gens à l'improviste. Désormais j'agirai toujours ainsi, de manière à être sûr que ma visite est désirée. Pour cette fois en tout cas je n'ai pas besoin d'en douter, car le domestique attend déjà devant la porte ouverte, et dès mon entrée me dit avec empressement : « Mademoiselle est sur la terrasse et prie monsieur le lieutenant de bien vouloir l'y rejoindre tout de suite. » Et il ajoute : « Je crois que monsieur le lieutenant n'y est encore jamais monté. Monsieur le lieutenant sera étonné de voir combien la vue est belle de là-haut. »

Il a raison, le brave vieux Joseph. Je ne suis encore jamais allé sur la terrasse, bien que cette construction bizarre m'eût parfois intrigué. À l'origine – comme je l'ai dit – tour d'angle d'un château détruit ou en ruine depuis des lustres (dont même les jeunes filles ignoraient l'histoire précise), cette construction massive et quadrangulaire était restée à l'abandon pendant des années, servant de grenier. Souvent Edith, quand elle était enfant, et au grand effroi de ses parents, y grimpait par les échelles branlantes jusque sous les combles où, au milieu d'un véritable bric-à-brac, voltigeaient des chauves-souris ensommeillées, et d'épais nuages de poussière sortaient, à chaque pas, des vieilles poutres vermoulues. C'était précisément à cause de ce côté mystérieux que l'enfant, d'un esprit fantasque, avait choisi comme cachette et comme salle de jeux cet endroit d'où l'on apercevait à travers les vitres sales un immense panorama. Lorsque plus tard le malheur vint la frapper et qu'il lui devint impossible, avec ses jambes paralysées, d'atteindre ce capharnaüm romantique, elle s'était sentie comme dépossédée. Et plus d'une fois son père avait remarqué avec quelle amertume elle levait les yeux vers ce paradis de son enfance, adoré et soudain perdu.

Aussi, voulant surprendre agréablement son enfant, Kekesfalva avait profité d'un séjour de trois mois qu'Edith faisait dans un sanatorium allemand pour charger un architecte de Vienne de reconstruire la vieille tour et d'y installer au sommet une terrasse confortable. Quand elle revint, à l'automne, après une amélioration à peine sensible de son état, la tour était pourvue d'un ascenseur, large comme dans un sanatorium, qui permettait à la malade d'y monter dans son fauteuil roulant pour jouir de la vue à toute heure. Le monde de son enfance lui était ainsi rendu à l'improviste.

L'architecte, pressé, s'était moins soucié, à vrai dire, de la pureté du style que de la commodité. L'étrange cube nu qu'il avait construit au sommet de la tour aurait mieux convenu, avec ses formes géométriques, à un port ou à une usine d'électricité qu'au petit château rococo de l'époque de Marie-Thérèse. Mais le but poursuivi par le père avait été atteint. Edith se montra enthousiasmée de cette terrasse, qui la délivrait d'une façon inespérée de l'étroitesse et de la monotonie de sa chambre. De son observatoire elle pouvait, à l'aide d'une longue-vue, voir toute la vaste plaine qui s'étendait autour du château, tout ce qui s'y passait, les semailles et le fauchage, les gens comme les choses qui se mouvaient à la ronde. Rattachée au monde dont elle avait été séparée si longtemps, elle restait des heures entières à regarder tantôt l'amusant petit chemin de fer qui, tel un jouet miniature, traversait le paysage en lançant ses volutes de fumée, tantôt les voitures qui couraient sur la chaussée et dont aucune n'échappait à sa curiosité oisive, quand elle n'accompagnait pas avec son télescope, comme je l'appris plus tard, nos chevauchées, nos exercices et nos défilés. Mais par une étrange jalousie, elle tenait cet observatoire caché à tous les hôtes de la maison, comme s'il constituait son monde privé, et à l'enthousiasme spontané du fidèle Joseph, je remarquai que l'invitation qui m'était faite d'y accéder était une faveur toute spéciale.

Il voulut m'y conduire avec l'ascenseur. On voyait à quel point il était fier qu'on eût confié à lui seul cet appareil dispendieux. Mais je refusai dès qu'il m'eut dit qu'on pouvait également atteindre la terrasse par un petit escalier en colimaçon qu'éclairaient à chaque étage des ouvertures en loggia. Je me représentai immédiatement comme ce devait être beau de voir, de palier en palier, la campagne s'étendre au fur et à mesure qu'on montait. Et vraiment chacune de ces étroites baies offrait à la vue un nouveau tableau enchanteur. Au-dessus du paysage estival régnait, comme une trame d'or, une chaude et calme atmosphère transparente. Au sommet des cheminées des maisons et des fermes, çà et là, la fumée se déroulait en volutes presque immobiles. On apercevait – chaque contour dessiné comme au couteau sur le ciel d'un bleu d'acier – les chaumières, avec leur inévitable nid de cigognes sur le pignon, et les étangs à canards devant les granges brillaient comme du métal poli. Par-ci par-là dans les champs couleur de cire, des silhouettes lilliputiennes, des vaches en train de brouter, des femmes arrachant les mauvaises herbes ou lavant leur linge, de lourds attelages traînés par des bœufs, et des voiturettes filant comme des flèches au milieu des terres soigneusement travaillées. Lorsque j'eus gravi les quelque quatre-vingt-dix marches, mon regard s'étendait à perte de vue sur l'immense plaine hongroise, jusqu'aux limites de l'horizon légèrement vaporeux que barrait une ligne bleuâtre, probablement la chaîne des Carpathes. Sur la gauche brillait, groupée gracieusement autour de son clocher bulbé, notre petite ville. Je distinguais à l'œil nu notre caserne, l'Hôtel-de-Ville, le manège, le champ de manœuvres. Pour la première fois depuis ma mutation dans cette garnison, je sentais toute la grâce simple de cette région écartée.

Mais je ne pouvais rester ainsi longtemps à contempler le paysage, car arrivé à la terrasse il fallait me préparer à saluer la malade. Je ne vis pas Edith, tout d'abord. Le fauteuil de rotin dans lequel elle était assise avait son large dossier tourné vers moi, de sorte qu'il me masquait complètement son corps frêle, comme s'il eût été enveloppé dans une conque bigarrée. Ce n'est qu'en voyant près du fauteuil la table avec des livres et le gramophone ouvert que je sus vraiment qu'elle était là. Je n'osai pas m'avancer brusquement derrière elle, car j'aurais pu effrayer la jeune fille qui peut-être rêvait ou se reposait, c'est pourquoi je longeai le bord de la terrasse pour pouvoir me présenter de face. Comme je m'avançais avec précaution, je m'aperçus qu'elle dormait. On avait bordé avec soin son corps gracile, posé sur ses jambes une couverture moelleuse, et, sur un coussin blanc, reposait, légèrement penché et encadré de cheveux blond-roux, l'ovale de son visage d'adolescente auquel le soleil déjà déclinant donnait un éclat de bonne santé et d'ambre doré.

Involontairement je m'arrête et j'en profite pour examiner la dormeuse comme s'il s'agissait d'un tableau. En fait malgré nos nombreuses rencontres, je n'ai pas encore eu jusqu'ici l'occasion de voir nettement ses traits, car, comme toutes les personnes sensibles, ou hypersensibles, elle refuse inconsciemment qu'on l'observe. Même quand on ne la regarde que par hasard au cours de la conversation, le petit pli impatient entre les sourcils se forme aussitôt, les yeux deviennent durs, les lèvres nerveuses, pas un seul instant son profil ne reste immobile. C'est seulement à présent qu'elle est là, les yeux fermés, que je peux (j'ai d'ailleurs en faisant cela le sentiment de commettre un larcin) considérer à mon aise son visage un peu anguleux et encore inachevé, où l'enfant, la femme et la malade se mêlent de la façon la plus séduisante. Les lèvres entrouvertes, comme altérées, respirent faiblement, mais rien que ce petit effort bombe et fait lever son étroite poitrine, cependant que le visage épuisé, pâle, exsangue, repose auréolé des cheveux blond-roux, sur les coussins. Je m'approche doucement. Les ombres sous les yeux, les veines bleues sur les tempes, la transparence rose des narines montrent quelle enveloppe mince la peau maintenant d'une blancheur d'albâtre oppose aux influences du dehors. Comme on doit être sensible, pensai-je, quand les nerfs tremblent sans protection, si près de la surface ! Comme on doit souffrir, avec un pareil corps de sylphide, léger comme un duvet, qui semble fait pour courir, pour danser et planer, d'être si cruellement enchaîné à la terre dure et pesante ! Pauvre créature prisonnière ! Une fois de plus je sens ce chaud jaillissement de l'intérieur, cette vague de pitié douloureuse, épuisante et excitante à la fois, qui s'empare de moi dès que je songe au malheur de la jeune fille. Une envie folle me prend de lui caresser tendrement le bras, de me pencher sur elle et de cueillir son sourire sur ses lèvres quand elle se réveillera et me reconnaîtra. Un besoin de tendresse, qui se mêle toujours chez moi à la pitié, quand je pense à elle ou que je la regarde, m'envahit. Mais ne troublons pas ce sommeil, qui la tient loin d'elle-même, de la réalité de son corps. C'est une chose tellement admirable de se sentir si proche d'un malade qui dort, quand toute crainte l'a quitté et qu'il a si complètement oublié sa maladie que parfois un sourire flotte sur ses lèvres comme un papillon sur une fleur – un sourire qui ne lui appartient pas, qui fuit aussitôt à son réveil. Grâce à Dieu, quel bonheur, me dis-je, que les infirmes, les estropiés, toutes les personnes frappées par le sort ignorent du moins pendant leur sommeil la difformité de leur corps et que le rêve au moins, ce doux trompeur, leur donne l'illusion d'être harmonieux et beaux – que celui qui souffre puisse alors échapper à la malédiction physique qui pèse sur lui ! Mais ce qui m'émeut le plus, ce sont ses mains croisées sur la couverture, des mains veinées, longues et fines, aux doigts menus et effilés, aux ongles légèrement bleus, des mains presque exsangues, délicates, sans forces, tout juste capables de caresser de petites bêtes, des pigeons ou des lapins, mais trop faibles pour saisir et retenir le moindre objet. Comment, me dis-je, ému, peut-on, avec des mains si fragiles, se défendre

102

contre la souffrance ? Comment saisir, retenir ou conquérir quoi que ce soit ? Et j'ai presque honte de penser aux miennes, solides, dures, musclées, qui en tirant sur les rênes, peuvent d'un seul coup dompter le cheval le plus rebelle. Malgré moi mon regard glisse sur la couverture à longs poils épais qui, beaucoup trop lourde pour cet être léger comme un oiseau, pèse sur ses genoux pointus : là-dessous reposent inanimées – fracassées, paralysées ou seulement atrophiées… je n'ai jamais eu le courage de poser la question – ses jambes impuissantes, serrées dans leurs instruments de cuir et d'acier. À chaque pas, cette cruelle et odieuse machinerie pèse, lourde comme un boulet, aux articulations défaillantes ; et elle traîne sans répit avec elle cet odieux engin cliquetant et crissant, elle si délicate et fragile, elle justement pour qui, on le sent, planer, courir ou s'élancer serait plus naturel que marcher !

Malgré moi je frissonne à cette idée, et ce frisson me parcourt si violemment de la tête aux pieds que mes éperons, je crois, se rencontrent et tintent. Ce bruit minime, à peine perceptible, ce tintement argentin semble pourtant avoir traversé le sommeil léger de la jeune fille. Elle n'ouvre pas encore les yeux, mais ses mains commencent déjà à se réveiller. Elles se décroisent, remuent et se tendent, comme si les doigts bâillaient au réveil. Puis les cils se soulèvent avec hésitation et les yeux regardent étonnés autour d'eux.

Soudain ils me découvrent et deviennent fixes. Le contact n'a pas encore été établi entre la sensation optique et la pensée consciente. Une secousse, elle est à présent tout à fait réveillée et m'a reconnu. D'une coulée pourpre le sang afflue à ses joues, pompé d'un seul coup du cœur. On dirait à nouveau que l'on vient de verser du vin rouge dans un verre de cristal. « Que c'est bête ! » dit-elle les sourcils froncés. Et d'un mouvement nerveux elle ramène à elle la couverture comme si on l'avait surprise nue. « Que c'est bête ! J'ai dû m'endormir un instant. » Et déjà – je connais le signe – les narines se mettent à trembler. Puis elle me regarde d'un air provocant :

« Pourquoi ne m'avez-vous pas réveillée tout de suite ? On n'observe pas les gens quand ils dorment. Cela ne se fait pas. On a l'air ridicule quand on dort. »

Peiné de l'avoir fâchée en voulant la ménager j'essaie de me sauver par une sotte plaisanterie. « Mieux vaut, dis-je, avoir l'air ridicule quand on dort que quand on est éveillé. »

Mais déjà elle s'est redressée en s'appuyant des deux mains aux bras du fauteuil, le pli des sourcils est devenu plus profond, et maintenant commence le tremblement significatif des lèvres. Son regard se fait plus dur encore.

« Pourquoi n'êtes-vous pas venu hier ? »

Le coup est parti trop rapide pour que je puisse répondre aussitôt. Elle poursuit d'un ton inquisitorial :

« Il faut croire que vous aviez une raison spéciale de nous faire attendre. Sinon vous auriez tout au moins téléphoné. »

Idiot que je suis ! C'est justement cette question que j'aurais dû prévoir et à laquelle je devais me préparer. Au lieu de cela je me balance d'un pied sur l'autre, l'air gêné, et je balbutie la vieille excuse : nous avons eu impromptu une inspection de remonte. À cinq heures j'espérais pouvoir quitter la caserne, mais le colonel a voulu nous montrer un nouveau cheval, etc., etc.

Son regard gris, sévère et perçant ne me quitte pas une seconde. Plus je parle, plus il est soupçonneux et acéré. Je vois ses doigts trembler sur le bras du fauteuil.

« Ah ! répond-elle finalement d'un ton froid et dur. Et comment s'est terminée cette touchante histoire d'inspection ? Le colonel a-t-il à la fin acheté ce beau cheval fringant, oui ou non ? »

Je me rends compte que je me suis fourvoyé dangereusement. Une fois, deux fois, trois fois, elle frappe sur la table avec son gant, comme si elle voulait se débarrasser d'une raideur dans les articulations. Puis elle me lance d'un air menaçant :

« À présent, assez de ces mensonges idiots ! Il n'y a pas un mot de vrai dans ce que vous venez de me dire. Comment osez-vous me raconter de telles stupidités ? »

Le gant claque de plus en plus fort contre la table. Puis elle le jette à terre.

« Il n'y a pas un mot de vrai dans toutes ces sornettes ! Pas un seul ! Vous n'êtes pas allé au manège, vous n'avez pas eu d'inspection. À quatre heures et demie vous étiez déjà au café, et ce n'est pas là, je pense, qu'on dresse les chevaux. Ne me racontez pas d'histoires ! Notre chauffeur vous a vu, par hasard, à six heures encore, en train de jouer aux cartes. »

Les mots ne veulent toujours pas sortir de ma gorge. Elle reprend :

« D'ailleurs, pourquoi ai-je besoin de me gêner ? Dois-je, parce que vous ne me dites pas la vérité, jouer à cache-cache avec vous ? *Moi*, je n'ai pas peur de dire la vérité. Aussi, pour que vous le sachiez, ce n'est pas du tout par hasard que notre chauffeur vous a vu au café. C'est moi qui l'ai envoyé en ville pour voir s'il vous était arrivé quelque chose. Je pensais que peut-être vous étiez malade ou que vous aviez eu un accident, parce que vous n'avez même pas téléphoné, et dites-vous, si vous le voulez, que je suis nerveuse… je ne supporte pas qu'on me fasse attendre… je ne le supporte pas !… C'est pour cela que j'ai envoyé le chauffeur. À la caserne on lui a dit que M. le lieutenant était au café en train de jouer aux cartes, bien tranquillement, et alors j'ai prié Ilona de se renseigner, de chercher à savoir pour quelle raison vous agissiez de la sorte avec nous… Peut-être avant-hier vous ai-je offensé ?… Il m'arrive parfois, je le sais, de m'emporter sans le vouloir… Vous voyez… moi je n'ai pas honte de vous avouer cela… Et vous venez me déballer de pareils mensonges ! – Ne sentez-vous pas vous-même comme c'est pitoyable, d'user avec ses amis de mensonges aussi minables ! »

Je voulais répondre. Je crois même que j'aurais eu le courage de lui raconter toute l'histoire de l'étui. Mais elle m'en empêcha en s'écriant :

« Pas de nouvelles inventions, maintenant !… Pas de nouveaux mensonges ! J'en suis saturée, jusqu'à vomir ! Du matin au soir on m'en fait avaler : "Comme tu as bonne mine ce matin… Comme tu marches bien aujourd'hui !… Vraiment ça va déjà mieux, beaucoup mieux !" Toujours ces mêmes pilules calmantes du matin au soir et personne ne voit que j'en étouffe. Pourquoi ne me dites-vous pas, purement et simplement : hier je n'avais pas le temps, ou je n'avais pas l'envie de venir ? Il n'y a pas d'abonnement entre nous, et rien ne m'aurait réjouie autant que si vous m'aviez fait dire et dit par téléphone : "Je ne viendrai pas aujourd'hui. Je veux rester en ville avec mes camarades." Me croyez-vous si stupide que je ne comprenne pas à quel point cela doit vous fatiguer parfois de jouer ici tous les jours le bon Samaritain, et qu'un homme bien portant aime mieux faire du cheval ou se dégourdir les jambes que rester assis pendant des heures près du fauteuil de quelqu'un ? Il n'y a qu'une chose qui me répugne : les échappatoires, les faux-fuyants et les mensonges – car j'y suis plongée jusqu'au cou. Je ne suis pas si bête que vous le pensez tous et je peux supporter une bonne dose de sincérité. Il y a quelque temps nous avions engagé une nouvelle femme de ménage, une Tchèque. La précédente venait de mourir. Dès le premier jour elle remarque mes béquilles et voit qu'on m'aide à m'asseoir. De frayeur elle laisse tomber la brosse qu'elle a en main et s'écrie : "Jésus, Marie, quel malheur ! une demoiselle si riche, si distinguée et infirme !" Ilona s'est précipitée sur elle comme une furie et on a voulu la renvoyer. Mais moi, cela m'a *réjouie*, au contraire. Sa frayeur m'a fait du bien, parce qu'il est tout à fait naturel, humain, de s'effrayer quand on voit cela sans y avoir été préparé. Je lui ai donné dix couronnes et elle a tout de suite couru à l'église prier pour moi... Toute la journée cela m'a fait plaisir, oui, vraiment plaisir, de savoir enfin ce qu'un étranger ressent *vraiment* quand il me voit pour la première fois... Mais vous, avec votre fausse délicatesse, vous croyez toujours devoir me "ménager", et vous vous imaginez que vous me faites du bien avec vos maudits égards… Pensez-vous donc que je sois aveugle ? Supposez-vous que derrière vos bavardages, vos balbutiements, je ne sens pas la même frayeur et le même malaise que chez cette brave femme, la seule qui ait été *honnête* ? Croyez-vous que je ne voie pas que ça vous coupe le souffle quand je prends mes béquilles, et comment vous précipitez alors la conversation dans l'espoir que je ne remarquerai rien ? Comme si je ne vous connaissais pas à fond avec votre valériane au sucre, et votre sucre à la valériane, et toutes ces répugnantes mixtures !… Oh ! Je sais très bien que vous respirez avec soulagement chaque fois que la porte s'est refermée sur moi et que vous me laissez là étendue comme un cadavre… Je sais comme vous soupirez, d'un ton papelard, "la pauvre enfant !" et en même temps êtes hautement satisfait de vous parce que vous avez sacrifié une heure ou deux à la "pauvre malade". Mais je n'en veux pas de vos sacrifices ! Je ne veux pas que vous vous croyiez obligé de me servir ma portion quotidienne de pitié, je me fiche pas mal de votre pitié – une fois pour toutes, je m'en passe ! Si vous voulez venir, venez, et si vous ne voulez pas, eh bien ! ne venez pas ! Mais dites la vérité, et pas d'histoires de remontes et d'inspections ! Je ne peux pas… Je ne peux plus supporter les mensonges et tous vos ménagements qui m'écœurent ! »

Ces derniers mots, elle les a criés, tout à fait hors d'elle, les yeux fulgurants, le visage blême. Puis la crise s'apaise d'un seul coup. La tête retombe, épuisée, sur le dossier du fauteuil et ce n'est que peu à peu que le sang revient aux lèvres qui tremblent encore d'émotion.

« Voilà, dit-elle tout doucement et comme honteuse. Il fallait que ce fût dit une bonne fois ! Et maintenant, fini ! N'en parlons plus ! Donnez-moi… donnez-moi une cigarette. »

Mais il m'arrive quelque chose d'étrange. Je suis assez calme d'ordinaire et j'ai des mains fermes, sûres ; pourtant cette explosion inattendue m'a tellement bouleversé que mes membres en sont comme paralysés. Jamais de ma vie je n'ai été si ému. Avec difficulté je tire une cigarette de l'étui, la lui tends et craque une allumette. Mais mes doigts tremblent à tel point que je n'arrive même pas à tenir l'allumette ; la flamme tressaille dans le vide et s'éteint. Il me faut en craquer une autre. Celle-ci aussi vacille incertaine dans ma main avant qu'elle puisse atteindre la cigarette. À cette maladresse évidente, la jeune fille a dû se rendre compte de mon émotion, car c'est d'une voix toute changée, une voix étonnamment douce, qu'elle me demande :

« Mais qu'avez-vous donc ? Vous tremblez. Quoi… qu'y a-t-il ?… Qu'est-ce que tout cela peut vous faire ? »

La petite flamme de l'allumette s'est éteinte. Je me suis assis sans dire un mot, et la malade murmure, toute confuse : « Comment mon sot bavardage peut-il vous émouvoir ?… Papa a raison : vous êtes vraiment un… un homme très singulier. »

À cet instant on entend derrière nous un léger bourdonnement. C'est l'ascenseur qui monte à notre terrasse. Joseph ouvre la porte, livrant passage à Kekesfalva, qui s'avance avec son air craintif et comme coupable, sa façon toute particulière d'incliner les épaules dès qu'il s'approche de la malade.

Je me lève illico pour le saluer. Il fait un signe de la tête, avec gêne, et se penche aussitôt sur Edith pour lui embrasser le front. Puis s'établit un étrange silence. On dirait que tous les habitants de cette maison devinent ce que ressentent les autres. Le vieillard a dû s'apercevoir tout de suite de la dangereuse tension qu'il y avait entre nous deux. Les yeux baissés il reste là, inquiet. Il aurait volontiers envie de s'en aller, je le vois. Edith essaie de lui venir en aide.

« Pense donc, papa, c'est la première fois que M. le lieutenant voit la terrasse.

— Oui, c'est admirable ici », dis-je, aussitôt conscient d'avoir dit une affreuse banalité, et je me tais. Pour dissiper notre embarras, Kekesfalva se penche de nouveau au-dessus du fauteuil.

« Je crains qu'il ne fasse bientôt trop froid pour toi. Veux-tu que nous descendions ?

— Oui », répond Edith. Nous sommes tous contents de trouver une diversion. On ramasse les livres, on enveloppe Edith dans son châle, on agite la clochette, car il y en a aussi une sur la terrasse, comme sur toutes les tables de la maison. Au bout de deux minutes l'ascenseur est là. Joseph en sort et roule avec prudence le fauteuil de la paralytique dans la cage.

« Nous te rejoignons dans un instant, dit tendrement Kekesfalva à sa fille. En attendant tu pourras peut-être te préparer pour le dîner. Je vais faire quelques pas dans le parc avec le lieutenant. »

Le domestique ferme la porte de l'ascenseur. Le fauteuil et la jeune fille s'enfoncent dans l'abîme comme dans un caveau profond. Le vieillard et moi nous nous sommes détournés. Nous nous taisons l'un et l'autre, mais voilà qu'il s'approche timidement de moi.

« Je serais très heureux de vous entretenir quelques minutes, mon lieutenant… C'est-à-dire, je désirerais vous demander quelque chose… Nous pourrions aller dans mon bureau de l'autre côté, dans le bâtiment de l'intendance, à moins que cela ne vous dérange… Sinon, nous pourrions bien sûr aussi faire une promenade dans le parc.

— Mais non, monsieur de Kekesfalva, je suis très honoré !… » répondis-je. Et à cet instant, l'ascenseur revient nous chercher. Nous descendons, traversons la cour dans la direction des bureaux du régisseur. Je remarque avec quelle prudence Kekesfalva s'avance en rasant les murs, en se faisant tout petit comme s'il avait peur d'être vu. Sans le vouloir – c'est plus fort que moi – je règle mon pas sur le sien.

Au bout des bâtiments de l'intendance plutôt bas et pas très propres extérieurement, il ouvre une porte qui conduit à son cabinet. C'est une pièce guère mieux meublée que ma chambre à la caserne : j'y vois une table-bureau tout à fait modeste, usagée, vermoulue, avec de vieilles chaises de paille maculées, au mur des tableaux indicateurs sûrement inutilisés depuis des années, et par terre des tapis effrangés. L'odeur de renfermé qui règne dans cette pièce me rappelle désagréablement celle des bureaux du régiment. Du premier coup d'œil – comme je suis devenu perspicace, ces derniers jours ! – je comprends que le vieillard réserve tout le luxe, tout le confort pour sa fille et se prive, lui, comme un paysan avare. Je viens de remarquer aussi, du reste, tandis qu'il marchait devant moi, comme son costume noir brille aux coudes. Il le porte sans doute depuis au moins dix ou quinze ans.

Kekesfalva pousse vers moi le fauteuil de cuir, le seul siège confortable qu'il y ait dans son cabinet. « Asseyez-vous, mon lieutenant, je vous en prie », dit-il d'un ton pressant et tendre à la fois, cependant qu'il s'empare, avant que j'aie pu prévenir son geste, d'une de ces chaises de propreté douteuse. À présent nous sommes assis l'un à côté de l'autre. Il pourrait et devrait commencer à parler : j'attends qu'il le fasse, avec une impatience compréhensible, car que peut-il avoir à me demander, à moi le petit lieutenant, lui l'homme riche, le millionnaire ? Mais il tient obstinément la tête penchée, comme s'il examinait ses chaussures. Je n'entends que sa respiration lourde et oppressée.

Enfin Kekesfalva relève son front qui est tout en sueur ; il enlève ses lunettes embuées et sans leur reflet protecteur son visage apparaît changé, plus nu, plus pauvre, plus tragique. Comme il arrive souvent chez les myopes, ses yeux semblent plus usés et plus fatigués que derrière les verres correcteurs. De même je me rends compte d'après le bord des paupières légèrement enflammé que ce vieil homme dort peu et mal. De nouveau je sens en moi ce jaillissement chaud de l'intérieur – ma pitié qui éclate, je le sais maintenant. Soudain je n'ai plus en face de moi le riche M. de Kekesfalva mais un vieil homme accablé de soucis.

Il commence en toussant légèrement : « Mon lieutenant – sa voix enrouée ne lui obéit pas encore bien – je voudrais vous prier de me rendre un grand service… Je sais que je n'ai aucun droit de vous importuner. Vous nous connaissez si peu… d'ailleurs vous pouvez refuser… bien entendu… Peut-être est-ce de ma part une prétention, une indiscrétion, mais dès la première heure j'ai eu confiance en vous. Vous êtes, on le sent, un homme bon, serviable. Si, si (j'ai dû faire un mouvement de protestation), vous *êtes* un homme bon. Il y a quelque chose en vous qui encourage, et parfois… j'ai le sentiment que vous m'avez été envoyé par (ici il s'arrête et je sens qu'il veut dire « par Dieu », mais qu'il n'ose pas)… envoyé comme quelqu'un à qui je peux parler en toute sincérité… D'ailleurs ce que je voudrais vous demander n'exige pas un grand effort… Mais je parle, je parle, et je n'ai même pas cherché à savoir si vous voulez m'écouter.

— Mais comment donc.

— Je vous remercie… Quand on est vieux comme moi, il suffit de regarder une fois quelqu'un pour le connaître tout à fait… Je sais ce que c'est qu'un être bon, je le sais par ma femme… que Dieu l'ait en sa sainte garde !… Sa disparition fut mon premier malheur, et cependant je me dis aujourd'hui que peut-être il est préférable qu'elle n'ait pas vu ce qui est arrivé à notre enfant… Elle ne l'aurait pas supporté… Lorsque cela a commencé il y a cinq ans… Je ne *croyais* pas à la durée de la maladie… Comment aurais-je pu m'attendre à pareille chose : voici une enfant comme tous les autres, elle joue, court, tourne, virevolte et brusquement tout cela est fini pour *toujours* ! Et puis on a grandi dans le respect des médecins… on lit dans les journaux tous les miracles qu'ils peuvent accomplir, recoudre des cœurs, greffer des yeux… On pense donc, n'est-ce pas ! qu'ils sont à même de faire la chose la plus simple qui soit… remettre rapidement debout une enfant… une enfant venue au monde bien portante, qui a toujours été bien portante… C'est pourquoi au début je n'étais pas très effrayé, car je ne croyais pas, il m'était impossible de *croire* un seul instant que Dieu puisse faire cela : frapper ainsi pour toujours une enfant, une enfant innocente… Oui, si ç'avait été *moi*… mes jambes m'ont porté assez longtemps. Je n'en ai plus besoin… et puis je n'ai pas été bon, j'ai fait du mal dans ma vie, j'ai aussi… Mais quoi, qu'est-ce que je disais ?… Oui, si ç'avait été moi, j'aurais compris. Mais comment Dieu peut-il *se tromper* et frapper comme cela un être innocent, qui n'a rien fait… et comment se peut-il que chez un enfant les jambes meurent brusquement, à cause d'un rien, d'un bacille, comme disent les médecins, et ils pensent ainsi avoir trouvé quelque chose… Mais ce ne sont que des mots, des échappatoires, et la vérité c'est que votre enfant est là, étendue, que ses jambes sont devenues soudain raides, qu'elle ne peut plus marcher, et que devant cela vous êtes impuissant… *Comment* comprendre cette chose ?… »

D'un mouvement rapide de la main il essuya vivement la sueur dans ses cheveux humides et en désordre : « … Bien entendu, j'ai consulté tous les médecins… là où il y en avait un célèbre, nous sommes allés le voir… Tous je les ai fait venir, et ils ont parlé avec assurance, dit toutes sortes de mots latins et discuté et tenu des conciliabules. L'un a essayé ceci, l'autre cela, et puis ils ont dit qu'ils espéraient, qu'ils croyaient, et ils ont pris leurs honoraires, et ils sont partis, et tout est resté comme devant. C'est-à-dire, non : il y a *une petite* amélioration, bien sûr, et même une amélioration sensible. Au début elle devait rester couchée sur le dos et tout son corps était paralysé... A présent les bras, le buste sont redevenus normaux, et elle peut marcher toute seule, sur ses béquilles... Cela va *un peu* mieux, même beaucoup mieux, il ne faut pas être injuste... Mais personne n'a pu la guérir complètement... Tous ont haussé les épaules et dit : patience, patience, patience... Un seul a persévéré, un seul, le docteur Condor... Je ne sais pas si vous avez déjà entendu parler de lui. Vous êtes de Vienne, n'est-ce pas ? »

Je dis que je ne le connaissais pas ; son nom ne me disait rien.

« ... Certes, comment le connaîtriez-vous ? Vous êtes un homme bien portant et il n'est pas de ceux qui font beaucoup parler d'eux... Il n'est pas professeur, non plus, même pas assistant... Je ne crois pas non plus qu'il ait une grosse clientèle... c'est-à-dire il ne *cherche* pas à s'en faire une. C'est un homme remarquable, vraiment remarquable... Je ne sais pas si je peux bien vous expliquer cela. Ce qui l'attire, ce ne sont pas les cas ordinaires, que chaque rebouteur de village peut traiter... Il ne s'intéresse qu'aux cas difficiles, à ceux devant lesquels les autres médecins n'ont qu'un haussement d'épaules. Je ne peux certes pas prétendre, je suis trop ignorant pour cela, que le docteur Condor soit meilleur médecin que les autres... Je sais seulement que c'est un *homme* meilleur que les

115

autres. J'ai fait sa connaissance quand ma femme était malade et j'ai vu comment il a lutté pour elle… Ce fut le seul qui jusqu'au dernier moment ne voulut pas céder, et j'ai senti alors que cet homme vit et meurt avec chaque malade. Il a, je ne sais pas si je m'explique bien… il a la passion d'être plus fort que la maladie… Son ambition n'est pas, comme chez les autres médecins, de gagner de l'argent et de devenir professeur et grand patron… Il ne pense pas à lui, mais aux autres, à ceux qui souffrent… oh ! c'est un homme admirable !… »

Le vieillard s'animait, ses yeux, jusqu'alors fatigués, brillaient maintenant d'un vif éclat.

« … Un homme admirable, vous dis-je, qui ne vous abandonne jamais. Pour lui, chaque cas est un devoir… je sais que je ne peux pas très bien définir cela… mais chez lui c'est comme s'il se sentait *lui-même* coupable quand il ne peut pas aider le malade… ainsi – vous ne me croirez pas, mais je vous jure que c'est vrai – la seule fois où il n'a pas réussi… il avait promis à une femme qui était en train de perdre la vue, de la guérir ; la malheureuse étant devenue au contraire tout à fait aveugle, il l'a épousée… imaginez cette chose, épouser ainsi une femme aveugle, de sept ans plus âgée que lui, pas belle et sans argent, une personne hystérique par-dessus le marché, qui lui est aujourd'hui une lourde charge et ne lui est même pas reconnaissante… Cela montre, n'est-ce pas, *quelle* espèce d'homme c'est, et vous comprendrez à quel point je suis heureux d'avoir trouvé en lui quelqu'un… qui s'occupe de mon enfant comme moi-même. Je l'ai d'ailleurs mis dans mon testament…

S'il y a quelqu'un qui puisse la guérir, c'est lui. Que Dieu le veuille ! Que Dieu le veuille ! »

Le vieillard joignit les mains comme pour la prière. Puis il se rapprocha de moi d'un brusque mouvement.

« … Et maintenant, écoutez-moi, mon lieutenant. Je voulais vous demander un service. Je vous ai dit quel homme plein de compassion est ce docteur Condor… Mais, voyez-vous, saisissez-vous… *justement* le fait qu'il est si bon m'inquiète… J'ai toujours peur… peur que par égard il ne me dise pas la vérité, toute la vérité… Toujours il promet et me console en disant que cela ira certainement mieux, que l'enfant guérira tout à fait… mais chaque fois que je lui demande précisément quand, et combien de temps cela durera encore, alors il élude et dit seulement : patience, patience ! Il faut pourtant que j'aie une certitude… je suis vieux et malade, il faut que je sache si je verrai cela, si réellement elle guérira, j'entends *complètement*… Croyez-moi, mon lieutenant, je ne puis plus vivre ainsi… il faut que je sois fixé… il le *faut*, je ne peux plus supporter plus longtemps cette incertitude. »

Il se leva, vaincu par l'émotion et fit trois pas rapides vers la fenêtre. Je connaissais cette habitude chez lui. Chaque fois que les larmes lui venaient aux yeux, il se détournait ainsi brusquement. Il ne voulait pas de pitié, lui non plus – par là il ressemblait à sa fille ! En même temps sa main droite fouillait avec maladresse dans la poche arrière de sa triste jaquette noire et en tirait un mouchoir ; quoiqu'il fît comme s'il avait seulement essuyé la sueur de son front, je vis très bien que ses paupières étaient rouges. Une fois, deux fois, il alla d'un bout à l'autre de la pièce. On entendait un grincement sous ses pas. Je n'aurais pu dire si c'étaient les planches usées du parquet ou lui-même, le vieil homme décrépit, qui gémissait. Puis ayant respiré longuement comme un nageur avant de reprendre son élan, il continua :

« ... Pardonnez-moi... je ne voulais pas parler de cela... Qu'est-ce que je voulais, au fait ?... Oui... demain le docteur Condor arrivera de Vienne. Il s'est annoncé par téléphone, il vient ainsi régulièrement toutes les deux ou trois semaines, pour voir... Si cela dépendait de moi, je le garderais ici... il pourrait habiter chez nous, je lui paierais le prix qu'il voudrait. Mais il dit qu'il a besoin, pour mieux se rendre compte, d'une certaine distance... Oui... que voulais-je dire ? Ah ! je sais... Ainsi il vient demain et il examinera Edith dans l'après-midi. À chaque fois, il reste dîner et s'en retourne ensuite la nuit par le rapide. Je me suis donc dit : si quelqu'un lui demandait, comme par hasard, quelqu'un d'étranger, qui n'est pas concerné... lui demandait par hasard... comme on se renseigne au sujet d'une personne amie... s'il lui demandait où en est réellement la paralysie et s'il pense que ma fille guérira un jour, guérira *tout à fait*... entendez-vous, *tout à fait*, et combien de temps il croit que cela durera encore... j'ai le sentiment qu'à vous, il ne mentirait pas... Vous, il n'a pas à vous épargner, il peut vous dire tranquillement la vérité... Moi, il y a peut-être quelque chose qui le retient : je suis le père, je suis un vieil homme, malade, et il sait comme tout cela me déchire le cœur... Mais, bien entendu, il ne faut pas qu'il devine que cela vient de moi... il faut que vous abordiez le sujet *tout à fait* par hasard, comme on se renseigne auprès d'un médecin… Voulez-vous… voulez-vous me rendre ce service ? »

Comment aurais-je pu refuser ? Le vieillard était assis devant moi, les yeux noyés de larmes, et attendait mon acquiescement comme s'il se fût agi des trompettes du Jugement dernier. Je lui promis donc ce qu'il désirait. D'un seul coup, ses deux mains se tendirent vers moi.

« J'en étais sûr… Déjà la seconde fois que vous êtes venu chez moi et que vous vous êtes montré si bon pour mon enfant… après… enfin vous savez… je me suis dit tout de suite : c'est un homme qui me comprend… lui et seulement lui questionnera pour moi le docteur… et je vous le promets, je vous le jure, personne n'en saura rien, ni avant, ni après, personne : ni Edith, ni Condor, ni Ilona… moi seul saurai quel service, quel immense service vous m'aurez rendu.

— Mais comment, monsieur de Kekesfalva, cela n'exige pas le moindre effort… ce n'est qu'une bagatelle.

— Non, ce n'est pas une bagatelle… c'est un grand, un *immense* service, vous dis-je, que vous me rendrez là… et si… (il baissa la tête et sa voix se fit timide)… si de mon côté… je pouvais faire quelque chose pour vous… peut-être avez-vous… »

Je devais avoir eu un mouvement de recul (voulait-il me payer ?) car il ajouta vite, de la façon bredouillante qui lui était habituelle quand il était sous l'empire d'une violente émotion :

« Non, n'interprétez pas mal mes paroles… je voulais dire… il ne s'agit de rien de matériel… je voulais seulement dire… j'ai de bonnes relations…

je connais une foule de gens dans les ministères, et aussi au ministère de la Guerre… et c'est toujours bon de nos jours d'avoir quelqu'un sur qui on puisse compter… Il peut venir un moment… C'est cela… seulement cela que je voulais dire. »

La gêne craintive avec laquelle il m'offrait son aide me rendait confus. Pendant cette scène, il ne m'avait pas regardé une seule fois, il tenait toujours la tête baissée comme s'il se fût adressé à ses mains. À présent il la relevait d'un air inquiet, reprenait son binocle et l'attachait d'une main tremblante.

« Peut-être ferions-nous bien, murmura-t-il alors, d'aller retrouver Edith, sinon… elle remarquerait que nous restons si longtemps à parler. Il faut, hélas ! être extrêmement prudent avec elle. Depuis qu'elle est malade… on dirait qu'elle a des sens plus vifs, des sens que les autres n'ont pas. De sa chambre elle sait tout ce qui se passe dans la maison… elle devine tout, avant qu'on le lui ait dit… Et elle pourrait finir par… c'est pourquoi je suggère que nous retournions de l'autre côté avant qu'elle ait des soupçons. »

Nous sortîmes. Edith nous attendait déjà au salon dans son fauteuil roulant. À peine étions-nous entrés qu'elle nous lança un regard aigu, comme si elle voulait lire sur nos visages un peu embarrassés quel avait été l'objet de notre entretien. Et comme nous n'y fîmes aucune allusion ni l'un ni l'autre, elle resta toute la soirée nettement taciturne et repliée sur elle-même.

J'avais qualifié de « bagatelle » le service que me demandait Kekesfalva. Et à la vérité, vu de loin, le fait d'interroger comme par hasard le médecin, que je ne connaissais pas encore, sur les possibilités de guérison de la paralytique ne me paraissait pas exiger un grand effort. Pourtant je puis à peine suggérer combien m'importait personnellement cette mission inopinée. Car rien ne renforce autant l'assurance, rien ne contribue mieux à former le caractère chez quelqu'un de jeune, que de se voir soudain confronté à une mission qui repose sur sa seule initiative, sur sa seule énergie. Certes j'avais déjà eu des responsabilités, mais toujours dans mon service, dans le cadre militaire, toujours comme un acte à accomplir en tant qu'officier, sur l'ordre de mes supérieurs et dans un champ d'action précisément circonscrit : par exemple diriger un escadron, surveiller un transport, acheter des chevaux, arbitrer des conflits survenus dans la troupe. Or tous ces ordres et leur accomplissement relevaient du domaine public. Ils étaient liés à des instructions écrites ou imprimées, et en cas de doute, je n'avais qu'à demander conseil à un camarade plus âgé ou plus expérimenté, pour m'acquitter honorablement de mon mandat. La demande de Kekesfalva, en revanche, ne s'adressait pas à l'officier que j'étais, mais à ce moi intérieur, encore peu assuré, dont il me fallait encore découvrir les capacités et les limites. Et le fait que cet inconnu dans son désarroi m'eût choisi, parmi tous ses amis et ses relations, cette marque de confiance me rendait plus heureux que tous les compliments que j'avais reçus jusque-là de mes camarades ou de mes supérieurs hiérarchiques.

Du reste, ce bonheur se doublait d'une certaine perplexité, car il me manifestait de nouveau combien ma sympathie était restée passive et indolente. Comment avais-je pu fréquenter cette maison plusieurs semaines sans poser cette question, la plus naturelle et la plus évidente : la pauvre est-elle paralysée à jamais ? La science médicale ne peut-elle pas remédier à la faiblesse de ses membres ? À ma honte cuisante, je ne m'étais pas informé une seule fois ni auprès de son père, ni auprès d'Ilona ou de notre médecin-major ; j'avais pris cette paralysie comme un fait, avec fatalisme. Le tourment qui depuis des années rongeait son père m'avait frappé comme la foudre : et si ce médecin parvenait réellement à soulager cette enfant de ses souffrances ? Si ces pauvres jambes inertes pouvaient de nouveau marcher, si cette créature flouée par Dieu se remettait à s'élancer, à poursuivre dans tous les escaliers son propre rire, heureuse et ravie ! Cette éventualité me grisa soudain ; je pris plaisir à imaginer que nous irions chevaucher dans les champs, à deux, à trois ; au lieu de m'attendre, clouée dans sa chambre, elle me saluerait dès le portail et m'accompagnerait en promenade. J'étais désormais impatient de pouvoir, le plus tôt possible, sonder ce médecin que je ne connaissais pas – plus impatient peut-être que Kekesfalva lui-même ! Il me semblait n'avoir jamais eu de mission aussi importante à accomplir.

C'est pourquoi le lendemain (je m'étais rendu libre dans ce but) j'arrivai plus tôt que de coutume. Ilona me reçut seule. « Le médecin de Vienne est venu, me dit-elle. Il est en ce moment auprès d'Edith et semble l'examiner cette fois plus sérieusement que jamais, car il y a déjà deux heures et demie qu'il est avec elle. » Il y avait tout lieu de penser que la malade serait ensuite trop fatiguée pour pouvoir venir au salon. Je devais donc cette fois me contenter de sa compagnie à elle, à moins, ajouta-t-elle en souriant, que j'eusse mieux à faire.

Cette remarque me causa une grande joie. Ainsi Kekesfalva ne l'avait pas mise au courant de notre accord. (Cela vous rend toujours fier de n'être que deux à connaître un secret.) Mais je n'en laissai rien voir. Nous jouâmes aux échecs pour passer le temps, et un bon moment s'écoula encore avant que les pas impatiemment attendus se fissent entendre dans la pièce à côté. Kekesfalva et le docteur, engagés dans une conversation animée, entrèrent dans le salon et je dus m'efforcer de réprimer un trop vif mouvement d'étonnement en apercevant le docteur Condor. Je venais en effet d'éprouver une grande déception. Chaque fois qu'on nous a fait le panégyrique de quelqu'un que nous ne connaissons pas, notre imagination visuelle emploie, pour se le représenter, tout son matériel de souvenirs les plus précieux et les plus romantiques. Pour m'imaginer un médecin génial, tel que me l'avait décrit Kekesfalva, je m'en étais tenu aux caractéristiques schématiques à l'aide desquelles un metteur en scène moyen ou un coiffeur de théâtre montre sur les planches un médecin « typique » : visage d'intellectuel, regard vif et pénétrant, attitude calme et désinvolte, conversation spirituelle et brillante. Nous tombons toujours dans ce travers de croire que les hommes d'élite doivent se distinguer des autres à première vue ; aussi je reçus un vrai coup à l'estomac lorsque je me trouvai soudain devant un monsieur de petite taille, replet, myope, chauve, au costume gris tout froissé et sali par la cendre de cigarette, à la cravate mal nouée. Au lieu du regard aigu du praticien que je m'étais représenté, je rencontrai derrière des lunettes en acier à bon marché des yeux indolents et comme ensommeillés. Sans même attendre les présentations, Condor me tendit une petite main moite et se détourna aussitôt pour allumer une cigarette au guéridon tout proche. Puis il s'étira paresseusement :

« Voilà où nous en sommes. Mais il faut que je vous l'avoue, mon cher ami, j'ai une faim de loup. Si nous pouvions nous mettre bientôt à table, ce serait magnifique. Au cas où le dîner ne serait pas prêt, je vous demanderais de prier Joseph de m'apporter un petit quelque chose, une tartine beurrée ou ce que vous voudrez. » Et s'installant commodément dans un fauteuil : « J'oublie chaque fois que ce train de l'après-midi ne comporte pas de wagon-restaurant. Toujours cette incurie de l'Etat autrichien !… Ah ! bravo ! s'écria-t-il en se levant vivement, lorsque le domestique ouvrit la porte de la salle à manger. On peut se fier à ton exactitude, Joseph. Pour la peine, je ferai honneur à M. votre cuisinier. Avec toutes ces courses, je n'ai pas eu le temps de manger aujourd'hui. »

En même temps il se dirigea avec rapidité dans la pièce voisine, s'assit sans nous attendre, et après avoir noué sa serviette autour du cou, se mit à avaler sa soupe – un peu trop bruyamment à mon avis. Pendant cette occupation pressante, pas un mot ni à Kekesfalva, ni à moi. La nourriture seule semblait l'intéresser, et tout en mangeant, son regard de myope passait en revue les bouteilles de vin.

« Excellent ! votre fameux Szomorod, et du 97 avec ça ! Celui-là, je le connais de la dernière fois. Il mérite à lui seul le déplacement. Non, Joseph, pas encore. Verse-moi plutôt tout d'abord un verre de bière… C'est cela. Merci. »

D'un trait il vida son verre. Le plat de viande fut présenté. Après s'être bien servi, il se mit à mastiquer avec lenteur, posément, sans paraître se soucier aucunement de ceux qui l'entouraient. J'eus ainsi le loisir de l'observer. Cet homme dont on m'avait fait tant d'éloges avait le visage le plus commun qu'on pût imaginer, un visage d'une rondeur lunaire, parcouru de petites fossettes et de traces de pustules, avec un nez en forme de pomme de terre, des joues rouges, une barbe de plusieurs jours, un menton imprécis et un cou gras et court. Tout à fait ce que les Viennois appellent un « fêtard », un viveur à la fois brave et bougon… assis là, bien à l'aise en train de se rassasier, le veston fripé et à demi déboutonné. Peu à peu l'opiniâtreté avec laquelle il continuait à mastiquer eut pour moi quelque chose d'irritant – peut-être aussi parce que je me souvenais de la politesse et de la cordialité dont avaient fait preuve à cette même table le lieutenant-colonel et le directeur de la sucrerie – et je commençais à douter qu'il fût possible d'arracher à cet amateur de mangeaille et de vin, qui élevait chaque fois son verre à la lumière avant de le déguster bruyamment, une réponse précise à une question aussi confidentielle que celle que je voulais lui poser.

« Eh bien ! qu'y a-t-il de neuf dans le pays ? La récolte sera-t-elle bonne ? Les dernières semaines n'ont pas été trop sèches, pas trop caniculaires ? J'ai lu cela ou à peu près dans les journaux. Et à la sucrerie ? Est-ce que vous allez encore augmenter les prix, au cartel du sucre ? » C'est avec de telles questions négligentes, fades et paresseuses, qui ne demandaient aucune réponse, que Condor interrompait de temps à autre le travail rapide de ses mâchoires. Quant à ma présence, il paraissait vouloir l'ignorer, et quoique l'on m'eût déjà souvent parlé de cette grossièreté caractéristique des toubibs, je sentais monter en moi une espèce de colère contre ce rustre aux allures bonhommes. Ma mauvaise humeur était telle que je ne prononçai pas un seul mot durant tout le repas.

Mais notre présence ne le gênait pas le moins du monde, et lorsque nous retournâmes au salon où le café nous attendait, il se jeta avec un soupir de contentement dans le fauteuil même d'Edith, qui comportait toutes sortes de commodités telles qu'une tablette tournante pour les livres, des cendriers et un dossier réglable. Comme la colère non seulement rend méchant, mais en outre aiguise le regard, je ne pus m'empêcher de constater avec une certaine satisfaction combien ses jambes, avec ses chaussettes avachies, étaient courtes, son ventre flasque ; pour lui montrer à mon tour le peu de cas que je faisais de sa personne, je plaçai alors mon siège de façon à lui tourner le dos en partie. Sans s'inquiéter du tout de mon silence éloquent ni de l'agitation de Kekesfalva, qui allait et venait nerveusement à travers la pièce – le vieillard se dérangeait à chaque instant pour mettre à sa disposition cigares, briquet, cognac – Condor prit trois havanes dans la boîte, dont deux en réserve qu'il posa près de sa tasse de café, et malgré la docilité avec laquelle le fauteuil profond semblait se prêter à son corps, il ne lui parut pas encore assez confortable. Il se tournait et se retournait sans cesse jusqu'à ce qu'il eût trouvé la position la plus délicieuse. Et ce n'est qu'après avoir bu sa deuxième tasse de café qu'il se sentit vraiment bien, et respira avec la satisfaction d'un animal repu. Dégoûtant, dégoûtant, me disais-je. Mais alors il s'étira soudain et regarda ironiquement Kekesfalva.

« Eh bien ! mon ami, on dirait saint Laurent sur le gril, vous regrettez sans doute de m'avoir offert un si bon cigare, tellement vous êtes impatient de connaître mon diagnostic. Mais vous êtes au courant de mes habitudes, n'est-ce pas ? Vous savez que je ne mêle pas volontiers la bonne chère et la médecine. Et puis, j'étais *vraiment* trop affamé, trop fatigué. Depuis sept heures et demie du matin, sans arrêt je suis debout, et je commençais à avoir la sensation que non seulement mon estomac, mais aussi ma tête était vide. Alors donc, cher ami – il tira lentement sur son cigare et renvoya la fumée en volutes grises – alors, venons-en à notre affaire. Tout va bien. Exercices d'extension, d'assouplissement, tout marche à souhait. Il me semble même qu'il y a une légère amélioration depuis la dernière fois. Nous pouvons donc être contents. Seulement – il tira encore une fois sur son cigare – au point de vue de son état général… psychique, dirons-nous, je l'ai trouvée… je vous en prie, n'allez pas tout de suite vous effrayer, cher ami… je l'ai trouvée un peu changée. »

Malgré l'avertissement, Kekesfalva s'effraya au-delà de toute mesure. La cuiller qu'il avait en main commença à trembler.

« Changée… Qu'entendez-vous par là ?… Comment cela changée ?

— Eh bien !… changée, cela veut dire changée…
Je n'ai pas dit, cher ami, en plus mal. Comme dit le
père Goethe, n'allez rien interpréter ou sous-entendre
ici… Je ne sais pas encore moi-même ce qui se passe…
Mais il y a quelque chose de bizarre. »

Le vieillard tenait toujours sa cuiller à la main, il
n'avait manifestement pas la force de la déposer.

« Quoi ?… Qu'est-ce donc qui est bizarre ? »

Le docteur Condor se gratta doucement la tête.
« Eh ! si seulement je le savais ! Mais, encore une fois,
ne vous inquiétez pas. Nous parlons d'une façon claire
et sans simagrées, et je vous le répète très nettement,
ce n'est pas dans la maladie qu'il y a un changement,
c'est dans la malade elle-même. Il y avait quelque
chose, je ne sais quoi d'étrange en elle aujourd'hui.
J'ai eu le sentiment pour la première fois qu'elle
m'échappait en quelque sorte des mains… » Il tira
encore une fois sur son cigare, puis ses petits yeux
perçants foncèrent sur Kekesfalva. « D'ailleurs, le
mieux c'est que nous allions droit au fait. Nous
n'avons pas besoin de nous gêner l'un à l'égard de
l'autre et nous pouvons jouer franc-jeu. Donc… cher
ami, dites-moi, je vous en prie, nettement, sincèrement : avez-vous, dans votre éternelle impatience, fait
appel à un autre médecin ? Quelqu'un d'autre a-t-il
examiné ou donné des soins à Edith pendant mon
absence ? »

Kekesfalva sursauta, comme si on l'eût accusé d'un
crime monstrueux. « Mais pour l'amour de Dieu, docteur, je vous jure sur la tête de mon enfant !…

— C'est bon, c'est bon… pas de serments ! jeta
rapidement Condor. Je vous crois aussi comme cela.

128

Liquidée, ma question ! *Peccavi !* me suis fichu dedans !
Ça arrive, même aux professeurs et aux grands
patrons. Quelle bêtise… j'aurais juré que… Eh bien !
il doit y avoir autre chose… mais c'est étrange, très
étrange… Vous permettez ?… (Il se versa une troisième rasade de café.)

— Oui, mais qu'y a-t-il donc ? Qu'y a-t-il de
changé ?… Que voulez-vous dire ? balbutia le vieillard, les lèvres sèches.

— Cher ami, vous me rendez la tâche vraiment difficile. Il n'y a pas lieu de vous tracasser, je vous en
donne encore une fois ma parole, ma parole d'honneur.
S'il y avait quelque chose de sérieux, je ne parlerais
pas devant un étranger… excusez, mon lieutenant, ce
n'est pas pour vous offenser, je veux juste dire… je ne
vous le dirais pas ainsi de mon fauteuil, tout en buvant
commodément de votre bon cognac… c'est vraiment
un cognac de tout premier ordre ! »

Il se rejeta de nouveau en arrière et ferma les yeux
une seconde.

« Oui, c'est difficile d'expliquer ainsi, en un tournemain, ce qu'il y a de changé en elle. Très difficile,
parce que nous nous trouvons aux frontières de l'inexplicable. Mais si j'ai cru tout d'abord qu'un autre
médecin s'était immiscé dans le traitement – vraiment
je ne le crois plus, monsieur de Kekesfalva, je vous le
jure – c'est parce que j'ai senti que quelque chose ne
fonctionnait pas bien, pour la première fois, entre
Edith et moi – le contact normal manquait… attendez… peut-être puis-je exprimer cela d'une façon plus
claire. Je veux dire… il s'établit inévitablement dans
un long traitement certains rapports entre le médecin

et son malade… parler de "contact" serait peut-être aller trop loin, car dans cette relation, il n'y a rien de physique, bien entendu. Dans celle-ci la confiance se mêle d'une façon étrange à la méfiance, mais elles sont toujours en conflit, l'attirance cherchant à l'emporter sur la répulsion et vice versa, d'où il découle, d'une fois sur l'autre, une modification de ce mélange. Nous y sommes habitués, nous les docteurs. Tantôt c'est le malade qui apparaît au médecin sous un jour différent, et tantôt c'est le contraire, parfois ils ne se comprennent ni l'un ni l'autre… Oui, ces vibrations réciproques sont au plus haut point étranges, on ne peut pas les saisir et encore moins les mesurer. Le mieux est d'employer une comparaison, même au risque qu'elle soit grossière. Donc, avec un malade que vous avez quitté pendant quelques jours c'est comme si, en rentrant chez vous après une courte absence, vous vous servez de votre machine à écrire ; en apparence elle fonctionne comme avant, cependant vous sentez à quelque chose, d'impossible à préciser, que pendant que vous n'étiez pas là un autre s'en est servi. Vous faites la même constatation, vous sans doute, lieutenant, lorsque vous avez prêté votre cheval à un de vos camarades. Il y a quelque chose qui ne va pas ensuite dans l'allure, les façons de la bête, elle vous a pour ainsi dire échappé des mains, et probablement il vous est tout aussi difficile de dire à quoi vous le remarquez, tellement insignifiants sont les changements… Je sais, ce sont là des comparaisons tout à fait sommaires, car les rapports entre un médecin et son malade ont, cela va sans dire, un caractère bien plus subtil. Je serais vraiment embarrassé, je le répète, si je devais expliquer ce qu'il y a de changé chez Edith depuis la dernière fois. Mais ce qui est sûr, c'est qu'un changement s'est opéré en elle, et cela me fâche de ne pas pouvoir dire quoi exactement.

— Mais comment... en quoi cela se manifeste-t-il ? » souffla Kekesfalva. Je voyais que toutes les adjurations de Condor ne réussiraient pas à le tranquilliser, et son front était moite de sueur.

« En quoi cela se manifeste ? Eh bien ! dans des choses insignifiantes, des impondérables. Déjà pour les épreuves d'assouplissement j'ai remarqué qu'elle m'opposait une certaine résistance. Avant même que j'aie pu commencer de l'examiner vraiment, elle se cabrait : "Inutile, c'est la même chose qu'avant." Jusqu'ici elle *attendait* avec grande impatience mes constatations... Cette fois, lorsque j'ai proposé certains exercices, elle m'a fait des réflexions bêtes comme : "Ah ! cela n'y fera rien non plus", ou : "Avec cela on n'obtiendra pas grand résultat." Je reconnais que de telles remarques sont en soi sans importance – mauvaise humeur, nervosité – mais jusqu'ici, cher ami, Edith ne m'a jamais rien dit de semblable. Après tout, oui, peut-être n'était-ce que de la mauvaise humeur... cela peut arriver à tout le monde.

— Mais, n'est-ce pas... son état n'a pas empiré ?

— Combien de fois, cher ami, faut-il que je vous donne ma parole d'honneur ? S'il y avait la moindre chose, je serais tout aussi inquiet, comme médecin, que vous comme père, et ainsi que vous le voyez, je ne le suis pas le moins du monde. Au contraire, cette résistance ne me déplaît pas du tout. Je le reconnais, la petite est plus nerveuse, plus irritable, plus impatiente que les dernières semaines et vraisemblablement elle doit vous donner à vous aussi pas mal de fil à retordre. Mais une telle révolte signifie d'autre part un certain renforcement de la volonté de vivre, de guérir. Plus un organisme met de vigueur à vouloir fonctionner normalement, plus il est désireux, bien sûr, d'en finir avec la maladie. Croyez-moi, nous n'aimons pas, autant que vous le pensez, les malades "gentils" et dociles. Ce sont ceux qui facilitent le moins la tâche du médecin. Nous préférons les voir nous opposer une résistance énergique, ou même farouche, car parfois ces réactions apparemment absurdes ont, d'une façon étrange, plus d'effet que tous nos remèdes. Donc, encore une fois, je ne suis pas du tout inquiet. Si l'on voulait par exemple essayer maintenant un nouveau traitement avec elle, on pourrait s'attendre de sa part à n'importe quel effort. Peut-être serait-ce le moment opportun de mettre en jeu les forces psychiques qui précisément dans son cas ont une importance si décisive. Je ne sais pas (il leva la tête et nous regarda) si vous saisissez bien.

— Parfaitement », dis-je sans le vouloir. C'était le premier mot que je lui adressais. Tout cela me paraissait tellement clair et naturel !

Pourtant, le vieillard ne sortait pas de son immobilité. Il regardait devant lui, les yeux vides. Je sentais que de tout ce que le docteur voulait nous expliquer, il ne comprenait rien, pour la bonne raison qu'il ne voulait pas comprendre et que toute son attention, son inquiétude était fixée sur ce point : guérira-t-elle ? Bientôt ? Quand ?

« Mais quel traitement ? (Dans son émotion, il bégayait et balbutiait toujours.) Vous parlez d'un nouveau traitement… Lequel ? (Je vis aussitôt qu'il s'accrochait à ce mot "nouveau" parce qu'il contenait pour lui un nouvel espoir.)

— Je vous en prie, cher ami, laissez-moi le soin de décider ce qu'il y a à faire et quand il faut le faire… Ne me pressez pas tout le temps. Ne cherchez pas toujours à obtenir comme par enchantement ce qui demande un effort. Votre "cas", comme on dit si cavalièrement chez nous, est et reste ma principale préoccupation. Nous finirons bien par nous en tirer. »

Kekesfalva se taisait, muet et l'air accablé. Je voyais qu'il se contraignait pour ne pas poser encore une de ses questions absurdes et vaines. Et Condor, lui aussi, semblait avoir senti cet effort silencieux, car il se leva brusquement.

« À présent, réglée pour aujourd'hui, n'est-ce pas, cette affaire. Je vous ai dit mon impression. Tout le reste ne serait que bavardage. Même si Edith devait se montrer encore plus irritable, ne vous effrayez pas. Je finirai par repérer quel boulon a bougé. Vous n'avez qu'une chose à faire : rester calme et ne pas aller et venir autour d'elle avec un visage si triste, si soucieux. Et puis : faites attention à vos propres nerfs. Vous avez la figure de quelqu'un qui ne dort pas assez et je crains qu'en vous rongeant ainsi, vous ne vous fassiez plus de mal que vous n'en avez le droit, étant donné l'état de votre fille. Vous feriez bien de commencer tout de suite par aller vous coucher, en prenant, avant de vous mettre au lit, quelques gouttes de valériane, afin que vous soyez demain frais et dispos. C'est tout. Finie la consultation ! J'achève ce cigare et je m'en vais.

— Vous voulez vraiment… partir déjà ? »

Le docteur resta ferme.

« Oui, cher ami, fini pour aujourd'hui ! J'ai encore ce soir un dernier patient à voir, un patient bien mal en point. Comme vous me voyez, depuis sept heures et demie, je n'ai pas arrêté. Toute la matinée j'ai été à l'hôpital, il y avait là un cas curieux… Mais ne parlons pas de ça… Puis dans le train, puis ici, et il faut bien de temps en temps donner de l'air à ses poumons, afin de garder la tête claire. Aussi, je vous en prie, aujourd'hui pas d'auto. Je préfère rentrer à pied ! Il fait un clair de lune splendide. Bien entendu je ne veux pas vous enlever le lieutenant. Il vous tiendra certainement encore un peu compagnie, si malgré mon conseil vous n'allez pas au lit. »

Mais je me rappelai aussitôt ma mission. « Non, déclarai-je vivement, il faut que je parte aussi, demain mon service me réclame de très bonne heure. J'aurais dû d'ailleurs prendre congé depuis longtemps.

— Bon alors, si vous le voulez bien, nous nous en irons ensemble. »

Une étincelle brilla dans le regard terne de Kekesfalva. Ma mission ! La question à poser ! Les investigations ! Lui aussi s'en était souvenu.

« Dans ce cas j'irai me coucher tout de suite », déclara-t-il avec une docilité inattendue et en me lançant un regard furtif, dans le dos de Condor. Mais l'avertissement était superflu. Je sentais mon pouls battre violemment contre ma manchette. Maintenant, je le savais, commençait ma mission.

À peine eûmes-nous franchi la porte que, sans le vouloir, le docteur Condor et moi nous restâmes immobiles sur la plus haute marche du perron, devant l'aspect étonnant du jardin à nos pieds. Pendant les heures que nous venions de passer à l'intérieur, il n'était venu à l'esprit d'aucun de nous de regarder au-dehors, et maintenant un changement complet nous attendait. Dans le ciel étoilé la pleine lune géante avait un éclat de disque argenté et, tandis que l'air chauffé par le soleil du jour nous enveloppait d'une chaleur estivale, ses rayons aveuglants répandaient sur le monde une sorte d'hiver magique. Entre les arbres taillés droit et dont l'ombre flanquait l'allée, le gravier semblait de la neige fraîchement tombée. Miroitants dans la lumière comme du verre, et dans l'obscurité comme de l'acajou, les arbres paraissaient plongés dans un engourdissement absolu. Jamais encore je n'avais vu la lune donner aux choses un aspect aussi spectral que dans le calme et l'immobilité de ce parc submergé par les flots de cette froide lumière. L'enchantement était tel que nous descendîmes d'un pas hésitant l'escalier qui nous semblait glissant comme de la glace. Lorsque nous nous engageâmes dans l'allée, nous fûmes soudain non plus deux, mais quatre, car devant nous s'étendaient nos ombres exactement dessinées par la très vive clarté lunaire. Malgré moi, j'observai les deux noirs compagnons qui répétaient nos mouvements et j'éprouvai un certain apaisement – nos sentiments sont parfois bizarres et puérils – à constater que mon ombre était plus longue, plus svelte, « mieux » que celle de mon compagnon, courte et rondouillarde. Le sentiment de supériorité que j'en éprouvai (il faut un certain courage pour s'avouer à soi-même une telle naïveté) accrut mon assurance. L'âme est influencée par les hasards les plus étranges et souvent les choses extérieures les plus infimes fortifient ou amoindrissent notre courage.

Sans avoir échangé un seul mot, nous étions arrivés à la grille. Pour la fermer nous dûmes nous retourner. La façade de la maison brillait comme si on l'eût badigeonnée de phosphore bleuâtre, ce n'était plus qu'un bloc étincelant, si éblouissant qu'on ne pouvait pas distinguer si les fenêtres étaient éclairées de l'intérieur ou de l'extérieur. Le claquement du loquet avait déchiré le silence. Encouragé peut-être par ce bruit terrestre au milieu de ce calme un peu fantomatique, le docteur Condor se tourna vers moi avec une confiance que je n'avais pas espérée.

« Ce pauvre Kekesfalva ! Toujours je me fais des reproches sur mon attitude à son égard en me demandant si je n'ai pas été trop brusque. Je sais bien qu'aujourd'hui encore il eût préféré me retenir et me poser cent questions, ou plutôt cent fois la même question. Mais je n'en pouvais plus. La journée avait vraiment été trop dure. Du matin au soir des malades, encore des malades, et avec cela rien que des cas où on n'avance pas. »

Nous étions maintenant dans l'allée extérieure également bordée d'arbres dont les branches entrelacées formaient un réseau ombreux contre la lumière de la lune. Le gravier d'une blancheur extraordinaire n'en brillait que davantage, et nous marchions dans un ruissellement de lumière. J'étais trop respectueux pour répondre, mais Condor ne paraissait pas faire attention à moi.

« Et puis il y a des jours où je ne puis supporter son insistance. Voyez-vous, le plus dur dans notre profession, ce ne sont pas les malades. Avec eux on apprend, en fin de compte, de quelle façon il faut s'y prendre et on adopte une technique. Du reste, s'ils se plaignent et vous harcèlent de questions, cela fait partie de leur maladie, comme la fièvre ou les maux de tête. Nous comptons d'avance avec leur impatience, nous nous y attendons et sommes armés pour répondre ; de même que nous avons pour eux des calmants et des somnifères, nous avons aussi des phrases et des mensonges rassurants à leur service. Mais personne ne nous rend la vie aussi dure que les proches, les parents qui se glissent sans qu'on le leur demande entre le médecin et le malade et qui veulent toujours savoir "la vérité". Tous font comme s'il n'y avait à ce moment-là que leur malade sur terre, comme si l'on n'avait que lui à soigner. Je n'en veux vraiment pas à Kekesfalva de ses interrogations, mais, voyez-vous, quand l'impatience devient chronique, on finit parfois par en perdre sa propre patience. Dix fois je lui ai déclaré que j'avais en ce moment un cas difficile en ville, où c'est une question de vie ou de mort. Malgré cela il me téléphone chaque jour, insistant et insistant pour m'arracher un espoir. Et de plus je sais, moi qui suis son médecin, combien cette agitation est néfaste à sa santé. Je suis beaucoup plus inquiet pour lui qu'il ne s'en doute, beaucoup plus. C'est heureux qu'il ne sache pas à quel point cela va mal. »

Je m'effrayai. Cela allait donc mal ! Ouvertement, d'une façon tout à fait spontanée, le docteur Condor m'avait fourni le renseignement que je voulais obtenir de lui par la ruse. Vivement ému, je le pressai de s'expliquer :

« Pardonnez-moi, docteur ! Mais vous comprendrez que cela m'inquiète aussi… Je ne me doutais pas que l'état de Mlle Edith fût si grave…

— Mlle Edith ? (Le docteur me regarda tout étonné. Il parut alors se rendre compte qu'il avait parlé à quelqu'un.) Comment cela, Mlle Edith ? Je n'ai pas dit un mot à son sujet… Vous ne m'avez pas du tout compris… Non, non, l'état d'Edith est vraiment tout à fait stationnaire, toujours stationnaire, *hélas* ! C'est son état à lui, Kekesfalva, qui me tourmente, et de plus en plus. N'avez-vous pas remarqué comme il a changé durant ces derniers mois ? Comme il a mauvaise mine et comme il décline de semaine en semaine ?

— Je ne peux pas en juger… Il n'y a que peu de temps que j'ai eu l'honneur de faire la connaissance de M. de Kekesfalva et…

— Ah ! oui, c'est vrai… Pardonnez-moi… alors vous n'avez rien pu constater, bien entendu… Mais moi, qui le connais depuis des années, j'ai été sincèrement effrayé aujourd'hui lorsque j'ai jeté les yeux par hasard sur ses mains. N'avez-vous pas aperçu comme elles sont osseuses et diaphanes ? Quand on a vu comme moi beaucoup de mains de morts, cette couleur bleuâtre frappe toujours dans une main vivante. Et puis… son émotivité exagérée ne me plaît pas. À la moindre remarque, ses yeux se mouillent, au moindre souci qu'il se crée, il pâlit ; et justement chez des hommes qui étaient autrefois si vigoureux et si énergiques que Kekesfalva, un tel manque de ressort est alarmant. Cela ne signifie rien de bon quand des

138

hommes durs deviennent mous tout à coup, leur bonté soudaine ne me dit rien qui vaille. Il y a alors quelque chose à l'intérieur qui ne va pas. Bien entendu, il y a longtemps que j'ai l'intention de l'examiner sérieusement... mais je n'ose pas lui en parler. Car, mon Dieu, s'il se mettait alors à penser qu'il est lui-même malade et même qu'il pourrait mourir, je ne sais pas où cela nous mènerait ! Il se ronge déjà bien assez avec son obsession permanente, avec cette folle impatience... Vraiment, lieutenant, vous m'avez mal compris. Ce n'est pas Edith, c'est lui qui me cause le plus de soucis... Je crains que le vieil homme ne tienne plus longtemps. »

J'étais abasourdi. Je n'avais pas pensé à cela. J'avais alors vingt-cinq ans et jamais encore je n'avais vu mourir personne qui me fût proche. Impossible sur-le-champ de me mettre dans la tête que quelqu'un avec qui je venais de dîner, de parler, pourrait le lendemain être mort, enveloppé dans un suaire. En même temps, je sentis à une légère piqûre dans la région du cœur que ce vieil homme m'était devenu cher. Dans mon émotion embarrassée, je voulus répondre quelque chose :

« Mais ce serait effroyable, vraiment effroyable. Un homme si distingué, si généreux, si bienveillant – en vérité le premier vrai gentilhomme hongrois que j'aie rencontré... »

Alors une chose surprenante se produisit. Condor s'arrêta d'un mouvement si soudain que je m'arrêtai, moi aussi, sans le vouloir. Il me regarda avec fixité, ses lunettes brillèrent dans le mouvement brusque qu'il fit en se tournant vers moi. Ce n'est qu'au bout d'un moment qu'il me demanda tout interloqué :

« Un gentilhomme ?... Et un vrai encore ?... Kekesfalva ? Pardonnez-moi, mon cher lieutenant... mais est-ce... que vous parlez sérieusement... de vrai gentilhomme hongrois ? »

Le sens de sa question m'échappait. J'avais seulement le sentiment d'avoir dit quelque chose de stupide. Aussi répondis-je, embarrassé :

« Je ne puis vous parler que d'après mon propre jugement ; M. de Kekesfalva s'est, en toute circonstance, montré à moi sous son côté le meilleur et le plus distingué... Au régiment on nous a toujours présenté la noblesse hongroise comme particulièrement hautaine... Mais... je... n'ai jamais rencontré un homme aussi affable que lui... je... »

Je me tus parce que je remarquai que Condor me regardait toujours avec attention. Son visage rond brillait au clair de lune, ses lunettes miroitaient, énormes, et derrière elles je ne voyais qu'indistinctement ses yeux qui m'observaient. Cela me donnait le sentiment désagréable d'être un insecte se débattant devant une loupe très forte et puissante. Tels que nous étions là l'un en face de l'autre au milieu de la route, nous devions présenter un tableau étrange, mais la campagne était déserte. Puis Condor baissa la tête, reprit sa marche et murmura, comme s'il se parlait à lui-même :

« Vous êtes vraiment... un homme singulier. Pardonnez-moi, je ne l'entends pas du tout dans le mauvais sens du mot. Mais c'est en effet singulier, vous devez le reconnaître, très étrange, même... Voici déjà plusieurs semaines, ainsi que vous venez de me dire, que vous fréquentez la maison. D'autre part vous vivez dans une petite ville, un poulailler, terriblement jacassant avec cela, et vous prenez Kekesfalva pour un magnat ! N'avez-vous donc jamais entendu parmi vos camarades certaines... remarques... je ne veux pas dire défavorables, mais enfin des remarques au sujet de sa qualité de gentilhomme ?... On a pourtant dû vous rapporter...

— Non », répondis-je énergiquement. Et je sentis que je commençais à m'irriter (il n'est pas agréable de s'entendre dire à plusieurs reprises qu'on est un homme singulier). « Je regrette, mais jamais personne ne m'a raconté quoi que ce fût. Je n'ai jamais parlé de M. de Kekesfalva avec aucun de mes camarades.

— Bizarre, murmura Condor, bizarre ! Je croyais qu'il avait exagéré en parlant de vous. Et je dois vous l'avouer – puisque c'est aujourd'hui apparemment le jour de mes faux diagnostics – j'étais quelque peu méfiant devant son enthousiasme... Je ne pouvais pas croire que vous ne veniez chez lui qu'à cause de l'incident du bal, le premier soir, simplement par sympathie pour la malade. Car vous n'imaginez pas à quel point on exploite ce vieil homme – pour être franc, je m'étais promis (je peux bien vous l'avouer) de tirer au clair pour quelle raison vous fréquentiez cette maison. Je me disais : soit... comment dire cela poliment... ? soit c'est un type très calculateur qui veut faire sa pelote, sinon, si ses intentions sont honnêtes, ce doit être quelqu'un sans grande maturité, car c'est seulement sur les gens très jeunes que le tragique et le danger exercent une fascination si singulière. Du reste, l'instinct de ces gens très jeunes d'esprit est presque toujours fort juste et vous l'avez très bien deviné… ce Kekesfalva est un homme exceptionnel. Mais comme, d'autre part, je sais ce qu'on peut lui reprocher, cela me paraît, excusez-moi, assez comique que vous l'appeliez un gentil-homme. Pourtant, croyez-en quelqu'un qui le connaît mieux que personne ici, vous n'avez pas à rougir de lui avoir témoigné, à lui ainsi qu'à sa pauvre fille, tant d'amitié. Quoi que l'on puisse vous dire sur son compte, il ne faut pas vous laisser tromper : cela n'a aucun rapport avec l'homme touchant, émouvant qu'est aujourd'hui Kekesfalva. »

Condor disait cela tout en marchant et sans me regarder. Ce n'est qu'au bout de quelque temps que ses pas se ralentirent. Je devinais qu'il réfléchissait et ne voulais pas le troubler. Nous allâmes ainsi pendant quatre ou cinq minutes, sans parler. Une voiture qui nous croisa à ce moment nous obligea à nous écarter, et le conducteur, un paysan des environs, considéra avec curiosité le couple étonnant que nous formions, ce lieutenant et ce petit homme gras et à lunettes, qui se promenaient sans rien dire si tard dans la nuit, sur la grand'route. Quand la voiture se fut éloignée, Condor se tourna vers moi :

« Ecoutez-moi, lieutenant. Il n'est jamais bon de faire et de dire les choses à demi. C'est de là que vient tout le mal qu'il y a sur terre. Peut-être en ai-je déjà trop dit et je ne voudrais pas que vous fussiez blessé dans vos bons sentiments. D'autre part j'ai déjà trop excité votre curiosité pour que vous n'alliez pas vous renseigner auprès d'autres, et je redoute, hélas ! que les renseignements qu'on vous donnera ne soient pas conformes à la vérité ! Et puis il est impossible à la longue de fréquenter des gens sans savoir qui ils sont. Il est même probable qu'à l'avenir vous ne le ferez plus avec la même ingénuité. Si donc cela vous intéresse vraiment d'apprendre quelque chose sur notre ami, lieutenant, je me tiens volontiers à votre disposition.

— Mais bien entendu. »

Il tira sa montre. « Onze heures moins le quart. Il nous reste encore deux grandes heures. Mon train ne part qu'à une heure vingt. Mais je ne crois pas que de telles choses puissent bien se raconter sur la route. Peut-être connaissez-vous un coin tranquille, où nous pourrions parler à notre aise. »

Je réfléchis un instant. « Le mieux serait la Taverne tyrolienne, rue de l'Archiduc-Frédéric. Là il y a de petits cabinets où l'on peut s'entretenir librement, sans être dérangé.

— Parfait ! Je crois que c'est ce qu'il nous faut », fit-il en accélérant le pas.

Nous poursuivîmes notre route sans en dire davantage. Bientôt apparurent les premières maisons de la ville. Par un heureux hasard nous ne rencontrâmes dans les rues déjà désertes aucun de mes camarades. Je ne sais pas pourquoi, mais il m'eût été désagréable qu'on m'interrogeât le lendemain sur mon compagnon. Depuis que j'étais engrené dans cette affaire aux étranges complications, je m'efforçais soigneusement de ne pas laisser de piste pouvant conduire au labyrinthe mystérieux dans les profondeurs duquel je me sentais de plus en plus entraîné.

Cette Taverne tyrolienne était une agréable petite auberge possédant une pointe de mauvaise réputation. Située un peu à l'écart dans une vieille rue tortueuse, elle était fort appréciée dans notre milieu pour la raison que le portier oubliait consciencieusement de présenter la fiche de police aux couples qui demandaient – même en plein jour – une chambre avec un grand lit. Une autre assurance de discrétion, si l'on voulait une ou plusieurs heures d'intimité, était fournie par le fait que pour accéder à ces nids d'amour, il ne fallait pas utiliser l'entrée ordinaire (car une petite ville a cent yeux) et que la salle de la taverne donnait discrètement sur un escalier conduisant au but désiré. En revanche, si la maison était un peu douteuse, on y buvait un délicieux terlaner et un muscat irréprochable. Tous les soirs les bourgeois de la ville y venaient discuter entre amis, assis à leur aise devant de lourdes tables sans nappe en buvant quelques verres, des inévitables affaires de la commune ou même du vaste monde ! Tout autour de la grande pièce carrée réservée à ces respectables buveurs, qui ne cherchent ici qu'à boire leur vin, toujours avec bons gros compagnons, on avait aménagé, surélevée de la hauteur d'une marche, une galerie de « loges », séparées les unes des autres par d'épaisses cloisons, pyrogravées et ornées d'inscriptions naïves. De lourdes portières les isolaient si complètement de l'extérieur qu'on aurait presque pu les appeler des *chambres séparées* et d'ailleurs, jusqu'à un certain point, elles en faisaient fonction. Ainsi quand un officier ou un volontaire d'un an voulait s'amuser sans être vu avec quelques jeunes filles légères de Vienne, il se faisait réserver une de ces loges ; et selon un accord tacite, même notre colonel qui était très strict sur la discipline avait approuvé cette sage disposition, car elle empêchait les civils de voir de trop près comment ses hommes se divertissaient. La discrétion était aussi de rigueur dans les usages de la maison : le propriétaire, un certain Ferleitner, avait expressément donné ordre aux serveuses, vêtues d'un costume tyrolien, de ne jamais soulever les sacro-saints rideaux sans avoir nettement toussé auparavant et de ne déranger Messieurs les Militaires sous aucun prétexte, à moins d'avoir été appelées par une sonnette prévue à cet effet. Ainsi la dignité de l'armée tout autant que ses plaisirs étaient-ils pleinement assurés.

Que l'on désirât simplement s'en servir pour pouvoir bavarder en paix, n'avait pas dû se produire souvent dans les annales de l'auberge. C'est pourtant ce que nous fîmes. Car il m'eût été pénible, pendant que j'allais écouter les explications promises par le docteur Condor, d'être dérangé à tout instant par les saluts ou les regards curieux de camarades, ou d'être obligé en cas d'arrivée d'un supérieur, de me lever respectueusement et de saluer. Je me sentis mal à l'aise, rien qu'en traversant la salle avec Condor – quels quolibets devrais-je essuyer demain, pour m'être retiré dans une telle intimité avec cet inconnu, ce monsieur rondouillard ! – mais je constatai bien vite, et très soulagé, que l'établissement était désert, sous l'effet, infaillible dans une petite garnison, de la fin du mois... Il n'y avait là personne du régiment et tous les cabinets étaient libres, pour nous.

Sans doute afin que la serveuse n'eût plus à revenir, Condor commanda tout de suite un double litre de vin clairet, qu'il paya aussitôt en donnant à la jeune fille un si bon pourboire qu'elle disparut pour toujours, non sans nous avoir adressé un « Grand bien vous fasse » reconnaissant. La portière retomba et l'on n'entendit plus que quelques bruits indistincts ou un rire venant de la salle. Nous étions vraiment tout à fait isolés et sûrs de n'être pas ennuyés.

Condor emplit l'un des grands gobelets pour moi, puis le sien. Je remarquai à une certaine lenteur dans ses mouvements qu'il préparait ce qu'il voulait me dire (et peut-être aussi ce qu'il voulait me cacher). Lorsqu'il se tourna ensuite vers moi, l'expression de mollesse et d'indolence qui précédemment m'avait tant déplu chez lui, avait disparu. Son regard était concentré.

« Le mieux est que nous débutions par le commencement et que pour le moment nous laissions de côté l'aristocratique M. Lajos von Kekesfalva. Car à cette époque il n'existait pas encore. Il n'y avait pas de propriétaire foncier en redingote noire et lunettes cerclées d'or, pas de gentilhomme ou de magnat qui portât ce nom. Il y avait seulement, dans une misérable petite bourgade à la frontière hungaro-slovaque, un petit juif à la poitrine étroite et aux yeux vifs du nom de Léopold Kanitz et que tout le monde appelait, je crois, Lämmel Kanitz... »

Je dus sursauter ou manifester d'une façon quelconque mon extrême surprise, car je m'attendais à tout, sauf à cela. Mais Condor poursuivait en souriant :

« Oui, Kanitz, Léopold Kanitz, c'est ainsi, et je n'y puis rien. C'est beaucoup plus tard seulement que grâce à l'intervention d'un ministre ce nom est devenu le beau patronyme magyar à particule que vous connaissez.

146

Vous avez peut-être oublié qu'ici un homme qui vit depuis longtemps dans le pays, qui a de l'influence et de bonnes relations, peut faire peau neuve, magyariser son nom et parfois même obtenir l'anoblissement ? D'autre part, il a vraiment coulé beaucoup d'eau dans la Leitha depuis que ce petit juif haut comme trois pommes, aux yeux perçants et rusés, gardait les chevaux ou les voitures des paysans pendant qu'ils étaient au cabaret, ou bien pour une poignée de pommes de terre aidait les femmes à porter leur panier le jour du marché.

Le père de Kekesfalva, ou plutôt de Kanitz, n'était donc pas un magnat, mais un juif à papillotes, le très pauvre locataire d'une modeste auberge située à l'entrée du petit bourg. Les bûcherons et les charretiers s'y arrêtaient le matin et le soir pour y avaler, avant ou après la traversée glaciale des Carpathes, un ou plusieurs verres d'eau-de-vie à 70°. Parfois ce feu liquide agissait trop vigoureusement sur leurs sens. Alors ils cassaient les verres et les chaises, et c'est au cours d'une scène de ce genre que le père de Kanitz reçut un mauvais coup qui devait causer sa mort. Plusieurs paysans qui s'en revenaient du marché se querellèrent chez lui après boire ; comme il s'efforçait de les séparer, pour protéger son maigre mobilier, l'un d'eux, un charretier géant, le repoussa si violemment qu'il alla s'affaler dans un coin de l'auberge en gémissant de douleur. À dater de ce jour il cracha le sang, et un an plus tard il mourait à l'hôpital. Il ne laissait pas d'argent à sa veuve. Celle-ci, une vaillante femme, se tira d'affaire, avec ses petits enfants, en s'occupant de blanchissage et d'accouchements. Elle faisait aussi du colportage, où le petit Léopold l'aidait en portant la balle sur son dos. Il saisissait du reste toutes les occasions qui lui permettaient de gagner quelques kreutzers ; chez les commerçants, il faisait le saute-ruisseau, ou portait les messages d'un village à l'autre. À l'âge où d'ordinaire les enfants jouent aux billes, il savait déjà le prix de chaque objet, où et comment on achète et on vend, de quelle façon on se rend utile et indispensable. Outre cela il trouvait encore le temps de s'instruire. Le rabbin lui apprit à lire et à écrire, et il comprenait avec une telle vivacité qu'à treize ans, il pouvait à l'occasion faire des écritures chez un avocat ou, pour moins d'une couronne, calculer les revenus des petits épiciers et établir leurs feuilles d'impôts. Afin d'économiser la lumière (une goutte de pétrole était pour le modeste ménage une grande dépense) il restait parfois des nuits entières sous la lampe à signaux du garde-barrière (le village ne possédait pas de station) à lire et étudier les journaux déchirés qu'il ramassait çà et là. Déjà à cette époque, en le voyant faire, les anciens de la communauté secouaient leurs barbes d'un air approbateur et prédisaient que le petit deviendrait un jour quelqu'un.

Comment il quitta son village slovaque et arriva à Vienne, je n'en sais rien. Mais lorsqu'il fit son apparition dans cette région-ci – il avait alors vingt ans – il était déjà agent d'une importante compagnie d'assurances, et comme il était infatigable, il s'occupait, à côté de cet emploi officiel, de cent autres petites affaires. Il devint ce qu'on appelle en Galicie un "commission-naire", un homme qui traite de tout, sert d'intermédiaire pour tout et tend partout un pont entre l'offre et la demande.

Au début on le tolérait. Bientôt on commença à le remarquer et ensuite à faire appel à ses services, car il était toujours au courant et s'y connaissait en tout : s'il y avait quelque part une veuve désireuse de marier sa fille, il offrait aussitôt son entremise ; quelqu'un voulant émigrer en Amérique avait-il besoin de renseignements et de papiers, il les lui trouvait. En outre il achetait de vieux habits, de vieilles montres, des antiquités, estimait et vendait des terres, des marchandises, des chevaux ; si un officier désirait une caution, il la lui procurait. D'année en année ses connaissances et son cercle d'activité s'élargissaient.

Quand on est doué d'une telle puissance de travail et d'une telle énergie, on arrive à gagner de l'argent. Mais une véritable fortune ne s'acquiert que par une relation toute spéciale entre les revenus et les dépenses, entre les rentrées et les sorties. Or c'est là l'autre secret de la réussite de notre ami Kanitz : durant toutes ces années il ne dépensa pour ainsi dire rien, à part qu'il soutenait une kyrielle de parents et payait des études à son frère. Le seul achat important qu'il ait fait pour lui à cette époque, fut une redingote noire et ces lunettes à double foyer, que vous connaissez, qui lui donnaient l'air d'un "savant" auprès des paysans. Mais il était déjà riche depuis longtemps qu'il se donnait toujours ici, dans la région, comme un simple agent d'assurances. Car le mot "agent" est un mot admirable, un manteau derrière lequel on peut cacher tout ce qu'on veut, et Kekesfalva s'en servait surtout pour dissimuler qu'il n'était plus depuis longtemps un intermédiaire, mais un capitaliste, un propriétaire. Il préférait être riche que passer pour tel (comme s'il avait lu, dans les sages *Paralipomena* de Schopenhauer, le passage sur ce que l'on *est* par rapport à ce que l'on *représente* seulement).

Qu'un homme à la fois travailleur, intelligent et économe parvienne toujours à s'enrichir, tôt ou tard, ne me semble pas nécessiter des considérations philosophiques particulières et en outre cela n'a rien de remarquable. Nous autres, médecins, savons bien, qu'à certaines heures décisives, un compte en banque ne peut être d'aucun secours. Ce qui m'a frappé vraiment dès le début chez notre ami Kanitz, c'est sa volonté presque démoniaque d'accroître, en même temps que sa fortune, ses connaissances. En voyage, durant des nuits entières, en voiture, au restaurant, en marchant, il lisait et apprenait. C'est ainsi qu'il étudia tous les codes, le droit commercial comme la législation industrielle, pour pouvoir être son propre avocat ; il suivait les ventes à Londres et à Paris, comme un antiquaire de profession, et il était au courant des placements et des transactions comme un banquier. Tout naturellement ses affaires prirent peu à peu des proportions de plus en plus grandes. Des paysans il passa aux fermiers, des fermiers aux seigneurs terriens. Tantôt il servait d'intermédiaire pour la vente de récoltes et de forêts, tantôt il assurait l'approvisionnement d'usines, ou créait des consortiums. On lui confia même la charge de fournitures à l'armée. On vit de plus en plus souvent la redingote noire et les lunettes dorées dans les antichambres ministérielles. Mais ici au pays – il pouvait avoir à cette époque-là près d'un demi-million de couronnes – les gens le tenaient toujours pour un petit agent, et dans la rue on le saluait avec indifférence jusqu'à ce qu'enfin il réussît son grand coup et que soudain Lämmel Kanitz devînt M. de Kekesfalva. »

Condor s'interrompit. « Voilà. Ce que je vous ai raconté jusqu'ici, je ne le sais que de seconde main. Mais ce qui va suivre à présent, c'est de lui-même que je le tiens. Il m'en a fait le récit la nuit où, après l'opération de sa femme, nous nous tînmes dans une pièce du sanatorium de dix heures du soir jusqu'à l'aube. À partir de maintenant je me porte garant de chaque mot, car en de tels moments on ne ment pas. »

Il but lentement et d'un air pensif une petite gorgée, puis alluma un nouveau cigare. Je crois que c'était déjà le quatrième de la soirée, et cette habitude de fumer sans cesse me frappa. Je commençais à comprendre que la façon joviale et désinvolte avec laquelle il agissait comme médecin, sa manière lente de parler et son indolence apparente étaient une technique spéciale pour pouvoir mieux réfléchir (et peut-être aussi observer). Trois fois, quatre fois, sa lèvre épaisse et molle tira sur le cigare, tandis qu'il en suivait la fumée d'un regard presque rêveur. Puis brusquement il se secoua et reprit :

« L'histoire des événements qui firent de Léopold ou Lämmel Kanitz le propriétaire et le seigneur de Kekesfalva commença dans un train allant de Budapest à Vienne. Quoique âgé déjà de quarante-deux ans et les cheveux grisonnants, notre ami passait à cette époque presque toutes ses nuits en chemin de fer (les avares économisent même sur le temps) et, il est inutile de le souligner, il ne prenait que des troisièmes. En vieux praticien, il avait depuis longtemps sa technique pour ces voyages-là. Tout d'abord il étendait sur le banc du wagon un plaid écossais acheté à bon compte dans une vente ; puis il suspendait avec soin au portemanteau, afin de la ménager, son inséparable redingote noire, mettait ses lunettes dans leur étui, tirait de son sac de voyage en toile – jamais il n'avait pu se décider à s'acheter une valise de cuir – une vieille robe de chambre en molleton et pour terminer, enfonçait profondément sa casquette sur ses yeux afin de les protéger contre la lumière. Ainsi équipé, il se collait dans un coin du compartiment, habitué à sommeiller dans la position assise. Il savait du reste depuis l'enfance que pour dormir on n'a pas besoin de lit ni de commodité.

Mais cette fois notre ami ne s'endormit pas, car trois autres personnes étaient assises dans son compartiment et parlaient affaires. Et quand des gens parlaient affaires, Kanitz ne pouvait pas ne pas écouter. Sa soif de savoir avait aussi peu diminué avec les années que sa soif de richesses. Telles les deux branches d'une tenaille, elles étaient unies l'une à l'autre par une vis de fer.

En vérité il était déjà tout près de sommeiller, mais un mot, un chiffre le fit frémir comme un cheval qui entend la trompette : "Pensez donc, rien que par sa stupidité ce veinard a gagné d'un seul coup soixante mille couronnes…"

Aussitôt il fut éveillé comme s'il avait reçu sur la figure un jet d'eau glacée. Soixante mille couronnes ?

Qui avait gagné soixante mille couronnes et comment ? Il fallait qu'il le sût immédiatement ! Certes il se garda bien de montrer aux autres voyageurs qu'il les écoutait. Au contraire il enfonça encore un peu plus sa casquette, afin que l'ombre masquât tout à fait ses yeux et que ces gens crussent qu'il dormait. En même temps, utilisant avec adresse les secousses du wagon, il se rapprochait parfois d'eux pour ne pas perdre un mot de leur conversation à cause du bruit.

Le jeune homme qui racontait d'une façon si véhémente, l'auteur du cri d'indignation qui avait réveillé Kanitz, était le clerc d'un avocat de Vienne, et ce qui le faisait pérorer avec une telle animation, c'était son dépit en pensant à l'immense gain réalisé par son patron.

"… Mais avec cela l'imbécile a gâché toute l'affaire ! À cause d'une pauvre vacation, qui lui a peut-être rapporté cinquante couronnes, il est arrivé avec un jour de retard à Budapest, et entre-temps cette bêtasse s'était fait rouler d'une façon inouïe. Tout avait marché à merveille : irrécusable le testament, les meilleurs témoins, suisses, deux attestations médicales inattaquables disant que ladite Orosvar était, au moment de la rédaction du testament, en pleine possession de ses esprits. Jamais la bande de scélérats des petits-neveux et des pseudo-parents par alliance n'aurait touché un centime, malgré l'article scandaleux que leur avocat avait fait paraître dans les journaux du soir, sans l'idiotie de mon patron qui était si sûr de lui, et qui, sous prétexte que l'audience ne devait avoir lieu que le vendredi suivant, s'en était retourné tranquillement à Vienne. Pendant ce temps ce filou de Wiezner va la trouver, lui fait, lui l'avocat de la partie adverse, une visite amicale, et cette gourde d'héritière se laisse aller à dire : 'Ce que je veux, ce n'est pas tant l'argent, c'est surtout ma tranquillité !' (il la singeait en prenant même l'accent du nord !) Eh bien ! elle l'a maintenant, sa tranquillité, et les autres, sans avoir rien fait, ont les trois quarts de l'héritage qui lui revenait. Sans attendre le retour de mon patron, cette crétine signe un accord, le plus insensé qu'on ait jamais vu ; d'un trait de plume elle lâche plus d'un demi-million de couronnes."

Et maintenant faites attention, lieutenant, me dit Condor en me regardant. Pendant toute cette philippique, notre ami Kanitz était resté dans son coin, comme un hérisson en boule, toujours la casquette sur ses yeux, mais ne perdant pas une syllabe de ce qui se disait. Il comprit aussitôt de quoi il s'agissait, car le procès Orosvar – je change le nom à dessein, car le véritable est trop banal – faisait à cette époque les gros titres de tous les journaux hongrois et en vérité c'était une affaire ahurissante. Je vais vous la raconter brièvement.

La vieille princesse Orosvar, originaire de l'Ukraine où elle possédait déjà une fortune colossale, avait survécu trente-cinq ans à son mari. Coriace et méchante comme une harpie depuis que ses deux enfants étaient morts la même nuit, de la coqueluche, elle haïssait de tout son cœur les autres Orosvar, simplement parce qu'ils vivaient alors que ses deux pauvres petits n'étaient plus ; je crois d'ailleurs que c'est par malice et afin de déplaire à ses neveux et nièces, impatients d'hériter, qu'elle a vécu jusqu'à l'âge de quatre-vingt-quatre ans. Lorsque l'un d'eux venait, attiré par le magot, pour lui rendre visite, elle refusait de le voir, et même leurs lettres les plus aimables, elle les jetait au panier sans en prendre connaissance. Misanthrope et d'un caractère fantasque depuis la mort de ses enfants et de son mari, elle ne passait à Kekesfalva que deux ou trois mois de l'année, pendant lesquels elle ne recevait personne. Le reste du temps elle voyageait, vivant princièrement tantôt à Nice, tantôt à Montreux, s'habillait, se déshabillait, se faisait friser, manucurer, farder, lisait des romans français, achetait un nombre considérable de robes, fréquentait les magasins, marchandait et jurait comme une commère russe. Bien entendu sa dame de compagnie, la seule personne qu'elle supportât auprès d'elle, n'avait pas une vie facile ! Cette pauvre fille, douce et inoffensive, devait tous les jours nourrir, brosser et promener trois affreux griffons, jouer du piano à la vieille folle, lui faire la lecture et se laisser, sans le moindre motif, injurier de la façon la plus grossière. Lorsque la vieille dame, qui avait rapporté cette habitude de l'Ukraine, avait bu quelques verres de cognac ou de vodka en trop, elle devait même, selon des témoignages certains, accepter d'être battue. Dans toutes les villes d'eaux, à Nice, Cannes, Aix-les-Bains, Montreux, on connaissait la vieille femme énorme, avec son nez camus, son visage fardé, ses cheveux teints, qui, parlant toujours à haute voix sans se soucier si on l'écoutait ou non, se disputait comme un adjudant avec les garçons de restaurant et faisait des grimaces impertinentes aux gens qui ne lui plaisaient pas. Partout l'accompagnait comme une ombre, dans ces effroyables promenades – elle devait toujours marcher derrière avec les chiens, jamais à côté d'elle – sa dame de compagnie, qui, on le voyait à ses yeux effarés, avait honte des façons rudes de sa maîtresse, qu'elle craignait comme le diable.

Or, dans sa soixante-dix-huitième année, dans ce même hôtel de Territet où habita l'impératrice Elisabeth, la princesse Orosvar attrapa une bonne pneumonie. Comment cette nouvelle parvint-elle en Hongrie ? Je n'en sais rien. Toujours est-il que sans s'être concertés ses parents accoururent, occupèrent l'hôtel, assaillirent les médecins de questions, et attendirent de pied ferme sa mort.

Il faut croire que la méchanceté conserve. Le vieux dragon se remit et le jour où ils apprirent que la princesse devait descendre pour la première fois dans le hall, les héritiers impatients disparurent. Mais la vieille avait eu vent de leur trop inquiète venue. Haineuse comme elle l'était, elle soudoya les garçons et les filles d'étage pour qu'ils lui rapportassent chacune de leurs paroles. Tout concordait. Les héritiers trop impatients s'étaient disputés entre eux comme des loups pour savoir qui aurait le domaine de Kekesfalva, qui celui d'Orosvar, qui les perles et bijoux, qui les biens d'Ukraine et qui le palais de la Ofnerstrasse. Ce fut le premier coup. Un mois plus tard arriva une lettre d'un banquier de Budapest, un certain Dessauer, qui lui écrivait qu'il ne pourrait plus attendre pour le paiement des créances qu'il avait sur son petit-neveu Deszos, si elle ne lui assurait pas par écrit qu'il serait l'un de ses héritiers. C'en était trop ! La princesse appela par télégramme son avocat de Budapest, pour lui dicter un nouveau testament, et ce – la méchanceté rend aussi prévoyant – en présence de deux médecins qui témoignèrent que la testatrice était en pleine possession de ses facultés mentales. Ce testament, l'avocat l'emporta avec lui. Il resta six années scellé dans son bureau, car la vieille Orosvar ne se hâtait nullement de mourir. Lorsqu'on put l'ouvrir enfin, il y eut une grosse surprise. Le *de cujus* avait nommé légataire universelle sa dame de compagnie, une demoiselle Annette-Béate Dietzenhof, originaire de Westphalie, dont le nom pour la première fois retentit ainsi terriblement aux oreilles de tous les parents de la princesse. C'est à elle que revenaient Kekesfalva, Orosvar, la sucrerie, le haras, le palais de Budapest. Les biens d'Ukraine et l'argent liquide, la vieille les avait légués à sa ville natale et ils devaient servir à la construction d'une église orthodoxe. Pour les parents, pas même un bouton. Elle le spécifiait d'ailleurs formellement d'une façon agressive en disant : "Parce qu'ils étaient pressés de me voir mourir."

Ce fut un beau scandale. Les parents jetèrent les hauts cris, se précipitèrent chez des avocats et firent les oppositions d'usage. Selon eux la testatrice n'avait pas toute sa lucidité au moment de la rédaction du testament, car il avait été fait au cours d'une grave maladie et en outre elle se trouvait dans un état de dépendance pathologique envers sa dame de compagnie. Il n'y avait aucun doute que celle-ci, usant de ruse, avait fait violence à la véritable volonté de la malade. En même temps ils essayèrent de donner à cette histoire un caractère national. Des terres hongroises, en possession des Orosvar depuis l'époque d'Arpad, allaient passer aux mains d'étrangers, d'une Prussienne, et l'autre partie de la fortune de la princesse aux mains de l'Eglise orthodoxe. Pendant quelque temps on ne parla de rien d'autre à Budapest, les journaux en remplirent des colonnes entières. Mais malgré le vacarme et les cris des parents évincés, leur affaire n'était pas solide. Déjà en première et en deuxième instance, ils avaient perdu leur procès ; car pour le malheur des mécontents, les médecins de Territet qui avaient signé les attestations vivaient encore et ils avaient confirmé leurs premières déclarations concernant la parfaite lucidité de la princesse au moment où avait été écrit le testament. Les autres témoins durent reconnaître également, une fois confrontés, que si la vieille dame était quelque peu extravagante durant ses dernières années, elle conservait cependant tous ses esprits. Les ruses d'avocats, les intimidations avaient échoué sans exception, et on pouvait parier cent contre un que la Curie royale ne casserait pas les jugements rendus en faveur de la Dietzenhof.

Bien entendu, Kanitz avait lu lui aussi les comptes rendus du procès, mais il n'en écoutait pas moins avec attention chaque mot des voyageurs, car les affaires d'argent des autres l'intéressaient passionnément, étant toujours instructives. En outre il connaissait le domaine de Kekesfalva du temps où il était agent d'assurances.

"Tu peux t'imaginer, poursuivait le jeune homme, la colère de mon patron lorsqu'il vit, à son retour, dans quelle mesure on avait roulé son abrutie de cliente. Elle avait déjà renoncé par écrit au domaine d'Orosvar, au palais de la Ofnerstrasse et s'était contentée du seul domaine de Kekesfalva et du haras. Ce qui avait fait la plus forte impression sur elle, c'était la promesse de ce chien de filou qu'elle n'aurait plus désormais aucun ennui avec les tribunaux et que les héritiers prendraient même généreusement sur eux les frais de son avocat. En fait, sur le terrain du droit, on pouvait encore combattre cet accord, car pour finir il n'avait pas été conclu par-devant notaire mais seulement devant témoins, et il eût été extrêmement facile d'avoir raison de toute cette bande de rapaces, qui n'avait plus d'argent pour continuer l'affaire. Le devoir de mon imbécile de patron eût été de leur montrer cela et de leur imposer un compromis favorable à sa cliente. Mais les malins surent le prendre au bon endroit en lui offrant sous le manteau soixante mille couronnes s'il s'inclinait devant le fait accompli. Et comme il était furieux après cette oie, qui s'était ainsi laissé arracher un beau million de couronnes en une demi-heure, il déclara l'accord valable et empocha l'argent. Soixante mille couronnes, que dis-tu de cela ? pour avoir par son voyage idiot à Vienne gâché toute l'affaire de sa cliente ! Oui, il a de la chance, et l'on peut dire que le bon Dieu favorise les jean-foutre pendant leur sommeil ! Maintenant, de tout son héritage il ne reste plus à la Dietzenhof que Kekesfalva, et telle que je la connais, elle l'aura bientôt bazardé, cette tourte !

— Que va-t-elle en faire ? demanda l'autre.

— Le bazarder, j'te dis. J'ai d'ailleurs entendu raconter que les gens du cartel du sucre veulent lui soulever la sucrerie. Après-demain, je crois, le directeur général doit venir à ce sujet, de Budapest. Quant au domaine lui-même, je pense qu'il va être loué à un certain Petrovic, l'ex-intendant de la princesse, mais il se peut aussi que les gens du cartel en prennent eux-mêmes la régie. Ce n'est pas l'argent qui leur manque. Du reste une banque française – vous n'avez pas lu ça dans les journaux ? – prépare, dit-on, une fusion des industries de la Bohême…"

À ce moment-là la conversation commença à prendre une tournure plus générale. Mais notre Kanitz en avait entendu suffisamment et les oreilles lui en tintaient. Peu de gens connaissaient le domaine de Kekesfalva aussi bien que lui ; vingt ans auparavant il en avait assuré le mobilier. Il connaissait également Petrovic. C'était par l'intermédiaire de Kanitz que ce gaillard qui se donnait des allures de brave homme, avait placé en hypothèques chez l'avoué Gollinger les sommes considérables qu'il tirait de l'administration du domaine. Et notre ami se rappelait surtout l'armoire de Kekesfalva contenant des porcelaines chinoises, certaines statuettes vernies, des laques et des broderies de soie rapportées de Chine par le grand-père de la princesse Orosvar, quand il était ambassadeur de Russie à Pékin. Du vivant de la princesse, il avait déjà cherché, lui qui était le seul à en connaître l'immense valeur, à les acheter pour Rosenfeld, de Chicago. C'étaient des pièces d'une extrême rareté, valant peut-être deux à trois mille dollars. La vieille Orosvar n'avait bien sûr aucune idée du prix que l'on mettait depuis quelques décennies en Amérique pour les objets d'Extrême-Orient ; pourtant elle avait grossièrement rembarré Kanitz, en répondant qu'elle ne vendait rien et qu'il aille au diable. Si ces pièces étaient encore là – Kanitz tremblait à cette seule pensée – il serait peut-être possible, à l'occasion d'un changement de propriétaire, de les obtenir pour peu d'argent. Le mieux certes serait encore de s'assurer un droit d'option sur tout le mobilier.

Notre Kanitz fit comme s'il se réveillait brusquement – les trois voyageurs parlaient depuis longtemps d'autre chose – il simula un bâillement, s'étira et regarda l'heure à sa montre : deux heures du matin. On allait bientôt arriver à la station proche de Kekesfalva. En hâte il plia sa robe de chambre, endossa son inévitable redingote et attendit. Lorsqu'une demi-heure plus tard le train s'arrêta, il descendit, se rendit à l'auberge du Lion Rouge, demanda une chambre, et, il n'est pas besoin de le dire, comme un général à la veille d'une bataille dont l'issue est incertaine, il dormit très mal. À sept heures – il ne fallait pas perdre un instant – il se leva, et par le chemin que nous venons de parcourir, se dirigea vers le château. Il devait être là avant les autres. Régler l'affaire avant que les vautours aient eu le temps d'arriver de Budapest. Se mettre rapidement d'accord avec Petrovic pour qu'il le prévienne aussitôt si l'on procédait à la vente du mobilier. En cas de besoin, s'entendre avec lui pour ne pas enchérir l'un sur l'autre et s'assurer, lors du partage, un droit d'option sur le tout.

Depuis la mort de la princesse, la propriété ne comptait plus beaucoup de domestiques. Aussi Kanitz put s'y introduire facilement et tout examiner à loisir. De beaux bâtiments, se dit-il, en excellent état, les volets fraîchement repeints, les murs bien ravalés, une nouvelle clôture – oui, oui, le Petrovic sait bien pourquoi il fait faire tant de réparations, elles lui permettent à chaque règlement de comptes d'empocher de grasses commissions ! Mais où se cachait-il donc ? La porte principale était fermée, dans la cour intérieure personne ne se montrait, malgré la vigueur de ses appels. Bon Dieu, pourvu que ce type ne soit pas déjà parti pour Budapest dans le but de traiter avec cette stupide Dietzenhof !

Avec impatience Kanitz va d'une porte à l'autre, frappe dans ses mains – personne ne se montre ! Enfin, s'étant glissé par une petite entrée latérale, il aperçoit dans la serre une femme en train de s'occuper des fleurs. Voilà tout de même quelqu'un qui va pouvoir le renseigner ! Il cogne brutalement contre la vitre. « Hé ! » crie-t-il en frappant de nouveau dans ses mains. La femme se retourne, effrayée, et elle reste quelque temps immobile puis, timidement, comme si elle avait fait quelque chose de mal, elle s'approche de la porte. Blonde, mince, encore jeune, vêtue d'une blouse sombre avec un tablier de coton noué sur le devant, elle est là, dans l'embrasure, son sécateur à demi ouvert à la main.

Quelque peu énervé, Kanitz l'interpelle avec rudesse : "Vous faites joliment attendre les gens ! Où est donc Petrovic ?

—. Je vous demande pardon… Qui dites-vous ?" fait la maigre fille, troublée. Sans le vouloir, elle a reculé d'un pas et cache le sécateur derrière son dos.

"Combien de Petrovic y a-t-il donc ici ? Je parle de Petrovic l'intendant !

— Ah ! M. l'intendant !… Excusez-moi. Je ne l'ai pas encore vu… Il est, je crois, parti pour Vienne… Mais sa femme m'a dit qu'elle pense qu'il sera de retour avant ce soir."

162

Elle pense ! se dit Kanitz dépité. Il va falloir attendre jusqu'au soir. Perdre encore une nuit à l'hôtel ! Faire des dépenses inutiles sans même savoir ce qui en sortira. Quelle bêtise ! Il faut que ce type soit justement absent aujourd'hui, gromelle-t-il à mi-voix. Et se tournant vers la femme : "Peut-on entre-temps visiter le château ? Quelqu'un a-t-il les clés ?

— Les clés ? fait-elle d'un air embarrassé.

— Mais oui, les clés ! (Pourquoi se balance-t-elle si stupidement ? Sans doute que Petrovic lui a donné l'ordre de ne laisser entrer personne. Bah ! On peut glisser un pourboire à cette bête craintive.)" Kanitz prend aussitôt un air jovial et dit, dans son dialecte viennois :

"N'ayez pas la frousse. Je ne prendrai rien. Je veux seulement voir. Eh bien ! avez-vous les clés, oui ou non ?

— Les clés... Bien entendu je les ai... balbutie-t-elle... mais... je ne sais pas quand M. l'intendant...

— Puisque je vous dis que je n'ai pas besoin de Petrovic pour cela ! Allons, ne perdons pas de temps ! Vous connaissez la maison ?"

La femme paraît de plus en plus embarrassée. "Je crois, oui... assez bien..."

Une idiote ! pense Kanitz. Quel drôle de personnel ce Petrovic engage ! Et à haute voix il ordonne :

"Maintenant allons-y ! Je n'ai pas beaucoup de temps."

Il va devant, et elle le suit, docile et inquiète. À la porte d'entrée elle se montre de nouveau hésitante.

"Dieu du ciel, ouvrez donc enfin ! (Pourquoi cette attitude si stupide ? se demande Kanitz, furieux)." Et pendant qu'elle tire les clés d'un vieux sac de cuir usé et ratatiné, il demande encore une fois, par mesure de prudence :

"À propos, que faites-vous au juste dans cette maison ?"

La femme s'arrête et répond en rougissant :

"Moi ?… Je suis… – elle s'arrête et se reprend : j'étais… j'étais la dame de compagnie de la princesse."

Du coup Kanitz en a le souffle coupé (et je vous jure qu'il était difficile à cette époque de faire perdre contenance à un homme de son calibre). Sans le vouloir il recule d'un pas.

"Vous n'êtes pas… mademoiselle Dietzenhof ?

— Si", fait-elle tout effrayée, comme si on l'avait accusée d'un crime.

Kanitz n'avait jusqu'alors jamais connu ce qu'on appelle la confusion. Mais en se cognant ainsi contre la fabuleuse Mlle Dietzenhof, héritière de Kekesfalva, il devient terriblement confus. Aussitôt son ton change du tout au tout.

"Pardon, dit-il en balbutiant et, en se hâtant d'ôter son chapeau, oh ! pardon, mademoiselle !… Mais personne ne m'avait dit que vous étiez déjà arrivée… Je ne me doutais pas… Je vous en prie, excusez-moi… Je n'étais venu que pour…"

Il s'interrompt, car il s'agissait maintenant d'inventer quelque chose de plausible.

"Ce n'était que pour l'assurance… Je suis déjà venu ici plusieurs fois, il y a quelques années, du vivant de la princesse. Malheureusement je n'avais pas eu l'honneur, mademoiselle, de vous rencontrer… Je voulais

164

voir si tout ce qui est assuré est encore là... Nous y sommes obligés... Mais, après tout, cela ne presse pas.

— Je vous en prie, dit-elle craintivement. Mais comme je ne suis pas du tout au courant de ces sortes de choses, ce serait peut-être mieux que vous en parliez avec M. Peterwitz.

— Bien sûr, bien sûr, réplique notre Kanitz (il n'avait pas encore recouvré tout à fait sa présence d'esprit...). J'attendrai le retour de M. Peterwitz. (À quoi bon corriger son erreur, se dit-il.) Mais, pourrais-je, tout de même, si cela ne vous gêne pas, jeter un rapide coup d'œil. Ça ne demanderait que quelques instants. Du reste il n'y a certainement eu aucun changement dans le mobilier.

— Non, non, répondit-elle avec précipitation, rien n'a été changé. Si vous voulez vous rendre compte...

— Vous êtes bien aimable, mademoiselle", dit Kanitz en s'inclinant. Et ils entrent tous les deux dans le château.

Arrivé dans le salon, son premier coup d'œil est pour les quatre Guardi, que vous connaissez, et à côté, dans le boudoir d'Edith, pour l'armoire avec les porcelaines chinoises, les soieries et les statuettes de jade. Dieu soit loué ! Tout est encore là ! Petrovic n'a rien volé. L'imbécile préfère prendre sa part sur l'avoine, le foin, les pommes de terre, les réparations. Pendant ce temps, pour ne pas déranger le monsieur étranger dans son inspection, Mlle Dietzenhof manifestement embarrassée ouvre les volets. La lumière pénètre partout ; à travers les hautes portes vitrées le regard plonge dans le parc. Il s'agit d'engager la conversation, pense Kanitz, de ne pas la lâcher, de se mettre bien avec elle !

"La vue sur le parc est très belle, commence-t-il en respirant à pleins poumons. Ce doit être admirable d'habiter ici.

— Oui, très belle", répond-elle docilement, mais son approbation ne sonne pas d'une façon tout à fait sincère. Kanitz se rend compte aussitôt que, toujours rabrouée, elle a désappris à contredire ouvertement. Cependant au bout d'un moment elle ajoute :

"A dire vrai, la princesse ne s'est jamais bien plu ici. Elle disait toujours que les pays de plaines la rendaient mélancolique. Elle n'aimait que les montagnes et la mer. Le pays lui semblait trop isolé, et les gens…"

De nouveau elle s'arrête. (Il faut poursuivre la conversation, se redit Kanitz, maintenir le contact !)

"Mais, vous, mademoiselle, vous ne pensez pas ainsi, fait-il, et j'espère que vous allez rester chez nous ?

— Moi… elle lève involontairement la main comme pour éloigner d'elle quelque chose de déplaisant… moi ? Oh ! non, pas du tout !… Que ferais-je ici, toute seule, dans cette grande maison ?… Non, non… je partirai dès que les affaires seront terminées."

Kanitz la regarde en louchant et pense : comme elle a l'air fluette dans cette grande pièce, la pauvre propriétaire ! Si elle n'était pas si pâle et si apeurée, on pourrait presque dire qu'elle est jolie. Son long visage étroit avec ses lourdes paupières ressemble à un paysage gâté par la pluie, ses yeux d'un bleu tendre sont doux et chauds, mais ils ne rayonnent pas, ils se cachent pudiquement derrière les cils baissés. Observateur expérimenté, Kanitz voit tout de suite qu'il a devant lui un être auquel on a brisé l'échine, un être malléable et sans volonté. Donc, poursuivre la conversation, surtout continuer à parler ! Et, le front plissé, avec un air de sympathie il demande :

"Mais que va devenir cette belle propriété ? Elle a besoin d'être dirigée, et même d'une main ferme.

— Je ne sais pas… Je ne sais pas." Elle a prononcé ces mots avec nervosité, l'inquiétude palpite dans son corps frêle. En cet instant Kanitz comprend que cette femme, qui depuis des années a toujours été sous la dépendance d'autrui, n'aura jamais le courage de prendre d'elle-même une décision et qu'elle est plus effrayée que réjouie de cet héritage inattendu, qui n'est qu'une lourde charge sur ses faibles épaules. Avec la rapidité de l'éclair il réfléchit. Ce n'est pas pour rien que durant vingt années il a appris à acheter et à vendre, à pousser dans un sens et à retenir dans l'autre : encourager l'acheteur et décourager le vendeur, car telle est la première loi du métier d'intermédiaire. Aussitôt il s'apprête à faire appel à ses armes ordinaires. Il faut la dégoûter de sa propriété, pense-t-il. Peut-être pourrait-on ainsi régler toute l'affaire d'un coup, en prenant les devants sur Petrovic. Qui sait si ce n'est pas une chance que ce gaillard soit parti pour Vienne ? Et donnant à son visage une expression apitoyée, il dit :

"Vous avez raison ! Une grande propriété est toujours une source de grands soucis. On n'a jamais de repos. Sans cesse il faut lutter avec le personnel, les intendants, les voisins, sans compter la charge des impôts et le recours aux avocats ! Quand les gens savent que vous avez quelque bien, ils ne pensent qu'à vous le prendre. On n'a autour de soi que des ennemis, quoi qu'on fasse. Il n'y a vraiment rien à faire : dès que les gens devinent qu'il y a de l'argent quelque part, tout le monde veut s'en emparer. Oui, vous avez raison : pour gérer une telle propriété il faut une main de fer, sinon on n'arrive pas à s'en tirer. Et même si l'on est né pour cela, il faut encore batailler perpétuellement.

— Hélas ! fait-elle en soupirant. (On voit qu'elle se rappelle quelque chose d'affreux.) Les gens sont terribles, c'est vrai, quand il s'agit d'argent. Je ne le savais pas."

Les gens ? Qu'importent les gens à Kanitz ? Qu'est-ce que ça peut lui faire que les hommes soient bons ou mauvais ? Prendre à ferme le domaine, le plus vite qu'il pourra et dans les meilleures conditions possibles, voilà ce qui l'intéresse subitement. Il écoute et approuve poliment, mais en même temps une autre case de son cerveau calcule et réfléchit : comment mener rondement l'affaire ? Fonder un consortium, qui affermerait toute la propriété, les terres, la sucrerie, le haras, ne serait pas une mauvaise chose. On pourrait même ensuite sous-louer le tout à Petrovic et ne conserver pour soi que le château et l'installation. Le principal est de lui faire de suite une proposition et de l'avoir par la peur : elle acceptera tout ce qu'on lui offrira. Elle ne sait pas compter, n'a jamais gagné d'argent et ne mérite pas non plus qu'on lui en donne trop. Tandis que son cerveau travaille ainsi avec fièvre, ses lèvres poursuivent la conversation en feignant de compatir à ses ennuis.

"Mais le plus affreux, ce sont les procès. On a beau être bon enfant, on ne sort jamais des chicanes. C'est ce qui m'a toujours effrayé et empêché d'acheter une propriété. Sans cesse des luttes, des avocats, des tourments ! Toujours des procédures, des séances ajournées et des scandales... Non, il vaut mieux vivre modestement, avoir sa tranquillité, n'être pas constamment obligé de se faire du mauvais sang ! Quand on est à la tête d'une propriété comme celle-ci, on croit posséder quelque chose et on n'est en réalité que le domestique des autres. En principe ce serait magnifique de vivre dans ce château, dans cette belle et vieille demeure, oui, magnifique... mais pour diriger cette affaire, il faudrait avoir des nerfs d'acier... et ce ne serait quand même qu'une charge éternelle..."

Elle l'écoute, le buste incliné. Tout d'un coup elle relève la tête, un lourd soupir s'échappe de sa poitrine :

"Oui, une charge effrayante... si seulement je pouvais la vendre !..."

Ici il faut que je m'interrompe, lieutenant, pour vous faire comprendre ce que cette courte phrase signifia dans la vie de notre ami. Je vous ai déjà dit que Kekesfalva m'a raconté cette histoire pendant la nuit la plus grave de sa vie, celle où se mourait sa femme, dans un de ces moments, par conséquent, comme chacun n'en traverse dans toute sa vie que deux ou trois peut-être, – un de ces moments où même le plus dissimulé éprouve le besoin de se montrer, devant un autre homme, aussi vrai et aussi nu que devant Dieu. Je le revois encore quand nous étions assis l'un en face de l'autre, dans la salle d'attente du sanatorium. Il s'était approché tout près de moi et parlait à voix basse, sur un ton extrêmement ému, d'une seule coulée. Je sentais qu'il s'efforçait d'oublier que sa femme était là-haut, en train de mourir, et qu'il voulait s'étourdir. Mais à cet endroit de son récit où Mlle Dietzenhof lui dit : "Si seulement je pouvais la vendre !", il s'arrêta soudain. Pensez donc, lieutenant, quinze ou seize ans plus tard le souvenir de cet instant où cette innocente fille d'un certain âge lui avoua d'une façon aussi impulsive son désir de vendre le plus vite possible, l'émouvait encore à tel point qu'il en devint tout pâle. Deux fois, trois fois, il me répéta la phrase et sans doute avec la même intonation : "Si seulement je pouvais la vendre !" Car le Kanitz d'alors, avec sa faculté de perception rapide, avait aussitôt compris que la plus grande affaire de sa vie lui tombait pour ainsi dire dans les mains et qu'il n'avait rien d'autre à faire qu'à les refermer, qu'il pouvait acheter lui-même cette magnifique propriété au lieu de la prendre à ferme. Et tandis qu'il cachait son saisissement sous un bavardage indifférent, son cerveau travaillait de plus belle. Oui, se disait-il, il faut acheter, tout de suite, avant le retour de Petrovic ou l'arrivée du directeur du cartel sucrier. Il ne faut pas que je lâche cette femme, il faut que je l'empêche de reculer. Je ne m'en irai pas avant d'être le propriétaire de Kekesfalva. Et avec cette faculté mystérieuse dont l'esprit est doué à certains moments de grande tension, pour se dédoubler intérieurement, il cogitait ferme, tout en continuant à lui dire autre chose et à lui parler en sens inverse : "Vendre... oui, bien entendu, mademoiselle, on peut toujours vendre et toute chose… vendre est facile en soi… mais *bien* vendre, c'est la question… Bien vendre, c'est ce qui importe. Trouver quelqu'un d'honnête, quelqu'un qui connaît déjà le pays, le sol et les gens… quelqu'un qui a des relations, et surtout pas, grand Dieu ! l'un de ces avocats qui ne cherchent qu'à vous précipiter dans d'inutiles procès… Et puis, chose très importante, précisément dans ce cas : vendre *comptant*, trouver une personne qui ne paie pas avec des traites et des billets, pour lesquels il faut encore se battre pendant des années… vendre sûrement et à un prix raisonnable. (En même temps il calculait : je peux aller jusqu'à quatre cent mille couronnes, quatre cent cinquante mille au plus. Il y a aussi en somme les tableaux, qui valent à coup sûr cinquante mille, peut-être même cent mille couronnes, la maison, le haras… il faudrait seulement voir si le domaine n'est pas hypothéqué et savoir si quelqu'un n'a pas fait déjà une offre avant moi…)" Brusquement il prend son courage à deux mains :

"Avez-vous déjà, mademoiselle… pardonnez-moi d'être si indiscret, une idée… une idée approximative du prix que vous voudriez vendre ? Je veux dire, avez-vous déjà pensé à un chiffre ?

— Non", répondit-elle tout à fait déconcertée et en le regardant d'un air affolé.

Aïe ! mauvais, pensa Kanitz. Tout à fait mauvais. C'est toujours avec ceux qui ne fixent aucun prix qu'il est le plus difficile de traiter. Après votre offre, ils vont chez l'un et chez l'autre pour se renseigner, et chacun évalue et parle et intervient. Si on lui laisse le temps de voir d'autres personnes, tout est raté. Durant ce tumulte intérieur ses lèvres n'en continuaient pas moins à parler d'une façon appliquée :

"Mais vous… vous êtes bien fait une idée *approximative*, mademoiselle… et il faudrait aussi savoir s'il y a des hypothèques, et combien, sur la propriété…

— Hypo… hypothèques ?…" répéta-t-elle. On voyait que c'était la première fois qu'elle entendait ce mot.

"Je veux dire, reprit Kanitz… il doit bien y avoir eu quelque part une estimation… ne fût-ce qu'à cause des droits de succession… Votre avocat… pardonnez-moi si je vous parais peut-être indiscret, mais je voudrais pouvoir bien vous conseiller… votre avocat ne vous a fourni aucun chiffre ?

— Mon avocat ?… (Elle parut se rappeler confusément quelque chose)… Oui, oui, attendez… il m'a écrit… au sujet d'une estimation… oui, vous avez raison, à cause des impôts, mais… mais tout était en hongrois et je ne connais pas le hongrois. C'est exact, je me rappelle à présent, mon avocat m'a écrit que je devais faire traduire ces papiers, et, mon Dieu ! dans mon trouble je l'ai oublié. Ils doivent être encore dans ma serviette, de l'autre côté… J'habite en effet dans les bâtiments de l'intendance, là-bas… Vous comprenez que je ne peux tout de même pas coucher dans les appartements qu'occupait la princesse… Mais si vous voulez vraiment avoir la bonté de venir avec moi, je vous montrerai tout… c'est-à-dire (elle s'arrêta soudain) si je ne vous fatigue pas trop avec mes affaires…"

Kanitz trembla d'émotion. Tout venait au-devant de lui avec une rapidité qui ne s'éprouve qu'en rêve. Elle-même voulait lui montrer les actes, les estimations !

Cela lui donnait définitivement l'avantage. Il s'inclina humblement.

"Mais c'est pour moi une grande joie, mademoiselle, de pouvoir vous guider. Et je peux dire sans exagérer que j'ai quelque expérience dans ces sortes d'affaires. La princesse (ici il mentait résolument) s'adressait toujours à moi quand elle avait besoin d'un renseignement d'ordre financier, elle savait que je n'avais pas d'autre désir que de la conseiller le mieux possible…"

Ils passèrent dans les bâtiments de l'intendance. Tous les papiers du procès étaient encore là en désordre dans une serviette bourrée, toutes les correspondances avec l'avocat, les quittances des droits de succession, la copie de l'accord passé avec les parents de la princesse. Elle fouilla avec nervosité parmi les documents, tandis que Kanitz, qui la regardait en respirant avec difficulté, sentait ses mains trembler. Enfin elle sortit un papier, qu'elle déplia :

"Je crois que c'est le bon."

Kanitz prit le papier auquel était épinglée une pièce annexe en hongrois. C'était une courte lettre de l'avocat viennois disant : "Ainsi qu'il me le communique à l'instant, mon confrère hongrois a réussi à obtenir, grâce à ses relations, une estimation tout à fait basse de la succession, en vue d'éviter de trop hautes taxes successorales. À mon avis la somme fixée correspond environ à un tiers, et même pour certaines choses, à un quart seulement de la valeur véritable." Les mains tremblantes, Kanitz prit la liste écrite en hongrois. Une seule chose l'intéressait ; le domaine de Kekesfalva. Il était estimé à cent quatre-vingt-dix mille couronnes.

Kanitz pâlit. C'était aussi ce qu'il avait calculé : la véritable valeur du domaine représentait le triple du prix d'estimation rabaissé à dessein, soit environ six cent mille couronnes, et avec cela l'avocat ignorait tout des objets chinois. Combien lui offrir maintenant ? Les chiffres se brouillaient devant ses yeux.

Mais à côté de lui une voix craintive demanda : "Est-ce bien le véritable papier ? Pouvez-vous le lire ?

— Mais oui, répondit Kanitz, tiré soudain de ses réflexions. Oui, oui... ainsi... l'avocat vous fait savoir que pour Kekesfalva l'estimation est de cent quatre-vingt-dix mille couronnes. Mais, bien entendu, c'est seulement une valeur d'estimation.

— Une estimation ?... Excusez-moi... mais qu'entend-on par là ?"

Il s'agissait à présent de faire sauter la coupe, à présent ou jamais. Kanitz respira profondément.

"Une valeur d'estimation... c'est toujours une chose incertaine, très douteuse... car... l'estimation officielle ne correspond jamais entièrement au prix de vente. On ne peut jamais compter, c'est-à-dire compter d'une façon *certaine*, atteindre le chiffre de l'estimation... dans certains cas, naturellement, on peut l'atteindre, dans certains même on peut le dépasser... mais il faut pour cela que les circonstances s'y prêtent... c'est toujours une sorte de jeu de hasard, comme dans toute vente aux enchères... L'estimation ne signifie en somme qu'un point de départ, tout à fait vague, bien entendu... Exemple... On peut, par exemple, admettre – Kanitz tremblait (ni trop peu ni trop, se disait-il) – que si une propriété comme celle-ci est évaluée officiellement à cent quatre-vingt-dix mille couronnes...

on peut, en cas de vente, compter en obtenir, quoi qu'il arrive, cent cinquante mille. Oui, on peut y compter.

— Combien dites-vous ?"

Le sang afflua si soudainement aux oreilles de Kanitz qu'elles en tintèrent. Il est vrai qu'elle s'était vivement tournée vers lui et l'avait interrogé avec la précipitation de quelqu'un qui ne parvient qu'avec difficulté à maîtriser sa colère. Avait-elle percé son jeu mensonger ? S'il augmentait vite de cinquante mille couronnes ? Mais en lui une voix disait : Continue comme tu as commencé ! Et il joua une seule carte. Ses tempes battaient avec la violence d'un roulement de tambour, il dit d'une voix calme :

"Oui, c'est ce que je pensais, en tout cas. Cent cinquante mille couronnes, je crois qu'on pourrait sûrement les obtenir."

Mais à cet instant son cœur s'arrêta et le violent battement de ses tempes cessa. Car l'innocente créature s'était écriée avec un sincère étonnement :

"Tant que cela ? Croyez-vous vraiment… tant que cela ?"

Il fallut à Kanitz un certain temps pour se remettre. Il dut faire un effort terrible avant de pouvoir répondre sur le ton de la conviction la plus honnête : "… Oui, mademoiselle, cette somme je pourrais la garantir. Elle doit être possible à obtenir, d'une façon ou d'une autre." »

Le docteur Condor s'interrompit encore. Je pensais tout d'abord que ce n'était que pour allumer un cigare. Mais je remarquai qu'il était devenu tout à coup nerveux. Il ôta son binocle, le remit, ramena ses rares cheveux en arrière, comme s'ils le gênaient, et me regarda longuement, avec inquiétude. Puis il se renversa d'un seul coup dans son fauteuil et poursuivit :

« Je vous en ai peut-être dit plus, lieutenant, que je n'avais l'intention de le faire. Mais j'espère que vous n'en tirerez pas de fausses conclusions. Si je vous ai rapporté exactement de quelle façon Kekesfalva a jadis dupé cette personne ignorante, ce n'était pas du tout dans l'intention de vous indisposer contre lui. Le pauvre vieillard chez qui nous avons dîné ce soir, cet être cardiaque et bouleversé qui m'a confié son enfant et donnerait toute sa fortune pour la voir guérir, cet homme n'est plus depuis longtemps celui qui réalisa l'opération douteuse en question et je serais le dernier, aujourd'hui, à l'accuser. Précisément maintenant où, dans son désespoir, il a vraiment besoin d'aide, il me paraît important que ce soit de moi, et non d'autres personnes plus ou moins malveillantes, que vous appreniez la vérité. Je vous prie donc de bien retenir ceci : Kekesfalva (ou plutôt Kanitz) ne s'était *nullement* ce jour-là rendu au château dans le but d'arracher à cette femme, qu'il ne connaissait pas, la vente du domaine à un prix dérisoire. Il voulait seulement faire *en passant* une de ses petites affaires ordinaires, et rien de plus. Cette chance énorme lui était pour ainsi dire *tombée dessus*, et il se serait renié lui-même s'il ne l'avait pas exploitée à fond. Mais vous allez voir comme les choses ont tourné ensuite.

Je ne veux pas trop m'étendre et je passerai sur certains détails. Je veux surtout souligner que ces heures furent pour lui les plus tendues et les plus formidables de sa vie. Imaginez bien la situation : quelqu'un qui n'était jusque-là qu'un médiocre "agent", un obscur affairiste voit soudain fondre sur lui, telle une météorite tombée du ciel, la possibilité de devenir richissime en un tournemain. Il pouvait en vingt-quatre heures gagner plus que durant les dernières vingt-quatre années d'opiniâtres et laborieux petits gains – et la tentation était d'autant plus énorme qu'il n'avait même pas besoin de pourchasser la victime, de la circonvenir ou de la coincer, puisque, au contraire, elle passait toute seule la tête dans le nœud coulant, et caressait même pour ainsi dire la main qui tenait le couteau. Le seul risque était que quelqu'un d'autre surgît brusquement. C'est pourquoi il ne pouvait pas lâcher l'héritière des yeux un seul instant, ni lui laisser le temps de réfléchir. Il fallait quitter Kekesfalva avec elle avant le retour de l'intendant, et pendant tout ce temps il ne fallait pas, par précaution, qu'elle pût du tout soupçonner qu'il eût lui-même un intérêt dans cette vente.

Le coup était digne d'un Napoléon, tant il y fallait d'audace et de goût du danger : pour prendre d'assaut la citadelle de Kekesfalva avant que n'arrivât l'armée de renfort. Mais le hasard vient souvent en aide à celui qui sait risquer. Un fait (cruel, mais aussi très naturel), et que Kanitz lui-même ignorait, lui avait mystérieusement préparé la voie : pendant les premières heures passées au château, la pauvre héritière avait déjà subi tellement d'humiliations et rencontré tant de haine qu'elle n'avait plus qu'un désir : s'en aller au plus vite ! Il n'est pas d'envie plus grossière que celle que ressentent les natures subalternes quand elles voient quelqu'un arraché comme par un coup de baguette magique à la condition servile à laquelle elles-mêmes sont condamnées. Les âmes basses pardonneront plus volontiers à un prince la fortune la plus extravagante, que la liberté la plus modeste à quelqu'un qui était rivé aux mêmes chaînes qu'elles. À la nouvelle que soudain cette Allemande à qui, ils s'en souvenaient, l'irascible princesse avait souvent, pendant sa toilette, jeté à la tête peignes et brosses, était devenue la propriétaire du domaine et par conséquent leur maîtresse à tous, les domestiques n'avaient pas pu retenir leur fureur. Dès qu'il avait appris l'arrivée de l'héritière, Petrovic s'était précipité dans le train pour n'avoir pas à la saluer. Sa femme, une personne tout à fait vulgaire, une ancienne servante de cuisine au château, l'avait accueillie par ces paroles ironiques : "Allez, vous ne voudrez sans doute pas habiter chez nous, vous ne serez pas assez bien." Le valet lui avait jeté avec brutalité sa valise devant la porte, et elle avait dû la traîner à l'intérieur, sans que la femme de l'intendant eût fait un geste pour l'aider. On ne lui avait pas préparé à manger, personne ne s'était soucié d'elle, et la nuit elle avait pu entendre sous sa fenêtre une conversation à voix haute touchant une certaine "coquine", une "voleuse d'héritage".

Ce premier accueil avait fait comprendre à la pauvre et timide héritière qu'elle n'aurait jamais un moment de tranquillité dans cette maison. C'est seulement pour cela – et Kanitz ne s'en doutait pas – qu'elle accepta avec empressement sa proposition de partir le jour même pour Vienne, où il connaissait soi-disant un acheteur sûr. Cet homme sérieux, serviable, qui savait tant de choses, cet homme aux yeux mélancoliques lui apparut comme un envoyé du ciel. Elle n'en demanda pas plus. Elle lui remit avec reconnaissance tous les papiers et l'écouta attentivement avec une expression candide dans ses yeux bleus, quand il la conseilla sur le placement de la somme qu'elle allait tirer de la vente du domaine. Elle ne devait prendre que des valeurs offrant une garantie absolue, des bons sur le Trésor par exemple. Aucune partie, si minime fût-elle, de sa fortune ne devait être confiée à une personne privée. Tout devait être placé dans une banque, et la gestion laissée à un notaire, assermenté par-devant l'empereur et roi. En aucun cas elle ne devait faire appel à son avocat, car de quoi s'occupent les avocats, sinon de rendre troubles les affaires les plus claires ? Certes, glissait-il de temps en temps, certes il était possible que dans trois ans, dans quatre ans elle obtînt une somme supérieure. Mais quels frais d'ici là et quels ennuis avec les tribunaux et les bureaux ! Et comme il voyait à ses yeux bleus et innocents qui s'effrayaient de nouveau, quelle répugnance cette personne paisible avait pour les affaires et les chicanes, il déroula encore une fois toute la gamme des arguments qui l'avaient déjà convaincue pour plaquer encore le même accord final : vite, vite ! À quatre heures de l'après-midi, avant que Petrovic fût de retour, ils prenaient le train pour Vienne. Tout cela s'était passé avec une telle rapidité que Mlle Dietzenhof n'eut même pas l'occasion de demander son nom à cet étranger à qui elle confiait le soin de vendre la totalité de son héritage.

Ils voyagèrent en express de première classe – jamais Kanitz ne s'était assis sur ces sièges rembourrés et garnis de velours rouge. À Vienne, il la conduisit dans un bon hôtel de la Kärntnerstrasse, où il prit lui aussi une chambre. Il lui fallait faire préparer le soir même, par son complice, l'avoué Gollinger, l'acte d'achat qui donnerait à cette belle affaire une forme juridique inattaquable, mais il n'osait pas laisser sa victime seule une minute. Une idée lui vint, géniale, je dois l'avouer ! Il proposa à Mlle Dietzenhof d'aller passer la soirée à l'Opéra, où l'on donnait une représentation de gala, pendant que de son côté il s'efforcerait de mettre la main sur cette personne dont il avait parlé et qui désirait acheter une propriété. Touchée par tant de sollicitude, Mlle Dietzenhof accepta avec joie. Il l'installa à l'Opéra ; là elle était clouée pour quatre heures. Hélant un fiacre – cela aussi pour la première fois de sa vie – il se rendit alors à toute vitesse chez son compère et complice, maître Gollinger. Ce dernier n'était pas chez lui. Finalement Kanitz le dénicha dans une taverne et lui promit deux mille couronnes s'il consentait à rédiger immédiatement l'acte de vente dans tous ses détails et, son travail terminé, à donner rendez-vous au notaire pour le lendemain soir, sept heures.

Prodigue, là encore pour la première fois de sa vie, Kanitz avait, pendant cette négociation, fait attendre le fiacre devant la maison de l'avoué. Ses instructions données, il revint en toute hâte à l'Opéra, où il arriva juste à temps pour prendre dans le vestibule Mlle Dietzenhof, ivre d'enthousiasme, et la ramener à l'hôtel. Ce fut sa deuxième nuit sans sommeil. Plus il approchait du but, plus la crainte le tenaillait de voir cette créature jusque-là si docile lui échapper au dernier moment. Quittant son lit à chaque instant, il élaborait avec la plus grande minutie son plan pour le lendemain. Surtout il ne fallait pas la laisser seule. Il louerait un fiacre, qui l'attendrait, partout, il ne ferait pas un pas à pied, de crainte qu'elle ne rencontrât par hasard son avocat dans la rue. Il s'arrangerait pour l'empêcher de lire un journal – où elle pourrait trouver quelque chose sur l'accord intervenu dans le procès Orosvar et qui lui inspirerait peut-être la peur d'être roulée une seconde fois. Mais toutes ces craintes, toutes ces précautions étaient en réalité superflues, car la victime ne *voulait* nullement s'échapper : comme un agneau attaché par un joli ruban rose, elle suivait gentiment son dangereux berger, et lorsque, après une nuit tourmentée, notre ami pénétra, exténué, dans la salle à manger de l'hôtel, elle était déjà là, toujours vêtue de la même modeste robe cousue de sa main, attendant avec patience. Alors commença un étrange carrousel. Jusqu'au soir Kanitz traîna partout la pauvre Dietzenhof, d'une façon d'ailleurs superflue, pour lui faire croire à l'existence de toutes sortes de difficultés qu'il s'était fatigué à inventer pour elle durant sa nuit blanche.

Je passe encore sur les détails ; il la conduisit chez son avoué, où il téléphona dans toutes les directions, pour de tout autres affaires. Il l'amena dans une banque et fit demander le fondé de pouvoirs, pour discuter avec lui du placement de son argent et de l'ouverture d'un compte à son nom ; il se rendit avec elle dans deux ou trois instituts hypothécaires, ainsi que dans un obscur bureau de fonds, où il devait soi-disant se procurer certains renseignements. Et elle alla ainsi avec lui en vingt endroits, attendant avec calme dans les antichambres, pendant qu'il poursuivait ses prétendues négociations. Douze années d'esclavage chez la princesse l'avaient habituée depuis longtemps à ces longues stations ; cela ne la gênait pas, ne l'humiliait pas, et elle attendait, attendait, les mains croisées dans son giron, baissant modestement ses yeux bleus chaque fois que quelqu'un passait devant elle. Elle faisait tout ce que Kanitz lui disait de faire, signait des papiers, sans même les regarder, donnait quittance de sommes non encore reçues, tout cela avec une telle docilité que Kanitz commençait à se demander si cette bêtasse ne se serait pas contentée de cent quarante mille couronnes ou même cent trente mille. Elle répondait "oui" quand le fondé de pouvoir lui conseillait des actions du chemin de fer, et disait encore "oui" quand il suggérait des actions bancaires, en lançant à chaque fois un regard inquiet vers son oracle, Kanitz. Il était trop clair que toutes ces pratiques des affaires – les formulaires et les signatures – et même la simple vue de l'argent comptant était pour elle un pénible tourment, et que son seul désir était d'échapper à ces incompréhensibles préoccupations pour se retrouver tranquillement assise dans sa chambre, à lire, broder ou jouer du piano – et surtout ne plus être placée devant d'aussi importantes décisions, l'esprit vide et le cœur défaillant.

Infatigable, Kanitz la faisait tourner dans ce cercle artificiel, tantôt pour l'aider vraiment, comme il le lui avait promis, à trouver le meilleur placement possible pour son argent, tantôt pour l'étourdir. Cela dura exactement de neuf heures du matin à cinq heures et demie du soir. À la fin ils étaient tous deux tellement épuisés qu'il lui proposa d'entrer dans un café pour se reposer. L'essentiel était fait, les conditions de vente réglées. Il ne restait plus qu'à se rendre à sept heures chez le notaire, pour signer l'accord et prendre possession de la somme convenue. Aussitôt son visage se rasséréna et elle dit, en même temps que passait dans ses yeux bleus et candides un éclair de joie : "Alors je pourrai partir demain matin ?

— Mais bien entendu, répondit Kanitz. Dans une heure, vous serez l'être le plus libre de la terre et vous n'aurez plus besoin de vous soucier d'argent ni de propriété. Vos six mille couronnes de rentes sont placées d'une façon absolument sûre. Désormais vous pourrez vivre n'importe où sur terre, et comme il vous plaira."

Par politesse il lui demanda où elle pensait se retirer. Son visage s'assombrit de nouveau :

"J'ai pensé que le mieux serait d'aller tout d'abord chez des parents en Westphalie. Je crois qu'il y a demain matin un train *via* Cologne."

Kanitz déploya aussitôt un zèle extraordinaire. Il se fit apporter l'indicateur des chemins de fer, l'étudia avec soin et groupa les correspondances. Le rapide Vienne-Francfort-Cologne, changement à Osnabruck. Le train de neuf heures vingt était le meilleur. Il arrivait le soir à Francfort. Là il lui conseillait de s'arrêter et de passer la nuit, pour ne pas arriver trop fatiguée. Dans sa fièvre il feuilleta plus loin et trouva dans la page d'annonces un petit hôtel protestant. Pour le billet, elle n'avait pas à s'inquiéter. Il s'en chargeait, et même il l'accompagnerait à la gare. Ces recherches, cet entretien firent passer le temps plus vite qu'il ne l'avait espéré. Il regarda sa montre :

"À présent il est temps d'aller chez le notaire", fit-il.

Une petite heure suffit pour tout régler définitivement. En une petite heure, notre ami avait raflé à l'héritière les trois quarts de sa fortune. Lorsque son vieux complice vit le nom du château de Kekesfalva et le prix d'achat dérisoire, il cligna de l'œil avec admiration dans la direction de Kanitz, sans que la Dietzenhof ne vît rien. Ce qui signifiait : "Vieille canaille ! Quel coup magnifique tu as fait là !" Le notaire, lui aussi intéressé, regarda derrière ses lunettes Mlle Dietzenhof. Il avait, comme tout le monde, lu dans les journaux l'histoire de la lutte qui s'était déroulée autour de l'héritage de la princesse Orosvar, et cette vente pressée lui paraissait quelque peu suspecte. Pauvre femme, pensait-il sans doute, tu es tombée dans de mauvaises mains ! Mais ce n'était pas le rôle d'un notaire de mettre en garde, à l'occasion de la signature d'un contrat, le vendeur ou l'acheteur. Sa tâche se limitait à enregistrer l'acte, à apposer des cachets et à percevoir la taxe et les frais. Aussi le brave homme se contenta-t-il de baisser la tête – il avait déjà dû voir dans sa vie pas mal d'affaires douteuses qu'il avait revêtues du sceau de l'aigle impérial – et il invita poliment la Dietzenhof à signer la première.

La timide créature s'effraya. Indécise elle regarda son mentor, Kanitz, et c'est seulement lorsque ce dernier l'eut encouragée d'un mouvement de la tête qu'elle s'approcha de la table et écrivit, de son écriture allemande, claire et droite : Annette Beate Maria Dietzenhof. À son tour notre ami signa. De ce fait, tout était terminé. Un chèque représentant le prix d'achat fut remis au notaire, à qui Kanitz fournit en même temps le numéro du compte en banque où il devait être viré le lendemain. D'un trait de plume Léopold Kanitz avait doublé ou triplé sa fortune : lui seul et personne d'autre à présent était le seigneur et propriétaire de Kekesfalva.

Le notaire sécha soigneusement les signatures, puis les trois visiteurs lui serrèrent la main et descendirent l'escalier, la Dietzenhof en tête, suivie de Kanitz qui retenait son souffle, et derrière lui Gollinger qui enfonçait à chaque instant sa canne dans les côtes de l'acheteur chançard en murmurant de sa voix de rogomme (compréhensible pour lui seul) : "Lumpus maximus ! Lumpus maximus !" Lorsqu'ils furent devant la porte de la rue, maître Gollinger prit congé en s'inclinant profondément d'un air ironique. Kanitz en éprouva une sorte de gêne, car il restait seul avec sa victime et cela l'effrayait.

Il faut, mon cher lieutenant, que vous essayiez de comprendre ce changement inattendu. Je ne voudrais pas être trop pathétique et dire que chez notre ami la conscience s'était éveillée soudain ; mais ce trait de plume avait modifié entièrement la situation des deux partenaires. Réfléchissez : pendant deux jours Kanitz, acheteur, avait lutté contre cette pauvre fille, vendeur. Elle avait été l'adversaire qu'il lui fallait assiéger, envelopper et contraindre à capituler. Mais maintenant l'opération militaro-financière était terminée, Napoléon-Kanitz avait triomphé, complètement, et cette calme et simple fille, qui marchait dans la Walfischgasse, avec docilité à côté de lui, dans sa modeste robe, n'était plus son adversaire, son ennemi. Et – si bizarre que cela paraisse – en cet instant de sa rapide victoire, rien n'oppressait plus notre ami que le fait de la *trop* grande facilité avec laquelle il avait triomphé de sa victime. En effet, lorsque l'on cause du tort à quelqu'un, on se sent mystérieusement plus à l'aise devant sa responsabilité quand on découvre (ou quand on se persuade) que la personne lésée a elle aussi mal agi à l'une ou l'autre occasion ; cela déleste toujours la conscience de pouvoir reprocher à sa dupe ne fût-ce qu'un manquement minime. Or Kanitz n'avait rien, absolument rien à reprocher à sa victime, qui s'était remise à lui en lui présentant ses pieds et poings liés, et l'avait en outre couvert des regards innocents et reconnaissants de ses yeux vifs comme bleuets. Que pouvait-il bien lui dire maintenant ? La féliciter de la vente, c'est-à-dire de la perte qu'elle avait faite ? Il se sentait de plus en plus mal à l'aise. Je l'accompagnerai encore jusqu'à l'hôtel, se dit-il, puis ce sera fini.

Mais sa victime elle aussi, de son côté, était visiblement inquiète. Elle aussi se mit à marcher d'un pas hésitant, d'un air réfléchi. Ce changement n'échappa pas à Kanitz, quoiqu'il tînt la tête baissée. À l'allure hésitante de son pas (il n'osait pas regarder son visage), il sentit qu'elle pensait à quelque chose avec effort. Il eut peur tout à coup. Elle a fini par comprendre, se dit-il, que je suis l'acheteur. Probablement elle va me faire des reproches, sans doute regrette-t-elle déjà sa sotte précipitation et se propose-t-elle d'aller voir dès demain son avocat. Mais brusquement – ils avaient déjà descendu en silence, côte à côte, toute la

Walfischgasse – elle prit courage, toussa légèrement et commença :

"Pardonnez-moi... mais comme je pars demain matin de bonne heure je désirerais en finir tout à fait aujourd'hui... Je voudrais tout d'abord vous remercier de la peine que vous vous êtes donnée pour moi et... et... vous prier de bien vouloir me dire tout de suite... combien je vous dois pour vos efforts. Vous avez perdu tant de temps avec cette affaire... j'aurais voulu tout régler avant mon départ..."

Du coup les pieds de Kanitz restèrent sur place, son cœur cessa de battre. C'en était trop ! Il n'était pas préparé à cela. Il éprouva ce sentiment pénible qu'on ressent lorsqu'on a battu un chien et que l'animal s'approche de vous en rampant, vous regarde avec des yeux suppliants et lèche la main qui l'a frappé.

"Mais non, bégaya-t-il tout déconcerté, vous ne me devez rien, rien du tout." Il sentait la sueur lui couler sur le front ! Lui qui calculait toujours d'avance, qui depuis des ans et des ans avait appris à prévoir toute réaction, il lui arrivait quelque chose d'entièrement nouveau. Dans ses années les plus pénibles, le fait s'était produit plus d'une fois qu'on lui fermât la porte au nez, qu'on ne répondît pas à son salut (il y avait même certaines rues dans lesquelles il ne tenait plus à passer). Mais qu'on le remerciât, cela ne lui était encore jamais arrivé. Et devant cette personne qui continuait à lui montrer sa confiance malgré tout, et après ce qu'il lui avait fait, il éprouvait une espèce de honte. Malgré lui il sentait le besoin de s'excuser.

"Non, balbutia-t-il, pour l'amour du ciel... vous ne me devez rien... et je n'accepterai rien... non, vous ne me devez rien… je souhaite seulement avoir agi d'une façon conforme à vos intérêts. Peut-être eût-il été préférable d'attendre, je crois même qu'on… aurait pu obtenir davantage, si vous n'aviez pas été si pressée… Mais vous vouliez vendre vite, et en somme je continue à penser que c'est mieux pour vous. Oui, je le crois, devant Dieu, c'est mieux pour vous."

La respiration lui revint, et il se sentit presque sincère.

"Pour une personne comme vous, qui ne comprend rien aux affaires, il valait mieux passer la main ! Il est préférable d'avoir moins, et de tenir quelque chose de sûr. Et maintenant ne vous laissez pas (il avala rapidement sa salive) je vous en prie instamment, ne laissez pas d'autres gens vous en conter ; on vous dira peut-être que vous avez vendu dans de mauvaises conditions, trop bon marché. Toujours il y a des gens qui viennent se vanter après coup, qui font les malins en racontant qu'ils auraient, eux, donné plus, beaucoup plus… Mais quand ces gens-là achètent, ils ne payent pas, ils vous donnent des traites, des reconnaissances, des billets. Cela ne vous aurait pas convenu, pas du tout, je vous le jure, aussi vrai que je suis là, devant vous, car vous n'êtes pas née pour ces choses-là ! Pour faire des affaires, voyez-vous, il faut… il faut être dur comme l'argent lui-même et avec cela habile et rusé… et vous ne l'êtes pas. Pour vous, c'était mieux comme les choses se sont passées. Et la banque est de premier ordre et l'argent est bien placé, je vous le certifie. Vous toucherez régulièrement votre rente, il ne peut rien vous arriver de désagréable. Croyez-moi… Je vous le jure… Vous avez bien fait."

188

Ils étaient arrivés à la porte de l'hôtel. Kanitz hésita. Je devrais tout au moins l'inviter à dîner, ou peut-être à passer la soirée au théâtre, se dit-il. Mais déjà elle lui tendait la main.

"Je ne veux pas vous retenir plus longtemps. Je vous ai déjà assez ennuyé. Depuis deux jours déjà, je me sens confuse que vous m'ayez consacré tellement de temps… Encore une fois… je… je vous remercie. Jamais (ici elle rougit légèrement) quelqu'un ne s'est montré si bon et si serviable pour moi… Je n'aurais pas cru possible d'en avoir fini si vite avec cette histoire… que tout se passerait si bien et si facilement pour moi… Je vous remercie *beaucoup*, je vous remercie de tout mon cœur."

Kanitz prit sa main et ne put s'empêcher de lever les yeux vers elle. La chaleur du sentiment qu'elle éprouvait avait chassé de ses traits son anxiété coutumière. Son visage d'ordinaire si pâle et si traqué avait pris soudain un vif éclat ; il paraissait presque enfantin avec ses yeux bleus expressifs et son petit sourire reconnaissant. Kanitz cherchait en vain à lui dire un dernier mot. Mais vite, elle le saluait déjà et s'en allait légère, svelte, d'un pas assuré. Sa démarche avait changé. C'était à présent celle d'une personne soulagée, délivrée. Il la suivit d'un regard incertain. Il avait l'impression qu'il voulait encore lui parler avant de la quitter. Mais déjà le portier lui avait tendu sa clé, le groom la conduisait vers l'ascenseur. C'était fini.

C'est ainsi que la victime prit congé de son bourreau. Mais il semblait à Kanitz que c'était lui qui avait reçu le coup. Tout étourdi, il resta quelques minutes sur place, regardant le hall désert. À la fin, le flot de la rue l'entraîna sans qu'il sût où il allait. Jamais encore personne ne l'avait ainsi regardé, aussi amicalement, avec autant de gratitude. Jamais encore personne ne lui avait ainsi parlé. Les derniers mots qu'elle avait prononcés résonnaient encore à ses oreilles : "Je vous remercie de tout mon cœur." Et de tels mots venaient de quelqu'un qu'il avait trompé et dépouillé ! À chaque instant il s'arrêtait, pour essuyer la sueur qui coulait de son front. Et soudain, arrivé devant la grande maison de verrerie de la Kärntnerstrasse, qu'il descendait au hasard, comme ivre, il aperçut son propre visage dans la glace de la vitrine et il se regarda comme on examine dans le journal la photographie d'un malfaiteur pour essayer de reconnaître les caractéristiques du criminel : le menton fuyant, la lèvre mauvaise, les yeux durs. En voyant derrière ses lunettes des yeux agrandis par l'angoisse, il se rappela brusquement ceux de la femme qu'il venait de quitter. Oui, ce sont des yeux comme ceux-là qu'il faudrait avoir, se dit-il, bouleversé – et non comme les miens, aux bords rouges, cupides et agités –, des yeux bleus, brillants, animés d'une foi intérieure. (Ma mère en avait parfois de pareils, le vendredi soir.) Oui, c'est ainsi qu'on devrait être, honnête, candide, et préférer se laisser rouler que rouler les autres. Seules des natures de ce genre sont bénies de Dieu. Toutes mes habiletés ne m'ont pas rendu heureux. Je ne suis qu'un pauvre type qui ne connaît pas le repos. Et il poursuivit son chemin, Leopold Kanitz, étranger à lui-même : jamais il ne s'était senti si misérable qu'en ce jour de son plus grand triomphe.

Il finit par entrer dans un café, parce qu'il croyait avoir faim et il se fit servir à manger. Mais chaque bouchée l'écœurait. Je revendrai le domaine, se dit-il, je le revendrai tout de suite. Qu'en ferais-je ? Je ne suis pas agriculteur. Dois-je, moi qui suis seul, occuper dix-huit chambres et passer mon temps à me disputer avec cette canaille d'intendant ? C'était une folie, j'aurais dû l'acheter pour le compte de l'institut hypothécaire, et non à mon nom. Car si elle apprend pour finir que c'est moi l'acheteur… D'ailleurs je ne veux pas gagner grand-chose là-dessus. Si elle le désire, je le lui rends en prélevant un léger bénéfice, vingt ou même dix pour cent. Je suis prêt à le lui rendre quand elle voudra, si elle le regrette.

Cette pensée le soulagea. Demain je lui écrirai, ou du reste, je peux encore le lui dire avant qu'elle prenne le train. Oui, c'était ce qu'il fallait faire : lui donner un droit d'option pour le rachat. Maintenant il pensait pouvoir dormir tranquille. Mais malgré les deux mauvaises nuits qu'il venait de passer, il dormit peu et mal. Toujours résonnait à son oreille ce : "Je vous remercie de tout mon cœur", avec cette intonation étrangère de l'Allemagne du Nord, mais si vibrante de sincérité que ses nerfs en tremblaient encore d'émotion. Aucune affaire au cours des vingt-cinq dernières années ne lui avait causé autant de soucis que celle-là, la plus importante, la plus heureuse et la plus cynique.

À sept heures et demie, Kanitz était déjà dans la rue. Il savait que le rapide à destination de Passau ne partait qu'à neuf heures vingt, mais il voulait acheter une boîte de chocolats ou de bonbons pour Mlle Dietzenhof. Il éprouvait le besoin d'être bon pour elle et peut-être aussi le secret désir d'entendre encore une fois ces mots nouveaux et touchants : "Je vous remercie de tout mon cœur." Il fit l'achat d'une grande bonbonnière, la plus belle, la plus chère qu'il pût trouver, et même elle ne lui parut pas encore représenter un assez beau cadeau d'adieu. Aussi choisit-il en outre des fleurs dans la boutique suivante, un gros bouquet de fleurs rouges. Les deux mains chargées, il revint à l'hôtel et pria le portier de remettre le tout aussitôt à Mlle Dietzenhof dans sa chambre. Mais l'homme lui répondit en l'anoblissant tout de suite, à la mode viennoise : "Je vous en prie, monsieur de Kanitz, si vous voulez entrer dans la salle à manger, vous y trouverez Mlle Dietzenhof."

Il réfléchit un instant. L'adieu de la veille avait été si émouvant pour lui qu'il craignait à présent qu'une dernière rencontre ne vînt détruire ce beau souvenir. Mais il se décida pourtant à entrer avec dans une main les bonbons, et dans l'autre les fleurs.

Elle était à table le dos tourné vers la porte. Pourtant, même sans voir son visage, il se sentit ému malgré lui par la façon calme et modeste dont elle était assise, frêle et solitaire, à cette table. Il s'approcha avec timidité et déposa rapidement devant elle les bonbons et les fleurs : "De petites choses pour le voyage, mademoiselle."

Elle eut un sursaut et devint toute rouge. Jamais on ne lui avait offert des fleurs, exception faite, cependant, de la fois où un des parents de la princesse lui avait fait monter quelques pauvres roses dans l'espoir de s'en faire une alliée. Mais sa maîtresse, furieuse, lui avait ordonné de les renvoyer sur-le-champ ! Et voilà que maintenant quelqu'un lui apportait des fleurs, et personne ne pouvait plus rien lui interdire.

"Ah ! non, balbutia-t-elle. Pourquoi ?... C'est trop beau... beaucoup trop beau pour moi."

Elle le regardait avec reconnaissance. Etait-ce le reflet des fleurs ou le sang qui affluait à ses joues, toujours est-il qu'une lueur rose se répandit sur son visage embarrassé ; malgré son âge, elle paraissait presque jolie.

"Ne voulez-vous pas vous asseoir, dit-elle troublée, et Kanitz s'assit gauchement devant elle.

— Vous partez donc vraiment ? fit-il sur un ton de regret sincère.

— Oui", dit-elle en baissant la tête. Il n'y avait dans ce "oui" ni joie ni tristesse. Ni espoir ni déception. C'était dit tranquillement, avec résignation et sans insistance particulière.

Kanitz embarrassé, et souhaitant lui être agréable, lui demanda si elle avait envoyé un télégramme pour annoncer son arrivée. Oh ! non, répondit-elle, cela effraierait ses parents, qui ne reçoivent jamais de télégramme. Ce sont de proches parents ? – Non, pas du tout. Une sorte de nièce, la fille de sa défunte demi-sœur ; et elle ne connaissait pas du tout le mari. Ils possédaient un petit bien avec un rucher et ils lui avaient écrit très gentiment qu'elle pourrait loger chez eux et y rester aussi longtemps qu'elle le voudrait.

"Mais que ferez-vous dans ce petit coin perdu ? demanda Kanitz.

— Je ne sais pas", répondit-elle les yeux baissés.

Notre ami se laissait peu à peu envahir par l'émotion. Il y avait un tel vide, une telle solitude autour de cette femme et une telle indifférence dans la façon dont elle acceptait son sort, qu'il se souvint de lui-même, de sa vie instable. Dans le désarroi de cette femme, il sentit son propre désarroi.

"Cela n'a pas de sens, déclara-t-il d'un ton presque violent. Il ne faut pas habiter chez des parents, ce n'est jamais bon. Et puis vous n'avez pas besoin de vous enterrer dans un pareil trou."

Elle le regarda d'un air reconnaissant et triste à la fois. "Oui, j'en ai bien un peu peur, moi aussi, soupira-t-elle. Mais il faut pourtant aller quelque part."

Elle dit cela en semblant se parler à elle-même, puis ses yeux bleus le regardèrent, comme si elle attendait un conseil. (Ce sont des yeux semblables qu'il faudrait avoir, s'était dit Kanitz la veille.) Soudain, il ne sut pas comment cela se produisit, il sentit une pensée, un désir venir à ses lèvres.

"Restez donc ici", dit-il. Et, sans le vouloir, il ajouta doucement : "Restez avec moi."

Elle s'effraya et le regarda stupéfaite. Il comprit qu'il avait dit quelque chose qu'il n'avait pas claire-ment voulu. Les mots lui étaient venus sans qu'il les eût pesés, calculés, examinés, ainsi qu'il faisait d'habi-tude. Un désir, qu'il ne s'était ni expliqué ni avoué, était devenu soudain vibration, son, voix. C'est seule-ment à la vive rougeur qu'il vit sur ses joues qu'il se rendit compte de ce qu'il avait dit, et il eut peur qu'elle pût mal interpréter ses paroles. Sans doute pensait-elle : pour être votre maîtresse. Et pour qu'il ne lui vienne pas de pensées humiliantes, il ajouta :

"Je veux dire, nous nous marierons."

Elle sursauta. Ses lèvres palpitèrent. Allait-elle san-gloter ou lui lancer une insulte ? Puis elle s'enfuit de la pièce.

Ce fut un moment terrible dans la vie de notre ami. Il comprenait la folie qu'il venait de commettre en un instant. Il avait humilié, blessé le seul être qui lui eût montré de la bonté et de la confiance. Comment pou-vait-il, lui, un homme déjà âgé, un juif, pitoyable et laid, un vagabond d'affaires, un faiseur d'argent, s'offrir à une personne si fine, si distinguée ? Involon-tairement il lui donnait raison de s'être enfuie avec un tel mouvement d'horreur. C'est bien fait, se disait-il, furieux. J'ai ce que je mérite. Enfin elle sait qui je suis, enfin elle m'a montré le mépris que je mérite. Il vaut mieux qu'il en soit ainsi, plutôt que de l'entendre me remercier pour ma canaillerie. Il n'était pas du tout offensé par sa fuite, au contraire – il me l'a avoué, à cette minute précise, il était *joyeux*. Il sentait qu'il avait reçu sa punition : il était juste qu'elle eût désormais à son égard le mépris qu'il éprouvait envers lui-même.

Mais voilà qu'elle réapparut à la porte, ses yeux étaient humides et elle était terriblement agitée. Ses épaules tremblaient. Elle revint à la table. Elle dut s'appuyer fermement des deux mains au dossier de la chaise avant de pouvoir s'y rasseoir. Puis elle dit dou-cement, sans lever les yeux :

"Excusez… excusez mon impolitesse… de m'être sauvée ainsi… Mais j'étais si bouleversée… Comment pouvez-vous donc ?… Vous me connaissez à peine… vous ne me connaissez pas…"

Kanitz était trop troublé pour pouvoir répondre. Il voyait, le cœur chaviré, qu'il n'y avait en elle aucune colère, rien que de l'angoisse… Qu'elle était aussi effrayée que lui de l'absurdité de sa subite proposition. Ni l'un ni l'autre n'avait le courage de parler, ni même de regarder son vis-à-vis. Mais elle ne partit pas ce matin-là. Ils restèrent ensemble toute la journée. Trois jours après, il renouvela sa demande et deux mois plus tard ils se mariaient. »

Le docteur Condor fit une pause. Puis il reprit : « Maintenant, un dernier mot. C'est pour vous dire qu'on raconte ici que notre ami s'est introduit avec ruse auprès de l'héritière et lui a proposé le mariage afin de pouvoir mettre la main sur le domaine. Mais ce n'est pas vrai, comme vous le voyez. Kanitz était déjà le propriétaire du château, il n'avait pas besoin de se marier pour qu'il fût à lui. Il n'y eut pas dans son offre de mariage un atome de calcul. Jamais l'agent d'affaires n'aurait eu le courage de demander par ruse la main de cette fine demoiselle aux yeux bleus. Ce fut inconscient, il fut surpris par un sentiment qui était sincère et qui, merveille, l'est resté.

Car de cette demande absurde sortit une union extraordinairement heureuse. Les contraires, quand ils se complètent bien, produisent toujours la plus parfaite harmonie. Souvent c'est ce qui surprend le plus en apparence qui est le plus naturel. La première réaction qui se produisit chez ce couple si vite constitué fut la peur qu'ils avaient l'un de l'autre. Kanitz tremblait que quelqu'un ne vînt renseigner sa fiancée sur ses affaires louches et qu'elle ne le repoussât au dernier moment avec mépris. Il employa une énergie extraordinaire à lui cacher son passé. Il mit fin à toutes ses pratiques douteuses, se débarrassa avec perte de ses reconnaissances de dettes et s'éloigna de ses anciens associés. Il se fit baptiser, en ayant eu soin de choisir un parrain influent, et réussit, grâce au versement d'une forte somme, à faire ajouter au nom de Kanitz celui, beaucoup plus beau, de Kekesfalva. Dans ce changement, comme il arrive la plupart du temps, le nom primitif disparut bientôt tout à fait des cartes de visite. Mais jusqu'au mariage, il vécut jour après jour dans la crainte de voir sa future femme lui reprendre sa confiance. Elle de son côté, à qui son ancienne maîtresse avait pendant douze ans reproché brutalement, jour après jour, son esprit étroit, son incapacité, sa bêtise, et brisé en elle par une tyrannie diabolique, toute assurance, s'attendait en permanence à être moquée, raillée, insultée, humiliée par son futur maître. Résignée, elle acceptait d'avance l'esclavage comme un destin inévitable. Mais voilà que tout ce qu'elle fit était bien, l'homme entre les mains de qui elle avait remis sa destinée ne cessait de la remercier et de la traiter avec la timidité respectueuse du début. L'épouse s'étonnait ; elle ne pouvait pas comprendre tant de tendresse. La femme à demi desséchée reprit vie, commença à s'épanouir. Elle devint vraiment jolie, prit des formes. Il fallut un an, deux ans avant qu'elle osât vraiment croire qu'elle aussi, la négligée, la bafouée, l'opprimée, pouvait être appréciée et aimée comme les autres femmes. Mais le vrai bonheur pour eux ne commença qu'avec la naissance de l'enfant.

Puis la passion des affaires reprit Kekesfalva. Mais l'intermédiaire avait disparu, ses occupations eurent un tout autre caractère, une tout autre ampleur. Il modernisa sa sucrerie, s'intéressa aux laminoirs de Wiener Neustadt, et mena à bien cette brillante transaction du cartel de l'alcool, dont on a tant parlé à l'époque. Cependant la fortune qu'il acquérait ainsi ne le fit rien changer à la vie modeste et retirée qu'ils menaient tous deux. Comme s'ils ne tenaient pas à trop se rappeler au souvenir des gens, ils recevaient très peu et la maison que vous connaissez avait alors un aspect beaucoup plus simple et plus campagnard qu'aujourd'hui, elle était aussi beaucoup plus heureuse qu'aujourd'hui.

Et alors vint la première épreuve. Depuis longtemps sa femme souffrait de douleurs internes ; les aliments l'écœuraient, elle maigrissait, s'affaiblissait de plus en plus. Mais de crainte d'ennuyer son mari, très occupé, avec son insignifiante personne, elle serrait les lèvres quand venait une crise et taisait ses souffrances. Lorsqu'il lui fut impossible de cacher plus longtemps la vérité, il était trop tard. On la transporta en ambulance à Vienne pour l'opérer de ce qu'on croyait être un ulcère à l'estomac (en réalité c'était un cancer). C'est à cette occasion que je fis la connaissance de Kekesfalva et je n'ai jamais rencontré chez personne un aussi furieux et cruel désespoir. Il ne pouvait pas, il ne voulait pas comprendre qu'il fût trop tard, que les médecins fussent impuissants devant la maladie. Si nous ne faisions pas davantage, c'était par paresse, indifférence ou incapacité. Il offrit cinquante mille, cent mille couronnes au Professeur s'il guérissait sa femme. La veille de l'opération, il convoqua par télégramme les plus grands spécialistes de Budapest, de Munich et de Berlin, dans l'espoir d'en entendre un qui lui dise qu'on pouvait l'éviter. Jamais je n'oublierai l'expression sauvage de ses yeux et la façon folle dont il nous cria que nous étions tous des assassins lorsque la malade, comme il fallait s'y attendre, resta entre les mains des chirurgiens.

Ce fut son chemin de Damas. À partir de ce jour, un changement s'opéra chez cet ascète des affaires. Un dieu était mort à ses yeux, celui qu'il avait servi depuis son enfance : l'argent. Maintenant il n'y avait plus qu'une chose sur terre qui comptât pour lui : son enfant. Il engagea des gouvernantes et des domestiques, fit transformer la maison ; il n'y eut, pour cet homme jusqu'alors si économe, rien de trop beau, de trop luxueux. Il emmena sa fille de dix ans à Nice, à Paris, à Vienne, la gâta de la façon la plus outrancière ; la fureur avec laquelle il avait jusqu'alors amassé l'argent, il l'employa à le dépenser à droite et à gauche, comme avec mépris. Et là, peut-être aviez-vous raison en ce qui concerne sa largesse d'aujourd'hui, car il professe une souveraine indifférence à l'égard de la richesse, qu'il a appris à mépriser depuis que ses millions n'ont pu sauver sa femme.

Je ne vous décrirai pas en détail (car il se fait tard) l'idolâtrie qu'il manifesta à l'égard de son enfant. Après tout, fort compréhensible, car la petite grandissait comme un charme. C'était une créature tendre, svelte, légère, féerique, dont les yeux gris et clairs vous lançaient de si plaisants sourires ! Elle avait hérité de la mère sa grâce timide, du père son intelligence lucide. Elle se développait, en esprit et en grâce, avec ce naturel admirable des enfants à qui la vie n'a jamais été dure ni hostile. Et seuls ceux qui ont connu l'enchantement de l'homme vieillissant, qui n'avait jamais osé espérer que de son sang lourd et trouble naîtrait un être si enjoué, si gracieux, ceux-là seuls peuvent mesurer la détresse qui s'empara de lui lorsque le malheur vint l'assaillir une deuxième fois. Impossible pour lui d'admettre – il ne l'admet pas encore aujourd'hui – que son enfant, précisément *le sien*, soit ainsi frappé et amoindri. J'aurais honte pour lui de raconter toutes les folies auxquelles le conduisit son état d'esprit. Je ne vous décrirai pas avec quel acharnement il a persécuté tous les médecins possibles, en essayant presque de les forcer, avec des sommes astronomiques, à obtenir une guérison immédiate ; moi, il me téléphone tous les deux jours, sans aucune nécessité, uniquement poussé par sa folle impatience. Mais un confrère m'a confié récemment que le vieillard va chaque semaine à la bibliothèque de la Faculté, et reste assis parmi les étudiants, à recopier maladroitement les mots savants du dictionnaire ; puis il parcourt les manuels de médecine, dans l'espoir insensé de découvrir peut-être quelque chose que les médecins auraient négligé ou même oublié. Et on m'a rapporté d'un autre côté – vous allez rire, sans doute, mais c'est à sa démesure que l'on voit la force d'une passion – qu'il a promis aussi bien à la synagogue qu'au curé d'ici, de fortes sommes en aumône, si sa fille guérissait : ne sachant plus à quel Dieu se vouer, celui de ses pères, qu'il avait abandonné, ou à son nouveau Dieu, il s'était engagé envers les deux.

Mais ce n'est pas par goût des commérages, n'est-ce pas, que je vous livre ces détails qui frisent un peu le ridicule… C'est pour que vous compreniez bien ce que représente, pour cet homme vaincu, détruit, anéanti, quelqu'un qui est prêt à *l'écouter*, quelqu'un dont il sent qu'il comprend le chagrin qui le mine – ou du moins qu'il *voudrait* le comprendre. Je sais qu'il ne nous facilite pas les choses avec son obstination et son obsession égocentrique qui prétend que dans notre monde regorgeant de malheurs, celui de son enfant est le seul et l'unique. Pourtant il ne faut pas l'abandonner, surtout à présent que son furieux désespoir commence à le rendre malade, et vraiment, mon cher lieutenant, vous faites une bonne action en apportant dans cette maison tragique un peu de votre jeunesse, de votre vitalité, de votre naturel. Ce n'est que pour cela, et afin que vous ne vous laissiez pas induire en erreur par d'autres, que je vous ai peut-être raconté sur l'histoire de notre ami plus que je n'aurais dû le faire. Mais je suis sûr que tout cela restera entre nous.

— Cela va sans dire », fis-je machinalement. C'étaient les premiers mots que je prononçais depuis le début de ce récit. J'étais stupéfié non seulement par les révélations qui bouleversaient de fond en comble et retournaient comme un gant l'idée que je me faisais jusqu'alors de Kekesfalva, mais aussi en pensant à ma bêtise, à ma stupidité. Ainsi c'est en voyant les choses d'une façon aussi superficielle que j'allais par le monde à vingt-cinq ans ! Depuis des semaines que j'étais l'hôte journalier de cette maison, jamais je n'avais osé, par une sotte discrétion, perdu dans ma pitié, poser la moindre question ni sur la maladie, ni sur la mère d'Edith, qui visiblement manquait dans cette demeure, ni demandé d'où venait la fortune de cet homme étrange. Comment ne m'étais-je pas rendu compte que

ces yeux en forme d'amande, que ce regard mélancolique et voilé n'était pas d'un aristocrate hongrois mais
celui, à la fois aiguisé et fatigué par mille années de
luttes tragiques, de la race juive ? Comment n'avais-je
pas aperçu que chez Edith d'autres éléments encore
étaient mêlés, et que sur cette maison pesait comme
un spectre le souvenir d'un passé singulier ? Et brusquement certains détails me revinrent à la mémoire,
dont je n'avais pas compris alors la signification : par
exemple la froideur avec laquelle notre colonel avait
répondu un jour au salut de Kekesfalva, en mettant à
peine deux doigts à son képi, et aussi le fait que mes
camarades, au café, l'avaient appelé « vieux manichéen ». J'étais dans la situation de quelqu'un qui, se
trouvant dans une chambre obscure, aux rideaux tirés,
les voit brusquement s'écarter pour livrer passage aux
flots d'un soleil aveuglant qui le fait tituber.

Mais comme s'il s'était douté de mon émotion,
Condor se pencha vers moi, et sa petite main toucha
la mienne avec douceur à la façon du médecin, comme
pour me tranquilliser :

« Vous ne pouviez certes pas vous douter de tout
cela, lieutenant ! Vous qui avez grandi dans un univers
bien clos et coupé de tout, vous qui êtes en outre à
cet âge heureux où l'on n'a pas encore appris d'abord
à se méfier de tout ce qui est étrange ! Croyez-moi qui
suis plus vieux : il ne faut pas se sentir honteux quand
la vie parfois nous dupe, car c'est plutôt une bénédic-
tion de n'avoir pas encore sous les paupières un œil
perçant qui diagnostique et voit le mal, mais de regarder encore avec confiance les êtres et les choses. S'il
en avait été autrement, comment auriez-vous aidé de

façon si magnifique ce vieillard et cette pauvre enfant malade ? Non, ne vous étonnez pas, et surtout n'ayez pas honte. Vous avez, avec votre bon instinct, agi de la manière la plus juste ! »

Il jeta dans le cendrier le bout de son cigare, s'étira et recula son fauteuil. « À présent, dit-il, je crois qu'il est temps que je m'en aille ! »

Je me levai avec lui. Quoique ses révélations m'eussent comme étourdi, il se passait en moi quelque chose de bizarre, car j'étais en même temps extrêmement agité, mes sens étaient même plus éveillés que jamais, et j'éprouvais dans mon cerveau une sourde pression. Je me rappelais qu'au milieu de son récit j'avais voulu poser une question au docteur, mais j'avais manqué de présence d'esprit. C'était au sujet d'une chose bien précise. Et maintenant que je pouvais l'interroger à loisir, je ne me souvenais plus. Ma question avait dû être emportée par mon émotion à entendre tout cela. En vain je m'efforçais de faire revivre dans ma tête les différents détours de la conversation : c'était comme lorsqu'on ressent nettement une douleur physique, sans pouvoir parvenir à la bien localiser. Pendant que nous traversions la taverne déjà à moitié vide, je luttais encore pour me souvenir.

Nous sortîmes. Condor regarda le ciel. « Aha ! fit-il en souriant avec une certaine satisfaction. C'est ce que j'avais pensé. Ce clair de lune me semblait trop éblouissant. Nous allons avoir un orage et même quelque chose de fameux. Il s'agit maintenant de se dépêcher. »

Il avait raison. Entre les maisons endormies l'air était toujours calme et étouffant, mais dans le ciel de lourds et sombres nuages chassaient de l'est à l'ouest, masquant parfois une partie de la lune qui prenait peu à peu une teinte jaunâtre. Déjà la moitié du firmament était couverte. Telle une immense tortue, la masse compacte et métallique des nuages avançait toujours, parfois illuminée par des éclairs lointains, cependant que plus loin encore, à chaque éclair, on entendait comme le grognement désagréable d'un animal furieux.

« Dans une demi-heure nous serons servis, pronostiqua Condor. En tout cas, j'ai encore le temps d'arriver à pied sec à la gare avant l'averse, mais vous, lieutenant, il vaut mieux que vous rentriez, sinon ce sera la douche ! »

Je savais confusément qu'il restait quelque chose, mais je ne me rappelais toujours pas ce que je voulais lui demander. Le souvenir en était noyé dans un noir accablant, comme la lune, là-haut, dans la masse des nuages. Pourtant cette idée indistincte palpitait encore dans mon cerveau, comme une douleur lancinante, inquiète et perceptible sans arrêt.

« Non, je préfère courir le risque d'être saucé, répondis-je.

— Alors, dépêchons-nous. Plus vite nous marcherons, mieux cela vaudra ; mais à force d'être assis on a les jambes raides. »

Les jambes raides ! *Voilà !* j'y étais ! La lumière avait soudain pénétré dans mon cerveau. Je me souvenais de la mission qui m'avait été confiée. Sans doute je n'avais fait qu'y penser tout le temps, dans mon subconscient. À présent il *fallait* poser la question, il fallait demander, comme m'en avait prié Kekesfalva, si la paralysie de sa fille était guérissable. Tandis que nous marchions dans les rues désertes, je débutai ainsi, avec prudence :

« Excusez-moi, docteur... tout ce que vous m'avez conté était, bien entendu, très... passionnant... Mais vous comprendrez que précisément pour cette raison je voudrais encore vous demander quelque chose... qui me préoccupe... Vous êtes le médecin d'Edith et vous connaissez son cas mieux que personne... moi qui ne suis qu'un profane, je ne m'en fais pas une idée juste... C'est pourquoi j'aimerais savoir ce que vous en pensez. Je veux dire : s'agit-il d'une maladie guérissable ou est-ce incurable ? »

Condor me jeta un regard aigu et soupçonneux. Ses lunettes miroitèrent. Incapable de soutenir la véhémence de ce regard, qui m'entrait dans la chair comme une sonde, je détournai les yeux malgré moi. Avait-il compris que j'étais envoyé par Kekesfalva ? Avait-il des soupçons ? Mais déjà il baissait la tête, et sans ralentir sa marche, la précipitant même, il grogna :

« Naturellement ! J'aurais dû m'en douter ! C'est toujours par là que ça finit. Curable ou incurable ? Noir ou blanc ? Comme si c'était si simple ! Déjà "bien portant" et "malade" sont deux termes qu'un médecin honnête et consciencieux devrait toujours éviter d'employer, car où commence la maladie et où finit la santé ? À plus forte raison devrait-on bannir les mots "curable" ou "incurable" ! Certes, ces expressions sont usuelles, et il est difficile dans la pratique de ne pas s'en servir. Mais moi on ne m'entendra jamais employer le mot "incurable". Jamais ! Je sais, l'homme le plus intelligent du XIXe siècle, Nietzsche,

a dit : "Il ne faut pas vouloir guérir l'inguérissable."
Mais c'est à mon avis la phrase la plus fausse et la plus
dangereuse qu'il ait écrite, parmi tous les paradoxes
qu'il nous a donnés à résoudre. C'est justement le
contraire qui est vrai et je prétends, quant à moi, que
c'est précisément l'inguérissable – comme on l'appelle –
qu'il faut vouloir guérir si l'on devient médecin, et
bien plus : j'ajouterai que c'est devant l'inguérissable
que se montre le médecin. Le médecin qui accepte
d'avance l'idée de l'incurabilité, déserte sa tâche, il
capitule avant la bataille. Bien entendu il est plus simple, plus commode, de dire dans certains cas que le
mal est "incurable" et de tourner le dos avec un visage
résigné, après avoir empoché ses honoraires. Oui, oui,
c'est extrêmement facile et profitable de ne s'occuper
que des cas facilement guérissables, pour lesquels on
peut trouver dans les vieux bouquins toute la thérapeutique voulue. Ceux à qui cela fait plaisir peuvent
agir ainsi. À moi, personnellement, cela me paraît aussi
pitoyable qu'un poète qui se contenterait de redire ce
que d'autres ont dit avant lui, au lieu d'essayer d'exprimer ce qui n'a pas encore été dit, et même l'inexpri-
mable, ou qu'un philosophe qui expliquerait ce qu'on
a déjà expliqué quatre-vingt-dix-neuf fois au lieu de
s'attaquer à l'inconnu et même à l'inconnaissable.
L'incurabilité est une notion toute relative et jamais
absolue. Il n'y a de cas incurables pour la médecine,
qui est une science évolutive, que dans le momentané,
dans les limites actuelles de nos connaissances, par
conséquent dans les limites de notre étroite perspective de grenouille. Mais pour l'instant il ne s'agit pas
de cela. Dans des centaines de cas, nous sommes

aujourd'hui désarmés, nous ne connaissons aucun remède ; cependant, il est possible, étant donné la rapidité avec laquelle notre science évolue, que demain, après-demain, nous en trouvions, nous en inventions. Il n'y a donc pour moi, je vous prie de bien vouloir vous le mettre dans la tête (il dit cela d'un air fâché, comme si je l'avais offensé) aucune maladie inguérissable, par principe je n'abandonne jamais personne, et jamais l'on ne me fera agir autrement. Le maximum à quoi on pourrait me contraindre, même dans le cas le plus désespéré, serait que je dise d'une maladie qu'elle n'est *"pas encore guérissable"*, c'est-à-dire… que la science actuelle n'a pas encore trouvé contre elle de remède. »

Condor marchait avec une telle rapidité que j'avais de la peine à le suivre. Soudain il ralentit le pas.

« Peut-être me suis-je exprimé d'une façon trop compliquée, trop abstraite. C'est qu'il est difficile d'expliquer de telles choses entre le café et la gare. Mais je vais vous donner un exemple qui vous fera peut-être mieux comprendre ce que je veux dire. C'est du reste un exemple très personnel et qui m'est très douloureux. Il y a vingt-deux ans, j'avais à peu près votre âge, j'étais un jeune étudiant en médecine, juste dans mon quatrième semestre. Mon père, jusqu'alors un homme fort, bien portant, d'une activité infatigable, que j'aimais et vénérais par-dessus tout, tomba malade. Le diagnostic des médecins conclut au diabète. Vous connaissez probablement de nom cette maladie, l'une des plus cruelles et des plus perfides qui puissent assaillir un homme. Sans aucune raison visible, l'organisme cesse son travail de transformation des matières nutritives, n'assimile plus la graisse ni le sucre, ce qui fait que le malade dépérit peu à peu – mais je ne veux pas vous ennuyer avec des détails qui ont détruit trois années de ma jeunesse.

Ecoutez à présent : la science médicale ignorait alors tout traitement contre le diabète. On torturait le malade en le soumettant à une diète particulière, on lui pesait chaque bouchée, on mesurait chaque gorgée de boisson, cependant que les médecins savaient – et moi je ne l'ignorais pas non plus – qu'on ne faisait par là que retarder l'issue fatale et que ces deux ou trois années qu'on gagnait ainsi sur la mort n'étaient qu'une effroyable agonie, une mort lente par inanition au milieu d'un monde regorgeant d'aliments et de boissons. Vous pouvez vous imaginer avec quel désespoir je courus d'une autorité à l'autre, avec quelle ardeur j'étudiai tous les livres et ouvrages spéciaux consacrés à cette maladie. Mais partout je n'entendis ou ne lus que ce mot : incurable, incurable. Depuis je le hais, ce vocable, car j'ai dû assister impuissant aux progrès du mal dont l'homme que j'aimais le plus au monde est mort misérablement, comme une bête, juste trois mois avant que je passe ma thèse.

Or, avant-hier nous avons entendu, à la société de médecine, une conférence d'un de nos plus grands chimistes, qui nous a communiqué qu'en Amérique et dans les laboratoires de certains autres pays, on se livre depuis quelque temps à des expériences assez concluantes en vue de trouver dans des extraits de glandes un remède grâce auquel, nous déclara-t-il, il est certain que d'ici une dizaine d'années on se sera rendu maître du diabète. Vous pouvez vous imaginer

quel fut mon état d'esprit à l'idée que quelques centaines de grammes de cette substance eussent pu épargner à l'être que je chérissais toutes les tortures qu'il a
endurées ; nous aurions pu au moins espérer pouvoir
le guérir, et même le sauver. Comprenez-vous à quel
point, à l'époque, ce verdict : "incurable", m'exaspéra,
moi qui me disais jour et nuit qu'on pouvait, qu'on
devait découvrir un remède contre le diabète, et que
quelqu'un, moi peut-être, le découvrirait ? La syphilis
qu'on représentait aux étudiants en médecine comme
une maladie "incurable" quand je fréquentais l'Université, est à présent parfaitement guérissable. Nietzsche,
Schumann, Schubert, et tant d'autres avec eux ne sont
donc pas morts tragiquement d'une maladie "incurable", mais d'une maladie contre laquelle, de leur temps,
on ne connaissait pas encore de remède. On peut dire,
dans le double sens du terme, qu'ils sont morts trop
tôt. Qu'est-ce que chaque jour ne nous apporte pas, à
nous autres médecins, de nouveau et d'inespéré, de
fantastique et d'inconcevable la veille encore ! C'est
pourquoi toutes les fois que je me trouve devant un cas
où les autres médecins haussent les épaules, le cœur
m'en tressaute de colère de ne pas connaître encore ce
remède de demain, d'après-demain, et il bondit également à l'espoir que peut-être je le trouverai, que peut-
être quelqu'un le trouvera au dernier moment. Tout est
possible, même ce qui nous paraît impossible ; souvent
quand la science médicale d'aujourd'hui se trouve
devant un barrage, elle voit soudain s'ouvrir à côté
d'elle une issue qui lui permet de passer. Là où nos
méthodes s'avèrent impuissantes, il faut essayer d'en
trouver une nouvelle, et là où la science ne peut rien,

il reste le miracle – oui, il y a encore aujourd'hui des miracles dans la médecine, des miracles à l'époque de la lumière électrique, contraires à la logique et à l'expérience, et parfois même il est possible de les provoquer. Croyez-vous que je tourmenterais cette jeune fille et me tourmenterais moi-même si je n'espérais pas finalement la tirer d'affaire, la sauver ? C'est un cas difficile, je le reconnais, une maladie rebelle, et depuis des années que je m'en occupe, cela n'avance pas aussi vite que je le voudrais. Mais malgré tout, je ne l'abandonnerai pas. »

J'avais écouté avec une attention extrême. Tout ce qu'il me disait était clair. Mais inconsciemment l'insistance, l'angoisse du vieillard étaient passées en moi. Je voulais en savoir plus, entendre quelque chose de plus précis, de plus formel. C'est pourquoi je questionnai encore :

« Vous croyez donc à une amélioration ?… C'est-à-dire… que vous en avez déjà obtenu une *certaine*… »

Condor ne répondit pas tout de suite. Ma remarque paraissait l'avoir indisposé. Ses courtes jambes s'agitaient de plus en plus vite. Puis il s'écria :

« Comment pouvez-vous prétendre que j'ai obtenu une certaine amélioration ? L'avez-vous constatée ? Et en somme, que savez-vous de toute cette affaire ? Vous ne connaissez la malade que depuis quelques semaines et moi je la traite depuis cinq ans ! »

Brusquement il s'arrêta de marcher et me lança : « Sachez une fois pour toutes que je n'ai rien obtenu d'essentiel, de définitif, rien de ce que je veux. Et c'est là qu'est la question. J'ai seulement essayé toutes sortes de traitements, comme un vulgaire rebouteur de village, au hasard, inutilement. Jusqu'à présent je ne suis arrivé à rien. »

Sa violence m'effraya. Je l'avais manifestement blessé dans son honneur de médecin. Aussi tentai-je de l'apaiser.

« Pourtant, M. de Kekesfalva m'a dit combien les bains électriques ont fortifié Edith, et surtout depuis… »

Condor ne me laissa pas achever et s'arrêta soudain sur place.

« Bêtises ! Pures bêtises ! s'écria-t-il. Ne vous laissez donc pas raconter des histoires par ce vieux fou ! Croyez-vous vraiment qu'on puisse soigner une pareille paraplégie avec des bains électriques et autres plaisanteries de ce genre ? Ne connaissez-vous donc pas nos vieilles ruses de médecins ? Quand nous ne savons plus que faire, nous essayons de gagner du temps et occupons le patient avec de quelconques niaiseries pour qu'il ne remarque pas notre embarras. Par bonheur, la plupart du temps la nature ment avec nous, devient notre complice. Bien entendu que la malade se sent mieux ! Que l'on vous ordonne de manger des citrons ou de boire du lait, d'ingurgiter de l'eau froide ou de l'eau chaude, chaque traitement que vous suivrez provoquera au début un changement dans l'organisme et fournira un nouveau stimulant, que les malades, éternels optimistes, prendront pour une amélioration. Cette espèce d'autosuggestion est notre meilleure alliée, elle vient au secours des pires ânes de la médecine. Mais il y a un hic : dès que le charme de la nouveauté faiblit, intervient la réaction, et il faut faire diversion au plus vite, mettre en avant une nouvelle thérapeutique. C'est avec de pareilles blagues que nous traitons les cas désespérés jusqu'à ce que nous ayons trouvé, par hasard, la bonne méthode. Non, pas de compliments ! Je sais mieux que quiconque quelle faible partie de ce que je veux j'ai obtenue avec Edith. Tout ce que j'ai essayé jusqu'ici – ne vous faites pas d'illusions à ce sujet – toutes ces bêtises, telles que les bains électriques et les massages, n'ont pas encore agi sur les jambes. »

Le docteur Condor était tellement déchaîné contre lui-même que je sentis le besoin de le défendre devant sa conscience. Et j'ajoutai timidement :

« Mais... j'ai vu moi-même comme elle marche grâce à cet appareil orthopédique... »

Pour me répondre, Condor, cette fois, ne parla plus. Il me cria au visage avec une telle colère, une telle violence que deux passants attardés se retournèrent vers nous, intrigués :

« Des balivernes, je vous ai dit, des balivernes ! C'est un appareil pour moi et non pour elle ! Ces instruments-là sont faits pour occuper les gens, comprenez-vous ?... Ce n'est pas elle qui en a besoin, c'est moi, pour aider les Kekesfalva à prendre patience. C'est seulement parce que je ne supportais plus cette pression qu'il me *fallut* administrer au vieil homme une bonne dose de confiance, d'un seul coup. Que pouvais-je faire d'autre que mettre ces boulets aux pieds de cette impatiente – comme on passe les menottes à un prisonnier récalcitrant... sans aucune nécessité – c'est-à-dire, peut-être que ces appareils fortifieront un peu les ligaments... je ne voyais rien d'autre à faire... car je *dois* gagner du temps... Mais je n'ai pas honte du tout de ces ruses et de ces trucs… vous voyez vous-même le résultat… Edith est persuadée que depuis, elle va beaucoup mieux, le père triomphe, tous sont pleins d'admiration pour le grand et génial faiseur de miracles, et vous-même vous m'interrogez comme si j'étais le docteur omniscient. »

Il s'interrompit et enleva son chapeau pour essuyer avec la main son front moite de sueur. Puis il me regarda malicieusement de côté.

« Tout cela ne vous plaît pas particulièrement, n'est-ce pas ? C'est en contradiction avec vos conceptions du médecin bienfaiteur et ami de la vérité ? Dans votre enthousiasme juvénile, vous vous étiez représenté autrement la morale du médecin et vous êtes maintenant… je le constate… un peu désillusionné et même dégoûté par de telles pratiques ? Mais, je regrette, la médecine n'a rien à voir avec la morale : chaque maladie est en soi un acte anarchique, une révolte contre la nature, et c'est pourquoi il faut employer contre elle tous les moyens, *tous*. Non, il ne faut avoir aucune pitié pour les malades – le malade se met lui-même hors la loi, il blesse l'ordre, et pour rétablir l'ordre, pour le rétablir lui-même, il faut, comme envers toute révolte, agir sans ménagement, utiliser tout ce qui vous tombe sous la main, car avec la bonté et la vérité on n'a jamais guéri personne. Si une supercherie sert à quelque chose, ce n'est plus une supercherie, mais un excellent remède… et tant que dans un cas donné, je n'arrive à aucune amélioration concrète, je dois essayer de la faire espérer. Et rien que cela, lieutenant, n'est pas chose facile ; il faut trouver toujours un air nouveau à entonner, et au bout de cinq ans, quand on n'est pas très convaincu soi-même… mais grand merci pour vos compliments, en tout cas ! »

Le petit homme replet était là campé devant moi et dans un tel état d'excitation qu'il semblait prêt à me frapper à la moindre contradiction. À ce moment un éclair bleuâtre traça comme une veine sur l'horizon obscurci, suivi d'un grondement de tonnerre, sourd et prolongé. Condor se mit à rire :

« Vous entendez la réponse du ciel. Pauvre de vous, on vous en fait voir aujourd'hui ! on vous enlève avec le scalpel l'une après l'autre vos illusions, d'abord celle du magnat hongrois, puis celle du médecin prévoyant, sauveur et infaillible. Vous devez comprendre à quel point m'irritent les louanges de ce vieux fou. Et dans le cas d'Edith, les bavardages sentimentaux me répugnent d'autant plus que je m'en veux moi-même d'avancer si lentement, de n'avoir encore rien trouvé, c'est-à-dire inventé, de décisif. »

Il fit quelques pas sans parler. Puis, se tournant plus cordialement vers moi :

« D'ailleurs je ne voudrais pas que vous pensiez que j'ai "abandonné" le cas, comme on dit si gentiment chez nous. Au contraire, je tiens bon et tiendrai bon même si cela devait durer encore un an ou cinq ans. D'ailleurs, étrange coïncidence, le soir même de la conférence dont je vous ai parlé tout à l'heure, j'ai trouvé dans la *Revue médicale* de Paris la description d'un traitement de la paraplégie. Il s'agissait du cas tout à fait curieux d'un homme d'une quarantaine d'années, resté deux ans entièrement paralysé et que le professeur Viennot est parvenu à remettre si bien d'aplomb en quatre mois qu'il regrimpe gaillardement ses cinq étages. Pensez donc : en quatre mois obtenir une telle guérison, dans un cas tout à fait analogue au mien, dont je m'occupe vainement depuis cinq ans, cela m'a renversé ! Certes il me manque des éclaircissements sur l'étiologie de la maladie et la thérapeutique elle-même. Le professeur Viennot semble avoir groupé merveilleusement plusieurs traitements, une cure de soleil à Cannes, le port d'un appareil spécial, la position allongée… Etant donné le caractère succinct de l'article, j'ignore dans quelle mesure cette méthode pourrait être appliquée à Edith. Mais j'ai aussitôt écrit au professeur français pour le prier de m'envoyer quelques renseignements précis et c'est à ce sujet que j'ai soumis aujourd'hui ma malade à un nouvel et méticuleux examen, car il me faut des possibilités de comparaison. Vous voyez donc que je n'ai pas du tout l'intention de capituler et qu'au contraire je m'accroche au moindre fétu de paille. Peut-être y a-t-il vraiment un moyen de guérison dans cette nouvelle méthode – je dis *peut-être* et rien de plus, vous entendez… d'ailleurs, j'ai déjà beaucoup trop causé. À présent ne parlons plus de mon maudit métier ! »

Nous n'étions plus loin de la gare. Notre conversation devait bientôt prendre fin. Aussi je me hâtai de lui dire :

« Vous pensez par conséquent qu'… »

Il s'arrêta et me hurla :

« Je ne pense rien. Il n'y a pas de "par conséquent". Que voulez-vous donc tous de moi ? Je n'ai pas de communication téléphonique avec le bon Dieu. Je n'ai rien dit. Rien de précis. Je ne pense rien, ne crois rien, ne promets rien. D'ailleurs j'ai déjà beaucoup trop bavardé. Assez ! Merci de m'avoir accompagné. Vous feriez mieux de rentrer chez vous au plus vite, sinon vous allez être mouillé jusqu'aux os. »

Et sans me donner la main, visiblement agacé (sans que je comprenne pourquoi), il se mit à courir sur ses courtes jambes vers la gare.

Condor avait vu juste. L'orage que l'on sentait venir depuis longtemps allait éclater. Avec un fracas qui faisait penser à de lourdes caisses géantes s'entrechoquant, les nuages qu'illuminait de temps à autre la zébrure étincelance d'un éclair se rapprochaient au-dessus de la cime des arbres agités par un frémissement inquiet. L'air humide, secoué de-ci de-là par de violentes rafales, avait un goût de brûlé. L'aspect de la ville et des rues était tout autre que quelques minutes plus tôt, où elle retenait encore son souffle, baignant dans la lumière blême de la lune : les enseignes s'agitaient et cliquetaient comme en proie à un cauchemar, les portes remuaient et claquaient, les cheminées gémissaient ; dans quelques maisons, des lumières inquiètes s'allumaient et l'on voyait des silhouettes d'hommes ou de femmes en chemise de nuit fermer les fenêtres devant l'orage menaçant. Les derniers et rares passants se hâtaient vers leurs demeures, comme poussés par un vent de panique, en rasant les murs, et la grande place où d'ordinaire il y avait toujours, même la nuit, une certaine animation, était déserte. La pendule éclairée de l'hôtel de ville regardait d'un œil blanc et stupide ce vide inhabituel. Mais grâce à l'avertissement de Condor, je pouvais être rentré avant l'orage. Plus que deux rues à parcourir et le jardin municipal à traverser avant d'arriver à la caserne ; là je pourrais réfléchir à loisir dans ma chambre à toutes les choses surprenantes que j'avais apprises au cours de ces dernières heures.

Le petit jardin devant la caserne était tout à fait obscur : l'air était lourd et épais sous le feuillage agité, parfois un léger tourbillon sifflait entre les branches et le bruit retombait dans un silence lugubre. Je marchais de plus en plus vite, et déjà j'avais presque atteint la sortie lorsqu'une silhouette se détacha de derrière un arbre et sortit de l'ombre. J'eus un léger sursaut, mais ne m'arrêtai pas ; je pensai que ce devait être une des prostituées qui ont l'habitude d'attendre les soldats en cet endroit. À mon grand mécontentement, je sentis un pas s'attacher au mien et je me retournai dans l'intention de rabrouer vertement l'effrontée créature qui m'importunait en pareil instant. Mais à la lueur d'un éclair qui juste à ce moment fendait l'obscurité, je vis, à mon grand effroi, un vieillard vacillant qui courait derrière moi en soufflant, j'aperçus un crâne blanc et des lunettes d'or qui brillaient : Kekesfalva !

Sur le moment je n'en crus pas mes yeux. Kekesfalva ici – c'était impossible ! Trois heures plus tôt, avec Condor je l'avais quitté chez lui, alors que tombant de fatigue il se préparait à aller se coucher. Avais-je des hallucinations, ou le vieillard était-il devenu fou ? S'était-il levé dans une crise de fièvre et errait-il comme un somnambule dans son mince costume noir, sans manteau ni chapeau ? Mais aucun doute n'était possible : c'était bien lui. Entre des centaines de milliers d'hommes je l'aurais reconnu avec ses épaules pliées, son pas craintif et accablé.

« Mais comment êtes-vous là, pour l'amour du ciel, monsieur de Kekesfalva ? m'écriai-je. N'êtes-vous pas allé vous coucher ?

— Non, ou plutôt je ne pouvais pas dormir, je voulais...

— Mais dépêchez-vous à présent de rentrer. Vous voyez bien que l'orage va éclater d'un moment à l'autre. Avez-vous votre voiture ?

— Oui, là-bas... à gauche de la caserne, elle m'attend.

— Parfait ! Mais alors faites vite ! En allant bon train vous pouvez encore être chez vous à temps. Venez, monsieur de Kekesfalva ! » – Et comme il hésitait, je le saisis par le bras pour l'entraîner avec moi. Mais il se dégagea violemment.

« Tout de suite, tout de suite, mon lieutenant, je m'en vais, mais... mais racontez-moi d'abord : qu'a-t-il dit ?

— Qui ? » Ma question, mon étonnement étaient sincères. Au-dessus de nous le vent sifflait de plus en plus fort, les arbres gémissaient et s'inclinaient, comme s'ils voulaient s'arracher à leurs racines, l'averse pouvait nous surprendre à tout instant et je ne pensais qu'à une chose, la plus naturelle, renvoyer chez lui ce vieillard à l'esprit visiblement dérangé, et qui ne semblait pas voir venir l'orage.

« Mais le docteur Condor... bredouilla-t-il sur un ton presque indigné. Vous l'avez pourtant accompagné... »

C'est alors seulement que je compris. Cette rencontre n'était pas fortuite, bien sûr ! Le vieillard impatient m'avait attendu là dans le parc pour savoir tout de suite ce que le docteur m'avait dit. Ici, près de l'entrée de la caserne, où je ne pouvais pas lui échapper, il m'avait épié. Pendant deux, trois heures, il avait fait les cent pas, terriblement inquiet, à peine dissimulé par les arbustes de ce pauvre petit jardinet, où les bonnes fixaient rendez-vous à leurs amoureux, le soir. Il avait supposé sans doute que je ferais seulement le court chemin jusqu'à la gare avec Condor et que je rentrerais ensuite aussitôt à la caserne ; et moi, sans savoir, je l'avais fait attendre tant et plus, ici, les deux ou trois heures que j'avais passées à la taverne ! Et le vieil homme malade m'avait guetté, comme il le faisait autrefois avec ses débiteurs, opiniâtrement, inflexiblement. Dans cette ténacité fanatique il y avait quelque chose qui m'irritait et qui me touchait en même temps.

« Tout va pour le mieux, répondis-je. Tout finira bien, j'en ai la pleine assurance. Demain après-midi je vous en dirai plus, je vous rapporterai exactement chaque mot de notre conversation. Mais maintenant dépêchez-vous de regagner votre voiture. Vous voyez bien qu'il n'y a pas de temps à perdre, que l'orage est là tout proche.

— Oui, j'y vais. » Il se laissait conduire à contre-cœur et je réussis à lui faire faire une vingtaine de pas. Puis je sentis le poids de son corps devenir plus lourd à mon bras...

« Un instant, balbutia-t-il. Laissez-moi m'asseoir un instant sur ce banc. Je n'en peux plus. »

Effectivement le vieillard chancelait comme un homme ivre. Je dus faire appel à toutes mes forces pour le traîner dans l'obscurité jusqu'au banc voisin, cependant que le tonnerre grondait de plus en plus près. Il s'y laissa tomber, la respiration haletante. On voyait bien que la fatigue l'avait terrassé, et il n'y avait là rien d'étonnant, chez ce vieillard cardiaque qui venait d'infliger à ses pauvres jambes fatiguées une garde de trois heures. C'était seulement à présent qu'il se rendait compte de son effort. Il était là, épuisé et abattu, comme une masse, sur le banc des pauvres où à midi les ouvriers venaient avaler leur modeste repas emporté de chez eux, où l'après-midi s'asseyaient les pensionnaires de l'hospice et les femmes enceintes, et où la nuit les prostituées appelaient les soldats, lui, l'homme le plus riche de la ville, qui venait de passer son temps à attendre, et à attendre encore. Et je savais ce qu'il attendait. Je devinai aussitôt que je ne pourrais l'arracher de ce banc (quelle situation désagréable si l'un de mes camarades me surprenait en aussi étrange familiarité !) qu'après l'avoir pleinement tranquillisé et réconforté. Et de nouveau la pitié s'empara de moi : une fois de plus me submergea cette maudite vague de compassion, qui m'ôtait toute force et toute volonté. Je me penchai un peu plus et commençai à lui parler.

Autour de nous, le vent sifflait, mugissait, frémissait. Mais le vieil homme ne sentait rien. Il n'y avait pas de ciel pour lui, pas de nuages ni de pluie, il n'y avait en ce monde que sa fille et sa guérison. Comment aurais-je pu ne dire à cet homme secoué par l'émotion et l'épuisement que les paroles réalistes et authentiques de ce Condor qui ne se sentait pas encore sûr de lui ? Il lui fallait quelque chose à quoi se raccrocher, comme il avait pris appui sur moi, quelques minutes

plus tôt. Je rassemblai donc les quelques mots récon-
fortants que j'avais avec peine arrachés à Condor : je
l'entretins du traitement que le professeur Viennot
avait essayé avec un grand succès en France. Aussitôt
je sentis dans l'ombre quelque chose qui remuait, son
corps jusque-là mollement affaissé se rapprocha
comme s'il voulait se chauffer à moi. En fait, je n'aurais
pas dû en dire davantage, mais la pitié m'entraîna plus
loin. Oui, ce traitement a donné des résultats extraordinaires, continuai-je, en quatre mois, en trois mois on
a obtenu des guérisons tout à fait surprenantes et probablement, non, sûrement on obtiendra les mêmes
résultats avec Edith. Peu à peu j'éprouvai un véritable
plaisir dans ces exagérations, car elles produisaient sur
mon auditeur un apaisement merveilleux. Chaque fois
qu'il me demandait avidement : « Croyez-vous vraiment ? » ou « Condor a-t-il réellement dit cela ? l'a-t-il
dit de lui-même ? » et que dans ma faiblesse et ma
pitié, je répondais énergiquement par l'affirmative, la
pression de son corps se faisait plus douce. Je sentais
son assurance croître au fur et à mesure que je parlais,
et pour la première et la dernière fois de ma vie, je
compris en cette heure quel plaisir enivrant comporte
toute création.

Je ne sais plus du tout, et je ne me rappellerai jamais
ce que j'ai annoncé et promis à Kekesfalva, assis là sur
ce pauvre banc. Car si ses oreilles avides étaient eni-
vrées par mes paroles, son air heureux en m'écoutant
m'entraînait à lui en promettre toujours davantage.
Nous ne prêtions ni l'un ni l'autre attention aux éclairs
bleus qui déchiraient le ciel ni aux grondements du
tonnerre de plus en plus menaçant. Nous restions là

côte à côte, tout absorbés, l'un à écouter, l'autre à parler ; et sans me lasser, je lui assurai avec une entière sincérité que oui, bien sûr, elle allait guérir, que bientôt elle serait tout à fait guérie – rien que pour entendre encore le vieil homme balbutier « Ah… Que Dieu soit béni… », et m'enivrer moi-même de son ravissement. Qui sait combien de temps nous serions encore restés là, si soudain ne s'était levée cette dernière bourrasque qui précède immédiatement l'orage et lui fraie la voie ? D'un seul coup, les arbres se penchèrent avec une telle violence qu'on entendit le bois craquer, les marronniers firent tomber sur nous leurs projectiles rebondissants et un immense nuage de poussière nous enveloppa.

« À présent il faut vous en aller, il faut que vous rentriez chez vous », dis-je en le soulevant, sans qu'il opposât, cette fois, de résistance. Mes paroles l'avaient fortifié, revigoré. Il ne titubait plus comme tout à l'heure. Avec une hâte fébrile et inconsciente, il gagna sa voiture en ma compagnie. Le chauffeur l'aida à monter. Alors seulement je me sentis soulagé. Maintenant il était en sûreté et je l'avais consolé. Il allait pouvoir dormir enfin, ce vieil homme bouleversé, dormir d'un sommeil paisible, heureux et profond.

Mais au moment où je m'apprêtais à étendre la couverture sur ses jambes, pour qu'il ne prît pas froid, il arriva une chose terrible. Brusquement il me saisit les poignets et avant que j'aie pu l'en empêcher, il attira mes mains à sa bouche et les embrassa, la droite puis la gauche, et encore la droite et encore la gauche.

« À demain, à demain », murmura-t-il ensuite. Et la voiture fila, comme portée par le vent devenu furieux et froid. Je restai là, figé. Mais à ce moment les premières gouttes tombèrent, la pluie se mit à tambouriner sur mon képi et je dus parcourir au pas de course sous l'averse les quelques dizaines de mètres qui me séparaient encore de la caserne. Juste au moment où j'arrivais à la porte, un éclair illumina le ciel, suivi d'un grondement de tonnerre d'une violence telle qu'on eût dit que le ciel tout entier se déchirait. La foudre avait dû tomber tout près de là, car la terre trembla et les vitres cliquetèrent comme si elles tombaient en éclats. Mais quoique mes yeux fussent aveuglés par la lueur soudaine de l'éclair, je ne fus pas aussi effrayé que je l'avais été la minute d'avant, quand le vieillard, dans sa reconnaissance éperdue, m'avait saisi et baisé les mains.

Après les émotions fortes, on sombre dans un sommeil particulièrement profond. C'est seulement en m'éveillant le lendemain matin que je sentis combien la moiteur de l'atmosphère avant l'orage, et surtout la tension de cette conversation survoltée m'avaient éprouvé. Il me sembla que je revenais de très loin... je lançai d'abord un regard hébété dans ma chambre, pourtant familière, et tentai, sans y parvenir, de me rappeler quand et comment j'avais plongé dans les abîmes sans fond d'un pareil sommeil. Mais je n'eus pas le loisir de réfléchir posément : mon autre mémoire, celle du soldat en service – qui était comme coupée de ma vie personnelle – me fit souvenir aussitôt qu'une manœuvre exceptionnelle avait lieu aujourd'hui. En bas retentissaient des sonneries, les chevaux piétinaient, et l'air pressé de mon ordonnance me signifiait qu'il était grand temps d'y aller. En un clin d'œil, j'eus enfilé mon uniforme, allumé une cigarette, et je dévalai l'escalier comme un bolide ; à peine dans la cour, je repartais ni une ni deux avec mon escadron qui m'attendait, fin prêt.

Dans une file de cavaliers, on n'existe pas individuellement, et avec le claquement rythmé de cent sabots, on ne peut ni penser clairement, ni rêver. Filant ainsi au petit trot, ma seule idée consciente, c'était que notre cohorte légère s'en allait dans la journée d'été la plus parfaite qu'on pût imaginer et que le ciel s'était débarrassé de ses derniers voiles et du plus petit nuage de pluie ; le soleil était vif, nullement pesant, et les moindres recoins du paysage ressortaient à l'extrême. On distinguait au fond, dans les lointains, chaque maison, les arbres et les champs avec une aussi grande netteté que s'ils eussent été tout proches ; il semblait que les fleurs aux fenêtres et les volutes de fumée sur les toits eussent existé plus fort, tant les couleurs vibraient dans la transparence de l'air. À peine si je reconnaissais cette route monotone, où nous trottions semaine après semaine dans la même direction, tant la voûte du feuillage au-dessus de nos têtes était plus verte et luxuriante, comme une peinture toute fraîche ! Je me sentais léger sur ma selle, soulagé, délivré des inquiétudes et des tourments qui m'avaient assailli et taraudé durant ces derniers jours et ces derniers temps. Je crois m'être rarement aussi bien acquitté de mon service qu'en ce glorieux matin d'été. Tout était facile, évident ; le bonheur du monde me rendait heureux, le ciel et les prés, les bons chevaux fumants qui obéissaient aux moindres pressions de la cuisse et des rênes, et jusqu'à ma propre voix, quand je commandais l'allure.

Or de tels moments de joie intense ont, comme d'autres ivresses, quelque chose d'anesthésiant : à jouir si fort de l'instant, on oublie les instants qui l'ont précédé. Et lorsque le jour suivant je repris le chemin habituel du château, je ne pensais plus que d'une façon voilée à ma rencontre de la nuit. J'étais content de ma générosité et de la joie qu'elle avait pu causer. Quand on est heureux, on ne peut pas imaginer les autres hommes autrement qu'heureux.

Et vraiment, à peine ai-je frappé à la porte du château que le domestique me salue avec une cordialité particulière. Tout de suite il me demande : « Monsieur le lieutenant veut-il que je le conduise sur la terrasse de la tour ? Ces demoiselles l'y attendent déjà. »

Mais pourquoi ses mains sont-elles si impatientes, pourquoi ses yeux brillent-ils d'une telle joie en me regardant ? Pourquoi se montre-t-il si empressé ? Que se passe-t-il donc ? me demandai-je tout en me préparant à monter l'escalier qui conduisait à la terrasse. Qu'a-t-il donc aujourd'hui, le vieux Joseph ? Pourquoi semble-t-il être si impatient de me savoir là-haut ?

Mais c'était bon de sentir de la joie, bon aussi, en ce brillant jour de juin, de grimper avec de jeunes jambes solides l'escalier tournant et de voir, par les lucarnes sur les côtés, au nord, au sud, à l'est et à l'ouest, le vaste paysage estival s'étendant à l'infini. Enfin il ne me restait plus que dix ou douze marches à monter pour atteindre la terrasse, lorsque quelque chose d'inattendu m'arrêta soudain : j'entendis une musique de danse d'une légèreté céleste, des violons, des violoncelles et des voix féminines lançant des vocalises. J'étais stupéfait. D'où venait cette musique irréelle mais bien audible, toute proche et en même temps lointaine, ce morceau d'opérette qui semblait descendre du ciel ? Un orchestre jouait-il dans une auberge des environs et en étaient-ce les sons attiédis, apportés par le vent ? Mais l'instant d'après je compris que cet orchestre aérien se tenait sur la terrasse, et que ce ne pouvait être qu'un gramophone. Que c'est bête, pensai-je, de voir aujourd'hui partout des enchantements et d'attendre des miracles ! On ne peut d'ailleurs pas installer tout un orchestre sur une terrasse aussi étroite. Pourtant, lorsque j'eus encore gravi quelques degrés, je redevins perplexe. Nul doute que c'était un gramophone, mais il y avait là aussi des voix trop libres et trop vraies pour sortir d'une petite boîte bourdonnante. Trop de pétulance joyeuse s'exprimait dans ces voix de jeunes filles !… Je m'arrêtai encore et prêtai sérieusement l'oreille. Le soprano, c'était la voix d'Ilona, belle, pleine et sensuelle comme ses bras ! Mais l'autre ? Complètement inconnue. Edith avait dû inviter une amie, une toute jeune fille, espiègle et hardie, et j'étais vraiment curieux de voir cet oiselet gazouillant venu se poser sur la tour d'une façon aussi imprévue. Ma stupéfaction fut donc à son comble lorsque, mettant le pied sur la terrasse, je vis qu'il n'y avait là que les deux jeunes filles de la maison, et que c'était Edith qui riait et trillait d'une voix que je ne lui connaissais pas, légère, ailée et cristalline. Je m'effrayai aussi, car cette brusque transformation du jour au lendemain me parut étrange au plus haut point. Seul un être sain et bien portant pouvait chanter avec autant d'insouciance. D'autre part il était absolument impossible que cette enfant, cette malade, pût avoir tout à coup recouvré la santé, à moins qu'un véritable miracle ne se fût produit pendant la nuit. Par quoi est-elle si grisée (j'étais stupéfait) tellement enivrée qu'une certitude aussi euphorique s'exprime ainsi dans sa voix et dans ses yeux ?... J'ai peine à dire ma première impression : ce fut presque une sorte de malaise, comme si je les avais surprises nues toutes deux, car soit la malade m'avait abusé jusqu'ici sur sa véritable nature, soit – mais pourquoi et comment ? – une personne nouvelle avait surgi soudain en elle.

À mon grand étonnement, les deux jeunes filles ne semblèrent pas troublées le moins du monde en m'apercevant. « Venez vite », me cria Edith, et se tournant vers Ilona : « Arrête le gramophone. » En même temps elle me faisait signe d'approcher.

« Enfin, enfin, vous voilà ! Je vous attendais avec impatience. Et maintenant dépêchez-vous ! Racontez tout, dans les moindres détails... Papa nous a déjà expliqué, mais d'une façon si embrouillée que je n'y ai pas compris grand-chose... Vous le savez, quand il est ému, il ne peut jamais parler d'une manière claire et précise... Pensez donc, il est déjà monté dans ma chambre cette nuit ! Je ne pouvais pas dormir à cause de cet orage effroyable, de plus je gelais, car il y avait un courant d'air et je n'avais pas la force de me lever. Tout le temps je pensais : ah ! si quelqu'un pouvait se réveiller et venir fermer la fenêtre ! Puis voilà que j'entends des pas qui se rapprochent de plus en plus. Tout d'abord j'ai eu peur. Vous comprenez, il était deux ou trois heures du matin, et au premier moment je n'ai pas reconnu papa, tellement il était changé. Tout de suite il s'est avancé vers mon lit, et vous auriez dû le voir ! Il riait, pleurait… oui, imaginez-vous cela, entendre rire papa, rire bruyamment, d'une façon exubérante, et danser tantôt sur un pied, tantôt sur l'autre, comme un grand gosse… Naturellement quand il a commencé à raconter, j'ai été si ahurie que je n'ai pas pu le croire… J'ai pensé : ou bien il a rêvé ou c'est moi qui rêve… Mais ensuite Ilona est venue, et nous avons bavardé et ri jusqu'au matin… Mais à présent parlez… dites… qu'est-ce que c'est que ce nouveau traitement ? »

De même que sous l'assaut d'une forte vague qui se jette contre vous et vous fait tituber, vous essayez de lui résister, de même je luttais pour ne pas céder à une stupéfaction sans bornes. Ce seul mot de traitement m'avait, comme en un éclair, tout expliqué. C'était donc moi et moi seul qui avais provoqué cette joie, moi seul qui avais éveillé en elle cette voix vibrante, cette malheureuse certitude ! Kekesfalva devait lui avoir raconté ce que m'avait confié Condor. Mais que m'avait dit Condor, en fait ?… Et de mon côté, qu'avais-je dit à Kekesfalva ? Le docteur ne s'était exprimé que d'une façon extrêmement prudente, et moi, folle victime de ma pitié, qu'avais-je donc inventé, que toute une maison s'illuminait soudain, que des gens désespérés retrouvaient leur courage, qu'une malade se voyait déjà guérie ?

« Eh bien ! qu'avez-vous… pourquoi tant traîner ? demanda Edith. Vous savez pourtant à quel point m'intéresse chaque mot que j'attends de vous. Allons, que vous a dit Condor ?

— Ce qu'il m'a dit ? » Je répétai la question pour gagner du temps. « Mais... vous le savez bien... Vous savez déjà des choses tout à fait rassurantes... Le docteur espère pouvoir obtenir, avec le temps, d'excellents résultats... Il se propose, si je ne me trompe, d'essayer un nouveau traitement et il se renseigne en conséquence... un traitement très efficace... si... si j'ai bien saisi... Je ne suis pas à même d'en juger, bien entendu, mais vous pouvez vous en remettre au docteur s'il... Je crois fermement qu'il fera tout comme il faut... »

Mais elle ne s'aperçut pas de mes réticences ou bien son impatience passa outre :

« Voyez-vous, j'ai toujours pensé qu'on n'arriverait à rien avec ce qu'on avait fait jusqu'à présent. On se connaît soi-même mieux que personne, n'est-ce pas... Rappelez-vous quand je vous disais que tout cela était absurde, ces massages, ces rayons électriques et ces appareils d'extension... Ça va beaucoup trop lentement, et comment attendre si longtemps ?... Aussi, voyez-vous, j'ai, dès aujourd'hui et sans rien lui demander, enlevé ces absurdes machines... Vous ne pouvez vous douter quel soulagement j'en ai ressenti... j'ai avancé tout de suite beaucoup mieux... je crois que ce sont elles qui m'ont handicapée à ce point. Non, il fallait s'y prendre autrement, je le pense depuis longtemps... Mais... mais à présent, racontez-moi vite ; qu'en est-il de cette méthode du professeur français ? Faudra-t-il vraiment faire le voyage ? Ne peut-on pas entreprendre le traitement ici ?... Ah ! je hais ces sanatoriums, je les ai en horreur... D'ailleurs je ne veux pas voir de malades ! J'ai assez de moi-même. Allons, comment est-ce ? – Eh bien ! voyons, parlez !... Et avant tout, combien de temps cela doit-il durer ? Est-ce que ça va vraiment si vite ? En quatre mois, m'a dit papa, il a guéri son malade, en quatre mois, et il peut à présent aller et venir, monter et descendre des escaliers... C'est... ce serait incroyable... Eh bien ! ne restez pas muet à ce point, racontez donc, enfin !... Quand veut-il commencer et combien de temps cela durera-t-il ? »

Il faut l'arrêter, me dis-je. Il ne faut pas la laisser s'engager dans cette voie-là. Il ne faut pas qu'elle se leurre jusqu'à croire que la guérison est déjà sûre et certaine. J'atténuai prudemment :

« La durée du traitement... bien entendu aucun médecin ne peut la fixer d'avance, je ne crois pas qu'on puisse dire dès maintenant combien de temps il faudra... D'ailleurs le docteur Condor n'a parlé de cette méthode que d'une façon très générale... Il paraît qu'elle a donné des résultats merveilleux, mais qu'elle soit tout à fait sûre... je veux dire qu'on ne peut y recourir que pour certains cas... il faut attendre de toute façon, jusqu'à ce qu'il... »

Mais déjà l'enthousiasme passionné d'Edith faisait fi de ma faible résistance.

« Ah non, vous le connaissez mal ! Il n'y a jamais moyen de lui dire les choses précisément, tant il exagère la prudence. Mais quand il s'avance pour une fois, alors là, c'est sûr à cent pour cent. On peut se fier à lui, et vous n'imaginez pas à quel point j'ai besoin d'être fixée enfin, ou au moins d'avoir la certitude que je serai fixée... La patience... ils me parlent toujours de patience... Mais il faut savoir jusqu'à quand et dans quelles limites on doit prendre patience, tout de même ! Si quelqu'un me disait qu'il y en a encore pour six mois, pour un an – eh bien, je dirais d'accord, je l'accepte, et je ferais tout ce que l'on me dira… Mais Dieu soit loué, il faut même moins que cela, maintenant ! Vous ne pouvez pas vous imaginer comme je me sens légère, depuis hier. Il me semble que je commence à vivre. Ce matin nous sommes déjà allés en ville – cela vous étonne, n'est-ce pas ? – oui, à présent que je sais que ce sera bientôt fini, il m'est tout à fait indifférent de savoir ce que les gens disent et pensent, et s'ils me regardent ou non avec pitié… Désormais je sortirai chaque jour afin de me prouver à moi-même que c'en est fini de cette attente et de cette inaction stupides. Et demain, dimanche… vous êtes libre, n'est-ce pas ?… nous nous proposons de faire quelque chose de tout à fait splendide. Papa m'a promis de nous conduire au haras. Il y a des années que je n'y suis pas allée, quatre ou cinq ans… Je ne voulais plus sortir… Mais demain nous sortirons et vous nous accompagnerez, bien entendu. Vous serez étonné. Ilona et moi, nous vous avons préparé une surprise, à moins que… (elle se tourna en riant vers Ilona) … dois-je déjà vous révéler à présent le grand secret ?

— Oui, dit Ilona, c'est fini, les secrets !

— Eh bien ! écoutez, cher ami. Papa voulait que nous prenions l'auto. Mais cela va beaucoup trop vite et c'est ennuyeux. Je me suis alors rappelé, d'après ce que nous racontait Joseph, que la vieille folle de princesse – à qui, vous savez, appartenait autrefois le château, quelqu'un de fort antipathique – avait l'habitude de sortir en calèche, la grande calèche de voyage noire et jaune qui est dans la remise. Afin que chacun sache qu'elle était la princesse, elle la faisait atteler, même rien que pour aller à la gare, et personne à la ronde ne sortait dans un tel appareil... Imaginez-vous l'amusement de voyager une fois comme la bienheureuse princesse ! Le cocher qui la conduisait existe encore... Mais au fait, vous ne le connaissez pas, le vieux factotum : il est au repos depuis que nous avons l'auto ; mais si vous l'aviez vu quand on lui a dit que nous voulions atteler à quatre – il a aussitôt mis ses bottes, malgré ses jambes branlantes, et il en a pleuré de joie, de voir ça encore une fois... Tout est déjà réglé, à huit heures nous partons... On se lèvera donc de bon matin et, bien entendu, vous passerez ici la nuit. Vous ne pouvez pas refuser. On vous donnera une belle chambre d'ami, en bas, et si vous avez besoin de quelque chose, Piszta ira vous le chercher à la caserne... Il sera d'ailleurs habillé en laquais, demain, comme chez la princesse... Non, pas d'objections ! Il faut absolument que vous nous fassiez ce plaisir, absolument, il n'y a pas d'excuse qui tienne... »

Et elle continuait, continuait, comme un cliquet de moulin. J'écoutais tout étourdi, encore ébahi par la transformation inouïe qui s'était produite en elle. Tout autre était sa voix, légère et coulante la cadence. Son visage familier avait pris un teint coloré, sa pâleur cireuse avait fait place à une mine fraîche, la fébrilité de ses gestes s'était dissipée. Un peu grisée, les yeux brillants et avec un grand sourire, elle était bien vivante, assise là devant moi ; et peu à peu cette ivresse passa en moi et fit se relâcher ma résistance. Peut-être, me dis-je, tout cela est-il vrai ou sera vrai, peut-être ne l'ai-je pas du tout trompée et guérira-t-elle effectivement très vite. Car en fin de compte, je n'ai pas vraiment menti, ou presque pas – Condor a réellement parlé d'une guérison stupéfiante, relatée dans un article, et pourquoi ne se produirait-elle pas aussi chez cette jeune fille si ardente et si émouvante dans sa confiance ? Chez cet être si sensible, qu'un souffle annonciateur de guérison suffit à rendre heureux et inspiré ? Pourquoi devrais-je briser cet enthousiasme qui l'illumine, et la tourmenter par des scrupules mesquins, elle n'a que déjà trop souffert, la pauvre. Et comme il arrive à un orateur d'être entraîné avec une véritable force par un enthousiasme qu'il a lui-même suscité par des paroles creuses, et qui reflue vers lui, j'étais de plus en plus emporté par une certitude que j'avais pourtant moi-même fait surgir ici en parlant un peu trop, poussé par ma pitié. Et quand, pour finir, le père d'Edith nous rejoignit, il nous trouva dans une humeur des plus gaies : nous causions et faisions des projets comme si Edith était déjà guérie et en parfaite santé… Où allait-elle apprendre à remonter à cheval, demandait-elle, et pourrions-nous, au régiment, surveiller ses reprises et lui donner des conseils ? Et son père ne devrait-il pas déjà donner au curé l'argent qu'il lui avait promis pour refaire la toiture de l'église ? Elle n'avait pas peur de dire tout cela avec force rires et plaisanteries, en faisant comme si déjà sa guérison allait de soi, et avec un tel bonheur dans son insouciance que je renonçai tout à fait à lui résister.

Ce n'est que le soir, en me retrouvant seul dans ma chambre, que je sentis renaître mes scrupules : tous ces espoirs n'étaient-ils pas exagérés ? Ne serait-il quand même pas préférable de diminuer cette confiance dangereuse ? Mais finalement je repoussai cette pensée. Pourquoi m'inquiéter de savoir si j'en avais trop dit ou trop peu ? Même si j'avais promis plus que je n'aurais dû le faire, ce mensonge par pitié l'avait rendue heureuse. Et rendre quelqu'un heureux n'est jamais un mal ou une faute.

L'excursion annoncée commença de bonne heure par une petite fanfare de joie. Les premiers bruits que j'entendis dans ma chambre d'ami, toute proprette, égayée par un clair soleil matinal, ce furent des rires. Je me mis à la fenêtre et j'aperçus, admirée par tous les domestiques, la puissante calèche de la princesse qu'on avait tirée de la remise avant le lever du jour, une magnifique pièce de musée, vieille d'un siècle ou d'un siècle et demi, fabriquée pour un de ses aïeux par le carrossier de la Cour, qui logeait Seilerstätte. La carrosserie, protégée contre le choc des roues immenses par d'ingénieux ressorts, était décorée à la façon des tapisseries anciennes, par de naïves peintures représentant des scènes pastorales et d'antiques allégories dont les couleurs avaient pâli. À l'intérieur (nous eûmes l'occasion de nous en apercevoir pendant le voyage), la voiture aux coussins de soie était nantie de toutes sortes de commodités, telles que tablettes pliantes, miroirs et flacons à parfums. Certes cet énorme jouet, survivant du passé, avait un aspect quelque peu irréel et carnavalesque, mais cela n'en amusait que plus les domestiques chargés de mettre à flot ce lourd vaisseau de la route. Avec un zèle particulier, le mécanicien de la sucrerie graissait les roues et contrôlait la solidité des bandages, pendant que les quatre chevaux, la tête ornée de fleurs comme pour une noce, étaient harnachés et attelés, ce qui donna à Jonak, le vieux cocher, l'occasion de montrer ses connaissances avec orgueil. Vêtu de la livrée princière aux couleurs défraîchies, et d'une agilité surprenante malgré sa goutte, il expliquait la façon de s'y prendre à ces blancs-becs qui savaient peut-être aller à bicyclette et en tout cas se servir d'un engin à moteur, mais ne connaissaient pas l'art d'atteler correctement quatre chevaux. C'était aussi lui qui avait, la veille au soir, expliqué au cuisinier à quel point l'honneur de la maison commandait que l'on servît, lors de pareilles escapades ou autres rallyes à cheval, une collation aussi abondante et parfaite dans les prés ou dans la forêt que si l'on eût été dans la salle à manger du château. Ainsi, sous sa surveillance, le domestique rangeait des nappes damassées, des serviettes et des couverts en argent dans des coffrets aux armes de la princesse, qui devaient nous accompagner. Ces opérations terminées, le cuisinier, le visage rayonnant et coiffé de son bonnet blanc, apporta les provisions : des jambons, des pâtés, des poulets rôtis, du pain tout frais et une foule de bouteilles soigneusement couchées sur un lit de paille, pour les préserver des cahots de la route. Pour suppléer le cuisinier, un garçon chargé du service monta derrière la voiture, à la place où se tenait autrefois le coureur de la princesse, à côté du laquais au chef couvert d'un chapeau à plumes bigarrées.

Les préparatifs d'une équipée aussi raffinée ressemblaient déjà à une joyeuse comédie, et comme la nouvelle de cette sortie exceptionnelle s'était aussitôt répandue dans les alentours, ce spectacle réjouissant ne manqua pas d'admirateurs. Depuis les villages voisins étaient arrivés des paysans en habits du dimanche aux vives couleurs, de l'hospice étaient sortis les petites vieilles ratatinées et des bonshommes grisâtres, fumant leur éternelle pipe de terre. Mais il y avait surtout les enfants, surgis on ne sait d'où, les jambes nues, et qui ébahis et fascinés, considéraient les chevaux pomponnés, puis le cocher tenant dans sa main toute sèche mais ferme encore, les longues rênes mystérieusement nouées. Et leur enthousiasme était aussi vif devant Piszta, qu'ils ne connaissaient que dans son uniforme bleu de chauffeur, alors qu'à présent dans sa livrée à l'ancienne, il portait déjà, fin prêt, le cor de chasse en argent étincelant, afin de donner le signal du départ. Mais pour cela, il fallait que nous ayons pris le petit déjeuner, et quand enfin nous nous approchâmes de l'équipage pompeux, ce fut pour constater, amusés, que nous offrions un spectacle bien moins solennel que la calèche et les laquais dans leur costume rutilant. Kekesfalva avait un aspect quelque peu comique lorsque, vêtu de son inévitable redingote noire, il monta, les jambes raides comme les pattes d'une cigogne, dans la voiture armoriée. Les jeunes filles, on aurait souhaité les voir en robes rococo, les cheveux poudrés, un grain de beauté noir sur la joue, un éventail colorié à la main, et quant à moi, l'habit brillant de cavalier de l'époque de Marie-Thérèse m'eût sans doute mieux convenu que ma tunique bleue de uhlan. Pourtant les bonnes gens avaient l'air de trouver tout cela déjà bien assez cérémonieux, et quand nous fûmes assis et que Piszta leva son cor de chasse, un son clair retentit au-dessus du groupe des domestiques qui nous saluaient, et le postillon fit tournoyer son fouet qui claqua comme un coup de feu. Le démarrage de la puissante voiture nous donna une forte secousse qui nous jeta, riants, les uns contre les autres, puis le vaillant guide fit très habilement franchir la grille aux quatre chevaux, bien que, de notre calèche pansue, elle nous apparût tout à coup terriblement étroite, et nous atteignîmes la chaussée sans encombre.

Nous faisions sensation, suscitant sur tout le parcours ébahissement et respect, comme il fallait s'y attendre. Dans la région, on n'avait pas vu depuis bien des lustres ni le carrosse de la princesse, ni l'attelage à quatre, et pour les paysans cette réapparition soudaine avait des allures presque surnaturelles. Ils se disaient peut-être que nous allions à la Cour, ou que l'empereur était venu, ou bien ils imaginaient quelque autre événement inouï – en tout cas, les chapeaux se soulevaient sur toutes les têtes, comme par magie, et les enfants, pieds nus, nous suivaient en courant derrière, très longtemps. Si en route nous rencontrions une charrette pleine de foin ou une calèche légère, l'autre cocher descendait aussitôt de son siège et, chapeau bas, retenait ses chevaux pour nous céder le passage. Tels des seigneurs, la route était pour nous ; comme à l'époque féodale, ce pays foisonnant, avec ses champs frémissants, ses gens et ses bêtes, nous appartenait tout entier. Certes nous ne progressions pas vite dans cette lourde calèche, mais nous n'en pouvions que mieux observer et rire – surtout bien sûr les jeunes filles ! Car la nouveauté fascine la jeunesse, et ces bizarreries suscitées par notre singulier équipage, le respect dévot des gens devant notre spectacle suranné, joints à cent menus incidents, l'air vif et le soleil, les rendirent toutes deux presque grises. Edith en particulier, qui depuis longtemps n'avait guère quitté la maison, explosait de gaieté et d'exubérance en cette superbe journée d'été.

Nous fîmes notre première station, au grand effroi des oies criaillantes, dans un petit village où justement les cloches appelaient à la messe du dimanche. Dans la plaine, par les étroits sentiers séparant les champs, on voyait s'avancer les retardataires ; souvent n'émergeaient que les chapeaux de soie noire à bords plats des hommes et les bonnets bariolés des femmes. De tous les côtés, cette ligne ondulante s'étirait comme une chenille sombre au milieu de l'or mouvant des blés. La cloche s'arrêta. La messe allait commencer. Ce fut Edith qui soudain insista vivement pour descendre et assister au service religieux.

L'arrêt sur la petite place du marché d'un véhicule aussi incroyable et l'annonce que le seigneur de Kekesfalva, dont ils avaient tous entendu parler, allait assister avec sa famille (ils pensaient que j'en faisais partie) à la messe dans leur petite église provoquèrent chez ces braves campagnards un vif émoi. Le sacristain accourut, comme si l'ex-Kanitz eût été le prince Orosvar en personne, et lui communiqua avec empressement que le curé voulait attendre que nous fussions installés. Respectueusement et la tête baissée, les gens formèrent la haie, et une émotion visible s'empara d'eux lorsqu'ils s'aperçurent de l'infirmité d'Edith, qui s'avançait soutenue et guidée par Piszta et Ilona. Les gens simples sont toujours profondément émus lorsqu'ils voient que le malheur n'hésite pas à frapper aussi les « riches » à l'occasion, et cruellement. Il y eut des murmures et des chuchotements, puis les femmes apportèrent des coussins pour que la pauvre infirme pût s'asseoir le plus commodément possible, bien entendu au premier rang, qui s'était vidé aussitôt. Il semblait presque que le curé célébrât la messe pour nous avec une solennité particulière. Je me sentis bouleversé par la simplicité de cette modeste église : le chant clair des femmes, le ton rude et presque malhabile des hommes, joints aux voix naïves des enfants me semblèrent remplis d'une foi plus vraie et plus pure que tant de fastueuses célébrations auxquelles j'avais assisté le dimanche dans la cathédrale Saint-Etienne ou l'église des Augustins. Je regardai par hasard Edith, qui se trouvait à côté de moi, et remarquai vraiment effrayé avec quelle brûlante ferveur elle priait. Jamais rien n'avait pu me faire supposer jusqu'alors qu'elle eût reçu une éducation religieuse ou qu'elle fût pieuse. Or je constatais chez elle une manière de prier qui n'était pas, comme chez la plupart des gens, une habitude apprise ; son visage blême, penché comme quelqu'un qui marche contre un vent violent, les mains accrochées au banc, son être replié en soi, ses lèvres murmurant d'une façon inconsciente, toute son attitude trahissait une vive tension intérieure. Parfois je sentais un léger tremblement du banc, tellement était fervente la secousse que causait en elle l'exaltation de sa prière extatique. Je compris qu'elle demandait à Dieu d'exaucer un vœu précis, qu'elle *exigeait* quelque chose de lui. Et il n'était pas très difficile de deviner quel était ce vœu.

Lorsque, après la messe, nous aidâmes la malade à remonter en voiture, longtemps encore elle resta repliée sur elle-même. Elle ne disait rien. Elle ne se tournait plus de tous les côtés avec une joie folle : cette demi-heure de dévotion semblait l'avoir totalement épuisée. Nous respectâmes son silence. Ce fut un voyage tranquille et même somnolent, jusqu'à notre arrivée au haras, juste avant midi.

Là pourtant, un accueil particulier nous attendait. Les garçons des environs, prévenus de notre visite et matant les chevaux les plus fougueux du haras, venaient à notre rencontre au grand galop, dans une sorte de fantasia à l'arabe. Ils étaient superbes à voir, ces jeunes gens bruyants et joyeux, au visage bronzé par le soleil, la chemise ouverte sur la poitrine, avec leurs chapeaux plats d'où pendaient de longs rubans multicolores, et leurs pantalons blancs de gauchos. Telle une horde de Bédouins, ils accouraient fougueusement sur leurs chevaux sans selle, comme s'ils eussent voulu foncer sur nous. Déjà nos bêtes pointaient leurs oreilles avec inquiétude, déjà le vieux Jonak, les jambes arc-boutées contre l'avant de son siège, tendait les rênes d'une main énergique lorsque, sur un brusque coup de sifflet, la bande sauvage se forma savamment en une troupe ordonnée qui entoura notre voiture et, avec grand entrain, nous accompagna jusqu'à la demeure de l'intendant.

Il y eut là pour l'officier de cavalerie expérimenté que j'étais, pas mal de choses à voir. Aux deux jeunes filles on montra les poulains ; elles ne pouvaient se tenir de rire à la vue des bêtes craintives et curieuses, avec leurs jambes faibles et gauches, et leurs bouches maladroites qui ne savaient pas encore saisir le morceau de sucre qu'on leur tendait. Pendant que nous nous occupions ainsi joyeusement, le garçon d'office avait, toujours sous la direction attentive de Jonak, préparé une magnifique collation en plein air. Bientôt la bonne qualité du vin nous fit bavarder plus librement, plus gaiement que jamais, sauf que durant toutes ces heures, tel un léger nuage dans un ciel azuré, la pensée me revenait parfois que cette frêle jeune fille qui riait de si bon cœur, qui se montrait la plus bruyante et la plus exubérante de la société, je ne l'avais connue jusque-là que comme une malade, une désespérée, une tourmentée, et que ce vieillard qui examinait les chevaux d'un air aussi averti qu'un vétérinaire et qui plaisantait avec les jeunes gens et leur glissait quelques pourboires était le même homme qui, deux jours plus tôt, en proie à une angoisse folle et semblable à un somnambule, m'avait assailli la nuit et ne voulait plus me lâcher. Moi-même j'avais de la peine à me reconnaître, tellement je me sentais souple et léger. Après le repas, tandis qu'Edith était allée se reposer dans la chambre de l'intendante, j'essayai quelques chevaux. Avec plusieurs gars du haras, je fonçais dans les prés à toute vitesse, avec un sentiment de liberté inouïe en lâchant ainsi la bride à mon cheval, et à moi-même. Ah, si j'avais pu rester ici, ne plus dépendre de personne, être libre dans cette nature libre, pour voler partout ! Et quand j'entendis, très loin, l'appel du cor de chasse, dans mon grand galop, j'eus soudain le cœur lourd.

Pour revenir au château, le vieux Jonak avait choisi une autre route, sans doute parce qu'elle était un peu plus longue et traversait une petite forêt ombreuse. Et comme tout s'enchaînait heureusement en ce jour de bonheur, une dernière et superbe surprise nous attendait en chemin : à notre entrée dans un village d'une vingtaine de feux, nous nous trouvâmes arrêtés par de nombreuses voitures vides qui obstruaient presque complètement la route. À notre grand étonnement il n'y avait personne sur place pour faciliter le passage de notre puissante calèche. On eût dit que la terre avait englouti tous les humains des alentours. Mais on eut l'explication de la chose, lorsque d'une main experte Jonak eut fait claquer son immense fouet. Alors se montrèrent quelques femmes, effrayées, qui nous apprirent que le fils du plus riche paysan de l'endroit célébrait ce jour-là ses noces avec une parente pauvre d'un hameau voisin. Et du bout de notre chemin barré, où une grange avait été aménagée en salle de bal, accourut alors, plein d'empressement et tout cramoisi, le très corpulent père du marié qui nous souhaita la bienvenue. Peut-être croyait-il sincèrement que le célèbre seigneur de Kekesfalva avait fait atteler tout exprès sa calèche pour honorer la noce de sa présence, peut-être profitait-il tout simplement de l'occasion pour accroître son prestige et celui de son fils aux yeux des autres villageois ? Toujours est-il qu'avec beaucoup de révérences, il pria instamment M. de Kekesfalva et ses amis de bien vouloir, pendant qu'on dégageait la voie, lui faire la grâce de venir boire un verre de vin hongrois, qu'il faisait lui-même, à la santé des jeunes mariés. Nous étions bien sûr de trop bonne humeur pour refuser une aussi plaisante invitation. On sortit Edith de la voiture avec précaution et, au milieu d'une double haie chuchotante de gens étonnés et pleins de respect, nous fîmes une entrée triomphale dans la salle de bal.

Cette pièce était, comme je viens de le dire, une grange aménagée pour la circonstance et dans laquelle on avait placé en longueur des deux côtés, sur des tonneaux de bière vides, des planches qui faisaient office d'estrades. À droite, devant une longue table couverte d'une nappe blanche et abondamment garnie de victuailles et de bouteilles de toutes sortes, trônaient les jeunes époux, entourés des membres de leurs familles et des inévitables notabilités de l'endroit : le curé, le bourgmestre et le brigadier de gendarmerie. À gauche, sur l'autre estrade, s'étaient installés les musiciens : tziganes moustachus, à l'aspect romantique, violon, contrebasse et cymbalum. Au milieu, sur la piste de danse en terre battue, se pressaient les invités, tandis que les enfants qui n'avaient pu trouver place dans la salle bondée, regardaient le spectacle, curieux et amusés, soit de la porte, soit du haut des poutres sur lesquelles ils étaient juchés, les jambes pendantes.

Quelques-uns des membres de la famille, les moins riches, durent évidemment nous céder la place sur l'estrade d'honneur, et lorsqu'on nous vit nous mêler sans aucune gêne aux braves gens de la noce, un murmure de satisfaction manifeste courut parmi les invités. Heureux et vacillant sous l'émotion, le beau-père apporta une énorme cruche de vin, emplit des verres et, levant le sien, cria : « À la santé du seigneur ! » Ce cri trouva immédiatement un écho enthousiaste et retentissant. Puis il nous présenta son fils et sa nouvelle moitié, une jeune fille timide aux larges hanches, à qui sa robe aux couleurs bariolées et sa blanche couronne de myrtes donnaient un aspect touchant. Le visage en feu, elle fit une révérence un peu gauche devant Kekesfalva, baisa avec respect la main d'Edith, tout à coup visiblement émue elle aussi. La vue d'une noce trouble toujours les jeunes filles, parce qu'en cet instant elles se sentent liées à la mariée par une solidarité secrète. Toute rougissante, Edith attira l'humble jeune fille à elle, l'embrassa, puis brusquement ôta de son doigt un anneau (une petite bague de famille, sans grande valeur) et la mit au doigt de l'épousée, toute décontenancée par ce cadeau inattendu. Craintivement elle regarda son beau-père comme pour lui demander si elle pouvait accepter un aussi beau présent. À peine ce dernier eut-il fait avec orgueil un signe affirmatif, qu'elle se mit à pleurer de joie. Une nouvelle vague de gratitude afflua vers nous. De tous les côtés ces gens simples et modestes se pressaient dans notre direction ; on voyait à leurs regards qu'ils auraient volontiers fait quelque chose pour nous montrer leur reconnaissance, mais aucun n'eût osé adresser un seul mot à de si « hauts seigneurs ». La mère du marié, une vieille paysanne, allait, les larmes aux yeux, de l'un à l'autre en titubant de joie, tout éblouie de l'honneur fait à son fils, tandis que celui-ci, dans son embarras, regardait tantôt sa femme, tantôt notre groupe, et tantôt ses lourdes bottes brillantes.

En cet instant, Kekesfalva fit ce qu'il y avait de mieux à faire pour dissiper la gêne suscitée par tout ce respect. Il secoua cordialement la main au beau-père, au marié et aux notabilités de l'endroit, et les pria de ne pas interrompre la fête à cause de nous. Que les jeunes gens reprennent leurs danses, ils ne peuvent pas nous faire de plus grand plaisir qu'en continuant à s'amuser sans se soucier de rien. En même temps il fit un signe au premier violon qui, son instrument sous le bras gauche, avait attendu devant l'estrade, dans une révérence figée, et lui jeta un billet de banque pour l'engager à commencer. La somme devait être assez importante, car comme sous l'effet d'un contact électrique, l'homme au teint olivâtre se précipita vers ses compagnons avec un clin d'œil significatif, et aussitôt les musiciens se déchaînèrent comme seuls savent le faire des Hongrois ou des tziganes. La force empoignante des premières notes du cymbalum avait chassé toute contrainte. Aussitôt les couples se formèrent, la danse reprit, plus sauvage, plus endiablée, garçons et filles, désirant tous nous montrer comment savent danser de vrais Hongrois ! En une minute, le calme respectueux de la salle avait fait place à un tourbillon ardent de corps pirouettant, bondissant, trépignant ; et jusque sur l'estrade, les verres tintaient en cadence, tant cette jeunesse enthousiaste s'en donnait à cœur joie.

Les yeux brillants, Edith suivait le tumulte. Soudain je sentis sa main sur mon bras. « Dansez », me fit-elle. Heureusement la mariée n'avait pas encore été entraînée dans le tourbillon. Tout étourdie, elle regardait l'anneau à son doigt. Lorsque je m'inclinai devant elle, elle rougit tout d'abord de l'honneur qui lui était fait, puis, docile, se laissa conduire. Encouragé par notre exemple, l'époux à son tour, vivement poussé par son père, invita Ilona. Et maintenant le musicien frappait comme un possédé sur son cymbalum, cependant que le premier violon, un moustachu aux cheveux très noirs, maniait son archet avec une véhémence diabolique. Je crois bien que jamais, avant cette noce, on n'avait dansé dans ce village d'une façon aussi enragée.

Mais cette journée – vraie corne d'abondance ! – nous réservait encore une autre surprise. Attirée par le cadeau fait à la mariée, une de ces vieilles tziganes qui ne manquent jamais à ces sortes de fêtes s'était avancée vers l'estrade et proposait avec insistance à Edith de lui dire la bonne aventure. Celle-ci était visiblement gênée. Bien qu'elle en eût fortement envie, elle n'osait se faire dire l'avenir devant une si nombreuse assistance. Je vins à son secours en écartant doucement de l'estrade M. de Kekesfalva et tous les autres, afin que personne ne pût rien entendre des mystérieuses prophéties ; et les curieux en furent réduits à observer de loin et en riant comment la vieille, s'agenouillant auprès d'Edith et avec force simagrées, prenait sa main pour l'étudier de près. Chacun sait bien en Hongrie que ces bonnes femmes vous annoncent toujours les choses les plus réjouissantes, dans l'espoir de s'en remplir mieux les poches ! Mais à mon grand étonnement, ce que la vieille femme marmonnait à Edith, de sa voix rauque et rapide, paraissait l'émouvoir étrangement. Se penchant de plus en plus, elle tendait l'oreille avec attention et regardait de temps à autre autour d'elle pour voir si personne n'entendait. Puis elle fit signe à son père, qui s'avança, et elle lui chuchota impérieusement quelque chose ; sur quoi, soumis comme toujours, il mit la main à la poche et tendit quelques billets à la tzigane. Cela représentait sans doute pour elle une somme énorme, car la vieille femme cupide se jeta telle une possédée à terre, embrassa le bord de la robe d'Edith et en prononçant des mots incompréhensibles qui devaient être des exorcismes, elle caressa les jambes paralysées de la jeune fille. Puis elle se releva d'un bond et partit comme si elle avait peur qu'on lui reprît tout cet argent.

« Allons-nous-en, à présent », dis-je à M. de Kekesfalva, en voyant la pâleur qui s'était soudain répandue sur le visage d'Edith. J'allais chercher Piszta. Lui et Ilona prirent la jeune fille sous les épaules pour l'aider à remonter en voiture. La musique s'était arrêtée, aucun de ces braves gens ne voulait se priver du plaisir de saluer à sa façon notre départ. Les musiciens entourèrent notre véhicule pour entamer rapidement une dernière danse, cependant que tout le village criait : « Vivat ! Vivat ! Vivat ! » Et le vieux Jonak eut toutes les peines du monde à maîtriser ses chevaux qui n'étaient pas habitués à de tels cris de guerre !

Je restai quelque peu inquiet à cause d'Edith, qui me faisait face dans la voiture. Elle tremblait de tout son corps. Une pensée semblait l'obséder. Tout à coup elle éclata en violents sanglots, mais c'étaient des sanglots de bonheur. Elle pleurait tout en riant et riait tout en pleurant. Sans aucun doute la vieille tzigane lui avait prédit une guérison rapide, et peut-être même autre chose encore.

« Laissez-moi ! Laissez-moi donc ! » nous répondait-elle avec impatience. Elle paraissait éprouver dans cette émotion une joie inconnue et étrange. « Laissez-moi ! répétait-elle, je sais bien que ce n'est pas sérieux, que c'est du charlatanisme. Mais quoi, permettez-moi d'être bête. On peut bien se laisser tromper sciemment une fois dans sa vie ! »

Il était déjà tard lorsque nous passâmes les grilles du château. Tous me prièrent de rester pour le dîner. Mais je refusai… C'était assez, c'était trop, déjà. J'avais été largement heureux durant toute cette longue et belle journée ensoleillée. Je ne pouvais pas l'être davantage. Il valait mieux que je retourne à la caserne par le chemin familier, l'âme apaisée comme l'air estival après la chaleur brûlante du jour. Il ne fallait rien demander de plus, il fallait se souvenir et resonger à tout. Je pris donc congé. Au ciel les étoiles brillaient et il me semblait qu'elles me faisaient des signes amicaux. Le vent soufflait une douce chanson sur les champs endormis, et j'avais l'impression que c'était pour moi qu'il chantait. J'étais dans cet état d'euphorie où tout paraît bon et plein de poésie, le monde et les hommes, où l'on voudrait embrasser jusqu'aux arbres et passer la main sur leur écorce lisse comme sur une peau aimée ; où l'on voudrait entrer dans chaque maison s'asseoir auprès des inconnus et tout leur confier, où l'on se sent à l'étroit dans sa poitrine, où l'on désirerait se communiquer à d'autres, se donner, se répandre, uniquement pour se débarrasser du trop-plein de sentiments que l'on porte en soi.

Arrivé à la caserne, je vis mon ordonnance qui m'attendait à la porte de ma chambre. Jamais je n'avais remarqué comme alors le bon visage fidèle aux pommettes bien rondes, de ce jeune paysan ruthène. Il faut lui faire un plaisir, pensai-je. Le mieux serait de lui donner un peu d'argent pour qu'il puisse se payer, à lui et à sa petite amie, un ou deux verres de bière. Je l'autoriserai à sortir ce soir et demain et toute la semaine. Déjà j'avais la main à la poche. Soudain il se met au garde-à-vous et annonce : « Est arrivé un télégramme pour mon lieutenant. »

Un télégramme ? J'éprouvai aussitôt un sentiment désagréable. Qui diable pouvait vouloir quelque chose de moi ? Seule une mauvaise nouvelle pouvait me chercher avec tant de hâte. J'allai rapidement vers la table où se trouvait la dépêche. D'un doigt mécontent je l'ouvris. Il n'y avait qu'une quinzaine de mots, d'une clarté coupante : « Suis appelé demain Kekesfalva. Dois absolument vous parler avant. Vous attends cinq heures Taverne tyrolienne. Condor. »

Qu'en l'espace d'une minute l'ivresse la plus complète puisse faire place à une lucidité de cristal, je ne l'ignorais pas, j'en avais déjà fait l'expérience. Cela s'était passé l'année précédente, à la fête d'adieu donnée par un camarade qui épousait la fille d'un très riche industriel du nord de la Bohême. Le brave garçon avait fait admirablement les choses pour cette splendide soirée avant son départ. Sur ses ordres on nous servit d'abord du bordeaux, puis du champagne, et ce en telle quantité que, selon les tempéraments, les uns devinrent bruyants, les autres sentimentaux. On s'embrassa, on rit, on fit du tapage, on chanta. À chaque instant on portait des toasts ; on but force verres de cognac et de liqueurs, on fuma à grosses bouffées. Dans le local surchauffé s'était répandue une épaisse fumée bleuâtre qui nous masquait les fenêtres, de sorte qu'aucun de nous ne s'était aperçu que derrière elles le ciel s'éclairait déjà. Il pouvait être trois ou quatre heures du matin, la plupart n'arrivaient déjà plus à se tenir assis convenablement. Affalés sur la table, ils ne levaient la tête avec des yeux noyés que quand quelqu'un portait un nouveau toast ; quand l'un d'eux devait sortir, il avançait en titubant vers la porte, ou bien faisait quelques pas qui semblaient de plomb. Parler ou penser clairement eût été pour nous une chose impossible.

Soudain la porte s'ouvrit et le colonel (dont j'aurai à reparler par la suite) fit irruption dans la pièce. Au milieu du vacarme, personne ne l'avait reconnu ou remarqué. Raide, il s'approcha de la table, frappa si violemment du poing sur le marbre souillé que les soucoupes et les verres en tintèrent. Puis, de sa voix la plus dure et la plus tranchante, il commanda : « Silence ! »

Subitement, d'un seul coup, le calme régna, les plus somnolents ouvrirent les yeux en clignotant et furent réveillés. En quelques mots, le colonel annonça qu'il fallait s'attendre pour le matin à une inspection, brusquement décidée, du général de division. Il comptait que tout marcherait d'une façon impeccable et qu'aucun de nous ne ferait honte au régiment. Et alors arriva une chose étrange : en une seconde, tous nous reprîmes nos sens. Comme si l'on eût ouvert en nous une fenêtre, toutes les fumées d'alcool se dissipèrent, les visages bouffis par l'ivresse changèrent, se tendirent à l'appel du devoir. En un clin d'œil tout le monde fut debout, et deux minutes plus tard il n'y avait plus personne autour de la table, chacun sachant exactement ce qu'il avait à faire. On réveilla les hommes, les ordonnances s'affairèrent, tout, jusqu'au dernier bouton de guêtre, fut rapidement nettoyé et astiqué. Et quelques heures plus tard, l'inspection redoutée se déroulait à merveille.

C'est exactement avec la même rapidité que s'enfuit la douce rêverie dans laquelle j'étais plongé, à peine eus-je ouvert ce télégramme. En l'espace d'une seconde je compris ce dont je n'avais pas voulu m'apercevoir durant ces dernières heures : tout cet enthousiasme n'avait été en fait que l'ivresse résultant d'un mensonge, d'une duperie dont je m'étais rendu coupable par ma faiblesse et ma malheureuse pitié. Sans aucun doute, Condor venait pour me demander des comptes. Et maintenant il s'agissait de payer pour ma propre exaltation et pour celle des autres.

Avec la ponctualité de l'impatience, je me trouvai à l'heure dite et même un peu plus tôt devant la taverne. À cinq heures exactement Condor arriva en voiture de la gare. Sans même me saluer, il s'avança vers moi en disant :

« Très bien que vous soyez déjà là ! Je savais que je pouvais compter sur vous. Entrons et allons dans le même coin que l'autre jour. Ce que nous avons à dire ne souffre pas de témoins. »

Il y avait dans son être mou quelque chose qui me paraissait changé. À la fois agité et maître de lui, il me précéda dans la taverne et commanda presque grossièrement à la servante venue avec précipitation au-devant de nous : « Un litre de vin. Le même qu'avant-hier. Et laissez-nous seuls. Je vous appellerai. »

Nous nous assîmes. Sans même attendre que la servante eût apporté le vin, il commença :

« Voilà la chose en peu de mots, car il faut que je me hâte, sinon les autres soupçonneront quelque chose et penseront que nous sommes en train de comploter. Déjà j'ai eu toutes les peines du monde à me débarrasser du chauffeur qui voulait à tout prix m'emmener directement au château. Mais venons-en au fait, il faut que vous soyez au courant !

Donc, avant-hier de bonne heure, je reçois un télégramme. "Vous prie, cher ami, venir le plus rapidement possible. Tous vous attendons avec la plus grande impatience. Avec notre plus confiante reconnaissance. Kekesfalva." Déjà tous ces superlatifs ne me plaisaient pas du tout. Pourquoi cette impatience, soudain ? Car je viens d'examiner Edith, il y a quelques jours… Et pourquoi donc m'assurer par télégramme de sa confiance et de sa reconnaissance spéciale ? Mais je n'y fis pas autrement attention et ne m'occupai plus de la dépêche. En somme, ce n'était pas la première fois que le vieux fou se montrait aussi frénétique. Mais la lettre d'hier matin m'a cependant rendu méfiant. C'est une longue, très longue lettre d'Edith, une lettre tout à fait insensée, extatique, où elle me déclare qu'elle a toujours senti que j'étais le seul homme sur terre qui pût la sauver, et qu'elle est incapable de m'exprimer à quel point elle est heureuse que nous soyons enfin si près du but. Elle m'écrit seulement, dit-elle, pour m'assurer que je peux compter sur elle, et qu'elle exécutera ponctuellement tout ce que je lui ordonnerai, même les choses les plus dures. Elle me prie de ne pas attendre pour recourir au nouveau traitement, car elle brûle d'impatience. Et encore une fois : je peux lui demander n'importe quoi, il faut seulement commencer sans tarder. Etc., etc.

Cette allusion à un nouveau traitement suffit à m'éclairer. Je compris aussitôt que quelqu'un avait dû parler de la méthode du professeur Viennot, soit au père, soit à la fille, car ils n'ont pas pu trouver ça tout seuls ! Et ce quelqu'un, bien entendu, ce ne peut être que vous, lieutenant. »

Je fis sans doute un mouvement involontaire, car il appuya tout de suite :

« Sur ce point, je vous prie, pas de discussions ! Je n'ai fait à personne d'autre la moindre allusion à cette méthode. C'est vous seul qui êtes responsable s'ils croient qu'en quelques mois tout sera redevenu normal, comme s'il s'agissait simplement d'effacer un trait avec une gomme. Mais évitons les reproches inutiles. Tous deux nous avons bavardé, moi avec vous, et vous un peu trop avec les autres. J'aurais dû être plus prudent. C'était mon devoir, car en somme vivre et penser avec les malades ce n'est pas votre métier. Comment sauriez-vous que ceux-ci et leurs proches ont un autre vocabulaire que les gens normaux, que "peut-être" signifie chez eux "certainement" et qu'on ne peut leur donner d'espoir qu'en gouttes prudemment distillées, sinon l'optimisme leur monte à la tête et les rend fous ?

Mais voilà où nous en sommes… ce qui est fait, est fait ! Ne parlons plus de votre responsabilité : ce n'est pas pour pérorer que je vous ai donné rendez-vous. Je me sentais seulement obligé, puisque vous êtes mêlé à cette affaire, de vous expliquer la situation. »

Ici Condor leva la tête et me regarda en face. Mais il n'y avait aucune sévérité dans ses yeux. Au contraire il me sembla qu'il avait pitié de moi. Sa voix devint plus douce.

« Je sais, mon cher lieutenant, que ce que je vais vous communiquer à présent va vous toucher très douloureusement. Mais nous n'avons pas le temps de faire du sentiment. Je vous ai dit l'autre jour qu'après avoir lu l'article en question de la *Revue médicale*, j'ai aussitôt écrit au professeur Viennot pour obtenir des indications plus précises. Je ne crois pas vous en avoir dit davantage. Bon. Hier matin j'ai reçu sa réponse, en même temps d'ailleurs que la lettre exubérante d'Edith. Ce qu'il raconte semble à première vue positif. Viennot a en effet obtenu des résultats étonnants avec le malade dont je vous ai parlé, et avec quelques autres. Par malheur – et c'est là la chose pénible – sa méthode n'est pas applicable à notre cas. Dans ses guérisons il s'agissait uniquement de maladies de la moelle épinière, d'origine tuberculeuse, où (je vous épargne les détails techniques) on peut, en supprimant la compression des vertèbres, rendre leur pleine activité aux muscles locomoteurs. Or, dans notre cas, il s'agit d'une maladie des centres nerveux. Appliquer la méthode du professeur Viennot, qui implique de rester étendu des heures dans un corset tout en s'exposant au soleil et de faire certains mouvements de gymnastique, est ici exclu. Ce serait infliger à la pauvre enfant des tortures sans aucune utilité. Voilà ce que je me devais de vous dire. Vous savez maintenant ce qu'il en est, et avec quelle légèreté vous avez agi en faisant espérer à la jeune fille qu'elle pourrait dans quelques mois danser et sauter ! Moi, je me serais bien gardé de m'avancer aussi bêtement. Alors que vous, qui leur avez promis la lune, ils ne vont pas vous lâcher comme ça, et ils auront raison ! Car c'est vous, et vous seul qui avez lancé toute cette affaire. »

Je sentis mes doigts se raidir. Tout cela, je l'avais prévu au fond de moi-même dès le moment où j'avais vu le télégramme sur ma table. Cependant, tandis que Condor m'exposait la situation avec une si impitoyable logique, ce fut comme si l'on m'avait porté un coup violent à la tête ; instinctivement je sentis le besoin de me défendre. Je ne voulais pas accepter cette responsabilité. Ce qui sortit de ma bouche fut comme le bredouillement d'un écolier pris sur le fait.

« Mais… si j'ai dit quelque chose à Kekesfalva, ç'a été uniquement par… par…

— Je sais, je sais, interrompit Condor. Bien sûr qu'il vous l'a fait dire, qu'il vous l'a quasiment extorqué. Je sais qu'il peut être désarmant, à force d'insistance et de détresse. Vous n'avez été faible que par pitié, et par conséquent pour les motifs les plus convenables… Mais je crois vous avoir déjà averti, c'est un sentiment dangereux, à double tranchant, que la pitié. Celui qui ne sait pas s'en servir doit y renoncer. C'est seulement au début que la pitié – comme la morphine – est un bienfait pour le malade, un remède, un calmant, mais elle devient un poison mortel quand on ne sait pas la doser ou y mettre un frein. Les premières injections font du bien, elles calment, arrêtent la douleur. Malheureusement, l'âme comme le corps humain possède une faculté d'adaptation inquiétante. De même que les nerfs réclament une quantité de morphine de plus en plus grande, de même l'âme a besoin de plus en plus de pitié, et elle finit par en vouloir plus qu'on ne peut lui en donner. Le moment vient inévitablement où il faut dire "non", et ne pas se soucier si celui à qui on le dit vous hait plus pour ce "non" que si vous aviez toujours refusé de l'assister. Oui, mon cher lieutenant, il faut savoir dominer sa pitié, sinon elle cause plus de dégâts que la pire indifférence. Cela, nous le savons, nous autres médecins, et les juges aussi le savent, et les huissiers et les prêteurs. S'ils cédaient tous à la pitié, plus rien ne marcherait. C'est une chose dangereuse que la pitié, terriblement dangereuse ! Vous voyez vous-même le mal qu'a causé votre faiblesse.

— Oui… mais on ne peut… on ne peut pourtant pas abandonner un être humain à son désespoir… Après tout, il n'y avait pas de mal à vouloir essayer… »

Mais Condor devint soudain violent.

« Si, beaucoup, beaucoup de mal ! C'est vous charger d'une lourde, d'une très lourde responsabilité que de rendre quelqu'un fou avec votre pitié ! Un homme adulte doit bien réfléchir avant de se mêler d'une affaire comme celle-ci, et savoir jusqu'où il est décidé à aller. Il ne faut pas jouer avec les sentiments d'autrui. J'admets que c'est pour les motifs les meilleurs et les plus sincères que vous avez grisé ces braves gens ; ce qui importe pourtant ici-bas, ce n'est pas si l'on agit durement ou avec douceur, mais uniquement le résultat qu'on obtient en fin de compte. De la pitié – très bien ! Mais il y a deux sortes de pitié. L'une, molle et sentimentale, qui n'est en réalité que l'impatience du cœur de se débarrasser au plus vite de la pénible émotion qui vous étreint devant la souffrance d'autrui, cette pitié qui n'est pas du tout la compassion, mais un mouvement instinctif de défense de l'âme contre la souffrance étrangère. Et l'autre, la seule qui compte, la pitié non sentimentale mais créatrice, qui sait ce qu'elle veut et est décidée à persévérer avec patience et tolérance jusqu'à l'extrême limite de ses forces, et même au-delà. C'est seulement quand on va jusqu'au bout, quand on a la patience d'y aller qu'on peut venir en aide aux autres. C'est seulement quand on se sacrifie et seulement alors ! »

Sa voix avait un ton amer. Et soudain je me rappelai ce que Kekesfalva m'avait raconté : Condor, en quelque sorte pour se punir de n'avoir pas réussi à la guérir, avait épousé une femme aveugle, et celle-ci, loin de lui en être reconnaissante, le tourmentait encore. Mais déjà, dans un geste presque tendre, il posait sa main sur mon bras.

« Je ne vous dis pas cela méchamment. Votre sentiment vous a trompé. Cela peut arriver à tout le monde. Mais à présent venons-en à notre affaire, car enfin, je ne vous ai pas convoqué ici pour vous donner une leçon de psychologie. Soyons concrets. Il est indispensable, bien sûr, que nous marchions du même pas dans cette affaire ; il n'est pas question que vous vous mettiez une seconde fois en travers de ma route. Alors, écoutez-moi ! Après la lettre d'Edith, je dois hélas supposer que nos amis se sont entièrement abandonnés à l'illusion que ce traitement – pourtant impossible à appliquer ici – parviendra à triompher comme par enchantement de cette maladie compliquée. Pourtant, si ancrée que soit déjà leur folie, il n'y a rien d'autre à faire qu'à trancher dans le vif, et le plus tôt sera le mieux. C'est vrai qu'ils auront un choc : la vérité est toujours une pilule très amère, mais on ne peut pas laisser se développer leurs illusions. Faites-moi confiance, je m'y prendrai avec autant de tact que possible !

Le plus commode pour moi serait bien sûr de rejeter sur vous toute la faute. De dire que vous m'avez mal compris, que vous avez exagéré ou rêvé. Mais je préfère tout prendre sous mon bonnet. Seulement – je vous le dis tout de suite – je ne peux pas vous laisser complètement hors de jeu. Vous connaissez le vieillard et son effrayante ténacité. Même si je lui expliquais cent fois ce qui s'est passé et lui montrais la lettre du docteur Viennot, il ne cesserait de me répéter en larmoyant : "Mais vous avez pourtant promis au lieutenant…", "Le lieutenant a dit…". Sans cesse il s'appuierait sur vous pour se donner, et me donner à moi l'illusion de la possibilité d'une guérison rapide. Sans vous comme témoin, je n'en viendrais jamais à bout. On ne peut pas faire tomber des illusions aussi facilement qu'on fait retomber le mercure d'un thermomètre. Si par malheur on montre à un de ces malades, qu'on appelle d'une façon si cruelle des incurables, un brin d'espoir, il en fait aussitôt une poutre, et de cette poutre toute une maison. Mais de tels châteaux en Espagne sont extrêmement malsains pour des malades, et c'est mon devoir en tant que médecin de les renverser le plus vite possible, avant que des espoirs insensés aient pu s'y loger. C'est pourquoi nous devons agir vigoureusement et sans perdre de temps. »

Condor s'arrêta. Il attendait de toute évidence mon approbation. Mais mes yeux n'osaient pas rencontrer les siens. En moi passaient, soulevées par le battement de mon cœur, les images de la veille : notre joyeuse traversée de la campagne estivale, le visage rayonnant d'Edith, le plaisir qu'elle prenait à caresser les petits poulains, la façon dont elle trônait à la noce ; je revoyais l'émotion du vieillard et les larmes lui couler dans la bouche qui riait et tremblait à la fois. Détruire tout cela d'un seul coup ! Ramener à son état ancien la malade si heureusement transformée, rejeter d'un seul mot dans l'enfer de l'impatience la jeune fille arrachée d'une façon si magnifique à son désespoir ! Non, je le savais, jamais je n'aurais le courage de m'y prêter ! Aussi déclarai-je avec timidité :

« Mais ne pourrait-on pas ?... » pourtant je m'arrêtai aussitôt devant son regard observateur.

« Quoi ? demanda-t-il d'un ton rude.

— ... Attendre pour leur dire cela... ne fût-ce que quelques jours, parce que... parce que... j'avais le sentiment hier qu'elle s'était déjà complètement faite à ce traitement... je veux dire intérieurement... et elle aurait à présent, comme vous disiez l'autre jour, les... les forces psychiques nécessaires... j'avais vraiment l'impression qu'elle pouvait déjà se mouvoir beaucoup mieux... et je me demande s'il ne serait pas préférable de laisser cette croyance agir jusqu'au bout... Vous... vous n'avez pas vu comme elle était... vous ne pouvez pas savoir comme la simple annonce de ce traitement a déjà eu d'effet... Certes... (je baissai la voix, car je remarquai avec quelle surprise il me dévisageait) certes je ne comprends pas grand-chose à ces questions... »

Condor n'avait cessé de m'observer. Il grogna : « Voyez-vous cela, Saül parmi les prophètes ! Vous paraissez déjà être extrêmement au courant... même ce que j'ai dit des forces psychiques, vous l'avez retenu ! Et avec cela, des constatations cliniques ! Sans le savoir je me suis fait, mine de rien, un assistant et un conseiller ! Du reste (il passa pensivement une main nerveuse sur sa tête) ce que vous venez de me dire ne serait pas en soi si bête... excusez-moi, je parle au sens médical... C'est bizarre, du reste, bizarre : en lisant les phrases exaltées d'Edith, je me suis moi-même demandé un instant si, maintenant qu'elle a vu s'approcher la guérison avec des bottes de sept lieues, on ne devrait pas mettre à profit cette conviction passionnée... Non, ce n'est pas mal pensé du tout, mon cher confrère ! Et la chose serait très facile. Je l'envoie dans l'Engadine où j'ai un ami médecin et nous lui laissons croire que c'est le nouveau traitement qui commence, alors qu'en réalité c'est l'ancien qui continue. L'illusion, le changement d'air, de lieu, l'énergie mise en jeu, tout cela agirait de façon admirable. En somme le début de ce séjour en Suisse pourrait nous émerveiller, elle, vous et moi. Pourtant, mon cher lieutenant, en tant que médecin je ne dois pas penser qu'au début, mais encore à la suite et surtout à la fin. Il faut que je tienne compte de la réaction inévitable... je dis bien : inévitable !... après des espérances aussi folles. Le médecin que je suis reste un joueur, un amateur d'échecs, de patiences, mais il doit s'abstenir des jeux de hasard, surtout quand un autre que lui paie la mise !

— Mais... vous êtes vous-même convaincu qu'une nette amélioration est possible...

— Oui, dans un premier temps on pourrait obtenir des progrès sensibles. Les femmes réagissent toujours particulièrement fort aux sentiments, même illusoires. Mais imaginez un peu la situation quelques mois plus tard, quand les forces psychiques dont nous parlions seront taries, la volonté usée, la passion disparue ; quand après des semaines et des semaines de tension épuisante la guérison ne viendra pas, cette guérison totale sur laquelle elle compte maintenant comme sur une chose qui doit arriver… Réfléchissez, je vous en prie, à l'effet catastrophique que cela aura sur un être sensible, déjà dévoré d'impatience ! Car il ne s'agit pas ici d'une amélioration limitée, mais d'un changement radical : passer d'un processus lent et assuré, fondé sur la patience, aux risques et aux dangers qu'implique l'impatience. Comment aurait-elle jamais à nouveau confiance en moi ou en quelque autre médecin, ou en quiconque si elle se voyait ici délibérément abusée ? Mieux vaut la vérité, donc, si cruelle qu'elle paraisse ; en médecine, le scalpel est souvent le moins terrible… Ne tergiversons pas ! J'aurais mauvaise conscience à garder cela par-devers moi. Réfléchissez un peu : en auriez-*vous* le courage, à ma place ?

— Oui, dis-je sans réfléchir, et m'effrayant aussitôt de ma rapidité… C'est-à-dire…, ajoutai-je prudemment, j'attendrais au moins les premiers progrès pour lui raconter toute l'histoire… Excusez-moi, docteur… Si j'ai l'air bien peu modeste… mais vous n'avez pas pu observer Edith autant que moi, ces derniers temps, ni voir combien ils ont tous besoin de quelque chose qui les soutienne, et… bien sûr, il faudra lui dire la vérité… mais seulement quand elle pourra la supporter… pas maintenant, docteur, je vous en conjure… surtout pas maintenant… pas tout de suite… »

J'hésitai, troublé par la curiosité et la surprise qui se lisaient dans ses yeux.

« Mais quand, alors ? dit-il, songeur. Et surtout, qui pourra prendre un tel risque ? Car il faudra bien lever le voile un jour… Je crains bien que la désillusion ne soit alors cent fois plus redoutable que si nous lui disions à présent la vérité. Car il faudra bien la lui dire un jour. Et vous en chargeriez-vous alors, si je vous suivais aujourd'hui ?

— Oui, fis-je fermement (je crois que seule la crainte d'avoir à me rendre tout de suite avec lui au château m'inspira cette fermeté !). Je m'en déclare entièrement responsable. Je suis sûr que ce serait à présent des plus profitables pour Edith de conserver un certain temps l'espoir d'une guérison totale et définitive. S'il est ensuite nécessaire de lui expliquer que nous… que j'ai peut-être trop promis, je l'avouerai sincèrement et je suis persuadé qu'elle le comprendra. »

Condor me regarda fixement. « Tonnerre ! murmura-t-il enfin. Vous avez rudement confiance en vous ! Et le plus étonnant est que vous nous contaminez avec votre sacrée confiance… tout d'abord les autres et, je le crains, moi aussi, peu à peu ! Eh bien ! si vous vous engagez vraiment à calmer Edith au cas où une crise éclaterait, alors… alors l'affaire prend un tout autre aspect… on pourrait peut-être risquer d'attendre quelque temps et qu'elle soit moins excitée… Mais dans pareils engagements il n'y a pas de retour en arrière, lieutenant ! Mon devoir est de vous en avertir. Nous autres médecins sommes tenus, avant chaque opération, d'attirer l'attention des intéressés sur tous les dangers possibles. Promettre à une jeune fille paralysée depuis si longtemps qu'elle va guérir tout à fait en quelques mois, est aussi grave qu'une intervention chirurgicale. Réfléchissez donc bien à quoi vous vous engagez : il faut une force inouïe pour consoler quelqu'un qu'on a trompé. Permettez-moi d'être très clair : avant de renoncer à mon intention de révéler immédiatement aux Kekesfalva que ce traitement ne peut être utilisé pour Edith, et que beaucoup de patience sera encore nécessaire, hélas ! je dois savoir si je peux vraiment compter sur vous. Puis-je compter absolument que vous ne me laisserez pas en plan ?

— Absolument.

— Bon. » Condor repoussa son verre d'un geste brusque. Nous n'avions ni l'un ni l'autre bu une seule gorgée. « Espérons cependant que tout marchera bien, ajouta-t-il, car je ne me sens pas du tout à l'aise avec cet ajournement. Maintenant je vais vous dire jusqu'où j'irai : pas un pas au-delà de la vérité. Je vais leur conseiller de se rendre dans l'Engadine, mais je déclarerai que la méthode Viennot n'est pas infaillible, et je soulignerai expressément qu'ils ne doivent pas compter sur un miracle. S'ils persistent cependant, à cause de vous, à former des espoirs absurdes, ce sera à vous n'est-ce pas, – j'ai votre promesse formelle – de remettre à temps l'affaire en ordre. Je prends peut-être un certain risque en vous faisant plus confiance qu'à ma conscience de médecin… mais c'est décidé. Dans le fond, nous voulons tous deux, autant l'un que l'autre, aider cette pauvre jeune fille. »

Il se leva. « Donc, je me fie à vous, si une crise éclatait sous le coup de la déception… Espérons que votre impatience sera plus efficace que ma patience à moi. Laissons la malade à ses certitudes pendant quelques semaines encore. Et si nous constatons de réels progrès, ce sera grâce à vous, et non à moi. L'affaire est réglée. Il est grand temps. On m'attend, là-dehors », dit-il.

Nous quittâmes la taverne. La voiture était devant la porte. Au dernier moment, lorsque Condor était déjà monté, j'eus un mouvement des lèvres comme pour le rappeler. Mais déjà le véhicule était en marche et avec lui, l'irrévocable.

Trois heures plus tard, je trouvais sur ma table à la caserne un billet écrit à la hâte et que le chauffeur avait apporté. « Venez demain le plus tôt possible. Nous avons énormément de choses à vous raconter. Le docteur Condor vient de nous quitter. Dans dix jours nous partons. Je suis follement heureuse. Edith. »

C'est étrange que justement cette nuit-là, ce livre précis me tomba entre les mains. J'étais en général un faible liseur ; sur les rayons de ma pauvre étagère réglementaire, il n'y avait que six ou huit volumes traitant des questions militaires, tels que le *Règlement de service* et un *Abrégé militaire* qui étaient pour nous l'alpha et l'oméga, à côté d'une douzaine d'ouvrages classiques que, sans jamais les ouvrir, je traînais depuis l'école des Cadets de garnison en garnison, peut-être seulement pour donner à ces chambres froides et étrangères que j'étais obligé d'habiter, une apparence et une ombre de vie personnelle. Il y avait encore, à moitié coupés, quelques livres mal imprimés et mal brochés dont je m'étais rendu acquéreur assez bizarrement. Parfois on voyait apparaître dans notre café un petit colporteur difforme avec des yeux chassieux et mélancoliques, qui offrait d'une façon importune du papier à lettres, des crayons et des livres à bon marché, la plupart du temps de ces livres pour lesquels il espérait trouver un excellent débouché parmi les officiers de cavalerie, tels que les *Aventures amoureuses de Casanova*, le *Décaméron*, les *Souvenirs d'une chanteuse* ou de joyeuses histoires de garnison. Par pitié – toujours par pitié ! – et peut-être aussi pour me défendre contre son importunité et sa mélancolie, je lui avais acheté, en plusieurs fois, trois ou quatre de ces cahiers crasseux et mal imprimés, que j'avais ensuite déposés sur les rayons sans y toucher.

Mais cette nuit-là, fatigué et surexcité à la fois, incapable de dormir et incapable aussi de penser à quelque chose de raisonnable, je cherchai, pour me distraire en attendant le sommeil, une lecture quelconque. Dans l'espoir que les récits naïfs et pittoresques de mon enfance dont je me souvenais encore confusément pourraient me servir de narcotique, je pris les *Mille et Une Nuits*. Je m'étendis et me mis à lire dans cet état de demi-somnolence où tourner les pages commence vite à devenir fatigant et où, par commodité, on saute celles qui par hasard ne sont pas coupées. Je lus le premier récit de Schéhérazade devant le roi, avec une attention languissante, puis je continuai. Mais soudain je sursautai. J'étais arrivé à l'histoire étonnante du jeune homme qui voit étendu sur la route un vieillard paralysé, et à ce mot « paralysé » je tressaillis comme sous le coup d'une violente douleur : une brusque association d'idées avait fait sur moi l'effet d'un jet de feu. Dans ce conte, le vieillard appelle le jeune homme d'une voix désespérée : il ne peut pas marcher et il le supplie de le prendre sur ses épaules. Le jeune homme a pitié – pitié, pourquoi as-tu pitié, imbécile ? pensai-je – il se penche sur le vieillard, ...hop, il le soulève et le met sur son dos.

Mais ce soi-disant vieillard paralysé est en réalité un djinn, un mauvais esprit, un fourbe enchanteur. Et à peine est-il assis sur les épaules du jeune homme, qu'il serre brusquement ses cuisses velues autour de la gorge de son bienfaiteur, qui ne peut plus s'en délivrer. Impitoyable il en fait sa bête de somme, il le fouette, le fouette sans cesse, sans lui accorder aucun répit. Et le malheureux doit le porter où l'autre l'exige, désormais il n'a plus de volonté propre. Il est devenu l'esclave du misérable, et quoique ses genoux vacillent de fatigue et que ses lèvres se dessèchent, il est contraint, victime malheureuse de sa pitié, de continuer à porter sur ses épaules, comme son destin, le perfide vieillard, le maudit rusé.

Je m'arrêtai. Le cœur me battait comme s'il voulait bondir hors de ma poitrine. Car pendant que je lisais, j'avais vu soudain, en une vision insupportable, ce vieillard plein de ruse étendu à terre et implorant avec des larmes dans la voix l'aide du jeune homme, je l'avais vu ensuite sur le dos de son bienfaiteur. Il était presque chauve, ce djinn, et portait des lunettes d'or. Avec la rapidité où dans les songes se succèdent les images et les visages, j'avais prêté instinctivement au vieillard du conte le visage de Kekesfalva et j'étais devenu soudain la malheureuse bête de somme qu'il fouettait, fouettait sans cesse, et même je sentais à la gorge la pression de ses jambes d'une façon si physique que j'en perdis la respiration. Le livre me tomba des mains ; je restai étendu, glacé, et j'entendis mon cœur frapper contre mes côtes comme sur du bois. Dans mon sommeil ce furieux chasseur m'éperonnait encore et me poussait je ne savais où. Lorsque le lendemain je me réveillai les cheveux tout humides, j'étais éreinté et fourbu comme après une course folle.

Le matin, rien n'y fit : j'eus beau sortir à cheval avec mes camarades, et m'acquitter consciencieusement et avec grand soin de mon service, à peine avais-je repris le chemin trop bien connu du château, l'après-midi, que je me sentis un poids sur les épaules, de nouveau ; car ma conscience tourmentée pressentait combien cette responsabilité que j'avais prise allait être lourde et complexe, sans que je sache bien comment. Quand sur ce banc, en pleine nuit dans le parc, j'avais fait entrevoir au vieil homme la proche guérison de sa fille, j'avais seulement forcé la vérité en exagérant par pitié, sans l'avoir décidé et même malgré moi – mais je ne l'avais pas trompé ni abusé consciemment. En revanche, maintenant que je savais qu'il ne fallait pas s'attendre à voir Edith guérir bientôt, je devais jouer sans cesse un rôle, et calculer froidement : surveiller toutes mes expressions, mentir d'un ton convaincant, comme un criminel aguerri qui pendant des semaines et des mois prépare en détail son forfait et combine tout avec raffinement et prudence. J'entrevis pour la première fois que le pire en ce monde ne résulte pas toujours de la méchanceté ou de la violence, mais plus souvent de la faiblesse.

Chez les Kekesfalva, tout se passa comme je l'avais prévu et redouté : à peine arrivé sur la terrasse, je fus accueilli avec enthousiasme. J'avais apporté exprès quelques fleurs pour détourner de moi le premier regard de la malade. Mais après un brusque : « Pour l'amour du ciel, pourquoi ces fleurs, je ne suis pas une prima donna ! », je dus m'asseoir auprès de la jeune fille impatiente, qui commença à parler sans arrêt. Sur un ton halluciné elle raconta, raconta. Le docteur Condor – « Quel homme admirable, unique ! » – lui avait rendu courage. Dans dix jours ils partaient pour la Suisse, l'Engadine, elle irait dans un sanatorium… à quoi bon attendre encore, ne fût-ce qu'une journée, puisqu'on allait enfin engager vigoureusement l'affaire ? Elle avait toujours deviné, me répéta-t-elle, qu'on s'y était mal pris depuis le début, et qu'avec tous ces traitements électriques et ces massages stupides on n'arriverait à rien. Et grand Dieu ! il était temps ! À deux reprises déjà – elle ne me l'aurait jamais avoué, autrement – elle avait essayé d'en finir une fois pour toutes, mais en vain. Car à la longue on ne peut pas vivre ainsi, sans une heure d'indépendance, toujours obligée de faire appel à l'aide d'autrui pour le moindre geste et le moindre pas, toujours épiée, surveillée et avec cela écrasée par le sentiment d'être une charge insupportable, un cauchemar pour les autres. Oui, il était temps, grand temps. Et j'allais voir comme les progrès seraient rapides et l'amélioration sensible, pour peu qu'on s'y prenne comme il fallait. Car à quoi rimaient ces stupides évolutions imperceptibles, qui ne changeaient quasiment rien ! Il fallait guérir vraiment, sinon on restait une malade… Et rien que l'idée d'y arriver, c'était merveilleux, l'idée déjà…

Et cela continuait ainsi, un vrai torrent de joie jaillissante, bondissante, bouillonnante… J'avais l'impression d'être un médecin qui, tout en écoutant les discours hallucinés d'un fiévreux, contrôle son pouls trop rapide avec méfiance, parce qu'il est inquiet de voir dans cette fièvre la preuve clinique la plus flagrante d'un dérangement cérébral. Chaque fois que, comme une légère écume, un rire pétulant couvrait le flot de son récit, je frissonnais, car je savais ce qu'elle ignorait, je savais qu'elle se trompait, que nous la trompions. Lorsqu'elle se tut enfin, ce fut chez moi comme lorsqu'on se réveille en sursaut dans un train, la nuit, parce que les roues se sont soudain arrêtées. Mais vite elle reprit et me demanda :

« Eh bien ! qu'en dites-vous ? Pourquoi êtes-vous là si stupide… pardon, si effrayé ? Pourquoi restez-vous silencieux ? Ce que je vous ai dit ne vous réjouit donc pas du tout ? »

Je me sentis coincé. Il s'agissait, maintenant ou jamais, de trouver le ton cordial, enthousiaste. Mais je n'étais qu'un pauvre débutant, un néophyte dans l'art de mentir et d'abuser sciemment autrui. Aussi bredouillai-je péniblement :

« Comment pouvez-vous me parler ainsi ? Je suis surpris, voilà tout… vous devez le comprendre… À Vienne on dit d'une grande joie qu'elle vous "cloue"… Sans aucun doute, je me réjouis vivement avec vous. »

J'étais écœuré du ton froid et emprunté de ma réponse. Elle aussi sentit ma gêne, car son attitude changea brusquement. La contrariété de quelqu'un que l'on tire d'un rêve assombrit son visage ravi. Ses yeux, qui l'instant d'avant brillaient d'enthousiasme, devinrent durs, l'arc de ses sourcils se tendit.

« Eh bien !… je n'ai pas beaucoup remarqué votre grande joie ! »

Je me rendis bien compte de son agressivité, et j'essayai de l'apaiser.

« Mais, enfant que vous êtes… »

Elle se rebiffa aussitôt. « Ne me dites pas toujours "enfant" ! Vous savez que je ne supporte pas cela. Etes-vous donc tellement plus âgé que moi ? Il me semble que j'ai le droit de m'étonner que vous n'ayez pas été très surpris et surtout pas très… très… intéressé. D'ailleurs, pourquoi ne vous réjouiriez-vous pas ? En somme, n'allez-vous pas être en congé, du fait que la boutique ici sera fermée pour quelques mois ? Vous pourrez aller retrouver vos camarades au café, jouer au tarot avec eux et vous serez débarrassé de votre rôle ennuyeux de Bon Samaritain. Oui, oui, je le crois, vous devez vous réjouir. Voici venue pour vous une période agréable ! »

Son ton était si blessant que je sentis le coup jusque dans ma mauvaise conscience. Manifestement, elle m'avait percé à jour. Pour faire diversion, car je connaissais le caractère dangereux de son irritabilité en des instants pareils, je m'efforçai de tourner la querelle en plaisanterie.

« Une période agréable, vous vous imaginez cela ? Une période agréable pour la cavalerie, les mois de juillet, d'août et de septembre ! Ne savez-vous pas que c'est pour nous l'époque de toutes les tracasseries et des bousculades ? D'abord les préparatifs pour les manœuvres, puis en marche vers la Bosnie ou la Galicie, ensuite les manœuvres elles-mêmes et les grandes parades ! Des officiers énervés, des troupes éreintées, un service épuisant du matin au soir. Et cela dure jusqu'à fin septembre, cette sérénade !

— Jusqu'à fin septembre ?… » Elle devint tout d'un coup songeuse. Quelque chose parut la préoccuper.

« Mais quand… dit-elle enfin… quand viendrez-vous, alors ?… »

Je ne saisis pas. Vraiment je ne saisissais pas ce qu'elle voulait dire et je demandai tout à fait naïvement :

« Où cela ? »

Aussitôt ses sourcils se froncèrent. « Ne posez donc pas toujours de si stupides questions ! Nous rendre visite ! Me rendre visite, parbleu.

— Dans l'Engadine ?

— Où voulez-vous que ce soit ? À Trifouillis-les-Oies peut-être ? »

Alors seulement, je compris ce qu'elle voulait dire. L'idée absurde de faire un voyage dans l'Engadine, comme si c'eût été quelque chose de tout à fait ordinaire, ne me fût jamais venue à l'esprit, à moi qui avais dépensé quelques instants plus tôt mes sept dernières couronnes pour acheter des fleurs, et pour qui chaque voyage à Vienne était, malgré mon demi-tarif, une sorte de luxe !

« Ah ! on voit bien, dis-je en riant de bon cœur, comment vous, les civils, vous vous représentez les militaires. Aller au café, jouer au billard, se promener sur les boulevards et quand cela vous chante, quitter son uniforme pour faire un petit voyage, en civil. Rien de plus simple, une petite diversion... On met deux doigts au képi et : "Au revoir, mon colonel, je n'ai aucune envie de continuer à jouer au soldat pour le moment ! À plus tard, quand cela me conviendra !" Vous vous rendez vraiment très mal compte à quel point nous sommes prisonniers du très noble carcan militaire ! Savez-vous que pour se libérer une fois, exceptionnellement, une heure ou deux, le moindre d'entre nous doit se mettre en grande tenue, claquer gentiment des talons et présenter sa requête avec force "à vos ordres" ? Eh oui ! et tout ce cirque et ces formalités pour une petite heure de liberté. Pour une journée entière, il faut au moins avoir perdu sa tante ou prétexter un enterrement dans la famille ! Je voudrais voir la tête que ferait mon colonel si je lui annonçais très poliment, au beau milieu de la période des manœuvres, que j'ai envie d'aller prendre l'air huit jours en Suisse ! J'en entendrais de belles, et qui ne figurent dans aucun dictionnaire décent ! Non, ma chère Edith, vous vous représentez les choses sous un jour trop facile.

— Mais quoi, tout est facile, quand on le veut vraiment ! Ne faites donc pas comme si vous étiez indispensable ! Un autre à votre place dressera pendant ce temps vos idiots de Ruthènes. Pour ce qui est du congé, papa fera le nécessaire en une demi-heure. Il connaît des tas de gens bien placés au ministère de la

Guerre et avec un mot de l'un d'eux vous obtiendrez tout ce que vous voudrez – d'ailleurs, cela ne vous ferait pas de mal non plus, de voir un peu autre chose en ce monde que votre champ de manœuvres et vos exercices de cavalerie. Alors, ne vous défilez pas… c'est décidé : papa fera le nécessaire. »

C'était bête de ma part, mais cette désinvolture me fâcha. Quelques années de dressage militaire finissent par vous inculquer une espèce de conscience professionnelle ; je ressentais une certaine humiliation à entendre une jeune fille sans expérience disposer ainsi, souverainement, des généraux du ministère de la Guerre – une sorte de demi-dieux pour nous – comme s'ils étaient les employés de son père. Cependant, malgré mon dépit, je réussis à garder le ton de la plaisanterie.

« Bon : le congé, la Suisse, l'Engadine… pas mal du tout ! Magnifique, surtout si effectivement, comme vous l'affirmez, on m'apporte cette permission sur un plateau sans que j'aie à prier et faire des salamalecs. Mais il faudrait en outre que votre papa obtînt du ministère de la Guerre, en dehors du congé, une bourse spéciale de voyage pour le lieutenant Hofmiller. »

Maintenant ce fut elle qui sursauta. Elle sentait que mes paroles avaient un sens qu'elle ne comprenait pas. Ses sourcils se tendirent plus fortement encore au-dessus de ses yeux impatients. Je vis qu'il fallait parler d'une façon plus nette.

« Non, sérieusement, enfant… oh ! pardon, blague à part, mademoiselle Edith… Les choses ne sont pas si simples, hélas ! Vous faites-vous une idée du prix d'une telle escapade ?

— Ah ! c'est de cela qu'il s'agit ! s'écria-t-elle naïvement. Ça ne doit pourtant pas atteindre des sommes astronomiques. Quelques centaines de couronnes, tout au plus. Pas la peine d'en parler ! »

Cette fois-ci je ne pus plus maîtriser ma mauvaise humeur. Elle avait touché le point le plus sensible chez moi. Comme je vous l'ai dit, j'étais parmi les officiers de notre régiment qui n'avaient pas un sou de fortune personnelle et je ne disposais que de ma solde et du maigre supplément alloué par ma tante. Et cela me blessait toujours même entre camarades quand, en ma présence, on parlait avec mépris de l'argent, comme si c'étaient des chardons. C'était là mon point sensible, ma paralysie à moi, c'était là que j'avais besoin de béquilles. Voilà pourquoi je m'émus un peu trop fort en entendant cette petite pécore trop gâtée qui, si elle souffrait terriblement de sa vie recluse, n'imaginait pas les contraintes qui pesaient sur moi. Sans le vouloir je devins presque grossier.

« Certes non. Mais ce sont quelques centaines de couronnes, quand même ! Une bagatelle pour un officier, n'est-ce pas ? Et vous trouvez bien sûr pitoyable et mesquin que j'en parle ? C'est d'un grigou, d'un pauvre minable, pas vrai ? Mais vous êtes-vous jamais demandé comment s'en tire et se débrouille un officier de mon grade ? »

Comme elle me regardait toujours de ses yeux à demi fermés, et, ainsi que je le croyais stupidement, méprisants, je ressentis soudain le besoin de lui exposer toute ma pauvreté. De même qu'elle avait à dessein clopiné l'autre jour devant nous à travers le salon pour nous tourmenter et se venger de notre santé insolente par ce spectacle provocant, j'éprouvais une sorte de joie coléreuse à lui montrer, à lui dévoiler sans pudeur toute l'étroitesse et l'indigence de mon existence.

« Savez-vous donc ce que ça gagne, un lieutenant ? l'apostrophai-je. Y avez-vous jamais pensé ? Sûrement non. Eh bien ! afin que vous le sachiez, je vous le dis : il touche deux cents couronnes le premier de chaque mois, et il est heureux quand celui-ci ne compte que trente jours. Avec cette misère il lui faut payer sa nourriture, son tailleur, son cordonnier, faire face à toutes les dépenses qu'exige son "rang". Et Dieu veuille qu'il n'arrive jamais rien à son cheval. S'il manœuvre bien, il dispose juste de quelques kreutzers pour mener joyeuse vie dans ce café qui vous donne l'occasion de me blaguer constamment, et s'y payer toutes les jouissances de la terre… sous les espèces d'un café-crème ! »

Je sais aujourd'hui que c'était bête et méchant de ma part de me laisser à tel point emporter par mon amertume. Comment une enfant de dix-sept ans, gâtée et élevée à l'écart du monde, une jeune fille paralysée, clouée à son fauteuil, eût-elle pu avoir une idée quelconque de la valeur de l'argent et de notre misère dorée ? Mais le désir de me venger contre quelqu'un des mille petites humiliations de ma vie s'était emparé de moi sans crier gare, et je frappais aveuglément, sans me rendre compte de la force des coups que je portais.

À peine eus-je levé les yeux sur elle que je sentis pourtant toute ma brutalité. Avec la finesse de sentiment particulière aux malades, elle avait compris aussitôt qu'elle m'avait touché sans le vouloir à l'endroit le plus vulnérable. Une rougeur subite se répandit sur ses joues, et je vis que pour la dissimuler, elle portait rapidement sa main devant son visage. Puis elle me dit :

« Et… et vous m'achetez encore des fleurs si chères ? »

Ce fut un moment pénible et qui dura longtemps. J'avais honte devant elle et elle avait honte devant moi. Nous nous étions blessés l'un l'autre sans l'avoir voulu et nous craignions de prononcer la moindre parole. Subitement on entendit le souffle du vent dans les arbres et en bas dans la cour, le gloussement des poules, cependant que de loin nous parvenait çà et là le bruit affaibli d'une voiture roulant sur la grand-route. Mais bientôt elle se ressaisit :

« Je suis bien folle d'écouter vos bêtises ! fit-elle. Et je m'énerve, encore ! Qu'est-ce que cela peut vous faire, le prix du voyage ? Si vous venez chez nous, vous serez notre invité, bien sûr. Croyez-vous que papa accepterait, si vous avez la gentillesse de nous rendre visite… que vous ayez encore des frais ? Quelle sottise ! Et je suis assez naïve pour y prêter attention !… Alors, plus un mot là-dessus… non, plus un mot, vous dis-je ! »

Mais c'était un point sur lequel je ne pouvais pas céder. Car rien ne m'était plus pénible (je l'ai déjà dit) que la pensée d'être considéré comme un parasite.

« Si, un mot encore ! Il ne faut pas de malentendus ! Je vous déclare donc tout net : je ne veux pas que l'on demande quelque chose pour moi à mon régiment, je n'ai pas besoin de faveurs. Cela ne me convient pas de quémander. Je veux être traité sur le même pied que mes camarades et je refuse toute protection. Je ne veux pas être entretenu. Je sais que vous avez les meilleures intentions du monde et M. votre père aussi. Mais il y a des gens qui n'acceptent pas que tout leur tombe ainsi, comme du ciel... N'en parlons plus.

— Donc vous refusez de venir ?

— Je n'ai pas dit cela. Je vous ai expliqué clairement les raisons qui m'en empêchaient.

— Même si mon père vous le demande ?

— Même dans ce cas.

— Et même... si je vous en prie ?... si je vous en prie cordialement, amicalement ?

— Ne le faites pas. Ce serait inutile. »

Elle baissa la tête. Mais déjà j'avais remarqué le tremblement de sa bouche qui était l'indice certain d'une vive irritation. Cette pauvre adolescente choyée, qui n'avait qu'un geste à faire pour que toute la maison exécutât immédiatement ses ordres, venait de vivre quelque chose de nouveau pour elle : elle s'était heurtée à une résistance. Quelqu'un lui avait dit « non » et cela la mettait hors d'elle. D'un geste brusque elle prit mes fleurs sur la table et les lança avec colère par-dessus la balustrade.

« Bon, siffla-t-elle entre ses dents. Maintenant du moins je sais jusqu'où va votre amitié. C'est très bien qu'on en ait fait l'épreuve ! Parce que quelques camarades au café pourraient bavarder, vous vous réfugiez derrière des échappatoires ! Parce qu'on a peur d'avoir une mauvaise note de conduite au régiment, on gâte la joie de ses amis !... C'est bien ! L'affaire est réglée !... Je ne mendierai pas plus longtemps. Vous n'en avez pas envie. Bien ! Fini ! »

Je sentais que son irritation n'avait pas encore disparu, car elle répéta à plusieurs reprises et avec un certain acharnement ce « Bien ». En même temps elle appuyait fortement ses deux mains au dossier du fauteuil pour redresser son corps, comme si elle se préparait à une attaque. Puis elle se tourna vers moi d'un mouvement violent.

« Donc, affaire réglée. Notre humble requête a été rejetée. Vous ne viendrez pas nous rendre visite, vous ne le voulez pas. Cela ne vous convient pas. Bon ! On en prendra son parti. Du reste nous nous passions bien de vous, avant… Mais il y a une chose que je voudrais vous demander. Me répondrez-vous sincèrement ?

— Bien entendu.

— Mais sincèrement ! Votre parole d'honneur ! Donnez-la-moi.

— Si vous y tenez, ma parole d'honneur !

— Bien. Bien. » Elle répéta ce mot d'une façon dure et coupante, comme si elle maniait un couteau. « Bien. N'ayez pas peur, je n'insisterai pas pour obtenir la visite de Votre Altesse. Mais je voudrais seulement savoir une chose, une seule – vous m'avez donné votre parole, n'est-ce pas ? Donc vous refusez de venir nous voir, parce que cela vous est désagréable, parce que vous vous sentez gêné ou pour d'autres raisons – qui ne me regardent pas. Bien… bien. Réglé. Mais dites-moi clairement : somme toute, pourquoi venez-vous chez nous ? »

Je m'attendais à tout, sauf à cette question. Dans ma stupéfaction je bredouillai, pour gagner du temps.

« Mais… mais c'est tout à fait simple… Cela ne nécessitait aucune parole d'honneur…

— Ah !… c'est simple ? Tant mieux. Alors allez-y ! »

Il n'y avait plus moyen de s'échapper. Le plus facile me parut de dire la vérité, mais il me fallait la dire avec prudence, en l'enjolivant. Aussi commençai-je sur un ton d'apparente désinvolture.

« Mais, chère mademoiselle Edith, ne cherchez pas chez moi des motifs mystérieux. Vous me connaissez assez pour savoir que je suis un homme qui ne se pose pas beaucoup de questions sur lui-même. L'idée, je vous le jure, ne m'est pas encore venue de m'examiner et de me demander pourquoi je vais chez un tel ou un tel, pourquoi j'aime celui-ci et pas celui-là. Ma parole, je ne peux vraiment rien vous dire de plus intelligent ni de plus bête que ceci : je viens chez vous parce que… je m'y trouve bien, je m'y sens mille fois mieux que partout ailleurs. Vous vous représentez, je crois, nos officiers de cavalerie un peu trop d'après les opérettes, toujours chics, toujours gais, vivant dans une sorte de fête perpétuelle. Mais vues du dedans, les choses ne sont pas aussi belles ; notre solidarité si réputée, par exemple, n'est parfois qu'un vain mot. Quand dix hommes ont les mêmes visées, ils ne font pas de sentiment, et quand il s'agit de promotion et d'avancement on se marche souvent sur les pieds. Il faut surveiller le moindre mot que l'on prononce, et l'on n'est jamais sûr de ne pas indisposer les gros bonnets, sur quoi on est bon pour un sérieux savon. Faire son "service", c'est presque "servir", et servir…

c'est être dépendant. Et puis une caserne et une table d'auberge ne sont pas un vrai foyer. On n'y est attaché à personne, et personne n'est attaché à vous. Certes parfois on a d'excellents camarades, mais il subsiste toujours une certaine réserve, la confiance n'est jamais totale. Lorsque par contre je viens chez vous, je mets de côté toute réserve en même temps que je dépose mon sabre au vestiaire, et quand ensuite je bavarde avec vous si cordialement, alors… j'ai le sentiment…

— Quel sentiment ?… » Dans son impatience, elle ne se retint pas.

« Eh bien… vous allez peut-être trouver inconvenant que je m'exprime si franchement… alors, je m'imagine que vous avez plaisir à me voir chez vous, que je fais partie de la maison, que je suis cent fois plus chez moi ici que nulle part ailleurs. Toujours, quand je vous regarde, j'ai le sentiment… »

Je m'arrêtai involontairement. « Quel sentiment ?… » fit-elle de nouveau avec véhémence.

« … qu'il y a là quelqu'un auprès de qui je ne suis pas aussi terriblement inutile qu'auprès des autres à la caserne… Je le sais, cela ne tient pas beaucoup à ma personne et parfois je m'étonne que je ne vous sois pas devenu ennuyeux à la longue… Souvent… vous ne savez pas combien de fois je me suis demandé si vous n'en aviez pas assez de moi… mais ensuite je pense à votre solitude dans cette grande maison vide, et que vous serez peut-être heureuse que quelqu'un vienne vous voir. Voyez-vous, cela me donne le courage d'oser, à chaque fois… Et quand je vous retrouve sur votre terrasse ou dans votre chambre, je me dis que j'ai bien fait de venir, de ne pas vous laisser là si seule toute la journée. Vous ne pouvez pas comprendre cela ? »

Ce qui se produisit alors m'étonna. Les yeux gris cessèrent de remuer, leur pupille se figea. Par contre, les doigts nerveux se mirent à tâter les bras du fauteuil et à tambouriner, d'abord doucement, puis de plus en plus fort contre le bois. La bouche se tordit et me cria d'un seul coup, méchamment :

« Oui, je comprends. Je comprends parfaitement ce que vous voulez dire… Vous avez… maintenant, je crois, dit la vérité. Vous vous êtes exprimé d'une façon très polie et très habile. Mais je vous ai compris tout de même. Parfaitement bien compris… Vous venez, dites-vous, parce que je suis si "seule", autrement dit, pour parler net : parce que je suis clouée à ce maudit fauteuil. C'est seulement pour cela que vous venez tous les jours, comme un bon Samaritain, pour rendre visite à la pauvre enfant malade… c'est ainsi que vous m'appelez tous quand je ne suis pas là, je le sais. Ce n'est que par pitié que vous venez, oui, je vous crois, allez ! pourquoi le nier ?… par pitié ! Vous êtes, n'est-ce pas, ce qu'on appelle un homme "bon" et vous vous laissez volontiers nommer ainsi par mon père. Des hommes "bons" comme vous ont pitié de tout chien battu et de tout chat galeux… pourquoi pas aussi d'une infirme ? »

Et soudain un soubresaut agita tout son corps raide, et elle se cabra :

« Mais grand merci ! Je me fiche de cette sorte d'amitié qui ne s'adresse qu'à mon infirmité !… Oui, ne faites pas des yeux si contrits ! Cela vous ennuie bien sûr d'avoir ainsi laissé échapper la vérité, d'avoir avoué que vous ne venez que parce que "je fais pitié", comme disait la servante tchèque – elle, du moins, l'a dit sincèrement, franchement. Tandis que vous vous exprimez comme un homme bon, avec plus de délicatesse, plus de tact. Vous dites, avec des circonlocutions : parce que je suis "si seule toute la journée". Il y a longtemps que je le devinais, c'est par pitié, que vous venez et vous voudriez encore qu'on vous admirât pour votre beau sacrifice, mais je regrette, je ne veux pas de sacrifice ! Je n'en veux de personne, et de vous encore moins… je vous le défends, vous entendez, je vous le défends… Croyez-vous que je sois vraiment réduite à votre compagnie, à vos regards "compatissants", vos regards humides, spongieux, à votre bavardage plein de ménagements… Non, Dieu merci, je n'ai pas besoin de vous tous… Je me débrouillerai bien moi-même, je m'en tirerai bien sans vous. Et quand j'en aurai assez, je sais comment faire… Tenez ! (elle me tendit soudain sa main à l'envers) regardez cette cicatrice ! Une fois déjà j'ai essayé avec des ciseaux, seulement j'ai été maladroite, je n'ai pas réussi à trouver l'artère. Et malheureusement ils sont arrivés à temps et m'ont fait un bandage, sinon j'en aurais fini avec vous tous et votre sale pitié ! Mais la prochaine fois je serai plus adroite, soyez-en sûrs ! Ne croyez pas que je vous sois livrée pieds et poings liés ! Plutôt crever que d'être celle que l'on plaint. Voyez-vous (elle se mit à rire soudain d'un rire violent et déchirant) mon père précautionneux n'a pas songé à tout, lorsqu'il a fait construire cette terrasse. Il s'est dit uniquement que j'aurais une belle vue. Beaucoup de soleil et du bon air, a dit le médecin. Mais personne n'a pensé, ni mon père, ni le médecin, ni l'architecte, que… Regardez donc – elle s'était soudain redressée, et d'une poussée avait jeté son corps oscillant jusqu'à la balustrade qu'elle serrait furieusement de ses deux mains – nous sommes à une hauteur de quatre ou cinq étages et en bas c'est de la pierre bien dure… c'est suffisant… et j'ai, heureusement ! assez de vigueur pour passer par dessus la balustrade, car à force de marcher avec des béquilles certains muscles deviennent vigoureux. Un seul élan et je serai délivrée une fois pour toutes de votre maudite pitié, et vous serez soulagés, mon père, Ilona et vous, vous tous pour qui je suis un cauchemar… Voyez-vous, c'est très facile, il suffit de se pencher ainsi un tout petit peu et puis… »

Très inquiet, j'avais bondi au moment où, les yeux brillants, elle s'était couchée sur la balustrade et je l'avais saisie par le bras. Mais comme si le feu lui eût brûlé la peau, elle sursauta et me cria :

« Laissez-moi !… Vous osez me toucher !… Retirez-vous… J'ai bien le droit de faire ce que je veux !… Lâchez-moi tout de suite !… »

Et comme je n'obéissais pas, comme je m'efforçais au contraire de l'éloigner de la balustrade, elle se tourna soudain vers moi et me donna un coup en pleine poitrine. Alors il arriva une chose terrible ; elle perdit son point d'appui, et l'équilibre en même temps. Ses genoux branlants cédèrent comme si on lui eût fauché les jambes. Elle s'effondra brutalement et, ayant voulu s'accrocher à la table, elle l'entraîna dans sa chute. Soucoupes, tasses, cuillers, vases se renversèrent avec fracas sur elle et sur moi, qui m'étais précipité pour la retenir, cependant que la grande cloche de bronze roulait avec un bruit de tonnerre le long de la terrasse.

Pitoyable et recroquevillée sur elle-même, la jeune fille gisait à terre, impuissante, un paquet frémissant de colère, sanglotant de rage et de honte. J'essayai de la soulever, mais elle se défendit et me hurla au visage :

« Allez-vous-en… allez-vous-en… espèce de brute, sale brute ! »

En même temps elle agitait ses bras autour d'elle, en essayant de se relever sans mon aide. Chaque fois que je m'avançais pour l'assister, elle se recroquevillait avec fureur et me répétait dans sa folle exaspération : « Allez-vous-en… ne me touchez pas !… Partez !… » Jamais je n'avais vu chose si effroyable.

À cet instant, un bourdonnement se fit entendre derrière nous. C'était l'ascenseur qui montait. La cloche en tombant avait sans doute fait assez de bruit pour alerter le domestique, toujours prêt à accourir au premier appel. Il s'approcha vite en baissant aussitôt les yeux, souleva sans me regarder le corps palpitant de la jeune fille (il devait en avoir l'habitude) et la porta dans l'ascenseur, qui redescendit aussitôt. Je demeurai seul à côté de la table renversée, des tasses brisées, des objets éparpillés dans un désordre tel qu'on eût dit que la foudre était soudain tombée, dans un ciel sans nuages.

Je ne sais combien de temps je restai là parmi les assiettes et les tasses en morceaux, tout perplexe, ne m'expliquant pas cette brusque explosion. Qu'avais-je dit de si insensé ? Comment avais-je pu provoquer cette colère ? Derrière moi, le bruit familier de l'ascenseur qui remontait vint m'arracher à mes réflexions. Joseph s'avança, une étrange ombre de tristesse sur son visage rasé. Je pensai qu'il ne venait que pour mettre de l'ordre et me sentis confus de lui être un embarras au milieu de ces débris. Mais il s'approcha de moi les yeux baissés, et, ramassant une serviette à terre, il me dit de sa voix assourdie et comme remplie de déférence (c'était un vrai domestique à l'ancienne mode autrichienne…) : « Pardon, monsieur le lieutenant, permettez-moi d'essuyer vos vêtements. »

C'est seulement alors que, suivant des yeux le mouvement de ses doigts affairés, je remarquai sur mon dolman et mon pantalon Pejacsévich clair de grandes taches qu'il s'efforçait de sécher. Au moment où j'essayai de retenir la jeune fille, une des tasses de thé renversées m'avait sérieusement éclaboussé. Tandis qu'il frottait et tapotait avec une serviette humide, je regardais le haut de sa bonne tête, et les cheveux gris bien peignés de ce fidèle serviteur. Le soupçon me vint malgré moi que le vieil homme faisait exprès de se pencher si bas pour que je ne voie pas sa figure et son regard ému.

« Non, ça ne va pas, fit-il au bout d'un moment, l'air affligé, sans lever la tête… Le mieux serait, monsieur le lieutenant, que j'envoie le chauffeur à la caserne vous chercher d'autres vêtements. Monsieur le lieutenant ne peut pas sortir ainsi. Mais qu'il s'en remette à moi, dans une heure tout sera sec et repassé. »

Ces remarques, il les faisait d'une façon neutre en apparence, mais il y avait dans sa voix un ton compatissant et consterné. Et lorsque je lui déclarai que ce n'était pas la peine, qu'il devait plutôt téléphoner pour faire venir une voiture et que de toute façon je voulais rentrer aussitôt, il toussa légèrement, et levant vers moi ses bons yeux fatigués et un peu suppliants :

« Que monsieur le lieutenant veuille bien rester encore un peu. Ce serait terrible si monsieur le lieutenant partait maintenant. Je suis sûr que mademoiselle sera vraiment chagrinée, si monsieur le lieutenant n'attend pas encore un petit peu. En ce moment Mlle Ilona est encore auprès d'elle… et… l'a mise au lit. Mais Mlle Ilona m'a chargé de dire qu'elle va venir tout de suite et que surtout monsieur le lieutenant veuille bien l'attendre. »

Malgré moi, j'étais profondément ému. Comme ils aimaient tous cette malade ! Comme ils l'excusaient et la dorlotaient ! Je sentis le besoin de dire quelques paroles cordiales à ce bon vieillard, qui, effrayé de son audace, s'était remis à essuyer mon dolman. Je lui tapotai doucement l'épaule.

« Laissez donc, mon cher Joseph, ne vous tracassez pas. Ça séchera tout seul avec le soleil, et j'espère que votre thé n'est pas assez fort pour laisser des traces. Occupez-vous de la vaisselle cassée. J'attendrai Mlle Ilona.

— Oh ! c'est bien que monsieur le lieutenant consente à attendre, dit-il avec un soupir de soulagement. Et de plus M. de Kekesfalva sera bientôt de retour et se réjouira de saluer monsieur le lieutenant. Il m'a chargé expressément… »

Mais déjà un pas léger se faisait entendre. C'était Ilona. Elle aussi, comme tout à l'heure le domestique, tenait les yeux baissés en s'approchant de moi.

« Edith vous prie de bien vouloir descendre un instant dans sa chambre. Rien qu'un instant ! Elle vous en prie instamment. »

Nous descendîmes ensemble l'escalier. Nous ne prononçâmes pas une parole tandis que nous traversions le salon et la seconde pièce jusqu'au long corridor qui conduisait aux chambres à coucher. Parfois nos épaules se touchaient dans ce passage étroit et sombre, peut-être parce que j'étais énervé et inquiet, et que mon pas n'était pas assuré. À la deuxième porte Ilona s'arrêta et me chuchota :

« Il faut maintenant que vous soyez bon avec elle. Je ne sais pas ce qui s'est passé là-haut, mais je connais ses explosions. Tous ici nous les connaissons. Il ne faut pas lui en vouloir, vraiment pas. On ne peut pas s'imaginer ce que cela signifie d'être ainsi cloué dans un fauteuil du matin au soir. Cela finit par peser sur les nerfs et de temps en temps ils se déchargent, qu'elle le veuille ou non. Mais, croyez-moi, personne n'est ensuite plus malheureux qu'elle, la pauvre. Et c'est pourquoi quand elle a ainsi honte et se torture, on doit être avec elle doublement bon. »

Je ne répondis rien. D'ailleurs, ce n'était pas nécessaire. Ilona avait dû remarquer mon émotion. Elle frappa doucement à la porte, et à peine la réponse fut-elle venue, un timide « Entrez ! », qu'elle me chuchota encore rapidement :

« Ne restez pas trop longtemps. Juste un instant… »

J'entrai sans bruit. Tout d'abord je ne vis, dans la vaste chambre, assombrie complètement du côté du jardin par des rideaux orange, qu'une sorte de crépuscule rougeâtre. Puis je distinguai au fond le rectangle clair d'un lit. De là vint, légère, la voix bien connue :

« Par ici, je vous prie, sur ce tabouret. Je ne vous retiendrai pas longtemps. »

Je m'approchai. Sur l'oreiller, le visage mince brillait sous l'ombre de la chevelure. Les fleurs brodées d'une couverture colorée grimpaient jusqu'à son maigre cou d'enfant. Avec une certaine anxiété Edith attendit que je fusse assis. Et ce fut d'un air embarrassé qu'elle me dit :

« Excusez-moi de vous recevoir ici, mais la tête me tournait... Je n'aurais pas dû rester si longtemps au soleil, cela m'étourdit toujours... Je crois que je n'avais plus tout à fait mon bon sens, lorsque j'ai... Mais... vous oubliez tout... n'est-ce pas ?... Vous ne m'en voulez pas de mon... de ma méchanceté ? »

Il y avait une telle angoisse et une telle supplication dans sa voix que vite je l'interrompis : « Mais que dites-vous ? C'était de ma faute... Je n'aurais pas dû vous retenir ainsi dehors, avec cette affreuse chaleur...

— C'est sûr ?... Vous ne m'en voulez pas... vraiment ?

— Absolument pas.

— Et vous reviendrez... comme jusqu'à présent ?

— Exactement... Mais, à vrai dire, à une condition. »

Elle me regarda d'un air inquiet. « Laquelle ?

— Que vous ayez un peu plus de confiance en moi et que vous ne redoutiez pas à tout moment de m'avoir offensé ! Comment penser à de telles folies entre amis ? Si vous saviez comme vous paraissez tout autre quand vous êtes vous-même, et comme nous en

288

sommes alors tous heureux, votre père et Ilona et moi, et la maison entière ! J'aurais voulu que vous puissiez vous voir avant-hier, quand vous débordiez de gaieté, j'y ai pensé toute la soirée.

— Toute la soirée vous avez pensé à moi ? (Elle me regarda d'un air de doute.) Vraiment ?

— Toute la soirée. Ah ! ce fut une de ces journées ! Jamais je ne l'oublierai. Quelle excursion magnifique !

— Oui, ma-gni-fi-que… répéta-t-elle songeuse. D'abord la route au milieu des champs, puis les poulains, et la fête au village… Tout a été admirable du commencement à la fin ! Ah ! je devrais sortir plus souvent ! Peut-être est-ce le fait de rester tout le temps enfermée à la maison, qui m'a ainsi détraqué les nerfs. Mais vous avez raison, je suis toujours trop méfiante… c'est-à-dire, depuis que je suis comme ça. Avant, mon Dieu, je ne me souviens pas d'avoir jamais eu peur de personne… c'est seulement après, que je suis devenue soupçonneuse… Je m'imagine toujours qu'on regarde mes béquilles, qu'on a pitié de moi… Je sais bien que c'est bête… que c'est là une fierté sotte et puérile, qu'on se fait du mal à soi-même et que les nerfs en souffrent et se détraquent, je le sais bien. Mais comment ne pas devenir méfiante, devant cet état qui n'en finit pas ! Ah ! si cette chose terrible qui me rend si mauvaise, si méchante et coléreuse, pouvait prendre fin !

— Mais ce sera bientôt fini ! Seulement il faut que vous ayez du courage, un peu de courage encore et de la patience. »

Elle se redressa légèrement. « Croyez-vous… croyez-vous sincèrement que grâce à ce nouveau traitement je vais guérir ?... Avant-hier, voyez-vous, quand papa est monté me voir, j'en étais convaincue... Mais cette nuit, je ne sais pas pourquoi, j'ai eu soudain très peur que le docteur ne se soit trompé et qu'il ne m'ait pas dit la vérité, parce que je... je me suis souvenue de quelque chose. Autrefois j'avais confiance dans le docteur Condor comme au bon Dieu. Pourtant c'est toujours pareil... D'abord le médecin observe le malade, mais quand cela dure longtemps, le malade aussi finit par observer le médecin, et hier... tenez, je ne vous le raconte qu'à vous... tandis qu'il m'examinait, il me semblait parfois... oui, comment vous expliquer cela ?... eh bien !... qu'il me jouait la comédie... Il me parut si incertain... pas aussi franc et cordial que d'habitude... Je ne sais pas pourquoi, mais j'avais l'idée que, pour une raison quelconque, il avait honte devant moi... Certes, j'ai été on ne peut plus heureuse quand j'ai entendu dire qu'il voulait m'envoyer en Suisse... et pourtant... quelque part au fond de moi... je ne le dis qu'à vous... revenait toujours cette crainte absurde... mais ne le lui dites pas, pour l'amour du ciel !... qu'il ne joue pas franc jeu, avec ce nouveau traitement... comme s'il voulait seulement me lanterner de cette façon... ou peut-être tranquilliser papa... Vous voyez que je n'arrive pas à me débarrasser de ma maudite méfiance. Mais que puis-je y faire ? Comment ne pas être soupçonneuse envers soi-même, envers tous, quand on vous a déjà dit si souvent que ça va bientôt finir, et que pourtant ça continue à traîner terriblement ? Non, je ne peux vraiment plus supporter cette attente éternelle ! »

Dans son agitation elle s'était redressée, ses mains commençaient à trembler. Rapidement je me penchai vers elle.

« Non… Il ne faut pas encore vous énerver ! Rappelez-vous ce que vous venez de me promettre…

— C'est vrai, oui, vous avez raison ! Cela ne sert à rien. Quand on se torture, on ne fait que torturer les autres. Et les autres, qu'y peuvent-ils ? On leur pèse déjà suffisamment… Mais je n'avais pas du tout l'intention de parler de cela, vraiment pas… Je ne voulais que vous remercier de ne m'en avoir pas voulu de ma sotte irritation et… de toujours vous montrer si gentil avec moi… qui ne le mérite pas… et qui vous… mais ne parlons plus de cela, n'est-ce pas ?

— Plus jamais. Soyez-en sûre. Et maintenant reposez-vous bien. »

Je me levai pour lui tendre la main. Elle avait un air touchant et me souriait de son oreiller, mi-craintive encore et mi-tranquillisée déjà, une enfant sur le point de s'endormir. Tout était bien, l'atmosphère éclaircie comme le ciel après un orage. Complètement rassuré et presque gai, je m'approche d'elle. Mais voilà qu'elle sursaute.

« O mon Dieu ! qu'est-ce que c'est ? Votre uniforme… »

Elle avait aperçu les taches sur mon dolman et s'était dit aussitôt que seule sa chute en entraînant les tasses avait pu provoquer ce petit malheur. Ses yeux s'abritèrent derrière leurs cils, la main déjà tendue se retira inquiète. Mais le fait qu'elle prenait si au sérieux cette bagatelle me toucha. Pour la tranquilliser, je lui dis sur un ton léger :

« Rien de grave. C'est un méchant gosse qui a renversé de l'eau sur moi. »

Son regard restait troublé. Mais elle se réfugia avec reconnaissance dans le ton de la plaisanterie que j'avais adopté.

« Vous l'avez corrigé, je pense ?

— Ce n'était pas nécessaire. Il m'a déjà gentiment demandé pardon.

— Et vous ne lui en voulez vraiment plus ?

— Plus du tout. Si vous l'aviez entendu, comme il s'est bien excusé !

— Alors c'est vraiment bien fini ?

— Oui, fini et tout oublié. Mais il faut qu'à l'avenir il soit sage et fasse ce qu'on lui demande.

— Et que doit-il faire ?

— Etre toujours patient, gentil, gai. Ne pas rester trop longtemps au soleil, se promener beaucoup et exécuter à la lettre les ordres du médecin. À présent il faut qu'il se taise, ne pense plus à rien et dorme. Bonne nuit. »

Je lui donnai la main. Elle était charmante, ainsi étendue, avec son sourire heureux et ses pupilles étincelantes. Chauds et apaisés, cinq doigts effilés se posèrent dans ma main.

Puis je m'en allai, le cœur léger. Déjà je touchais le loquet, lorsqu'un petit rire fusa derrière moi.

« Alors donc ! l'enfant a été sage ?

— Tout à fait. Aussi il aura une bonne note. Mais maintenant il faut qu'il dorme. »

J'avais déjà ouvert la porte à demi, lorsque reprit ce rire enfantin et malicieux. De nouveau sa voix se fit entendre :

« Et que donne-t-on à un enfant sage quand il s'apprête à dormir ?

— Dites.

— On lui donne un baiser de bonsoir. »

Sans savoir pourquoi, je me sentis mal à l'aise. Il y avait dans sa voix un ton passionné qui ne me plut pas. Déjà avant, ses yeux en me regardant avaient brillé trop fiévreusement. Mais je ne voulais pas la contrarier.

« Oui, bien sûr, dis-je d'une façon apparemment détachée. J'allais oublier. »

Je refis les quelques pas qui me séparaient de son lit et je devinai au brusque silence qui se produisit, que sa respiration s'était arrêtée. Ses yeux me suivaient, mais sa tête restait immobile sur l'oreiller. Ni mains ni doigts ne bougeaient, seuls les yeux étaient fixés sur moi.

Faisons vite, pensai-je avec un malaise croissant. Je me penchai rapidement et effleurai son front de mes lèvres, en prenant soin de ne toucher qu'à peine sa peau ; je sentis seulement de tout près l'odeur de ses cheveux.

Mais à cet instant ses deux mains, qui jusque-là reposaient sûrement dans l'attente, se soulevèrent. Et avant que j'eusse pu détourner la tête, deux crochets me prirent par les tempes et attirèrent ma bouche du front jusqu'à ses lèvres. La pression fut si ardente, la succion si avide, que ses dents rencontrèrent les miennes, en même temps que sa poitrine se tendait, se bombait pour toucher, sentir mon corps incliné. Jamais je n'ai connu de baiser aussi sauvage, aussi assoiffé, aussi désespéré que celui de cette enfant infirme.

Mais ce n'était pas encore assez. Avec ivresse elle me tint serré contre elle jusqu'à ce que le souffle lui manquât. Alors l'étau se desserra, ses mains nerveuses commencèrent à s'éloigner de mes tempes et à fouiller dans mes cheveux. Elle ne me lâchait pas, cependant. Une seconde seulement elle me libéra pour me regarder dans les yeux, comme ensorcelée, puis elle m'attira de nouveau à elle, couvrit de baisers fous mes joues, mon front, mes yeux, mes lèvres. Et chaque fois que sa bouche me quittait un instant, elle bredouillait, gémissait : « Bêta ! Bêta !… Tu n'es qu'un bêta !… » L'assaut était de plus en plus passionné, frénétique, elle me serrait et m'embrassait de plus en plus farouchement, d'une façon spasmodique. Et soudain, comme un drap qui se déchire, une secousse passa à travers tout son corps… Elle me lâcha, sa tête retomba dans les coussins, seuls ses yeux brillants ne m'abandonnaient pas encore et me regardaient d'un air triomphant.

Puis elle chuchota, en tournant vite la tête, épuisée et déjà honteuse : « Et maintenant va, bêta… va ! »

Je sortis, en titubant à vrai dire. Dans le corridor obscur, mes forces m'abandonnèrent. Je dus m'appuyer à la cloison, tellement la tête me tournait. C'était donc cela ! C'était là le secret, dévoilé trop tard, hélas ! de son inquiétude, de son incompréhensible agressivité ! Mon effroi était indicible. J'étais comme quelqu'un qui s'est innocemment penché sur une fleur et à qui une vipère a sauté au visage. Si la jeune fille m'avait frappé, insulté, craché à la figure, cela m'aurait moins bouleversé, car avec ses nerfs à vif j'étais préparé à tout… Mais pas à ce que cette malade, cet être abîmé puisse aimer et vouloir qu'on l'aime. Que cette enfant, cette créature à peine formée et impotente puisse – je n'ai pas d'autre mot – *se permettre* de m'aimer, de me désirer, avec la sensualité et l'intuition d'une véritable femme ! J'avais pensé à tout, mais pas qu'une malheureuse, incapable de traîner son corps, pût rêver d'un amoureux, d'un amant, et se méprendre à ce point sur mes visites, à moi qui ne venais pourtant chez elle que par pitié ! Mais déjà l'instant d'après, je compris avec un nouvel effroi que seule cette pitié passionnée avait poussé la jeune fille esseulée, éloignée du monde, à attendre de moi, de moi le seul homme qui lui rendît visite jour après jour dans sa prison, un autre et plus tendre sentiment. Et l'imbécile que j'étais, avec sa candeur idiote, n'avait vu en elle que la paralytique, l'enfant et pas la femme. Pas un instant l'idée ne m'avait effleuré que sous cette couverture qui l'enveloppait, respirait, sentait, attendait le corps nu d'une femme qui comme toutes les autres désirait et voulait être désirée. Jamais, avec mes vingt-cinq ans, je n'aurais pu imaginer que les disgraciées de la nature, les malades, les trop vieilles, les exclues elles aussi puissent *oser* aimer. Car un jeune homme inexpérimenté se représente presque toujours le monde d'après ses lectures ou des récits. Avant de vivre sa propre vie, son imagination travaille sur des images et des modèles étrangers. Dans les livres, les pièces de théâtre ou les films (où la réalité est représentée d'une façon souvent simpliste et superficielle) ce sont presque exclusivement les êtres jeunes, beaux, les élus, qui s'aiment. Aussi avais-je pensé – ce qui expliquait ma timidité dans maintes aventures amoureuses –

qu'il fallait être particulièrement séduisant, doué et favorisé par le sort pour attirer l'amour d'une femme. C'était du reste un peu pour cela que dans mes rapports avec les deux jeunes filles j'étais resté si candide, si naturel, parce que tout élément érotique me paraissait exclu d'avance dans nos relations, et que jamais je n'avais soupçonné qu'elles pourraient voir en moi autre chose qu'un gentil garçon, un bon camarade. Même si parfois auprès d'Ilona j'avais senti sa beauté sensuelle, jamais je n'avais pensé à Edith comme à une personne d'un sexe différent du mien. Jamais l'idée ne me serait venue que dans son corps d'infirme pussent exister les mêmes organes, que dans son âme pussent couver les mêmes désirs que chez les autres femmes. C'est seulement à partir de ce moment que je commençai à comprendre (ce que taisent la plupart du temps les écrivains) que les malades, les estropiés, les gens laids, fanés, flétris, les êtres physiquement inférieurs aiment au contraire avec plus de passion et de violence, que les gens heureux et bien portants ; ils aiment d'un amour fanatique, sombre, aucune passion sur terre n'est plus violente et avide que celle de ces désespérés, de ces bâtards de Dieu qui ne trouvent que dans l'amour d'autrui et pour autrui leur raison de vivre. Le fait que c'est précisément de l'abîme le plus profond de la détresse que s'élève le plus furieusement le cri panique du désir de vivre, ce terrible secret, jamais, dans mon inexpérience, je ne l'avais soupçonné. Et c'est seulement en cette minute qu'il avait pénétré en moi comme un fer brûlant.

Bêta !... Cela aussi, je le comprenais à présent, je savais pourquoi ce mot était venu sur ses lèvres au milieu de cette frénésie du sentiment, tandis qu'elle cambrait vers la mienne son étroite et maigre poitrine. Bêta ! oui, elle avait raison de m'appeler ainsi ! Tous ceux qui l'entouraient devaient savoir depuis long-temps. Son père, Ilona, le domestique, tous avaient deviné son amour, sa passion, avec effroi peut-être, et probablement avec un mauvais pressentiment. Moi seul, victime absurde de ma pitié, qui jouais le bon, le dévoué camarade, qui plaisantais sans arrêt, je n'avais pas vu que mon aveuglement, mon incompréhension, mon incompréhensible refus de comprendre tourmen-tait cette âme ardente ! Et comme dans une mauvaise comédie le héros reste prisonnier jusqu'à la fin d'une intrigue, alors que dès le début tous les spectateurs l'ont devinée, lui seul, le balourd, continue à tenir son rôle très sérieusement, sans se soucier de rien, ni sans apercevoir les lacs où il s'est pris (dont les autres ont aussitôt vu les mailles et les moindres fils). Tous dans la maison m'avaient sans doute vu patauger dans ce stupide jeu de cache-cache sentimental, où elle venait enfin brutalement de m'arracher mon bandeau. Et cet éclair de lumière, soudain, comme on distingue d'un seul coup cent objets dans une pièce sombre, que l'on illumine un instant, me rendaient clairs *a posteriori* – trop tard, hélas ! – une infinité de détails de ces dernières semaines. À présent je savais pourquoi elle se mettait en colère quand par taquinerie je l'appelais « enfant », elle qui ne voulait pas être considérée par moi comme une enfant, mais désirée comme une femme. Je savais pourquoi ses lèvres se mettaient à trembler chaque fois que son infirmité me bouleversait trop visiblement, pourquoi elle haïssait ma pitié ; avec son juste instinct féminin, elle se rendait compte que la pitié est un sentiment beaucoup trop fraternel, un lamentable succédané, trop tiède pour remplacer l'amour, le vrai. Comme elle avait dû attendre un mot, un signe en réponse, qui n'en finissait pas de venir, comme elle avait dû souffrir, la pauvre, de mon innocent bavardage, tandis qu'étendue sur le gril brûlant de l'impatience elle attendait, l'âme tremblante, un premier geste de tendresse, ou tout au moins que je m'aperçoive de sa passion ! Et moi, je n'avais rien dit, rien fait et pourtant j'étais revenu chaque jour, l'encourageant par mes visites et en même temps l'affolant par mon manque de perspicacité ! Quoi de plus naturel que ses nerfs aient fini par céder et qu'elle m'ait saisi comme sa proie !

Tout cela se déroulait en moi en mille images pendant que, comme atteint par une explosion, je m'appuyais contre la cloison du sombre corridor, le souffle coupé et les jambes presque aussi paralysées que les siennes. À deux reprises, j'essayai vainement d'avancer en me tenant au mur, et c'est seulement la troisième fois que je réussis à atteindre la porte. Ici, me dis-je, on passe dans le salon, et tout de suite à gauche, c'est la sortie qui donne sur le hall, où se trouvent mon sabre et mon képi. Traversons donc vite la pièce et allons-nous-en, sauvons-nous avant que le domestique arrive ! Fuyons avant de tomber nez à nez avec le père ou Ilona, ou Joseph, avec n'importe lequel de ceux qui m'ont laissé m'empêtrer stupidement dans ces filets ! Fuyons, fuyons !

298

Mais trop tard ! Dans le salon attendait Ilona… elle avait sûrement entendu mon pas. À peine m'eut-elle aperçu que son visage changea.

« Jésus-Marie, qu'y a-t-il ? Vous êtes tout pâle ! Est-ce que… est-ce qu'un nouvel incident est arrivé avec Edith ?

— Pas du tout, balbutiai-je. Je crois qu'elle dort maintenant. Excusez-moi, il faut que je m'en aille. »

Pourtant il y avait sans doute quelque chose d'effrayant dans mon attitude, car Ilona me prit résolument par le bras et me poussa dans un fauteuil.

« Asseyez-vous un peu ! Il faut tout d'abord que vous vous remettiez… Et vos cheveux… que s'est-il… vous êtes tout ébouriffé… Non, attendez (j'avais fait un geste pour me lever), je vais chercher du cognac. »

Elle courut à l'armoire, emplit un verre, qu'elle me tendit et j'en avalai rapidement le contenu. Inquiète elle me regardait déposer le verre d'une main tremblante. (Jamais encore je ne m'étais senti si faible, si épuisé.) Puis elle s'assit, sans dire un mot, levant seulement de temps à autre vers moi un regard oblique et anxieux, comme on observe un malade. Enfin elle demanda :

« Edith vous a-t-elle… dit quelque chose ?… quelque chose qui… vous concerne personnellement ? »

Je sentis à la façon compatissante dont elle me parlait qu'elle devinait tout. Et je n'étais pas assez fort pour me défendre. Tout doucement je murmurai : « Oui. »

Elle ne fit pas un mouvement. Elle ne prononça pas une parole. Mais je remarquai que son souffle devenait soudain plus précipité. Prudemment elle se pencha vers moi.

« Et c'est… seulement à présent que vous vous en êtes aperçu ?

— Comment pouvais-je supposer… une pareille chose ? Une telle absurdité… une telle folie ! Comment en est-elle venue là… à penser à moi… justement à moi ?… »

Ilona soupira : « Mon Dieu !… Et elle qui croyait toujours que vous ne veniez qu'à cause d'elle… que vous ne veniez chez nous que pour cela… Moi… je ne l'ai jamais cru, parce que vous étiez… si naturel et… si amical ! Dès le début j'ai craint que ce ne fût chez vous que pitié. Mais comment pouvais-je mettre en garde la pauvre enfant, comment avoir la cruauté de lui ôter de la tête cette croyance, qui la rendait heureuse ?… Depuis des semaines elle vit uniquement avec cette pensée que vous… Et quand elle me demandait sans cesse si je croyais que vous l'aimiez vraiment, je ne pouvais tout de même pas avoir la brutalité de… Il me fallait la tranquilliser, la calmer. »

Je ne pus me retenir plus longtemps. « Au contraire, il fallait lui enlever cette idée absurde ! C'est une folie de sa part, une espèce de fièvre, une chimère d'enfant… rien que l'exaltation ordinaire des adolescentes pour l'uniforme, et si demain un autre vient, ce sera lui qu'elle aimera. Il faut lui expliquer cela… C'est uniquement un hasard que cet amour se soit porté sur moi et non sur un autre, sur n'importe lequel de mes camarades qui aurait eu ses entrées à la maison. De telles lubies passent rapidement, à son âge… »

Mais Ilona secoua tristement la tête. « Non, cher ami, ne vous faites pas d'illusions. Chez Edith c'est sérieux, terriblement sérieux, et cela devient même de jour en jour plus dangereux. Non, cher ami, il m'est impossible pour vous faire plaisir de voir une chose simple dans ce qui est si compliqué. Si vous saviez ce qui se passe dans cette maison !… Trois fois, quatre fois dans la nuit la cloche retentit, impitoyablement elle nous réveille et quand nous accourons auprès de son lit, dans la crainte qu'il ne lui soit arrivé quelque chose, elle est là assise, bouleversée, regardant fixement devant elle, et toujours elle nous pose la même question : "Ne crois-tu pas qu'il puisse m'aimer ne fût-ce qu'un peu, un tout petit peu ? Je ne suis tout de même pas si laide !" Et elle demande qu'on lui apporte un miroir, mais elle le rejette aussitôt, et l'instant d'après elle reconnaît que ce qu'elle fait est absurde. Deux heures plus tard la scène recommence. Dans son désarroi elle interroge son père, Joseph, les femmes de chambre, et même… vous vous souvenez de la tzigane de l'autre jour ? Hier, elle l'a fait venir en secret pour se faire dire encore une fois l'avenir… sur la même chose… Cinq fois elle vous a déjà écrit de longues lettres, qu'elle a déchirées ensuite. Du matin au soir, elle ne pense qu'à cela, ne parle de rien d'autre. Un jour elle me demande d'aller vous voir et de vous prier de me dire si vous l'aimez… si peu que ce soit… ou si elle vous ennuie, parce que vous ne lui parlez jamais d'amour ; il faut que je parte, que j'aille immédiatement à votre rencontre et déjà on dit au chauffeur de s'occuper de la voiture. Trois, quatre, cinq fois elle me répète chaque mot que je dois vous dire. Et au dernier moment, quand je suis dans le couloir, de nouveau la cloche retentit, il faut que j'enlève chapeau et manteau et que je lui jure sur la tête de ma mère que je ne ferai pas la moindre allusion à ses sentiments pour vous. Ah ! si vous saviez... Pour vous c'est fini quand vous avez fermé la porte derrière vous. Mais à peine êtes-vous parti qu'elle me rapporte chaque mot que vous lui avez dit, et elle me demande mon opinion. Si je lui réponds : "Tu vois bien qu'il t'aime !", elle se met à crier : "Tu mens ! Ce n'est pas vrai ! Il ne m'a pas dit aujourd'hui une seule bonne parole", mais en même temps, elle veut que je le lui répète et que je le jure à plusieurs reprises... Et son père ! Il en est complètement retourné, lui qui vous aime comme son propre fils, qui vous idolâtre. Si vous le voyiez alors, assis pendant des heures auprès du lit de sa fille, s'efforçant de la tranquilliser et la caressant jusqu'à ce qu'elle s'endorme ! Puis il rentre chez lui, désolé, et toute la nuit on l'entend aller et venir dans sa chambre... Et vous... vous n'aviez vraiment rien remarqué ?...

— Non ! (Je criai cela bien haut, ne pouvant plus contenir mon désespoir.) Non, je vous le jure, je n'ai rien remarqué ! Rien du tout ! Croyez-vous que je serais encore venu, que j'aurais pu m'asseoir tranquillement à côté de vous deux, et jouer aux échecs ou aux dominos, écouter le gramophone, si je m'étais douté de ce qui se passait ? Mais comment est-il possible qu'elle se soit fait de telles illusions, et qu'elle pense que moi... justement moi... comment peut-elle croire que je répondrai à une telle folie, à ce caprice d'enfant ?... Non, non ! »

J'allai me lever d'un bond, tant l'idée me tourmentait, d'être aimé malgré moi, mais Ilona m'agrippa avec force au poignet.

« Du calme, je vous en conjure, cher ami… ne vous agitez pas, et surtout, je vous en supplie, ne faites pas de bruit ! Elle est du genre à tout entendre, à travers les murs. Pour l'amour du ciel, je vous demande de ne pas devenir injuste. Car elle a interprété comme un signe que ce soit précisément vous qui ayez le premier annoncé la nouvelle, qui ayez parlé de ce nouveau traitement à son père. Il s'était précipité en la réveillant au milieu de la nuit, pour le lui dire ! Et vous ne pouvez pas savoir comme ils en ont pleuré de joie, et remercié le bon Dieu que cette horrible période soit enfin bientôt terminée… parce qu'ils sont convaincus tous deux qu'une fois Edith guérie, redevenue une jeune fille comme les autres, vous allez… mais je n'ai pas besoin de vous le dire. C'est pourquoi vous *n'avez pas le droit* de bouleverser la pauvre Edith maintenant, où elle a besoin de toutes ses forces pour commencer ce nouveau traitement. Nous devons faire extrêmement attention, pour que surtout elle ne se doute pas, grand Dieu ! que cela vous paraît si… si *effrayant*. »

Mais dans mon désarroi, je ne pouvais penser qu'à moi. « Non, non, et non », fis-je en tambourinant vivement sur l'accoudoir de mon fauteuil. « Non ! Je ne *peux* pas… je ne *veux* pas être aimé, pas ainsi… Et à présent je ne peux plus prétendre ne m'apercevoir de rien… Je ne peux plus badiner comme je le faisais. C'est impossible !… Vous ne savez pas ce qui vient de se passer… là-bas dans cette chambre… Vraiment elle s'est complètement méprise… moi qui n'ai eu pour elle que de la pitié… de la pitié seulement, rien de plus ! »

Ilona se taisait et regardait fixement devant elle. Puis elle soupira.

« Oui, c'est bien ce que j'avais craint, depuis le début ! Je l'ai toujours senti, je ne sais à quoi… Mais, mon Dieu, que va-t-il arriver ? Comment le lui faire comprendre ? »

Nous étions là, silencieux. Tout avait été dit. Nous savions l'un et l'autre que nous nous trouvions devant une impasse. Soudain Ilona se dressa, l'oreille tendue, et presque au même moment j'entendis le bruit d'une automobile qui arrivait. Ce devait être Kekesfalva. Vite elle se leva.

« Il est préférable que vous ne le rencontriez pas maintenant… Vous êtes trop énervé pour pouvoir parler tranquillement avec lui… Attendez, je vous apporte votre sabre et votre képi, et vous sortirez par la porte de derrière qui donne sur le parc. Je trouverai bien une raison pour expliquer que vous n'avez pu passer la soirée avec nous. »

D'un bond elle avait été chercher mes affaires. Heureusement le domestique s'était précipité au-devant de la voiture, ce qui me permit de longer les bâtiments de la cour sans être vu et ensuite de gagner le parc, où la crainte de rencontrer quelqu'un me fit presser le pas. Pour la deuxième fois je fuyais, honteux comme un voleur, la fatale maison.

J'avais toujours cru jusqu'alors, avec mon peu d'expérience, que la pire souffrance était celle de l'amour non partagé. Je me rendais compte maintenant qu'il en existait une plus terrible encore : être aimé contre sa volonté et ne pas pouvoir se défendre contre cette passion qui vous importune et vous harcèle ; voir à côté de soi un être humain se consumer au feu de son désir et assister impuissant à ses tourments, sans avoir le pouvoir, la force, la possibilité de l'arracher aux flammes qui le dévorent. Celui qui aime d'un amour malheureux peut arriver à dompter sa passion, parce qu'il n'est pas seulement celui qui souffre, il est aussi le créateur de sa souffrance. S'il n'y parvient pas, il souffre du moins par sa propre faute. Mais perdu sans recours, celui qui est l'objet d'un amour auquel il ne peut répondre ; car ce n'est pas en lui qu'est la mesure et la limite de la passion, mais en dehors de lui et de sa volonté. Le tragique de cette situation, seul un homme peut vraiment le sentir, car c'est seulement pour lui que la nécessité de la résistance imposée est à la fois un martyre et une faute. Quand une femme se défend contre un amour qu'elle ne partage pas, elle ne fait qu'obéir à la loi de son sexe, le geste du refus lui est tout à fait naturel, et même quand elle se dérobe au désir le plus ardent, on ne peut la taxer de cruauté. Il en est, hélas ! tout autrement dans le cas où le destin inverse les rôles, quand une femme a vaincu sa pudeur jusqu'à manifester à un homme son amour et à le lui offrir, sans être certaine de trouver la réciproque, et que lui se cabre et reste froid ! Celui qui se refuse à une femme qui le désire, l'offense toujours dans sa fierté et la rend honteuse. Vaine, donc, la délicatesse avec laquelle on se dérobe, absurdes les excuses les plus raffinées, insultante l'offre de simple amitié, quand une femme vous a dévoilé sa passion ! Immanquablement la résistance d'un homme devient alors cruauté et s'il refuse cet amour, il est coupable, sans avoir commis aucune faute. Situation effroyable, insoluble : l'instant d'avant encore, on se sentait libre, on s'appartenait et on ne devait rien à personne, et soudain on est poursuivi et assiégé, but et proie d'un désir étranger. Troublé jusqu'au plus profond de l'âme, on sait que jour et nuit une femme pense à vous, languit et soupire après vous, elle, une inconnue ! Elle vous veut, vous désire, exige que vous soyez à elle de toutes les fibres de son être, de toutes les forces de son corps et de son sang. Vos mains, vos cheveux, vos lèvres, votre corps, elle les veut, vos nuits et vos jours, vos sentiments, votre sexe et tous vos rêves et pensées. Elle veut s'associer à votre vie, vous prendre et vous aspirer avec son souffle. Toujours, que vous soyez éveillé ou que vous dormiez, il y a désormais dans le monde un être qui vit avec vous et pour vous, qui vous attend, qui veille et rêve en pensant à vous. C'est inutile que vous vous efforciez de ne pas penser à elle, qui sans cesse pense à vous, que vous cherchiez à fuir : vous n'êtes plus en vous, mais en elle. Comme un miroir ambulant, un être étranger vous porte en lui, et encore un miroir ne saisit votre image que quand vous vous offrez volontairement à lui. Elle, la femme, l'étrangère qui vous aime, elle vous a déjà absorbé dans son sang. Elle vous a en elle, vous porte avec elle, où que vous fuyiez. Vous êtes le prisonnier d'un autre, vous n'êtes plus jamais vous-même, plus jamais libre et sans soucis, toujours vous êtes traqué, poursuivi, tenu à des devoirs. Cette pensée d'autrui, vous la sentez sur vous comme une succion brûlante et constante. Rempli de haine et d'effroi, il vous faut endurer ce désir de quelqu'un qui souffre à cause de vous. La torture la plus affreuse qu'un homme puisse éprouver, à présent je le sais, c'est d'être aimé malgré soi. Et c'est un tourment à nul autre pareil, que cette culpabilité dans l'innocence.

Jamais, dans ma plus fugitive rêverie je n'avais soupçonné qu'une femme pût m'aimer, moi, avec un tel excès. J'avais certes entendu parfois un camarade se vanter bruyamment que telle ou telle lui « courait après », et j'avais même ri, attablé avec les autres très réjouis ; mais je ne savais pas encore, à cette époque, que l'amour sous toutes ses formes, même ridicule ou absurde, est inéluctable comme le destin, et qu'en restant indifférent devant un amour, on devient coupable. Pourtant, ce que l'on vous dit et ce que l'on lit dans les livres ne fait que vous effleurer mollement ; le cœur n'apprend l'essentiel qu'à partir des expériences intimes. Il m'avait fallu éprouver moi-même du désarroi, en ayant sur la conscience le poids d'un amour insensé que l'on me portait, pour connaître la pitié envers l'un ou l'autre – autant celui qui s'impose avec force que celui qui s'en défend de toute son énergie. Mais ici, ma responsabilité venait d'augmenter d'une façon inimaginable. Car si c'est déjà une cruauté, et même une grossièreté du cœur que de décevoir une femme qui vous aime, combien plus terrible était ici le « Non… je ne veux pas » qu'il me fallait répondre à cette jeune fille passionnée !

Il me fallait affliger une malade, blesser plus profondément encore une femme déjà douloureusement meurtrie par le sort, arracher à un être faible moralement le dernier soutien qui l'aidait à vivre. Je savais qu'en me refusant à son amour, j'allais mettre en danger la vie, causer peut-être la mort de cette pauvre fille qui avait ému ma pitié. Je me rendais terriblement compte de la faute que je commettais malgré moi, si, incapable d'accepter son amour, je ne faisais pas au moins semblant d'y répondre.

Mais je n'avais pas le choix. Avant même que mon âme eût clairement compris le danger, mon corps avait résisté à cette brusque étreinte. Nos instincts sont plus conscients que nos pensées. Déjà dans cette première minute d'effroi où je m'étais arraché à sa tendresse brutale, j'avais sourdement tout prévu. Je savais que je n'aurais jamais la force d'aimer cette infirme comme elle m'aimait et probablement même pas assez de pitié pour supporter seulement cette passion énervante. Dès ce premier moment de recul, je savais qu'il n'y avait aucune issue, aucun moyen terme. L'un ou l'autre devait souffrir de cet amour absurde, et peut-être tous les deux.

Comment je regagnai la ville, jamais je ne pourrai me le rappeler clairement. Je sais toutefois que j'allais très vite et qu'une seule pensée me martelait le crâne au rythme de mon pouls. Fuir ! Fuir ! Fuir cette maison, ces filets inextricables, fuir le plus loin possible, disparaître ! Ne plus jamais franchir le seuil de cette demeure, ne plus jamais voir ces gens, ni personne ! Me cacher, me rendre invisible, ne plus avoir d'obligation vis-à-vis de quiconque, ne plus être mêlé à rien ! Il me souvient, j'essayais encore de penser plus loin, l'idée me vint de quitter le service, de me procurer quelque part une somme d'argent, puis de m'enfuir si loin que ce désir insensé ne pourrait jamais me rejoindre. Mais tout cela était plus un rêve confus que des pensées bien claires, car un mot s'y glissait sans cesse, entre mes tempes fiévreuses : fuir, fuir, à tout prix !

À mes souliers poudreux et aux chardons accrochés à mon pantalon, je remarquai plus tard que je devais avoir couru à travers champs et prairies. En tout cas, lorsque je me retrouvai enfin dans la rue principale, le soleil était déjà caché par les toits. Et je sursautai comme un somnambule lorsque quelqu'un derrière moi me frappa tout à coup sur l'épaule.

« Ohé, Toni, te voilà, enfin ! Il était temps que nous te trouvions ! Nous t'avons cherché dans tous les coins et nous étions justement sur le point de téléphoner à ton château féodal. »

Je me vis entouré de quatre camarades, dont l'inévitable Ferencz, Jozci et le capitaine comte Steinhübel.

« Mais, maintenant, fixe ! Figure-toi que Balinkay est subitement arrivé de Hollande ou d'Amérique. Dieu seul le sait ! Il a invité pour ce soir tous les officiers et volontaires d'un an. Le colonel viendra, ainsi que le major. Il y a table ouverte au Lion Rouge, à huit heures et demie. Heureusement que nous avons fini par mettre la main sur toi ! Le vieux aurait drôlement grogné si tu t'étais esquivé ! Tu sais bien qu'il est fou de Balinkay. Quand il vient, il faut que tout le monde soit là. »

Je n'avais pas encore rassemblé mes esprits. Aussi demandai-je, interloqué :

« Qui est venu ?

— Balinkay ! Ne fais donc pas cette figure idiote !
Tu ne connais pas Balinkay ? »

Balinkay ? Balinkay ? Dans ma tête tout était encore
pêle-mêle. Je fouillai en moi comme dans un fatras
poussiéreux pour retrouver ce nom. Ah ! oui !
L'ancien « mauvais sujet » du régiment. Longtemps
avant mon arrivée dans la garnison, il y avait servi
comme sous-lieutenant, puis comme lieutenant, le
meilleur cavalier, le garçon le plus endiablé du régiment, joueur effréné et coureur de jupons. Il s'était
alors passé quelque chose, je n'avais jamais cherché à
savoir quoi exactement. Ce qui est sûr, c'est qu'en
l'espace de vingt-quatre heures il avait mis son uniforme au portemanteau et qu'il était parti à travers le
vaste monde ; on murmurait là-dessus toutes sortes
d'histoires. Finalement il avait réussi à se tirer d'affaire
en pêchant au Splendid Hotel du Caire une riche Hollandaise, une veuve avec des millions, propriétaire
d'une grande société de navigation et de nombreuses
plantations à Java et à Bornéo. Depuis cette époque il
était devenu notre « parrain » invisible.

Ce Balinkay devait avoir été tiré d'un fameux embarras par notre colonel Bubencic, car la fidélité qu'il lui
témoignait, à lui et au régiment, était vraiment touchante. Chaque fois qu'il venait en Autriche, il faisait
le voyage exprès pour revoir ses anciens camarades et
dépensait son argent avec une telle prodigalité que des
semaines après, on en parlait encore dans toute la ville.
Revêtir pour un soir son ancien uniforme et se retrouver parmi ses camarades était pour lui une sorte de
besoin du cœur. Quand il était assis à la table des
officiers, heureux et joyeux, on sentait que dans cette

salle enfumée et aux murs mal peints du Lion Rouge, il était cent fois plus chez lui qu'en son palais princier au bord d'un canal, à Amsterdam. Nous étions et restions ses enfants, ses frères, sa vraie famille. Tous les ans il fondait des prix pour notre steeple-chase, à la Noël arrivaient régulièrement deux ou trois caisses d'eau-de-vie et de champagne, et au premier de l'an le colonel était certain de toucher à la banque un chèque important pour la caisse des officiers. Quiconque portait l'uniforme de uhlan et notre écusson au col de sa uhlanka pouvait se confier à Balinkay, s'il se trouvait un jour dans la gêne : une lettre et tout était arrangé.

En tout autre temps, l'occasion de rencontrer ce fameux Balinkay m'eût sincèrement réjoui. Mais l'idée d'agapes, d'amusements, de toasts et de conversations de table me parut dans mon trouble la chose la plus insupportable. Aussi essayai-je de m'en aller le plus vite possible en invoquant que je ne me sentais pas dans mon assiette. Mais avec un énergique : « N'y compte pas, aujourd'hui il n'y a pas moyen de se défiler ! » Ferencz m'avait déjà pris par le bras et il me fallut céder, à contrecœur. L'esprit embrouillé je l'écoutai me raconter, tout en m'entraînant, qui Balinkay avait tiré d'embarras et de quelle façon ; il avait procuré une place à son beau-frère, et si l'un de nous jugeait qu'il ne faisait pas son chemin assez vite, il n'avait qu'à prendre le bateau pour l'aller trouver chez lui ou aux Indes. Jozci, un gaillard sec et acharné, versait de temps en temps du vinaigre sur l'enthousiasme débordant du brave Ferencz. Est-ce que le colonel recevrait aussi aimablement son « chouchou », raillait-il, si Balinkay n'avait pas pêché ce gros aiglefin hollandais ? Elle devait du reste avoir douze ans de plus que lui. « Quand on se vend, dit en riant le comte Steinhübel, il faut tout au moins se vendre cher. »

Aujourd'hui cela me paraît étrange que, malgré mon trouble, chaque mot de cette conversation me soit resté dans la mémoire. Il est vrai que souvent, et de façon mystérieuse, une agitation intérieure va de pair avec un engourdissement de la pensée consciente. Lorsque nous arrivâmes dans la grande salle du Lion Rouge, j'accomplis grâce à l'hypnose de la discipline, à peu près correctement le travail que l'on attendait de moi. Et il y avait beaucoup à faire. On alla chercher tout le stock de transparents, de drapeaux et d'emblèmes dont on ne se servait ordinairement que pour le bal du régiment, quelques ordonnances enfoncèrent avec bruit et joyeusement des clous dans les murs. Dans une pièce voisine, Steinhübel expliquait au clairon comment, et à quel moment il devait sonner la fanfare. À Jozci, qui avait une belle écriture, fut confiée la rédaction du menu, où tous les plats avaient des noms humoristiques, et quant à moi on me chargea de l'arrangement de la table. Entre-temps un domestique installa les tables et les chaises, les garçons de salle apportèrent des bouteilles de vin sans nombre et des caisses de champagne que Balinkay avait fait venir du restaurant Sacher, de Vienne. Tout ce mouvement me fit du bien, car son vacarme dominait la question lancinante qui battait sourdement entre mes tempes.

Enfin, à huit heures, tout était prêt. Maintenant il s'agissait de passer à la caserne et de se changer en vitesse. Mon ordonnance avait déjà été averti. Uniforme de parade et bottes vernies m'attendaient. Vite, la tête dans l'eau froide, un regard sur la montre : il me reste encore dix minutes. Avec notre colonel il fallait être des plus ponctuels. Je me déshabille donc à toute allure, je balance mes souliers couverts de poussière, mais juste au moment où je me tiens debout en caleçon devant la glace pour remettre en ordre mes cheveux ébouriffés, on frappe à la porte.

« Je n'y suis pour personne », dis-je à mon ordonnance. Il se précipite aussitôt ; j'entends des chuchotements dans l'antichambre. Puis Kusma revient, une lettre à la main.

Une lettre pour moi ? Je prends l'enveloppe bleue rectangulaire, épaisse et lourde comme un petit paquet, et aussitôt la main me brûle : je n'ai pas besoin de regarder l'écriture pour savoir de qui c'est.

Plus tard, plus tard, me dit mon instinct. Ne la lis pas maintenant ! Mais déjà j'ai, malgré moi, déchiré l'enveloppe et je lis la lettre qui crépite dans mes mains.

C'était une lettre de seize pages, écrites à la hâte et d'une main fébrile ; une de ces lettres qu'on n'écrit, et qu'on ne reçoit qu'une fois dans sa vie. Les phrases coulaient sans arrêt comme le sang d'une plaie béante, sans ponctuation, sans alinéa, les mots se précipitant, se bousculant, se heurtant et se faisant surgir l'un l'autre. Malgré le temps passé, aujourd'hui encore je vois devant moi chaque ligne, chaque caractère. Je l'ai lue si souvent que je peux la répéter par cœur, du commencement à la fin, à n'importe quelle heure du jour ou de la nuit. Pendant des mois, j'ai porté dans ma poche ce petit paquet de papier bleu plié, le sortant sans cesse chez moi, dans les baraquements, les campements, les abris de guerre. C'est seulement lors de la retraite de Volhynie, au moment où notre division était encerclée par l'ennemi, et que je craignais que cet aveu frénétique et passionné ne tombât dans des mains étrangères, que j'ai détruit la lettre.

« Six fois, ainsi commençait-elle, je t'ai déjà écrit et chaque fois j'ai déchiré mon papier. Car je ne voulais pas me trahir, non, je ne le voulais pas. Je me suis retenue aussi longtemps qu'il y avait encore de la résistance en moi. Pendant des semaines et des semaines, j'ai lutté pour me dissimuler devant toi. Chaque fois que tu venais chez nous, amical et ne te doutant de rien, j'ai ordonné à mes mains de rester calmes, à mes regards de feindre l'indifférence, pour ne pas te troubler. Souvent même j'ai été exprès dure et ironique pour ne pas te laisser deviner à quel point mon cœur brûlait d'amour pour toi. J'ai essayé tout ce qui est dans les forces de l'être humain et même au-delà. Mais aujourd'hui c'est arrivé, et je te le jure, c'est venu malgré moi, à mon insu, ce fut plus fort que moi. Je ne comprends même pas comment cela a pu se passer. J'avais envie, après, de me punir, de me battre, tellement ma honte était grande. Car je le sais, je sais quelle folie ce serait de m'imposer à toi. Une paralytique, une infirme n'a pas le droit d'aimer. Comment pourrais-je, créature écrasée par le sort, ne pas être un fardeau pour toi, alors que déjà je n'éprouve pour moi-même que dégoût et répulsion ? Un être comme moi, je le répète, n'a pas le droit d'aimer ni d'être aimé. Il n'a qu'un droit : se blottir dans un coin, ne pas bouleverser par sa présence la vie des autres, et crever. – Oui, tout cela, je le sais, je meurs de le savoir. C'est pourquoi jamais je n'aurais osé t'assaillir comme je l'ai fait… mais qui, sinon toi, m'a donné l'assurance que je ne serais plus longtemps le misérable avorton que je suis ? Que je pourrais me remuer, me mouvoir comme les autres humains, comme tous les millions d'êtres superficiels qui ne savent même pas que chaque pas qu'ils font est une chose magnifique, une grâce de Dieu ? Je m'étais juré fermement de garder le silence jusqu'à ce que je devienne vraiment un être normal, une femme comme les autres et peut-être – peut-être digne de toi, mon aimé ! Mais mon impatience, mon désir de guérir était si fou qu'à la seconde où tu t'es penché sur moi, je *crus* sincèrement, follement, être déjà cette autre femme, cette femme nouvelle, guérie ! Car je l'ai désiré, j'en ai rêvé depuis si longtemps déjà, et voilà que tu étais si proche… alors, un instant, j'ai oublié mes lamentables jambes, je ne voyais que toi et je me sentais déjà celle que je voulais être pour toi. Ne peux-tu pas comprendre que l'on se remette un instant, même en plein jour, à rêver, lorsque pendant des années, jour et nuit, ce même rêve vous a hanté ? Crois-moi, mon aimé, seule cette illusion insensée d'être déjà libérée, de pouvoir marcher, m'a fait perdre la tête. Seule cette impatience de ne plus être la réprouvée, l'infirme, a fait bondir si follement mon cœur dans ma poitrine. Comprends donc : j'avais depuis si longtemps déjà un désir si infini de toi !

Mais maintenant tu sais ce que tu n'aurais jamais dû savoir avant que je fusse vraiment ressuscitée, et tu sais aussi pour qui je veux guérir, pour qui seul sur terre je le veux – rien que pour toi ! Pour toi ! Pardonne, mon aimé, cet amour, et surtout je t'en supplie, ne t'effraye pas, n'aie pas peur de moi ! Ne crois pas que, t'ayant importuné une fois, je continuerai à te troubler et que, faible comme je suis et déplaisante à moi-même, je veuille déjà te tenir. Non, je te le jure, tu ne sentiras jamais aucune pression de ma part, même la plus légère. Je veux attendre, attendre patiemment, jusqu'à ce que Dieu ait pitié de moi et m'ait rendu la santé. Aussi je t'en prie, je t'en supplie, mon aimé, ne redoute pas mon amour. Pense, toi qui as eu pitié de moi plus que personne, comme je suis affreusement abandonnée, clouée à mon fauteuil, incapable de faire un pas par moi-même, incapable de te suivre, d'aller au-devant de toi. Songe que je suis une prisonnière, qui doit attendre dans son cachot, attendre patiemment, toujours, que tu viennes et m'accordes une heure, que tu me permettes de te regarder, d'entendre ta voix, de respirer ton souffle, de sentir ta présence : le seul, le premier bonheur qui m'ait été accordé depuis des années. Réfléchis, imagine-toi que je suis là étendue et que j'attends jour et nuit, et que les heures s'étirent de plus en plus, et que l'énervement petit à petit devient insupportable. Et alors tu arrives et je ne puis pas comme une autre bondir au-devant de toi, te sauter au cou, t'étreindre ! Il me faut rester assise, dompter mes nerfs, me taire, faire attention à mes paroles, à mes regards, aux intonations de ma voix, afin que tu ne puisses pas penser que j'ai l'audace de t'aimer. Mais crois-moi, mon aimé, même ce bonheur torturant était encore pour moi un bonheur, et je me félicitais, chaque fois que j'avais réussi à me contenir, que tu t'en allais sans te douter de rien, libre et sans soucis, ignorant mon amour. Il ne me restait ensuite que la souffrance de savoir à quel point je t'appartiens.

Mais à présent c'est arrivé. À présent, mon aimé, je ne peux plus nier ce que je ressens pour toi, je t'en supplie, ne sois pas cruel. La plus pauvre, la plus pitoyable créature a sa fierté, et je ne pourrais pas supporter que tu me méprises parce que je n'ai pas pu contenir l'élan de mon cœur. Je ne te demande pas de répondre à mon amour, non, devant Dieu qui doit me guérir et me sauver, je n'ai pas une telle audace. Même en rêve, je n'ose espérer que tu puisses déjà m'aimer telle que je suis. Je ne veux de toi ni sacrifice ni pitié ! Je désire seulement que tu *tolères* que j'attende, que j'attende en silence que le temps vienne enfin. Je sais que je ne demande pas peu de chose. Mais est-ce vraiment trop que d'accorder à un être humain ce bonheur infime et dérisoire que l'on accorde volontiers au moindre chien, celui de regarder parfois son maître, sans un mot ? Faut-il aussitôt le cingler d'un mot méprisant ? Car une seule chose me serait impossible à supporter : que, malheureuse comme je suis, je te sois devenue antipathique parce que je me suis trahie, si en plus de ma honte et mon désespoir tu me punissais encore. Je n'aurais plus alors qu'une seule issue, et tu sais laquelle. Je te l'ai montrée.

Mais non, n'aie pas peur, ce ne sont point là des menaces, je ne veux pas t'arracher, au lieu de ton amour, de la pitié, la seule chose que ton cœur m'ait donné jusqu'à présent. Tu dois te sentir tout à fait indépendant et tranquille, je ne veux pas, pour l'amour du ciel, être un fardeau pour toi, te charger d'une faute dont tu es innocent. Je ne désire qu'une chose : que tu pardonnes et oublies ce qui s'est passé, que tu oublies ce que j'ai laissé échapper. Donne-moi cet apaisement, rien que cette pauvre et petite assurance ! Dis-moi vite – il me suffit d'un seul mot – que tu n'as pas horreur de moi, que tu reviendras chez nous comme si rien ne s'était passé. Tu ne sais pas la crainte que j'ai de te perdre. Depuis l'heure où ma porte s'est refermée sur toi, une angoisse mortelle me torture et me fait redouter, je ne sais pourquoi, de t'avoir vu pour la dernière fois. Tu étais si pâle, il y avait un tel effroi dans tes yeux, lorsque je t'ai laissé, que j'ai ressenti soudain un froid glacial au milieu de mon ardeur. Et je sais – le domestique me l'a raconté – que tu t'es enfui aussitôt. Subitement ton sabre et ton képi n'étaient plus là et tu avais disparu. Il t'a cherché en vain partout, il est venu dans ma chambre et c'est ainsi que je sais que tu as fui devant moi comme devant une lépreuse, une pestiférée. Mais non, mon aimé, non, je ne te fais pas de reproches, je te comprends parfaitement. Moi qui m'effraye quand je vois ces appareils sur mes jambes, moi qui sais combien mon impatience m'a rendue méchante, capricieuse, insupportable, je peux, hélas ! comprendre qu'on ait peur de moi… oh ! je le conçois terriblement bien !… qu'on fuie devant moi, et qu'on recule d'effroi quand un tel monstre vous assaille comme je l'ai fait. Cependant je te supplie de me pardonner, car sans toi il n'y a pas de jour et pas de nuit, mais seulement le désespoir. Envoie-moi vite un mot, un mot rapide ou même une simple feuille blanche, ou encore une fleur, n'importe quoi, mais fais-moi un signe, un signe quelconque ! Quelque chose à quoi je puisse reconnaître que tu ne me repousses pas, que je ne te suis pas devenue antipathique. Bientôt je serai partie pour des mois, dans huit, dans dix jours ton tourment aura pris fin. Et si le mien, celui d'être privée de toi pendant des semaines et des mois, est multiplié mille fois, n'y songe pas, mais pense seulement à toi, comme je le fais sans cesse… Dans huit jours tu seras délivré… Viens encore une fois avant mon départ et entre-temps envoie-moi un mot, fais-moi un signe. Je ne pourrai pas penser, pas respirer, pas sentir, aussi longtemps que je ne saurai pas si tu m'as pardonné. Je ne pourrais pas vivre plus longtemps si tu me refusais le droit de t'aimer. »

Je lus et relus. Toujours je recommençais. Mes mains tremblaient et le martèlement de mes tempes devint de plus en plus violent, d'effroi et d'ébranlement, devant cet amour désespéré.

« Ça, par exemple ! Tu es encore là en caleçon ! Et tout le monde en bas t'attend comme le Messie ! Toute la bande est là, même Balinkay, et attend qu'on commence. Le colonel doit s'amener à tout moment et tu sais ce qu'il nous sert quand un de nous arrive en retard. Ferdl m'a envoyé voir s'il ne t'est pas arrivé quelque chose et toi, tu es là, en train de lire des billets doux ! Allons vite, vite, sinon nous allons recevoir tous les deux un savon du diable ! »

C'est Ferencz, qui a fait irruption dans ma chambre. Je ne m'en suis pas aperçu avant qu'il m'eût frappé sur l'épaule avec sa lourde patte. Sur le moment je ne comprends rien. Le colonel ? On t'a envoyé ? Balinkay ?… Ah ! oui, je me rappelle : la soirée de réception en l'honneur de Balinkay ! En hâte je prends mon pantalon et ma tunique et, avec la rapidité apprise à l'école des Cadets, je m'habille machinalement sans bien savoir ce que je fais. Ferencz me regarde d'un air étonné.

« Qu'est-ce que tu as donc ? Tu as l'air tout chose… Est-ce que ce seraient de mauvaises nouvelles ? »

Mais vite je me défends. « Pas du tout. Voilà. Je suis prêt. » En trois bonds nous sommes en bas de l'escalier. Mais je fais aussitôt demi-tour.

« Nom de Dieu, qu'est-ce qu'il y a encore ? » hurle Ferencz derrière moi, furieux. J'ai vite pris la lettre que j'avais oubliée sur la table et je l'ai juste mise dans ma poche intérieure. Nous arrivons vraiment au dernier moment. Autour de la longue table en fer à cheval est groupée toute la bande, mais personne encore n'ose manifester sa gaieté avant que les supérieurs aient pris place : on dirait des écoliers assis bien sagement sur leurs chaises, après la sonnerie, et qui attendent l'entrée de l'instituteur.

Or voici que les ordonnances ouvrent les portes toutes grandes, les officiers supérieurs entrent en faisant sonner leurs éperons. Nous nous levons et restons un moment au garde-à-vous. Le colonel s'assied à la droite de Balinkay, le commandant se met à sa gauche ; aussitôt la table s'anime, les assiettes, les cuillers cliquettent, tout le monde avale et bavarde. Moi seul, je suis là comme absent au milieu de mes camarades détendus et joyeux, tâtant constamment ma tunique à la place où quelque chose bat comme un second cœur. À travers le drap souple je sens, chaque fois que j'y porte la main, la lettre crépiter. Oui, elle est là, elle bouge, elle remue tout près de ma poitrine comme quelque chose de vivant, et pendant que les camarades parlent et mangent à leur aise, je ne peux penser à rien d'autre qu'à cette lettre et à la détresse désespérée de celle qui l'a écrite.

C'est inutile que le garçon me serve, je ne touche à aucun plat. Cette tension intérieure me paralyse comme une sorte de sommeil, les yeux ouverts. À droite et à gauche j'entends des mots, sans les comprendre, comme si tous s'exprimaient en une langue étrangère. Je vois autour de moi des visages, des moustaches, des yeux, des nez, des lèvres, des uniformes, mais comme à travers une vitrine. Je suis là sans y être, figé et pourtant occupé, car sans cesse je me murmure les lèvres closes les mots de cette lettre, et parfois, quand je suis arrêté ou que je m'embrouille, l'envie me prend de mettre furtivement la main à la poche, comme à l'école des Cadets on tirait en cachette, pendant l'heure de tactique, des livres défendus.

Voici qu'un couteau cliquette énergiquement contre un verre, et comme si l'acier de la lame avait tranché le bruit, le silence s'établit aussitôt. Le colonel s'est levé et commence un discours. Il parle, les deux mains fortement appuyées à la table et balançant en avant et en arrière son corps vigoureux comme s'il était à cheval. Il débute par un « Camarades » aigu. Scandant fortement ses mots et prononçant les « r » comme un roulement de tambour, il récite son speech tout préparé. J'écoute avec effort, mais la tête n'y est pas. Seul me parvient l'éclat de quelques mots : « Honneur*r* de l'ar*r*mée… esprit du cavalier autr*r*ichien… fidélité au r*r*égiment… vieux camar*r*ade… » – mais j'entends aussi, entre-temps, le murmure mystérieux d'autres mots, doux, suppliants, tendres, comme venant d'un autre monde. « Mon aimé… ne crains rien… je ne pourrais pas vivre plus longtemps si tu me refusais le droit de t'aimer… » De nouveau roulent les « r » : « … il n'a pas oublié ses camarrades… sa patrrie… son Autrriche… » Puis l'autre voix revient, comme un sanglot, comme un cri étouffé : « Accorde-moi le droit de t'aimer… Fais-moi un signe, rien qu'un signe… »

Et tout à coup les applaudissements crépitent comme une salve : « Bravo ! Bravo ! Bravo ! » Soulevés de leur siège par le geste du colonel levant son verre, tous se sont dressés. De la pièce à côté retentit la fanfare, comme prévu : « Vivat ! Vivat ! » Tous choquent leurs verres et poussent des toasts en l'honneur de Balinkay, qui n'attend que la fin de l'averse pour répondre sur un ton léger, joyeux, humoristique. Il voulait dire quelques mots rapides sans prétention, à savoir que malgré tout, nulle part au monde, il ne se sentait si bien qu'au milieu de ses vieux camarades. Et il termina par « Vive notre régiment ! Vive Sa Très Gracieuse Majesté, notre grand chef, l'empereur ! » Steinhübel fait de nouveau signe au clairon, qui sonne une nouvelle fanfare, et tout le monde entonne l'hymne national, puis l'inévitable chant de tous les régiments autrichiens, dans lequel chacun se nomme avec fierté :

Nous sommes du régiment de uhlans
Impérial et Royal…

Puis Balinkay fait le tour de la table, le verre à la main, pour trinquer avec chacun d'entre nous. Soudain je me sens poussé fort par mon voisin et je me retrouve debout, face à une paire d'yeux clairs, très cordiaux : « Salut, camarade ! » Etourdi, je salue aussi ; quand Balinkay s'arrête devant le suivant, je me rends compte que j'ai oublié de trinquer à sa santé. Mais tout disparaît à nouveau dans une brume colorée qui rend flous et confus visages et uniformes. – Mais bon sang !… quelle est cette fumée bleuâtre que j'ai soudain devant les yeux ? Les autres ont-ils commencé à fumer, et pourquoi ai-je la sensation de crever de chaud ? Vite, boire quelque chose, boire ! J'avale d'un coup deux verres pleins, trois… Il faut que je me débarrasse de ce goût amer, nauséeux, que j'ai dans la gorge. Mais en cherchant mon étui à cigarettes dans ma poche, je sens un crissement sous ma tunique : c'est la lettre ! Ma main recule. De nouveau, malgré le vacarme tout autour, je n'entends plus que des sanglots, des mots suppliants : « Permets-moi seulement de t'aimer… je sais bien que je suis folle de m'imposer ainsi à toi… »

Mais voici qu'une fourchette frappe un verre pour commander le silence. C'est le major Wondratchek, qui ne rate pas une occasion de nous rappeler son dada et de nous dire ses vers, fantaisistes et boiteux. Nous le savons : quand Wondratchek se lève, appuie contre la table son bon petit bedon et cligne des yeux en essayant de se composer un visage finaud, c'est la « partie joyeuse » de la soirée qui commence.

Déjà il est en position, il a glissé son binocle devant des yeux légèrement presbytes et déplie cérémonieusement un papier. C'est l'ordinaire poésie de circonstance dont il croit embellir chaque fête et avec laquelle il se propose, cette fois, de garnir la biographie de Balinkay de toutes sortes de piquantes plaisanteries. Par politesse servile, ou peut-être parce qu'ils ont déjà un peu bu, quelques-uns de mes voisins soulignent chaque allusion d'un rire complaisant. Enfin l'une d'elles, bien tournée, fait éclater toute l'assistance en applaudissements.

Mais soudain un frisson d'horreur me parcourt. Ces divertissements grossiers me serrent le cœur comme une griffe. Car peut-on rire ainsi quand quelqu'un souffre et gémit pareillement ? Comment peut-on se livrer à d'aussi bas amusements quand quelqu'un se meurt ? Dans une seconde, je le sais, dès que Wondratchek aura fini de jaser, commenceront les grosses réjouissances, avec force hourras et grand vacarme ; on chantera les strophes les plus récentes des « Filles de Camaret », on racontera des blagues, et tous riront, riront à s'en décrocher la mâchoire. Tout d'un coup je ne peux plus voir ces visages rayonnants. N'a-t-elle pas demandé que je lui envoie un mot, que je lui fasse un signe ? Si je téléphonais ? On ne peut pas faire attendre quelqu'un ainsi ! Il faut lui dire quelque chose, il faut…

« Bravo ! Bravissimo ! » Tous applaudissent bruyamment, les chaises dansent, le parquet craque sous le bondissement soudain de ces quarante ou cinquante hommes déchaînés et un peu ivres. Tout fier, le major ôte son binocle et replie sa feuille, répondant par des gestes de remerciement et d'un air un peu fat aux officiers qui se pressent autour de lui pour le féliciter.

Je profite de l'occasion pour m'enfuir. Peut-être ne s'en apercevra-t-on pas. Et même si l'on s'en aperçoit, cela m'est égal ; je ne peux plus supporter ces rires, cette joie grossière qui se donne des grands coups sur la panse, cette insouciance. Non, je ne peux plus !

« Monsieur le lieutenant s'en va déjà ? » demande au vestiaire le planton, étonné. Que le diable t'emporte, murmurai-je en moi-même, et je passe devant lui sans dire un mot. Je n'ai qu'un but : traverser la rue, tourner vite au coin, gagner la caserne, monter l'escalier qui conduit à ma chambre et être seul, enfin seul !

Les couloirs sont vides, quelque part une sentinelle va et vient, un robinet coule, une botte tombe sur le plancher. De l'une des chambrées où la lumière est déjà éteinte, conformément au règlement, parvient un chant doux et mélancolique. Sans le vouloir, je prête l'oreille : ce sont des soldats ruthènes qui chantent ou fredonnent en chœur une chanson de leur pays. Chaque soir, avant de s'endormir, quand ils ont ôté leur uniforme coloré, avec ses boutons de laiton, et qu'ils redeviennent les hommes de chez eux qui couchaient dans la paille, ils se rappellent leur village, leurs champs ou peut-être une jeune fille aimée et, pour apaiser leur nostalgie, ils chantent ces mélodies. Jamais jusqu'alors je n'y avais fait attention parce que je n'en comprenais pas les paroles, mais cette fois leur tristesse m'émeut profondément. Ah ! si je pouvais m'asseoir auprès de l'un d'eux et lui parler ! Il serait étonné, mais le regard compatissant de ses bons yeux fidèles montrerait qu'il me comprend mieux que ceux qui, là-bas, sont assis joyeusement à la table en fer à cheval.

Ah, il faudrait avoir quelqu'un qui pourrait m'aider à sortir de cet engrenage maudit !

Sur la pointe des pieds, pour ne pas réveiller Kusma, mon ordonnance, qui dort dans l'antichambre avec des ronflements sonores, je me glisse dans ma chambre, et dans l'obscurité j'enlève mon képi, je me débarrasse de mon sabre, défais ma cravate qui depuis longtemps déjà m'étrangle. Puis j'allume la lampe et m'approche de la table pour lire enfin dans le calme la lettre, la première lettre émouvante qu'une femme m'ait écrite à moi, qui suis encore si peu expérimenté.

Mais aussitôt, je sursaute. Comment est-ce possible ? La lettre est là, sur ma table, dans le cercle lumineux de la lampe, alors que je la croyais encore dans ma poche. Oui, c'est bien l'enveloppe bleue, rectangulaire, et l'écriture que je connais.

La tête me tourne, une minute. Est-ce que je suis ivre ? Est-ce que je rêve tout éveillé ? Ai-je perdu la raison ? À l'instant encore, en ouvrant ma tunique, j'en avais entendu le froissement. Suis-je à ce point troublé que je l'aie déjà sortie et que je ne m'en souvienne pas ? Je mets la main à ma poche. Non – ce n'est pas possible – la lettre y est encore. À présent seulement je comprends, je vois les choses. Celle qui est sur la table doit en être une nouvelle, arrivée plus tard et que le brave Kusma a posée soigneusement à côté de la bouteille thermos, afin que je la trouve tout de suite en rentrant.

Une autre lettre ! Deux en l'espace de deux heures ! Aussitôt ma gorge se contracte de colère. Et cela va continuer chaque jour, chaque nuit, je recevrai lettre sur lettre, l'une suivra l'autre. Si je lui écris, elle me récrira, si je ne réponds pas, elle voudra une réponse. Elle m'enverra des messagers et me téléphonera, elle me surveillera, me fera suivre à chaque pas, elle voudra savoir quand je sors et quand je rentre, avec qui je suis et ce que je dis et ce que je fais. Je le vois, je suis perdu – ils ne me laisseront plus en paix – oh ! le djinn, le djinn, le vieillard et l'infirme ! Jamais plus je ne serai libre, jamais plus ces gens terribles, ces désespérés ne me lâcheront ! Pas avant que l'un d'entre nous ne soit consumé – elle ou moi – par cette passion folle, cet amour insensé !

Ne lis pas, me dis-je. En tout cas, pas aujourd'hui. Et surtout ne t'embarque pas dans cette histoire ! Tu n'es pas assez fort pour résister à ces tiraillements, tu seras déchiré. Le mieux est de brûler tout simplement cette lettre ou de la renvoyer sans l'avoir lue. Et puis ne te tourmente plus avec l'idée qu'un être qui t'est, en somme, étranger t'aime ! Que le diable emporte tous les Kekesfalva ! Tu ne les connaissais pas avant, laisse-les donc là ! Mais soudain une pensée me fait frissonner : peut-être s'est-elle livrée à quelque acte de désespoir parce que je ne lui ai pas répondu. Peut-être est-elle sur le point de le faire ? On ne peut pourtant pas laisser sans réponse un être aussi désespéré ! Si je réveillais Kusma et lui faisais porter un mot pour la tranquilliser ? Mais il ne faut pas que je commette un impair ! Je déchire l'enveloppe. Dieu soit loué, ce n'est qu'une courte lettre. Une page, dix lignes sans sus-cription.

« Détruisez ma lettre précédente ! J'étais folle, tout à fait folle. Tout ce que j'ai écrit est faux. Et ne venez pas demain chez nous ! Je vous en prie, ne venez pas !

Il faut que je me punisse de m'être si pitoyablement humiliée devant vous. Donc ne venez en aucun cas, je ne veux pas, je vous le défends. Et pas de réponse surtout ! Détruisez ma première lettre, n'y pensez plus, oubliez-la totalement ! »

Ne plus y penser, – quel ordre puéril, comme si jamais les nerfs agités s'étaient soumis aux ordres de la volonté ! Oublier, alors que les pensées chassent comme des chevaux ombrageux ayant brisé leur attache et que leurs sabots vous martèlent le crâne ! N'y plus penser, alors que sans cesse le souvenir vous ramène fiévreusement image après image, que vos nerfs tremblent et vacillent, et que tous vos sens se tendent pour la défense ! N'y plus penser, quand la lettre vous brûle encore les mains avec ses mots ardents, que vous la lisez et relisez feuillet après feuillet, en les comparant jusqu'à ce que chaque terme reste imprimé, comme un stigmate brûlant, dans votre cerveau ! N'y plus penser, alors que cette seule idée vous revient sans cesse : comment s'échapper, comment se défendre ? Comment se soustraire à la violence de cet assaut, à cette maudite exaltation ?

N'y plus penser... c'est ce que vous désireriez, et vous éteignez la lumière parce qu'elle rend les pensées trop claires, trop réelles. Vous vous efforcez de vous réfugier, de vous cacher dans l'ombre, vous vous déshabillez pour pouvoir respirer plus librement, vous vous jetez au lit, pour dormir et ne plus sentir. Mais les pensées, elles, ne reposent pas. Telles des chauves-souris, elles voltigent d'une façon confuse et spectrale autour de vos sens affaiblis, avides comme des rats elles rongent et creusent votre fatigue, si grande soit-elle. Plus vous reposez tranquillement, plus fiévreux devient le souvenir, plus les images s'agitent dans l'obscurité. Vous vous levez et faites de la lumière pour chasser les fantômes. Mais la première chose que saisit la lampe avec hostilité, c'est le rectangle clair de la lettre, et sur le dossier de la chaise, elle vous montre la tunique tachée, qui vous rappelle ce qui s'est passé et vous invite à penser. Oublier, vous le voudriez bien, parbleu ! mais votre volonté n'y peut rien. C'est ainsi que j'erre dans ma chambre ; j'ouvre l'armoire et dans l'armoire les tiroirs, les uns après les autres jusqu'à ce que je déniche le tube aux narcotiques, et je regagne mon lit en vacillant. Mais il n'y a aucune fuite possible. Même dans le rêve, de noires pensées, toujours les mêmes, viennent m'assaillir, et lorsque je me réveille au matin, je me sens la tête vide, comme si des vampires avaient sucé mon cerveau.

Quel délice donc, cette sonnerie de réveil, quel délice le service, cette douce captivité ! Quel plaisir salutaire de s'élancer sur son cheval et de trotter avec les autres, devoir être sans cesse vigilant et avoir l'esprit tendu. Il faut obéir, commander. Trois heures d'exercices, peut-être quatre, vous arrachent admirablement à vous-même.

Tout va bien au début. Nous avons heureusement une journée fatigante. Exercices pour les manœuvres, pour le grand défilé final où chaque peloton passe sur plusieurs rangs devant le colonel, chaque tête de cheval, chaque pointe de sabre dans un alignement impeccable. Pour des revues de ce genre il y a énormément à faire. Il faut recommencer dix fois, vingt fois la même chose, en surveillant chaque uhlan, et cela exige une telle attention que j'en oublie tout. Dieu soit loué !

Mais pendant que nous faisons une pause de dix minutes pour laisser les chevaux souffler, mon regard vagabond effleure par hasard l'horizon. Au loin brillent dans un bleu d'acier les prairies avec les gerbes et les faucheurs. Derrière la lisière se dresse, étroite, tel un étrange cure-dents, la silhouette d'une tour. C'est *sa* tour avec la terrasse, me dis-je soudain effrayé. Ma pensée est revenue vers elle, malgré moi je regarde et malgré moi je me souviens : huit heures, elle est réveillée depuis longtemps et pense à moi. Peut-être le père est-il près de son lit et elle lui parle de moi, elle appelle Ilona ou le domestique et demande s'il n'y a pas une lettre pour elle, la réponse malgré tout attendue avec tant d'impatience (car dans le fond, j'aurais dû lui en envoyer une !). Ou peut-être s'est-elle déjà fait monter sur la terrasse et regarde-t-elle, accrochée à la balustrade, dans ma direction, comme je regarde à présent dans la sienne… À peine me suis-je rappelé que quelqu'un là-bas me désire ardemment que je sens déjà dans ma poitrine cette maudite griffe brûlante et trop familière de la pitié, et quoique l'exercice ait repris entre-temps, que les commandements retentissent de toutes parts, que les colonnes se forment et se dénouent et que moi-même je crie dans le vacarme : « Par file à droite ! Par file à gauche ! », je ne suis pas là. Dans le tréfonds de ma conscience je ne pense plus qu'à une chose, à quoi je ne veux pas penser, à quoi je ne dois pas penser.

« Ciel ! Tonnerre de nom de Dieu ! Qu'est-ce que c'est que cette cochonnerie ! En arrière, en arrière, tas d'abrutis ! » C'est Bubencic, notre colonel, la figure pourpre de colère, qui vocifère en accourant vers nous de l'extrémité du terrain d'exercices. Et il n'a pas tort, le colonel. Quelqu'un a dû lancer un faux commandement, car deux colonnes, dont la mienne, qui devaient obliquer l'une à côté de l'autre, sont entrées dangereusement en collision, en plein galop. Dans le tumulte quelques chevaux effrayés sortent des rangs, d'autres se cabrent, un uhlan est renversé et roule sous leurs sabots, tandis que les gradés crient et tempêtent. Le choc a été si rude qu'on entend des cliquetis, des hurlements, des hennissements comme dans une véritable bataille. C'est peu à peu seulement que les officiers jurant et pestant démêlent à grands cris l'écheveau bruyant. Sur un signal des trompettes, les escadrons reformés se rangent de nouveau, comme tout à l'heure, en un seul front. Mais maintenant règne un silence terrible. Chacun sait qu'il va y avoir un règlement de comptes. Les chevaux, encore écumants et sentant peut-être aussi la nervosité contenue de leurs cavaliers, frissonnent et tressaillent, ce qui fait que la longue ligne des casques oscille comme sous le vent une ligne télégraphique de métal, très tendue. Le colonel s'avance, au milieu de ce silence inquiétant. À la façon dont il se tient en selle, raidi sur ses étriers et frappant violemment de sa cravache sa botte à revers, nous pressentons l'orage qui s'approche. Un petit coup sur les rênes. Son cheval s'arrête. Puis, tel un couperet qui s'abat, un appel retentit sur tout le terrain : « Lieutenant Hofmiller ! »

En un clin d'œil, je comprends comment tout cela s'est passé. Sans aucun doute c'est moi qui ai lancé le faux commandement. Je devais être distrait. Je pensais encore à cette chose terrible qui me trouble tout à fait. Je suis le seul fautif, le seul responsable. Une légère pression du genou, et mon valaque passe au trot devant les camarades qui, peinés, détournent la tête, dans la direction du colonel – lequel attend immobile à trente pas environ du front. À la distance réglementaire, je fais halte devant lui. On n'entend plus un seul bruit. Un silence de mort s'est établi, ce silence qui précède les exécutions, juste avant le « Feu ! ». Tous derrière moi, jusqu'au dernier paysan ruthène, savent ce qui m'attend.

Ce qui se passa alors, il m'est pénible de m'en souvenir. Certes, le colonel assourdit à dessein sa voix sèche, grinçante, afin que les hommes ne puissent entendre les grossièretés dont il m'abreuve, mais de temps en temps cependant des insultes gorgées de colère comme « ânerie » et « commandement de cochon » lui sortent de la gorge avec une violence non contenue. Et en tout cas, à son visage rouge comme une écrevisse et à la manière dont il m'apostrophe, en accompagnant chaque staccato d'un coup violent sur ses bottes, les soldats doivent remarquer jusqu'au dernier rang que je suis réprimandé plus durement qu'un écolier. Je sens dans mon dos cent regards curieux et peut-être ironiques, tandis que le colérique colonel déverse sur moi ses reproches. Depuis longtemps, aucun de nous n'a vu tomber sur lui une grêle comme celle qui s'abat sur ma tête en cette rayonnante journée de juin qui fait la joie des hirondelles insouciantes.

Mes mains, qui tiennent les rênes, tremblent d'impatience et de colère. J'ai une envie folle de frapper sur la croupe de mon cheval et de m'en aller au galop. Mais il me faut supporter dans l'immobilité réglementaire et le visage impassible, que Bubencic me dise encore, pour terminer, qu'il ne tolérera pas qu'un misérable gâcheur vienne saboter tout l'exercice. Demain j'en entendrai d'autres, mais pour aujourd'hui il ne veut plus me voir. Puis il jette, dur et violent comme un coup de pied, un « Rompez ! » méprisant, accompagné d'un dernier coup de cravache contre sa botte.

Il me faut encore porter avec obéissance la main au casque, avant de faire demi-tour et revenir à ma place. Aucun de mes camarades n'ose me regarder en face, tous cachent les yeux avec gêne dans l'ombre de leur visière. Ils ont honte pour moi, ou du moins il me le semble. Heureusement un commandement abrège ma torture. Sur un coup de trompette, l'exercice recommence. Le front se divise en différentes colonnes. Ferencz profite de cet instant (pourquoi les plus bêtes sont-ils toujours les plus charitables ?) pour rapprocher comme par hasard son cheval du mien et me chuchoter : « Ne t'en fais donc pas ! Cela peut arriver à tout le monde. »

Mais il tombe mal, le brave type. Car je lui réponds brutalement : « Mêle-toi de tes affaires, je t'en prie ! » et je lui tourne le dos. En cette seconde, j'ai senti comment on peut blesser quelqu'un avec de la pitié. Mais trop tard !

Tout balancer ! Tout envoyer au diable, me disais-je pendant que nous reprenions le chemin de la ville. Ah ! m'en aller loin d'ici, n'importe où, là où personne ne me connaît, où je ne serais lié à rien ni à personne. Fuir, m'échapper ! Ne plus voir quiconque, ne plus être idolâtré, ne plus subir d'humiliations ! M'en aller, m'en aller ! Inconsciemment les mots passent dans le rythme du trot. Arrivé à la caserne, je jette les rênes à un uhlan et quitte aussitôt le quartier. Je ne veux pas m'asseoir aujourd'hui au mess, je ne veux pas qu'on me raille et encore moins qu'on me plaigne.

Mais où aller dans le fond ? Je n'ai ni but ni projet. Dans aucun de mes deux univers, je ne puis continuer, ni au-dehors, ni au régiment. Va-t'en, va-t'en ! me disent le battement de mon pouls, le martèlement de mes tempes. Va-t'en n'importe où, fuis cette caserne damnée, cette ville ! Prends encore cette maudite grande route, mais poursuis plus loin, plus loin ! Soudain tout près de moi quelqu'un m'adresse un cordial : *Servus !* Je m'arrête et regarde. Qui peut me saluer d'une façon si familière ? Un monsieur de haute taille en civil, culotte de cavalier, veston gris et casquette écossaise. Jamais vu, ou je ne me rappelle pas. Il est là, près d'une automobile autour de laquelle sont occupés deux mécaniciens en salopette bleue. N'ayant sans doute pas remarqué mon trouble, il vient à moi. C'est Balinkay, mais je ne le connaissais jusqu'alors qu'en uniforme.

« Elle a mal au ventre, me dit-il en riant et me montrant l'auto. C'est la même chose à chaque voyage. Il faudra encore vingt ans avant de pouvoir voyager convenablement avec ces outils-là. C'était plus sûr avec nos bons vieux chevaux. On y comprenait du moins quelque chose. »

Sans le vouloir, je ressens une forte sympathie pour cet homme. Il a un air si assuré dans ses mouvements et avec cela le regard clair et chaud de l'individu insouciant, qui prend la vie du bon côté. Soudain jaillit en moi la pensée que je pourrais me confier à lui. Et en l'espace d'une seconde, avec la rapidité propre à notre cerveau dans les moments de tension, toute une série de pensées s'enchaînent à la première. Il est en civil, il est son propre maître. Il a connu, lui aussi, ce que j'éprouve en ce moment. Il est venu en aide au beau-frère de Ferencz, il vient en aide à qui fait appel à lui, pourquoi pas à moi également ? Le temps de respirer, et déjà ces réflexions rapides comme l'éclair se sont fondues en une brusque résolution. Je prends mon courage à deux mains :

« Excuse-moi, dis-je, tout étonné moi-même de mon ton insouciant. Aurais-tu quelques minutes à m'accorder ? »

Il hésite un instant, puis ses dents brillent dans un sourire.

« Avec joie, mon cher Hoff… Hoff…

— Hofmiller, dis-je.

— À ta disposition. Ce serait bien malheureux si l'on n'avait pas le temps de parler avec un camarade. Veux-tu que nous entrions au restaurant, ou préfè-res-tu que nous montions dans ma chambre ?

— Si cela ne te dérange pas, montons chez toi. Je ne te retiendrai pas longtemps, cinq minutes.

— Aussi longtemps que tu voudras. La réparation de ma sacrée bagnole demande encore une demi-heure au moins. Mais tu sais, ce n'est pas chic là-haut. L'hôtelier m'offre toujours sa meilleure chambre, mais je préfère celle que j'occupe, en souvenir des heures que j'y ai vécues autrefois... Bon, ne parlons pas de ça. »

Nous montons. De fait, la chambre est étonnamment modeste pour ce riche garçon. Un lit à une personne, pas d'armoire, pas de fauteuil, deux modestes chaises de paille entre le lit et la fenêtre. Balinkay tire son étui en or, m'offre une cigarette et me met à l'aise en engageant la conversation :

« Eh bien, mon cher Hofmiller, en quoi puis-je te servir ? »

Pas de longs préambules, me dis-je.

« Je désirerais te demander un conseil, Balinkay. Je veux quitter le service et m'en aller d'Autriche. Peut-être connaîtrais-tu quelque chose pour moi. »

Balinkay devient grave. Son visage se tend. Il jette sa cigarette.

« Absurde ! Un garçon comme toi ! Qu'est-ce qui te prend ? »

Mais une soudaine opiniâtreté a surgi en moi. Je sens ma résolution, à laquelle je ne pensais pas dix minutes avant, devenir ferme et dure comme l'acier.

« Mon cher Balinkay, dis-je sur un ton sec qui n'admet aucune discussion, fais-moi l'amitié de ne me demander aucune explication. Je sais ce que je veux et ce qu'il faut que je fasse. Certes il est difficile, de l'extérieur, de comprendre mon attitude, mais, crois-moi, il faut que j'en finisse, ici. »

Balinkay m'examine. Il a dû voir que c'est sérieux.

« Je ne veux pas me mêler de tes affaires, mais écoute-moi, Hofmiller, tu fais une bêtise. Tu n'as pas réfléchi. Tu as aujourd'hui, je dirais, vingt-cinq ou vingt-six ans et sous peu tu seras premier lieutenant ; ce n'est déjà pas mal. Ici tu es quelqu'un. Le jour où tu débuteras ailleurs, tu ne seras rien du tout, le moindre courtaud de boutique l'emportera sur toi, ne serait-ce que parce qu'il ne trimbale pas autant de préjugés que nous dans notre fourniment. Crois-moi, quand l'un de nous quitte l'uniforme, il lui reste bien peu de chose de ce qu'il a été jusqu'alors, et ne te fais pas d'illusion sur un point : si moi, je me suis tiré de la mouise, cela a été un pur hasard, cela n'arrive qu'une fois sur mille… et je préfère ne pas savoir ce qui est advenu des autres gars à qui le bon Dieu n'a pas mis le pied à l'étrier, comme à moi ! »

Malgré la fermeté convaincante avec laquelle il parlait, je sentis que je ne devais pas céder.

« Je devine tout cela, mais je t'en prie, n'essaie pas de me dissuader, je n'ai pas le choix. Certes je n'ai ni qualités ni connaissances particulières, mais si tu veux me recommander à quelqu'un, je te promets que je ne te ferai pas honte. D'ailleurs je sais que cela t'est possible et que tu as déjà placé le beau-frère de Ferencz.

— Jonas ? dit Balinkay en faisant de la main un geste méprisant. Je t'en prie, qui était-ce, ce Jonas ? Un petit employé de province. Il est facile d'aider quelqu'un comme lui. Il suffit de le déplacer d'un coin à un autre, un peu meilleur, et tout de suite il se croit un petit dieu. Qu'est-ce que ça peut lui faire d'user ses fonds de culotte ici ou là ? Mais dénicher quelque chose pour un type qui a porté un dolman avec une étoile au col, ça c'est une autre histoire ! Car tu sais, mon cher Hofmiller, que dans le civil les étages sont généralement occupés. Il faut débuter au rez-de-chaussée et parfois même au sous-sol, où ça ne sent pas toujours la rose.

— Ça m'est égal. »

J'avais sans doute dit cela avec véhémence, car Balinkay posa sur moi un regard tout d'abord curieux, puis étrangement fixe, comme si ce regard venait de très loin. Puis il rapprocha sa chaise de la mienne et mit la main sur mon bras.

« Ecoute, Hofmiller, je ne suis pas ton tuteur et je n'ai pas de leçons à te donner. Mais crois-en un camarade qui a passé par là, cela n'est *pas* amusant *du tout*, quand on tombe d'un seul coup de son cheval d'officier en plein dans la mouscaille... Celui qui te parle ainsi est resté un jour assis dans cette misérable petite chambre, de midi jusqu'au soir, et il s'est dit exactement la même chose que toi : ça m'est égal. J'avais annoncé mon départ au rapport, à onze heures et demie. Je ne voulais plus m'asseoir au mess avec les autres et je ne voulais pas non plus me montrer en plein jour en civil dans la rue. J'avais donc loué cette chambre – tu comprendras maintenant pourquoi je veux toujours celle-ci – et j'y ai attendu qu'il fasse nuit, afin que personne ne puisse jeter un regard de pitié à Balinkay, qui s'en allait dans un misérable complet gris et avec un chapeau melon sur le crâne. Je me suis mis à cette fenêtre et j'ai regardé une dernière fois l'agitation de la rue. Là j'ai vu les camarades aller et venir, droits et fiers dans leur uniforme, chacun conscient de ce qu'il était et de son rang. C'est alors que j'ai compris que j'étais devenu moins que rien dans ce monde. J'avais l'impression que je m'étais dépouillé, en quittant mon habit d'officier. Certes tu penses que c'est absurde, qu'un costume gris en vaut un autre bleu ou noir, et que c'est égal qu'on se promène avec un sabre ou un parapluie. Pourtant je sens encore aujourd'hui dans les os le coup que cela m'a fait lorsque, la nuit venue, j'ai pris le chemin de la gare et qu'au coin de la rue deux uhlans sont passés devant moi sans me saluer. Alors j'ai continué en portant moi-même ma valise jusqu'à mon compartiment de troisième classe, et je me suis assis parmi les paysannes en sueur et les ouvriers agricoles… je sais que tout cela est stupide, et injuste, je sais que notre prétendu honneur militaire est bien ridicule ! – mais après huit années de service et quatre ans à l'école des Cadets… On se sent comme un estropié au début, comme quelqu'un qui a une plaie au milieu du visage. Dieu te protège, si tu dois maintenant passer par là ! Moi, pour rien au monde je ne voudrais revivre le soir où je me suis glissé hors de cette chambre et où j'ai gagné la gare en évitant les becs de gaz. Et ce n'était que le commencement…

— Mais, Balinkay, c'est justement pour ça que je veux m'en aller bien loin, où tout ce qui existe ici n'existera plus, où personne ne me connaîtra.

— C'est exactement ce que je me suis dit. M'en aller loin, afin que tout soit effacé, faire table rase ! Mieux vaut être cireur de bottes en Amérique, ou plongeur dans un restaurant, comme on lit dans les biographies des grands millionnaires ! Mais, mon cher Hofmiller, pour aller là-bas il faut déjà pas mal d'argent, et tu ne sais pas encore ce que c'est pour des types comme nous que de courber le dos. Dès qu'un ancien uhlan ne sent plus sur lui sa tunique au col étoilé, il ne peut plus se tenir convenablement dans ses bottes, et encore moins parler comme il le faisait jusqu'alors. On est là, bête et embarrassé chez ses meilleurs amis, et quand il s'agit de demander un service, la fierté vous monte à la gorge. Oui, mon cher, j'ai vécu alors pas mal de choses auxquelles je préfère ne plus penser, j'ai subi des humiliations dont je n'ai encore parlé à personne. »

Il s'était levé et avait fait un mouvement violent des bras, comme si ses vêtements lui étaient devenus trop étroits. Brusquement il se tourna vers moi.

« Du reste je peux t'en parler avec sérénité, car aujourd'hui je n'en rougis plus et cela peut-être pourra te guider, t'enlever à temps tes illusions romantiques. »

Il se rassit et poussa sa chaise près de la mienne :

« Sans doute t'a-t-on raconté, à toi aussi, l'histoire du "glorieux coup de filet", comment j'ai connu ma femme au Sheperds Hotel ? Je sais qu'on en parle dans tous les régiments et qu'un peu plus, on la publierait dans les manuels de lecture comme une action d'éclat d'un officier impérial et royal. Eh bien ! l'affaire n'a pas du tout été aussi glorieuse ! Il y a dans cette histoire une seule chose qui soit vraie : c'est bien au Sheperds Hotel que j'ai connu ma femme. Mais comment cela s'est fait, seuls elle et moi le savons et nous n'en avons fait part à personne. Et si je te le raconte aujourd'hui, c'est pour que tu comprennes qu'il ne nous tombe pas d'alouettes rôties dans le bec. Donc, pour être bref, lorsque je l'ai connue au Sheperds Hotel, j'étais là-bas – ne t'effraye pas – simple garçon d'étage. Oui, mon cher, comme n'importe qui, un très quelconque garçon d'hôtel ! Tu devines que ce n'était pas par plaisir que je faisais ce métier, mais par bêtise, par suite de notre lamentable inexpérience. À Vienne habitait dans ma minable pension un Egyptien qui m'avait raconté que son beau-frère était le directeur du club royal de polo, au Caire ; il se faisait fort, si je lui donnais une commission de deux cents couronnes, de m'y procurer une place d'entraîneur. On y exigeait de bonnes manières et des noms chics. Or, dans les tournois de polo j'avais toujours été le premier, et le traitement qu'il m'indiqua était excellent. En trois ans, m'assurait-il, je pourrais amasser assez d'argent pour pouvoir ensuite entreprendre quelque chose de convenable. De plus Le Caire c'était très loin et au polo, on rencontre des gens bien. J'avais donc accepté avec enthousiasme. Je ne t'ennuierai pas en te racontant à combien de portes j'ai dû frapper et combien de boniments embarrassés j'ai dû entendre, venant de soi-disant vieux amis, avant de pouvoir rassembler les quelques centaines de couronnes nécessaires pour la traversée et pour mon équipement. Dans un club aussi élégant on a en effet besoin d'un complet de cavalier et d'un frac, et il faut se présenter d'une façon décente. Bien que je me sois contenté de l'entrepont, je ne m'en suis d'ailleurs tiré que tout juste. Je n'avais plus que sept piastres en poche lorsque je me présentai au fameux club de polo, où une espèce de Noir me répondit que l'on ne connaissait pas de monsieur Efdopoulos, ni son beau-frère, qu'on n'avait pas besoin d'entraîneur, et que du reste le club était en voie de dissolution. Mon Egyptien de Vienne n'était qu'un misérable escroc. Si j'avais été plus malin, avant de lui verser les deux cents couronnes, je me serais fait montrer les lettres et télégrammes qu'il disait avoir reçus au sujet de cet emploi. Mais, mon cher Hofmiller, nous ne sommes pas assez forts pour lutter avec de pareilles canailles. Ce n'était pas la première mésaventure qui m'arrivait dans mes démarches à la recherche d'une place. Mais cette fois, c'était un coup direct dans l'estomac. Comment, avec mes sept piastres, sans connaître personne, j'ai vécu et bouffé là-bas les six premiers jours, j'aime mieux ne pas te le dire, car il y fait sacrément chaud, et la place à l'ombre est bigrement chère ! Je suis étonné moi-même d'avoir pu résister. Un autre, en pareil cas, va trouver le consul et demande qu'on le rapatrie. Mais voilà le *hic* : nous, nous ne le pouvons pas. Nous ne pouvons pas faire antichambre sur un banc avec des manœuvres et des cuisinières sans travail. Nous ne pouvons pas supporter la façon dont un petit employé de consulat vous dévisage quand il épelle sur votre passeport "Baron Balinkay". Plutôt crever de faim ! Représente-toi le bonheur que ce fut dans ma malchance quand j'appris par hasard qu'on avait besoin d'un garçon en coup de main au Sheperds Hotel. Comme j'avais un frac et même un neuf (pour ce qui est de la tenue de cavalier, je l'avais vendue dès les premiers jours) et comme je connaissais le français, on voulut bien me prendre à l'essai. Vu de loin, cela paraît encore passable. Lorsque vous êtes là, au moment du service avec un plastron d'une blancheur éblouissante, vous faites même grande figure ; mais l'on ignore que vous couchez à trois dans une mansarde sous un toit brûlant, que toute la nuit sept millions de puces et de punaises vous dévorent, que le matin vous vous lavez l'un après l'autre dans la même cuvette de fer-blanc, et que votre main frémit de révolte quand on y met l'argent du pourboire. Mais oublions ces choses, c'est assez de les avoir vécues !

Vint ensuite l'affaire qui me fit connaître ma future femme. Veuve depuis peu de temps, elle venait d'arriver au Caire avec sa sœur et son beau-frère, le type le plus ordinaire que tu puisses imaginer ; large, gros, spongieux, arrogant. Quelque chose en moi avait dû lui déplaire. Peut-être étais-je trop élégant pour lui, peut-être n'avais-je pas assez courbé l'échine devant le "Monsieur Hollandais". Toujours est-il qu'un matin, sous prétexte que son petit déjeuner lui était servi en retard, il me lance en pleine figure un "Espèce d'idiot !" retentissant. Quand on a été officier, on ne peut pas accepter cela ; avant que j'aie eu le temps de réfléchir, je m'étais cabré. Et il s'en fallut d'un cheveu que je ne lui colle mon poing sur la gueule. Au dernier moment je me retins, car au fond mon travail de garçon d'hôtel me faisait l'effet d'une mascarade et – je ne sais pas si tu me comprends — j'éprouvais même finalement une sorte de plaisir sadomasochiste en pensant que moi, Balinkay, il me fallait supporter cela de la part d'un sale marchand de fromage. Je me contentai de sourire, mais tu sais, de haut, au point que le type en devint vert de rage. Puis je sortis de la pièce en m'inclinant avec une politesse ironique : il en éclata presque de fureur. Ma femme, ma future femme avait assisté à la scène. À la façon dont je sursautai lorsque son beau-frère me traita d'idiot, elle avait senti – aveu qu'elle me fit plus tard – que jamais encore personne ne s'était permis pareille chose à mon égard. Aussi me suivit-elle dans le couloir pour me dire qu'il était un peu nerveux et qu'il ne fallait pas lui en vouloir. Et pour que tu saches toute la vérité, mon cher, elle essaya même de me glisser un billet de banque dans la main, afin d'arranger tout.

Mais je refusai, ce qui, je m'en aperçus, lui sembla bizarre de la part d'un garçon d'hôtel. Cependant l'affaire en serait restée là, car j'avais en ces quelques semaines économisé une somme suffisante pour pouvoir rentrer en Autriche sans avoir à mendier l'aide du consulat. Je m'y étais pourtant rendu pour demander un renseignement. Et voilà que juste à ce moment, le consul traverse l'antichambre et ce consul n'est autre – hasard étrange – qu'Elemér von Juhàcz avec qui j'ai, Dieu sait combien de fois, déjeuné au Jockey Club de Vienne. Il me saute au cou et m'invite immédiatement à son club, où, nouveau hasard – je te raconte tout cela uniquement pour que tu saches combien de hasards doivent se donner rendez-vous pour sortir quelqu'un de la panade – il y avait là celle qui est devenue ma femme. Lorsque Elemér me présenta comme son ami le baron Balinkay, son visage s'empourpra. Elle m'avait tout de suite reconnu, et le souvenir du pourboire la gênait horriblement. Mais je me rendis compte de la noblesse de son caractère quand, sans hésitation, mais sans faire mine non plus de se souvenir de rien, elle me tendit la main. Tout le reste s'est ensuite déroulé rapidement et n'a rien à voir ici. Mais, crois-moi, un tel concours de circonstances ne se répète pas tous les jours, et malgré mon argent, et malgré ma femme, pour qui je remercie Dieu soir et matin, je ne voudrais pour rien au monde revivre ce que j'ai souffert là-bas avant de rencontrer celle qui partage ma vie. »

Spontanément, je tendis la main à Balinkay.

« Je te remercie sincèrement de m'avoir mis en garde. A présent je sais encore mieux ce qui m'attend. Mais, ma parole… je n'ai pas d'autre issue. Ne vois-tu vraiment rien pour moi ? Vous devez pourtant avoir de grosses affaires. »

Il se tut un instant, puis, soupirant d'un air compatissant, il dit :

« Mon pauvre vieux, on a dû t'en faire voir de cruelles… N'aie pas peur, je ne veux pas te questionner, je comprends bien tout seul. Quand quelqu'un en est là, les discours, les efforts de persuasion ne servent à rien. Tu veux que j'agisse avec toi en camarade, je n'y faillirai point. Mais, mon cher Hofmiller, il faut que tu sois assez raisonnable pour le comprendre, et ne pas te faire d'illusions : je ne pourrai pas tout de suite te donner une place de premier choix. Cela n'est pas possible dans une firme sérieuse et ne pourrait que mécontenter les autres employés, s'ils voyaient un inconnu sauter subitement par-dessus eux. Tu commenceras par en bas et peut-être resteras-tu pendant quelques mois dans les bureaux à faire de stupides écritures, avant qu'on puisse t'envoyer dans les plantations ou trouver encore mieux. C'est promis, j'arrangerai cela. Demain nous partons, ma femme et moi, pour Paris où nous flânerons huit ou dix jours, puis nous irons au Havre et à Anvers inspecter nos agences, ce qui demandera peu de temps.

Dans trois semaines environ, nous serons rentrés à Rotterdam et aussitôt je t'écrirai de là. N'aie aucune inquiétude, je n'oublierai pas. Tu peux avoir confiance en Balinkay.

— Je sais, dis-je, et je te remercie. »

Mais il avait dû sentir une légère déception dans mes paroles (de telles choses sont très perceptibles quand on s'est trouvé dans le même cas).

« Ou... ne peux-tu attendre jusque-là ?

— Si, fis-je en hésitant, du moment que je suis sûr. Mais... mais j'eusse certes préféré que... »

Balinkay réfléchit une minute. « Aujourd'hui, par exemple, aurais-tu le temps de... C'est parce que ma femme est à Vienne, et comme l'affaire lui appartient, c'est elle qui doit décider.

— Mais oui... je suis libre, dis-je vite. (Le colonel ne m'avait-il pas dit qu'il ne voulait plus voir ma tête de la journée ?)

— Bravo, fameux ! Alors, accompagne-moi en voiture, *illico*. Tu te mettras devant, près du chauffeur, derrière il n'y a plus de place, tout est occupé par un vieil ami, le baron Lajos et sa famille que j'ai invités. À cinq heures nous serons au Bristol, je parlerai avec ma femme et l'affaire sera réglée en rien de temps. Elle ne m'a jamais dit non, quand je lui ai demandé un service pour un camarade. »

Je lui serrai la main. Nous descendîmes l'escalier. Les mécaniciens avaient déjà enlevé leur cottes, l'auto était prête. Deux minutes plus tard, nous roulions vers Vienne.

La vitesse exerce sur le moral comme sur le physique un effet à la fois enivrant et étourdissant. À peine la voiture se fut-elle engagée en pleine campagne que je ressentis une merveilleuse détente. Le chauffeur roulait à une allure rapide. Les arbres, les poteaux télégraphiques semblaient tomber derrière nous, comme si nous les eussions fauchés au passage, dans les villages les maisons titubaient l'une contre l'autre, les bornes kilométriques se dressaient brusquement, toutes blanches, sur le bord de la route, pour disparaître aussitôt avant qu'on eût pu lire leurs indications. Le vent me cinglait le visage, tellement nous foncions ! Mais ce qui m'étonnait plus que tout, c'était la vitesse avec laquelle se déroulait ma vie. Que de décisions prises en ces quelques heures ! En temps ordinaire elles oscillent longtemps entre un désir vague, un projet flou et l'exécution définitive ; et l'on semble aimer jouer avec elles avant de les exécuter. Mais cette fois tout s'était passé avec la rapidité d'un songe, et de même que derrière la voiture villages, routes, arbres, prairies s'enfonçaient pour toujours et sans retour dans le néant, de même disparaissait d'un seul coup tout ce qui avait été ma vie : caserne, carrière militaire, camarades, les Kekesfalva, le château, ma chambre, le manège, toute mon existence en apparence si sûre et si réglée. Une seule heure m'avait suffi pour changer d'univers.

À cinq heures et demie nous fîmes halte devant l'hôtel Bristol, tout couverts de poussière et pourtant très frais.

« Tu ne peux pas monter ainsi chez ma femme, me dit Balinkay en riant. Tu as l'air d'avoir reçu sur la tête un sac de farine. D'ailleurs il est préférable que je lui parle seul, je serai plus libre et tu ne seras pas gêné. Tu iras au lavabo te laver et t'épousseter, et tu t'assoiras au bar en m'attendant. Dans quelques minutes je t'apporterai la réponse. Et ne t'inquiète pas : tu seras satisfait. »

En effet il ne me fallut pas attendre longtemps. Cinq minutes plus tard Balinkay me rejoignait en riant.

« Eh bien ! ne te l'avais-je pas dit ? Tout est réglé, si cela te convient. Délai de réflexion illimité et dénonciation possible à tout moment. Ma femme – elle est vraiment astucieuse ! – a trouvé la bonne solution. Donc : tu t'embarques tout d'abord pour apprendre la langue du pays et voir ce qui s'y passe. Sur le navire tu seras adjoint au caissier et tu aideras aux écritures, tu auras un uniforme, mangeras à la table des officiers, feras plusieurs fois le voyage aux Indes Hollandaises. Puis nous te caserons quelque part, ici ou là, selon ce qui te conviendra, ma femme me l'a formellement promis.

— Je te rem...

— Il n'y a pas à me remercier. C'était tout naturel que je te donne un coup de main. Mais encore une fois, Hofmiller, ne te décide pas à la légère ! Tu peux partir dès après-demain en annonçant ton arrivée. Je télégraphie en tout cas au directeur pour le mettre au courant. Pourtant tu ferais bien de peser encore le pour et le contre, cette nuit. J'aimerais mieux te voir au régiment. Donc, si tu viens c'est bien, et sinon nous ne t'en voudrons pas... Maintenant (il me tendit la main) pour finir, quelle que soit ta décision, je t'assure que c'est avec un plaisir sincère que je reste à ta disposition. "Servus !" »

Je regardai avec une véritable émotion cet homme qui m'avait été envoyé par le destin. Avec son merveilleux allant, il m'avait épargné le plus difficile : les prières, les hésitations et la tension torturante avant la décision, de sorte qu'il ne me restait plus rien à faire que cette seule petite formalité – rédiger ma lettre de démission. Après cela j'étais libre et sauvé.

Le papier dit ministre, une feuille d'un format mesuré au millimètre, était peut-être alors la chose la plus indispensable dans la bureaucratie autrichienne, civile ou militaire. Toute requête, notification, tout document devait être rédigé sur ce papier bien coupé, dont le format permettait de distinguer immédiatement ce qui était officiel de ce qui ne l'était pas. Les nombreux millions de ces feuilles entassées dans les bureaux permettront peut-être un jour d'étudier, d'une façon sûre et unique, les heurs et malheurs de la monarchie des Habsbourg. Aucun rapport n'était considéré comme correct à moins d'être rédigé sur ce rectangle de papier blanc bien défini. Mon premier soin fut donc d'aller en acheter deux dans un bureau de tabac, ainsi qu'un « paresseux » (une feuille à lignes, pour se guider) et une enveloppe conforme. Puis j'entrai dans un café (à Vienne toutes les affaires, les plus sérieuses comme les plus frivoles, se règlent dans les cafés) ; en vingt minutes, à six heures, la lettre de démission pouvait être rédigée, et ensuite je m'appartiendrais à moi, et à moi seul.

Avec une netteté étonnante – c'était la décision la plus grave de toute mon existence jusqu'alors – je me souviens des moindres détails : la petite table de marbre ronde près de la fenêtre de ce café du Ring, le sous-main sur lequel je dépliai la feuille, et la façon dont je la repliai soigneusement au milieu avec un couteau, pour que le pli fût marqué d'une façon impeccable. Je revois avec une précision photographique la couleur de l'encre un peu aqueuse et je sens encore le petit tremblement avec lequel je m'appliquai à donner à la première lettre le juste élan pathétique. Car j'avais à cœur d'accomplir avec une correction toute particulière ce dernier acte de ma vie militaire. Comme ma lettre n'était que la copie d'une formule imprimée, je n'en pouvais manifester le caractère solennel que par la correction et l'élégance particulièrement soignées de l'écriture.

Mais dès les premières lignes, je fus interrompu par une étrange rêverie. Je m'arrêtai et commençai à m'imaginer ce qui allait se passer le lendemain, quand ma démission arriverait au bureau du régiment. Tout d'abord un regard stupéfait du sergent préposé aux écritures, puis des chuchotements étonnés parmi ses subordonnés. Ce n'était pas tous les jours qu'un lieutenant donnait comme cela sa démission. Puis, de bureau en bureau, la feuille parcourra toute la voie hiérarchique, jusqu'au colonel. Je le vois soudain en personne en face de moi, posant son binocle devant ses yeux presbytes, sursautant dès les premiers mots, puis, de sa façon colérique, frappant brusquement du poing sur la table. Ce brutal a trop l'habitude que les inférieurs auxquels il a passé un savon reviennent très

vite avec le sourire et en frétillant d'aise si le lendemain, il leur signifie par quelques mots familiers que
l'orage s'est tout à fait dissipé. Cette fois il verra qu'il
s'est heurté à une tête dure, le petit lieutenant Hofmiller qui n'accepte pas qu'on l'injurie. Et lorsqu'on
apprendra au régiment que Hofmiller a donné sa
démission, vingt, quarante têtes se dresseront de surprise. Tous ses camarades, chacun à part soi, penseront : « Tonnerre de Dieu, voilà un type qui ne se
laisse pas faire ! » Et ce sera même sacrément désagréable pour le colonel Bubencic... en tout cas, aussi
loin que je me souvienne, personne n'a pris congé plus
décemment, ni eu d'adieu plus digne.

Je n'ai pas honte d'avouer que, tout en rêvant ainsi,
j'éprouvais une étrange satisfaction. Dans la plupart
de nos actes, la vanité joue à coup sûr un rôle des plus
importants et les natures faibles succombent plus facilement que les autres à la tentation de faire ce qui a
l'apparence de la force, du courage, de la résolution.
Pour la première fois, j'avais à présent l'occasion de
prouver à mes camarades que j'étais un gars qui se
respectait, un homme à part entière ! De plus en plus
vite et, je crois, d'une écriture de plus en plus énergique je terminai les vingt lignes de ma lettre. Ce qui
n'avait été tout d'abord qu'une opération désagréable
était devenu d'un seul coup un plaisir pour moi.

La signature encore – et c'est fait. Un regard sur
ma montre : six heures et demie. Maintenant appelons
le garçon et payons. Puis, une dernière fois, prome-
nons notre uniforme sur le Ring et revenons par le train
de nuit. Demain matin nous remettrons le papelard,

l'irrévocable sera accompli et une nouvelle existence commencera.

Je prends donc la feuille, je la plie dans la longueur, puis dans la largeur, et m'apprête à ranger soigneusement le document dans mon portefeuille. Mais il se produisit alors une chose inattendue.

Voici ce qui arriva : durant le quart de seconde où, joyeux et sûr de moi (comme toujours, après avoir réglé une affaire), je glissais cette enveloppe assez volumineuse dans ma tunique, je sentis un froissement, une résistance. Qu'y a-t-il donc là ? me demandai-je sans réfléchir. Et je tâtai. Mes doigts reculèrent aussitôt. Ils avaient compris avant que j'aie eu le temps de me souvenir : c'était la lettre d'Edith, ou plutôt ses deux lettres de la veille.

Je suis impuissant à décrire exactement ce que je ressentis en cet instant précis : plutôt que de l'effroi, ce fut une honte indicible, je crois. Car un voile se déchira en moi. Avec la rapidité de l'éclair je me rendis compte du mensonge de toute mon héroïque fierté. Si je me sauvais, ce n'était pas parce que le colonel m'avait durement sermonné (cela se produisait en somme assez souvent). En réalité je fuyais devant les Kekesfalva, devant la tromperie dont je m'étais rendu coupable. Je m'en allais parce que je ne pouvais pas supporter d'être aimé malgré moi. De même qu'une rage de dents peut faire momentanément oublier ses souffrances à un homme atteint d'une maladie mortelle, de même j'avais oublié (ou voulu oublier) ce qui me torturait en réalité, ce qui me rendait lâche et me poussait à fuir, et j'y avais substitué ce petit malheur sans importance qui m'était arrivé sur le terrain d'exercices. Maintenant je savais : ce n'était pas un départ héroïque provoqué par une offense, c'était une fuite pitoyable et lâche.

Mais on revient difficilement sur une chose faite. Puisque ma démission était rédigée, je ne voulais pas me démentir. Qu'est-ce que ça peut me faire, pensai-je, qu'elle attende et se lamente ? Qu'elle aille au diable ! Ils m'ont assez ennuyé, assez tourmenté. Oui, qu'est-ce que ça peut me faire, en vérité, qu'elle m'aime ? Avec ses millions elle en trouvera un autre, et si non, ce n'est pas mon affaire. C'est assez que je quitte l'armée, que je plaque tout ! J'en ai par-dessus la tête de cette histoire d'hystérique ! Qu'elle guérisse ou pas, ce n'est pas mon rayon. Je ne suis pas médecin…

À ce mot de « médecin » mes réflexions s'arrêtèrent soudain, telle une machine emballée stoppant sur un signal. Il m'avait rappelé Condor. C'est lui que ça regarde, c'est son affaire, me dis-je aussitôt. Il est payé pour soigner les malades. C'est sa cliente et non la mienne. La soupe qu'il a trempée, qu'il la mange. Je ferais bien d'aller le voir immédiatement et de lui déclarer que je me retire du jeu.

Je tire ma montre. Sept heures moins le quart, et mon train ne part qu'après dix heures. J'ai donc suffisamment de temps devant moi. Je n'ai d'ailleurs pas grand-chose à lui dire, seulement ceci : que j'en ai assez pour ce qui me concerne. Mais où habite-t-il ? Ne me l'a-t-il pas dit ou l'ai-je oublié ? Au fait, il doit être dans l'annuaire, comme généraliste. Vite une cabine téléphonique et cherchons ! Be… Bi… Bu… Ca… Co… Les voici tous, les Condor : Condor Antoine, commerçant… Condor Emmerich, médecin pratiquant, 97, Florianigasse (8e) et pas d'autre médecin sur toute la page. Ce doit être lui. En m'en allant je me répète l'adresse deux ou trois fois (je n'ai ni papier ni crayon sur moi, tant je suis parti vite) ; je la crie au premier fiacre que je trouve, et tandis que la voiture roule rapide et légère sur ses roues de caoutchouc, je prépare mon plan. Il s'agit d'être bref et énergique. Ne faire en aucun cas comme si j'hésitais encore. Ne pas le laisser supposer que je pars à cause des Kekesfalva, mais lui présenter d'avance ma démission comme un *fait accompli*. Lui dire que tout était préparé depuis des mois, mais qu'aujourd'hui seulement j'ai obtenu cette situation magnifique en Hollande. Si malgré cela il m'interroge, nier tout et ne plus rien dire ! D'ailleurs lui non plus ne m'a pas tout dit. Il faut en finir une bonne fois avec les éternels scrupules envers autrui.

La voiture s'arrête. Le cocher s'est-il trompé ou lui ai-je, dans ma hâte, donné une fausse adresse ? Ce Condor est-il si pitoyablement logé ? Rien que chez les Kekesfalva, il doit pourtant gagner un argent fou, et aucun médecin convenable n'habite une pareille baraque. Et cependant si, c'est bien ici qu'il demeure. J'aperçois sa plaque dans le couloir : « Docteur Emmerich Condor, deuxième cour, troisième étage. Consultations de deux à quatre. » De deux à quatre, et il est bientôt sept heures. Mais ça ne fait rien : moi, il me recevra. Je règle le cocher et traverse la cour mal pavée. Quel misérable escalier, marches usées, murs écaillés et couverts d'inscriptions, avec cela, une odeur de cuisine pauvre et de cabinets, des femmes en peignoir sale qui bavardent sur les paliers et regardent avec méfiance l'officier de cavalerie qui passe devant elles, quelque peu embarrassé, dans l'obscurité, en faisant sonner ses éperons.

Enfin voici le troisième étage. Un long couloir : des portes à droite et à gauche, et une dans le milieu. Je me prépare à craquer une allumette pour voir quelle est la bonne porte, lorsque sort, à gauche, une servante plutôt mal habillée, un cruchon vide à la main, et allant sans doute chercher de la bière pour le dîner. Je demande où est l'appartement du docteur Condor.

« C'est ici, me répond-elle avec un fort accent tchèque. Il n'est pas encore rentré. Il est allé à Meidling mais il sera bientôt là. Il a dit à madame qu'il rentrerait pour le dîner. Veuillez entrer, vous l'attendrez. »

Avant que j'aie eu le temps de réfléchir, elle me pousse devant elle.

« Débarrassez-vous », dit-elle en montrant un vieux porte-manteau en bois blanc, le seul meuble de la petite antichambre obscure. Puis elle ouvre le salon, un peu plus élégant : quatre ou cinq chaises autour d'une table et le mur de gauche couvert de rayons chargés de livres.

« Là… » et avec une certaine condescendance, elle me désigne une chaise. Et aussitôt je comprends : Condor doit avoir une clientèle pauvre. Les clients riches, on les reçoit autrement. Curieux homme ! Homme étrange ! me dis-je. Rien qu'avec Kekesfalva, il pourrait devenir riche, s'il voulait !

J'attends donc… C'est l'attente nerveuse habituelle dans le salon d'un médecin, où, sans vouloir les lire, on feuillette les vieilles revues usées pour tromper son inquiétude par une apparente occupation. Où on se lève constamment pour se rasseoir ensuite, où l'on regarde à tout moment la pendule, dont le balancier ensommeillé fait tic tac dans le coin : sept heures douze, sept heures quatorze, sept heures quinze, sept heures seize ; où l'on fixe, comme hypnotisé, la porte menant au cabinet de consultations. Finalement (il est sept heures vingt) je ne peux plus rester en place. J'ai déjà réchauffé deux chaises, je me lève et vais à la fenêtre. En bas, dans la cour, un vieil homme boiteux – un commissionnaire sans doute – graisse les roues de sa voiture à bras ; derrière les fenêtres éclairées des cuisines, là, une femme repasse du linge, ailleurs une autre lave son petit enfant dans un baquet. Quelque part, je ne peux pas préciser l'étage, est-ce au-dessus ou au-dessous de moi, quelqu'un fait des gammes, sans arrêt, toujours les mêmes. Je regarde de nouveau la pendule : sept heures vingt-cinq… sept heures trente. Pourquoi ne vient-il pas ? Je ne peux pas, je ne veux pas attendre plus longtemps ! L'attente me rend nerveux, gauche.

Enfin – je respire, soulagé – le bruit d'une porte qui se ferme à côté. Aussitôt je me mets en position. Prenons une contenance, présentons-nous devant lui d'une façon naturelle. Il s'agit de raconter sur le ton badin que je ne suis venu qu'en passant pour prendre congé de lui, et le prier d'aller voir bientôt les Kekesfalva, de leur expliquer que j'ai dû quitter le service et partir pour la Hollande. Dieu de Dieu ! Pourquoi me fait-il encore attendre ? J'entends qu'on remue une chaise à côté. Est-ce que cette idiote de servante aurait oublié de m'annoncer ?

Déjà je suis sur le point de sortir pour lui rappeler ma présence. Mais tout à coup je m'arrête. Car la personne qui marche à côté ne peut pas être Condor. Je connais son pas. Je sais – depuis la nuit où je l'ai accompagné à la gare – qu'il marche lourdement et à courtes enjambées, avec des souliers qui craquent. Mais ce pas-là, derrière, qui s'approche, puis s'éloigne, est tout à fait différent : il est timide, hésitant, glissant. Je ne sais pas pourquoi je l'écoute avec une telle attention, une pareille nervosité. Mais il me semble que cette personne aussi prête l'oreille d'une façon inquiète. Tout à coup j'entends un bruit très léger, comme si quelqu'un pressait la poignée, et en effet je vois bouger quelque chose. La mince tige de laiton remue visiblement dans l'ombre, et la porte s'entrouvre. Peut-être n'est-ce que sous l'effet d'un courant d'air, car on n'ouvre pas d'une façon aussi sournoise, sauf un cambrioleur, la nuit. Mais non, l'ouverture s'élargit. Quelqu'un à l'intérieur a dû entrouvrir la porte avec beaucoup de précautions, et je commence à distinguer une ombre dans le noir. Fasciné, je regarde. Une voix de femme demande timidement :

« Y a-t-il… quelqu'un ? »

La réponse me reste dans la gorge. J'ai compris aussitôt : seul un aveugle peut parler ainsi. Seuls des aveugles vont et glissent et tâtonnent si légèrement, eux seuls ont la voix si peu sûre. Et au même moment un souvenir fulgure dans mon esprit. Kekesfalva ne m'a-t-il pas raconté que Condor a épousé une femme aveugle ? Ce doit être elle, ce ne peut être qu'elle, qui se tient dans l'entrebâillement et interroge, sans me voir. J'essaie de découvrir son ombre dans l'obscurité et je finis par distinguer une femme maigre, en peignoir, avec des cheveux gris, un peu en désordre. Dieu, cette créature sans aucun charme est sa femme ! C'est terrible de sentir ces prunelles dénuées de vie, dirigées sur vous et de savoir que l'on ne vous voit pas ! À la manière dont elle penche la tête, je devine qu'elle s'efforce de saisir la présence de l'étranger dans cet espace imperceptible pour elle. Cet effort ne fait qu'enlaidir encore sa grande et lourde bouche.

Mon mutisme n'a duré qu'une seconde. Je me lève et m'incline – oui, je m'incline, quoique ce soit complètement absurde, devant une aveugle – et balbutie :

« Je... j'attends le docteur. »

Elle a maintenant ouvert la porte tout à fait. De la main gauche, elle se tient encore fortement à la poignée. Puis elle s'avance en tâtonnant, ses sourcils se tendent au-dessus de ses yeux éteints, et une voix tout à fait différente de celle de tout à l'heure, une voix dure m'apostrophe :

« L'heure de la consultation est passée. Quand mon mari rentrera, il faudra qu'il dîne et se repose. Ne pouvez-vous pas revenir demain ? »

Son visage devient de plus en plus tourmenté à chaque mot. On voit qu'elle peut à peine se dominer. Une hystérique, pensai-je aussitôt. Il ne faut pas l'irriter. Et je murmure, en m'inclinant sottement encore une fois :

« Excusez-moi, madame... Mais je n'ai pas l'intention de consulter le docteur à une heure aussi tardive. Je ne voulais que lui faire une communication... il s'agit d'une de ses malades.

— Ses malades ! Toujours eux ! (Sa colère se transforme brusquement en pleurnicherie.) La nuit dernière on est venu le chercher à une heure et demie. Ce matin à sept heures il était déjà parti, et depuis la fin de sa consultation, il est reparti. Il finira par tomber lui-même malade, si on ne lui laisse pas de repos. Mais maintenant c'est assez ! L'heure de la consultation est passée, vous dis-je. Après quatre heures, c'est terminé. Ecrivez-lui ce que vous voulez, ou bien si c'est urgent, allez voir un autre médecin. Il y en a assez en ville, un ou deux même à chaque coin de rue. »

Elle se rapproche à tâtons, et, comme conscient de ma culpabilité, je recule devant ce visage bouleversé, où les yeux écarquillés brillent soudain comme des boules blanches éclairées.

« Allez-vous-en ! vous dis-je. Allez-vous-en ! Laissez-le donc manger et dormir comme les autres hommes. Ne vous agrippez pas ainsi à lui ! La nuit, le matin de bonne heure, toute la journée, toujours les malades ! Il faut qu'il peine pour tous, et pour tous gratuitement ! Parce que vous sentez qu'il est faible, vous vous accrochez tous à lui, et à lui seulement… Ah ! vous êtes sans pitié ! Vous ne connaissez que votre maladie, vos soucis, et rien d'autre ! Mais j'en ai assez ! Allez-vous-en, allez-vous-en ! Laissez-le enfin en paix ! laissez-lui une heure de liberté le soir ! »

Elle s'est avancée jusqu'à la table. Son instinct lui a indiqué l'endroit où je me trouve, car ses yeux sont fixés juste sur moi comme s'ils pouvaient me voir. Il y a dans son visage tant de désespoir, sincère et maladif à la fois, que j'ai honte.

« Soyez tranquille, madame, dis-je. Je comprends très bien que le docteur a besoin de repos… je ne veux pas le déranger. Je vais lui laisser un mot, ou peut-être serait-il préférable que je lui téléphone dans une demi-heure.

— Non, me crie-t-elle, d'une voix tragique. Non, non ! Il ne faut pas téléphoner ! Toute la journée on ne fait que ça, ils ont tous besoin de lui, tous se plaignent et le questionnent. À peine a-t-il avalé une bouchée que déjà il est obligé de se lever et de courir au téléphone. Venez demain à l'heure de la consultation, je vous l'ai déjà dit, ce n'est pas si pressé. Il faut bien qu'il se repose. Allez-vous-en !… Allez-vous-en, je vous le demande ! »

Les mains crispées, d'un pas mal assuré, elle vient sur moi. C'est effroyable. J'ai le sentiment qu'elle va m'empoigner. Mais juste à ce moment, la porte du couloir craque et se referme avec bruit. Ce doit être Condor. Elle prête l'oreille et tressaille. Elle commence à trembler de tout son corps, ses mains se détendent puis se joignent brusquement en un geste de supplication.

« Ne le retenez pas, me chuchote-t-elle. Ne lui dites rien ! Il est fatigué. Toute la journée il a été en route… Je vous en prie, ayez pitié de lui. Ayez pi… ! »

À cet instant, la porte s'ouvrit et Condor entra dans la pièce.

D'un coup d'œil il comprit la situation. Mais il ne perdit pas son sang-froid une seconde.

« Ah ! tu as tenu compagnie au lieutenant, dit-il sur un ton jovial derrière lequel, je m'en apercevais, il savait cacher sa tension intérieure. Comme c'est gentil, Clara ! »

En même temps il s'avança vers elle et passa tendrement la main sur ses cheveux. L'expression de la femme se transforma. L'angoisse qui déformait sa grande bouche disparut avec ce geste affectueux, un sourire pudique, presque virginal, éclaira son visage, dès qu'elle le sentit proche. Son front un peu osseux brillait dans la lumière. Le contraste entre son expression d'apaisement, de sérénité et sa violence peu avant était indescriptible. Le bonheur de sentir la présence de Condor lui avait manifestement fait oublier ma personne. Sa main tâtonna dans la direction de son mari, comme attirée par un aimant, lui caressa le bras, puis, dès que ses doigts souples rencontrèrent l'étoffe de sa veste, elle s'appuya de tout son corps contre lui, comme un être épuisé s'abandonne au repos. Sentant à quel point elle avait besoin de lui, Condor posa son bras en souriant sur les épaules de l'aveugle et répéta d'une voix aussi caressante que ses gestes :

« Comme c'est gentil, Clara !

— Pardonne-moi, fit-elle en s'excusant, mais j'ai tout de même dû dire à monsieur qu'il faut d'abord que tu dînes ; tu es affamé sans doute, tu as couru presque toute la journée ; et on a téléphoné douze ou quinze fois pendant ton absence… Pardonne-moi si je lui ai dit qu'il était préférable qu'il revienne demain…

— Cette fois-ci, mon enfant, répondit Condor en riant et en passant de nouveau la main sur les cheveux de sa femme (et je compris que ce geste était pour l'empêcher de prendre mal son rire), cette fois, vraiment, tu t'es trompée. Ce monsieur, le lieutenant Hofmiller, n'est heureusement pas un client, mais un ami, qui depuis longtemps m'a promis de me rendre visite quand il viendrait à Vienne. Il n'est libre que le soir, dans la journée il est occupé par son service. Alors à présent, la question principale : as-tu à dîner pour lui aussi, quelque chose de bon ? »

L'expression d'anxiété de tout à l'heure réapparut sur le visage de l'aveugle et je devinai qu'elle voulait être seule avec son mari tant attendu.

« Oh ! non, merci, dis-je vite. Il faut que je m'en aille. Je ne tiens pas à rater le train. Je ne voulais que vous apporter des salutations de là-bas et cela peut être fait en quelques minutes.

— Est-ce que tout va bien là-bas ? » fit Condor en me regardant fixement dans les yeux. Il avait senti que ça clochait, car il ajouta aussitôt : « Excusez-moi, cher ami. Ma femme sait toujours ce dont j'ai besoin mieux que moi-même. J'ai en effet une faim terrible, et aussi longtemps que je ne l'aurai pas calmée ni fumé un bon cigare, je ne serai bon à rien. Si tu veux, Clara, nous allons dîner tous les deux, le lieutenant attendra un peu. Je lui donnerai un livre, ou bien il se reposera… vous avez dû aussi avoir une journée fatigante, ajouta-t-il à mon intention. …Quand j'en serai au cigare, je vous rejoindrai en pantoufles et en robe de chambre. Je pense que vous n'exigez pas de moi une grande toilette…

— Et nous ne bavarderons que dix minutes, croyez-moi, madame… il faut vraiment que je prenne mon train. »

À ces mots, son visage se rasséréna, et elle se tourna vers moi, avec cordialité.

« Quel dommage que vous ne vouliez pas dîner avec nous, lieutenant ! J'espère au moins que ce sera pour une autre fois. »

Sa main avança vers moi, une main délicate, très mince, la peau un peu pâlie et déjà plissée. Je la baisai avec respect. Et je regardai non sans émotion Condor conduire sa femme dans l'autre pièce, la dirigeant avec prudence de manière qu'elle ne se heurtât nulle part. On eût dit que sa main tenait quelque chose d'infiniment fragile et précieux.

Pendant deux ou trois minutes, la porte resta ouverte. J'entendis les pas glissants s'éloigner. Puis Condor revint. Il avait un tout autre visage que l'instant d'avant, ce visage attentif, aigu, que je lui connaissais dans les moments de tension. Il avait certainement compris que je ne m'étais pas ainsi précipité chez lui à l'improviste sans une raison importante.

« Dans vingt minutes je suis à vous. Nous parlerons de tout cela rapidement. En attendant, étendez-vous sur le sofa ou reposez-vous dans le fauteuil. Votre visage ne me plaît pas, mon cher. Vous avez l'air bien fatigué. Et nous devons tous les deux être frais et concentrés. »

Et changeant vite le ton de sa voix, il ajouta bien haut, de façon à être entendu dans la troisième pièce.

« Oui, ma chère Clara, j'arrive. J'ai donné un livre au lieutenant pour qu'il ne s'ennuie pas. »

Le regard exercé de Condor avait vu juste. C'est seulement après qu'il m'en eut fait la remarque que je me rendis compte à quel point j'étais épuisé par la mauvaise nuit que j'avais passée et par cette journée remplie d'émotions. Suivant son conseil (je sentais que j'étais déjà sous son pouvoir) je me mis dans le fauteuil de son cabinet de consultations, la tête rejetée en arrière et les mains mollement appuyées sur les bras du siège. Dehors, tandis que j'attendais ici, très préoccupé, la nuit devait être tombée. En tout cas, je ne distinguais rien dans la pièce en dehors du scintillement argenté des instruments dans la haute armoire vitrée, cependant que dans le coin où je reposais, se formait une zone d'obscurité complète. Je fermai les yeux et aussitôt apparut, comme sous l'effet d'une lanterne magique, le visage de l'aveugle avec ce passage inoubliable de l'effroi au ravissement soudain, dès que la main de Condor l'avait touchée et que son bras s'était posé sur son épaule. Merveilleux médecin, me disais-je, si seulement tu pouvais m'aider, moi aussi ! Et je sentais confusément que je voulais penser à quelqu'un d'autre, qui était aussi inquiet et troublé, et qui regardait avec la même expression angoissée – penser à quelque chose de précis pour quoi j'étais venu là. Mais je n'y réussis pas.

Brusquement une main me toucha. Condor avait dû entrer d'un pas léger ou peut-être m'étais-je endormi. Je voulus me lever, mais il appuya, doucement et en même temps avec énergie, sur mes épaules.

« Restez. Je vais m'assoir auprès de vous. On est plus à l'aise dans l'obscurité. Je ne vous demanderai qu'une chose : parlons à voix basse, très basse. Vous savez que les aveugles ont l'ouïe étrangement développée, sans compter que souvent ils ont un instinct mystérieux de divination. Alors (il caressa mon bras jusqu'à la main, comme s'il voulait m'hypnotiser) parlez sans vous gêner. J'ai vu tout de suite qu'il se passait quelque chose. »

Bizarrement, un souvenir me revint à cette seconde précise. À l'école des Cadets j'avais un camarade, qui s'appelait Erwin, blond et délicat comme une fille ; je crois même que sans me l'avouer j'étais un peu amoureux de lui. Dans la journée nous ne parlions presque jamais ensemble, ou seulement de faits anodins ; sans doute étions-nous gênés par notre penchant secret l'un pour l'autre. Mais la nuit, dans le dortoir, quand la lumière était éteinte, nous osions tout de même, parfois : appuyés sur le coude et protégés par l'obscurité, nous nous racontions d'un lit à l'autre nos pensées et nos réflexions d'enfants, tandis que tous dormaient – pour recommencer dès le lendemain matin à nous éviter avec toujours la même gêne. Pendant des années, je ne m'étais plus souvenu de ces confidences murmurées qui avaient été le bonheur et le grand secret de mes jeunes années. Mais en me retrouvant ici étendu dans l'obscurité, j'oubliai entièrement mon intention de ne pas tout dire à Condor.

Malgré moi je fus tout à fait sincère. Et de même que naguère dans l'ombre du dortoir je racontais à mon camarade de l'école des Cadets mes petits chagrins et mes grands rêves fous, de même je mis Condor au courant – et j'en éprouvai un plaisir secret – de l'explosion inattendue d'Edith, de mon trouble, de mon angoisse, de mon bouleversement. Je lui dis tout dans cette obscurité où rien ne bougeait que les lunettes de mon interlocuteur qui, parfois, brillaient confusément.

Alors vint un silence, suivi d'un bruit étrange : Condor avait dû faire craquer ses doigts.

« C'était donc cela ! grogna-t-il d'un air mécontent. Et je n'ai rien remarqué du tout, imbécile que je suis ! Il en est toujours ainsi : à force de voir la maladie, on oublie le malade. Avec ces recherches trop scrupu-leuses et ces examens des symptômes, on glisse à côté de l'essentiel, de ce qui se passe dans l'individu lui-même. C'est-à-dire que j'ai quand même flairé qu'il y avait quelque chose. Vous vous rappelez qu'après mon examen, j'ai demandé au vieux si personne en mon absence n'était intervenu dans le traitement : cette volonté soudaine et ardente de guérir vite, très vite, m'avait rendu soupçonneux. J'avais senti que quel-qu'un s'était immiscé dans l'affaire, mais je ne pensais qu'à un rebouteur de village ou à un magnétiseur. Je croyais que quelque charlatan lui avait tourné la tête. La chose la plus simple, la plus logique, la plus natu-relle, ne m'était pas venue à l'esprit. S'amouracher, cela fait partie organiquement de la constitution d'une jeune fille à l'âge critique. Seulement c'est idiot que cela se produise juste maintenant, et avec une telle vio-lence encore ! O Dieu, la pauvre, la pauvre petite ! »

Il s'était levé. J'entendais le va-et-vient de ses pas courts et ses exclamations :

« Sale blague que cela arrive au moment où nous combinons ce voyage ! Et aucun moyen de revenir en arrière, parce que maintenant, elle s'est mis dans la tête qu'elle devait guérir pour vous, pas seulement pour elle. Et quand les progrès cesseront, ce sera très dur, très, très dur. À présent qu'elle espère et qu'elle exige davantage, une petite amélioration ne lui suffira plus. Mon Dieu, de quelle responsabilité nous sommes-nous chargés ! »

Brusquement la résistance se fit jour en moi. Ce « nous » me fâchait, moi qui étais venu pour me libérer. Aussi l'interrompis-je résolument :

« Je suis tout à fait de votre avis. Les conséquences de sa folie sont incalculables. C'est pourquoi il faut la lui sortir de la tête, il faut que vous interveniez énergiquement. Vous devez lui dire…

— Lui dire quoi ?

— Eh bien !… que cette passion est tout simplement un enfantillage, une absurdité. Vous devez la dissuader…

— La dissuader ? De quoi ? Dissuader une femme d'éprouver une passion ? Lui dire de ne pas sentir ce qu'elle sent ? De ne pas aimer, quand elle aime ? Ce serait là agir de la façon la plus maladroite et la plus bête à la fois. Avez-vous jamais entendu dire que la logique ait eu raison d'une passion ? que l'on puisse convaincre la fièvre en lui disant : "ne monte pas, Fièvre" ou le feu en lui disant : "ne brûle pas, Feu !". Riche idée, idée vraiment charitable que de crier à une paralytique : "Ne t'imagine pas que tu as, toi aussi, le droit d'aimer ! Quelle audace de ta part de manifester pareil sentiment et d'en attendre la réciprocité ! Va te coucher et tais-toi, tu es une infirme. Retourne dans ton coin. Renonce, abandonne ! Renonce à toi-même !" C'est cela que vous voulez que je lui dise ? Représentez-vous-en aussi le glorieux effet !

— Mais vous devez justement…

— Et pourquoi moi ? Vous avez pris vos responsabilités. Pourquoi justement moi tout à coup ?

— Je ne peux pourtant pas lui avouer moi-même que...

— Pas besoin de cela. Surtout pas cela. Quelle absurdité de vouloir soudain exiger d'elle de la raison, après l'avoir rendue folle ! Il ne manquerait plus que cela ! Il faut au contraire que vous preniez bien garde de ne pas lui laisser soupçonner que son amour vous est pénible, car ce serait pour elle un coup dont elle ne se relèverait sûrement jamais.

— Mais... (la voix me manqua) il faut tout de même que quelqu'un lui fasse comprendre...

— Quoi ? Expliquez-vous plus clairement, je vous prie.

— Je veux dire... qu'il faut qu'elle sache que c'est tout à fait absurde... afin que... quand je... quand je... »

Je m'arrêtai. Condor lui aussi se tut. Manifestement, il attendait. Puis il fit soudain deux grands pas vers la porte et tourna le commutateur. Violent et impitoyable, le jet éblouissant de lumière m'obligea à baisser les paupières, trois flammes blanches brillèrent dans les ampoules électriques. La pièce était devenue claire comme en plein jour.

« Voilà ! scanda fortement Condor. Voilà, lieutenant ! Je vois qu'il ne faut pas vous rendre les choses trop commodes. On se cache trop facilement dans l'obscurité, et dans certains cas il est préférable de se regarder droit dans les yeux. Aussi finissons-en avec ces tergiversations stupides, lieutenant, car je n'arrive pas à croire que vous soyez seulement venu me voir pour me montrer cette lettre ; il y a autre chose. Je sens que vous me cachez je ne sais quoi. Aussi, parlez franchement, sinon je n'ai plus qu'à vous remercier de votre visite ! »

Ses lunettes me dévisagèrent avec dureté, j'eus peur de leurs verres miroitants et je baissai les yeux.

« Pas très imposant, votre silence, lieutenant. Faible témoignage d'une conscience tranquille. Mais je me doute déjà de quoi il s'agit. Pas de détours, je vous en prie ; avez-vous l'intention, à la suite de cette lettre… et du reste… de cesser vos visites… de mettre fin brusquement à votre amitié, après avoir tourné la tête à la petite avec votre fameuse pitié ? »

Il attendit. Je ne levai pas les yeux. Sa voix prit le ton sévère d'un examinateur.

« Savez-vous comment je qualifierais cela ? »

Je me taisais toujours.

« Eh bien ! alors je vais vous informer de mon opinion, quant à moi : ce serait une pitoyable lâcheté… Allez… Ne vous cabrez pas aussitôt comme un petit soldat ! Laissez de côté l'officier et le code de l'honneur. Il ne s'agit pas ici de telles farces. Il s'agit au contraire d'un être vivant, jeune, digne d'intérêt, et en outre de quelqu'un dont je suis responsable. Dans ces conditions, je n'ai ni l'envie ni l'humeur de vous faire des politesses. Et pour vous épargner toute illusion sur le poids dont vous chargeriez votre conscience en disparaissant, je vous dirai très nettement ceci : votre fuite en un pareil moment serait, faites-y attention, une infamie et, je le crains, plus encore même : ce serait un meurtre ! »

Le petit homme replet, les poings serrés comme un boxeur, s'était avancé vers moi. En d'autres circonstances, il aurait peut-être produit un effet comique avec sa robe de chambre en pilou et ses savates traînantes. Mais il y avait quelque chose de subjugant dans la sincérité de sa colère, lorsqu'il me répéta :

« Un meurtre, oui, parfaitement, un meurtre et vous le savez bien. Ou croyez-vous que cette créature sensible et fière pourrait *survivre* si, après avoir fait pour la première fois de sa vie un aveu de ce genre à un homme, elle le voyait prendre la fuite, comme s'il avait vu le diable ? Un peu d'imagination, je vous prie ! N'avez-vous pas bien lu sa lettre, n'avez-vous pas d'yeux pour les choses du cœur ? Une femme normale et en bonne santé ne supporterait pas non plus un pareil dédain ! Un tel coup perturberait son équilibre pendant plusieurs années ! Et cette jeune fille qui ne peut se raccrocher qu'à cet espoir insensé de guérir, que vous lui avez mis en tête – cette jeune fille éprouvée, tourmentée, vous croyez qu'elle résisterait ? Si ce choc ne la tue pas, elle se suicidera. Oui, elle le fera, car une personne aussi désespérée ne supportera pas cette brutale humiliation – j'en suis convaincu, et vous aussi. Et parce que vous le savez, votre fuite ne serait pas seulement une faiblesse et une lâcheté, mais, je le répète, un assassinat, ignoble et prémédité ! »

J'eus un recul. À la seconde même où il avait prononcé le mot « assassinat », je vis la balustrade de la tour et la jeune fille qui s'y accrochait des deux mains. Je me rappelai que j'avais dû l'en arracher de force à la dernière minute. Je savais que Condor n'exagérait pas, elle se tuerait, elle se précipiterait dans le vide. Je vis le dallage au pied de la tour, je vis tout en cette seconde, comme si cela se produisait à l'instant même, et mes oreilles bourdonnèrent comme si moi-même je tombais de là-haut.

Mais Condor ne me lâchait pas. « Eh bien ? Niez-le donc ! Montrez enfin un peu de ce courage auquel vous êtes tenu par votre profession !

— Mais, docteur… que faire ?… Je ne puis tout de même pas jouer la comédie à ce point… faire semblant que je partage ses sentiments… » Et tout à coup ne pouvant plus me maîtriser, je criai : « Je ne peux pas le supporter ! Non, impossible !… Je ne peux pas et je ne veux pas ! »

J'avais dû crier ces mots très fort, car Condor m'avait saisi le bras avec une poigne de fer :

« Doucement, me dit-il, pour l'amour du ciel ! » Et aussitôt il bondit vers le commutateur qu'il ferma. Seule la lampe de la table répandait sous son abat-jour jaune un cône mat de lumière… « Sapristi !… Avec vous, il faut vraiment parler comme avec un malade. Asseyez-vous là. Sur ce fauteuil, on a déjà mené à bien des choses beaucoup plus graves. »

Il se rapprocha.

« À présent du calme, je vous en prie, dites les choses doucement et l'une après l'autre ! Tout d'abord expliquez-moi… vous gémissez : "Je ne peux pas le supporter", il faut m'en dire davantage, qu'est-ce qui vous bouleverse tant *exactement*, dans le fait que cette pauvre enfant s'est prise de passion pour vous ? »

Je me préparai à répondre, mais déjà il continuait :

« Ne vous emballez pas. Et surtout n'ayez pas honte ! J'admets qu'on soit effrayé sur le moment, quand on est assailli par un aveu aussi violent ; seul d'ailleurs un imbécile peut tirer gloire d'un soi-disant "succès" auprès des femmes. Un homme digne de ce nom est plutôt tourmenté à la pensée qu'une femme l'aime avec passion et qu'il ne peut répondre à son amour. Je comprends cela très bien. Mais à vous voir tellement troublé, je suis obligé de me demander : est-ce que, dans votre cas, quelque chose de spécial ne joue pas un rôle, par exemple certaines circonstances ?...

— Quelles circonstances ?

— Eh bien !... le fait qu'Edith... c'est si pénible à dire... le fait qu'elle soit infirme ne vous inspire-t-il pas une sorte de répulsion... une répugnance physique ?

— Non... pas du tout, protestai-je avec vivacité. C'est précisément sa détresse, son infirmité qui m'ont attiré si fort vers elle, et si à certains moments j'ai éprouvé pour elle un sentiment tendre qui ressemblait beaucoup à de l'amour, ce n'est que parce que sa souffrance, sa solitude m'avaient profondément ému.

Non, jamais ! répétai-je sur un ton de conviction presque amère. Comment pouvez-vous penser cela ?

— Tant mieux ! Cela me tranquillise en quelque sorte. Un médecin a souvent l'occasion d'observer, même chez les gens les plus "normaux", de ces répulsions involontaires dans le domaine sexuel. À vrai dire, je n'ai jamais compris les hommes en qui le plus petit défaut physique chez une femme crée une sorte d'allergie. Mais c'est un fait qu'il en existe un nombre considérable chez qui, dès que sur les milliards de cellules qui constituent le corps humain une partie de

372

pigment large comme le doigt est altérée, disparaît aussitôt toute possibilité de lien érotique. De telles répulsions sont, hélas ! comme les autres instincts, le plus souvent insurmontables. S'il n'en est pas ainsi pour vous, encore une fois tant mieux ! Si donc ce n'est nullement son état de paralytique qui vous repousse tant, j'en suis réduit à supposer que... je peux vous dire ce que je pense ?

— Certainement.

— Ce n'est donc pas tant le fait en lui-même, que les conséquences... Et je peux croire que ce n'est pas tant l'amour de cette pauvre enfant qui vous a effrayé que le fait qu'on pourrait l'apprendre et s'en moquer... que votre si grand bouleversement n'est rien d'autre qu'une sorte de peur... la frousse de paraître ridicule devant les autres, devant vos camarades. »

Ce fut comme si Condor m'avait enfoncé une aiguille dans le cœur. Ce qu'il disait, je l'avais éprouvé depuis longtemps dans mon inconscient, sans oser le penser. Dès le début de mes relations avec la jeune paralytique, j'avais redouté les railleries de mes camarades. Je connaissais trop leurs moqueries et leur façon si autrichienne de vous égratigner, avec bonhomie, mais en lançant des pointes très douloureuses – lorsque l'un de nous avait été « pincé » avec une personne laide ou mal mise ! Aussi je m'étais toujours efforcé d'établir une barrière entre ces deux mondes : le régiment et les Kekesfalva. La supposition de Condor était juste : dès la révélation de cette passion, j'en avais eu honte en pensant aux réflexions que pourraient faire le père, Ilona, les domestiques, les camarades. J'étais même honteux devant moi de ma funeste pitié.

Mais déjà je sentais la main magnétique et caressante de Condor sur mon genou.

« Non, n'ayez pas honte ! Mieux que personne, je sais qu'on peut avoir peur des hommes dès que l'on contredit leurs préjugés, leurs conceptions immuables. Vous avez vu ma femme. Personne n'a compris pourquoi je l'ai épousée. Tout ce qui est en dehors de la ligne étroite, soi-disant normale, de leur vie provoque d'abord la curiosité, puis la malveillance des gens. Tout de suite mes chers collègues ont chuchoté que c'était à cause de mon traitement qu'elle avait perdu la vue et que je ne l'aurais épousée que par crainte. Mes amis, à leur tour, ont répandu le bruit qu'elle avait beaucoup d'argent ou attendait un héritage. Ma mère, ma propre mère, a refusé pendant deux ans de la recevoir, car elle avait pour moi un autre parti en vue : la fille d'un professeur... un des plus grands médecins de l'Université. Si je l'avais épousée, trois semaines plus tard j'étais premier assistant, puis professeur, et j'aurais fait une carrière splendide. Mais je savais que celle qui est devenue ma femme mourrait si je l'abandonnais. Elle ne croyait qu'en moi et si je lui avais ôté cette croyance, elle eût été incapable de vivre. Eh bien ! je vous parle franchement : je n'ai pas regretté ma décision. Car, croyez-moi, il est rare qu'un médecin, et surtout lui, ait la conscience tout à fait tranquille. On sait le peu dont on est vraiment capable, on se rend trop compte de l'impuissance d'un seul cerveau contre la multitude des tourments qui assaillent l'être humain, et que ce n'est pas en puisant avec un dé que l'on peut arriver à vider cette mer insondable de souffrances. De plus, ceux que l'on croit avoir guéris aujourd'hui vous arrivent le lendemain avec une autre maladie. On a toujours le sentiment d'avoir été négligent, sans compter les erreurs qu'on commet inévitablement. C'est alors qu'il est bon de pouvoir se dire qu'on a sauvé tout au moins *une* vie, qu'on n'a pas déçu *une* confiance, qu'on a accompli *une* chose convenablement. En somme, il faut savoir pour quoi l'on a vécu. Croyez-moi – je sentis soudain avec quelle vraie chaleur il me parlait, presque avec affection –, cela vaut la peine de prendre sur soi un fardeau, si on allège par là la vie d'un autre. »

La vibration profonde de sa voix m'émut. Brusquement j'éprouvais comme une chaleur dans la poitrine, cette oppression bien connue qui vous donne la sensation que le cœur se dilate ou se tend ; la pensée de l'abandon de cette malheureuse enfant éveillait de nouveau en moi la pitié. Un instant encore et elle allait recommencer ce jaillissement intérieur contre lequel je ne pouvais me défendre. Pourtant... Ne cède pas, me dis-je. Ne te laisse pas de nouveau entraîner, ne recule pas ! Je regardai Condor d'un air décidé :

« Ecoutez, docteur... chacun connaît jusqu'à un certain point les limites de ses forces. Il faut donc que je vous avertisse : ne comptez pas sur moi ! C'est à vous, et non à moi de venir en aide à Edith. Dans cette affaire, je suis déjà allé beaucoup plus loin que je ne le voulais tout d'abord, et, je vous l'avoue... je ne suis pas si... si bon, si charitable, que vous le pensez. Je suis au bout de mes forces ! J'en ai assez d'être adoré, idolâtré et de faire comme si je le désirais et en étais satisfait. Il vaut mieux pour elle qu'elle comprenne maintenant la situation que d'être déçue plus tard. Je vous donne ma parole de soldat que je suis sincère en vous répétant : ne comptez pas sur moi ! Ne me surestimez pas ! »

J'avais sans doute parlé d'une façon très énergique, car Condor me regarda un peu interdit.

« On aurait presque l'impression que vous avez déjà décidé quelque chose. »

Il se leva brusquement.

« Dites-moi la vérité, je vous prie, et tout entière ! Avez-vous déjà pris une décision ? fait quelque chose d'irrévocable ? »

Je me levai aussi.

« Oui, dis-je, en tirant de ma poche ma lettre de démission. Voici. Lisez vous-même. »

Avec hésitation il prit la feuille, tout en jetant sur moi un regard inquiet avant de s'approcher du petit cercle de lumière sous la lampe. Il lut lentement et sans dire un mot. Puis il replia la feuille et déclara sèchement et sur un ton très neutre :

« Je suppose qu'après ce que je vous ai dit tout à l'heure, vous avez conscience des conséquences de votre acte. Nous venons de constater que votre fuite aura un effet meurtrier… meurtrier ou suicidaire… sur la malheureuse. Vous voyez donc clairement que ce papier n'est pas seulement une lettre de démission, mais aussi une… une condamnation à mort, pour la pauvre enfant. »

Je ne répondis pas.

« Parlez, lieutenant ! Je vous ai posé une question, et je vous la répète. Vous avez dû vous en rendre compte ? Et vous en prenez la responsabilité en votre âme et conscience ? »

Je continuai à me taire. Il revint vers moi, me tendit la feuille :

« Reprenez votre lettre. Je ne veux pas me faire le complice de votre crime. À vous seul la responsabilité de tout ce qui peut arriver. À vous seul, lieutenant ! »

Impossible de lever mon bras, il était comme paralysé. Et je n'avais pas non plus le courage de soutenir le regard scrutateur de Condor.

« Vous pensez par conséquent… ne pas prononcer cette condamnation à mort ? »

Je me détournai, les mains derrière le dos. Il comprit.

« Je puis donc la déchirer ?

— Oui, répondis-je, je vous le demande. »

Il retourna à sa table. J'entendis, sans regarder, un premier déchirement, un deuxième, un troisième, et le bruit du papier déchiré tombant dans la corbeille. C'est étrange, j'en éprouvai un soulagement. Une fois de plus, la seconde en ce jour fatal, une décision qui m'incombait avait été prise pour moi. Je n'avais pas eu à la prendre moi-même.

Condor revint vers moi et me fit doucement rasseoir dans le fauteuil.

« Voilà ! Je pense que nous avons empêché un malheur… un très grand malheur… Et maintenant venons-en à l'affaire ! Au moins, après cet épisode, je vous connais mieux… allez, ne protestez pas ! Je ne vous surestime pas, ni ne vous considère comme "un homme d'une bonté merveilleuse", pour reprendre les louanges de Kekesfalva – mais comme un associé très peu fiable, à cause de l'incertitude de ses sentiments, et d'une particulière impatience du cœur… Et si je suis heureux d'avoir pu vous dissuader de prendre aussi follement la fuite, je ne suis pas rassuré du tout de voir à quelle vitesse vous prenez une décision, pour renoncer ensuite tout aussi vite à votre projet. Les gens aussi sujets aux humeurs que vous l'êtes, ne devraient assumer aucune responsabilité sérieuse. Et je serais le dernier à attendre de vous de la persévérance et de la fermeté !

Donc, écoutez-moi bien. Je ne vous demanderai pas grand-chose. L'indispensable seulement, le strict indispensable ! Nous avons amené Edith à commencer un nouveau traitement, ou plus exactement, qu'elle croit être nouveau. Pour vous elle s'est décidée à partir, à s'en aller pour plusieurs mois. Et, comme vous le savez, le départ a lieu dans huit jours. Eh bien ! pendant ce temps j'ai besoin de votre aide, et je vous le dis tout de suite pour vous soulager : rien que durant ces huit jours ! Tout ce que j'attends de vous, c'est que vous me promettiez de ne rien brusquer durant cette seule semaine d'ici à son départ, et avant tout, de ne pas montrer par un seul mot que cet amour vous pèse. Je crois que c'est le moins qu'on puisse exiger de vous : huit jours de maîtrise de soi, quand il s'agit de la vie d'un être humain.

— Oui... mais après ?

— N'y pensons pas pour le moment. Lorsque je dois opérer une tumeur, je ne me demande pas non plus si elle va réapparaître plus tard. Quand on m'appelle au secours de quelqu'un, je n'ai qu'à agir sans hésiter. C'est la seule attitude juste, la seule attitude humaine. Tout le reste dépend du hasard, ou, comme disent les croyants, du bon Dieu. Que de choses peuvent se passer en quelques mois ! Peut-être son état s'améliorera-t-il plus vite que je ne pense, ou sa passion s'atténuera-t-elle avec l'éloignement ? Je ne peux pas prévoir toutes ces possibilités, et vous non plus ! Concentrez vos efforts uniquement sur ce point : ne pas montrer pendant cette période décisive que son amour vous… vous effraye. Dites-vous ceci tous les matins : huit jours de volonté, sept jours, six jours… et je sauve une créature humaine : je fais en sorte de ne pas la blesser, ni l'offenser, ni la bouleverser, ni la décourager ! Huit jours d'attitude virile, énergique, n'êtes-vous pas capable de cela ?

— Si », fis-je avec spontanéité. Et j'ajoutai même, pour appuyer ma résolution : « D'accord ! Tout à fait d'accord ! » Depuis que je savais ma tâche limitée, je sentais en moi des forces nouvelles.

J'entendis Condor respirer, soulagé.

« Dieu soit loué ! Maintenant je peux vous dire que vous m'avez fait peur. Car croyez-moi, Edith n'aurait vraiment pas pu supporter qu'en réponse à son aveu et à sa lettre, vous ayez décampé sans un mot… Mais les jours prochains vont être décisifs… le reste viendra tout seul. Laissons d'abord la pauvre petite croire un peu à son bonheur – être heureuse pendant huit jours, sans arrière-pensées… j'ai votre promesse pour cette semaine entière, n'est-ce pas ? »

Je lui tendis la main en guise de réponse.

« Bon, nous avons tout remis sur les rails, je crois. Nous pouvons aller tranquillement rejoindre ma femme. »

Mais il restait assis. Je sentais qu'il lui était venu une hésitation.

« Encore une chose, me dit-il doucement. Nous autres, médecins, nous devons calculer avec l'imprévisible, être prêts à toute éventualité. Si – c'est une hypothèse – un incident se produisait... c'est-à-dire si les forces venaient à vous manquer ou si la méfiance d'Edith amenait une crise quelconque, mettez-moi tout de suite au courant. À aucun prix, pendant cette période limitée, mais risquée, il ne doit arriver quoi que ce soit d'irrévocable. Si vous deviez ne plus vous sentir à la hauteur de votre rôle, ou si inconsciemment vous vous trahissiez durant ces huit jours,... pour l'amour du ciel, n'en ayez pas honte devant moi ! J'ai vu assez de gens tout nus et d'âmes toutes tordues. Vous pouvez venir ou m'appeler à n'importe quelle heure du jour ou de la nuit. J'accourrai immédiatement, car je connais l'enjeu. Et maintenant – j'entendis remuer son fauteuil à côté de moi, et je vis que Condor se levait – transportons-nous de l'autre côté. Nous avons parlé assez longtemps et ma femme s'inquiète très vite. Moi aussi, après bien des années, il faut encore que je fasse attention. On blesse facilement celui que le sort a déjà frappé. »

Il se dirigea vers le commutateur et alluma. Comme il se retournait vers moi, son visage me parut tout autre. Peut-être était-ce la lumière qui en dessinait si nettement les contours, en tout cas je remarquai pour la première fois les plis profonds qui creusaient son front, et à toute son attitude je vis que cet homme était fatigué, épuisé. Toujours il s'est sacrifié pour les autres, pensai-je. Mon désir de fuir devant le premier désagrément qui m'arrivait me parut pitoyable, et je le regardai avec une émotion reconnaissante.

Il s'en aperçut sans doute, et sourit.

« Comme vous avez bien fait, dit-il en me frappant sur l'épaule, de venir me trouver et de m'avoir parlé à cœur ouvert ! Pensez donc, si vous vous étiez sauvé, simplement, sans réfléchir ! Toute votre vie vous l'eussiez regretté, car on peut tout fuir, sauf sa conscience. Venez, cher ami. »

Cette appellation m'émut. Il savait pourtant combien j'avais été faible et lâche, et malgré cela il ne me méprisait pas. Ce mot d'« ami » venant d'un homme d'expérience, d'un aîné, affermissait mon courage. Soulagé, libéré, je le suivis.

Nous passâmes par la salle d'attente, puis dans la pièce suivante. La femme de Condor était restée assise devant la table qui n'était pas débarrassée, et tricotait. Rien dans ses gestes réguliers n'aurait pu laisser supposer que ces mains jouant des aiguilles avec aisance et fermeté étaient celles d'une aveugle, et dans la corbeille, la laine et les ciseaux étaient disposés nettement, sur une ligne. C'est seulement quand elle releva la tête et dirigea vers nous ses pupilles vides que l'insensibilité de ses yeux devint perceptible.

« Eh bien, Clara, nous avons tenu parole, tu vois ! » dit Condor en s'avançant vers elle, et de la voix tendre qu'il avait toujours en lui parlant. « Cela n'a pas duré trop longtemps, pas vrai ? Et si tu savais comme je suis heureux que le lieutenant soit venu me voir ! Il faut que je te dise – mais asseyez-vous donc un instant, cher ami –, il est en garnison dans cette ville où habitent aussi les Kekesfalva, tu sais… tu te souviens de ma petite malade ?

— Oui, la pauvre enfant paralytique, c'est ça ?

— Voilà ; tu comprends maintenant que grâce au lieutenant, j'ai de temps en temps des nouvelles sans y aller exprès. Car il s'y rend presque chaque jour pour réconforter la jeune fille et lui tenir un peu compagnie. »

L'aveugle tourna la tête dans la direction où elle sentait ma présence. Une douceur lissa soudain ses traits durs.

« Que c'est gentil à vous, lieutenant ! Je comprends quel bien cela doit lui faire ! applaudit-elle, et instinctivement sa main sur la table se rapprocha de moi.

— Oui, et à moi aussi ! enchaîna Condor. Sinon je devrais y aller beaucoup plus souvent, étant donné son état de nerfs. Et cela me soulage grandement que pendant cette dernière semaine avant son départ en convalescence, pour la Suisse, le lieutenant Hofmiller la surveille un peu. Ce n'est pas toujours facile avec elle, la pauvre, mais il s'y prend à merveille, et je sais que je peux compter sur lui. Même mieux que sur mes assistants ou mes confrères. »

Je compris aussitôt que Condor cherchait à m'engager encore plus solidement, en obtenant mon consentement devant cette autre déshéritée ; et je lui réitérai volontiers ma parole.

« Bien sûr que vous pouvez compter sur moi, docteur ! J'irai très certainement la voir tous les jours de cette dernière semaine, et s'il y avait le moindre incident, je vous préviendrais aussitôt par téléphone. Mais – et je lui lançai un regard significatif – il n'y aura aucun incident ni aucune difficulté. J'en suis sûr et certain.

— Et moi aussi, confirma-t-il avec un petit sourire. Nous nous comprenons parfaitement. » Mais une crispation nerveuse déforma la bouche de sa femme, on voyait qu'elle était inquiète de quelque chose.

« Oh ! lieutenant, et moi qui ne vous ai pas encore fait mes excuses ! Je crains d'avoir été un peu… un peu désagréable tout à l'heure… Mais notre stupide bonne ne m'avait annoncé personne, je ne savais pas du tout qui était là, et Emmerich ne m'avait jamais parlé de vous. Alors je pensais que c'était un inconnu qui allait le retenir, et il est tellement épuisé quand il rentre à la maison !

— Vous avez eu tout à fait raison, chère madame, vous auriez même dû être plus intraitable. Si j'osais… pardonnez mon indiscrétion… je dirais que votre époux ne se ménage pas assez…

— Pas du tout, dit-elle avec force, en rapprochant vivement son fauteuil de moi, il ne se ménage pas du tout ! Il donne son temps, ses forces nerveuses, son argent. À cause de ses malades, il ne mange pas, il ne dort pas ! Tous, ils l'exploitent, et moi avec mes yeux aveugles, je ne peux le décharger de rien ! Si vous saviez comme je me fais du souci ! Toute la journée, je me dis : à cette heure-ci, il n'a encore rien pris, il est encore dans le train, dans le tram, et cette nuit on va encore le réveiller. Il prend du temps pour tout le monde, sauf pour lui. Et grand Dieu… qui lui en est reconnaissant ? Personne, personne…

— Vraiment, personne ? dit Condor en se penchant vers sa femme, emportée par son discours.

— Oui, bien sûr, dit-elle en rougissant. Mais je ne lui suis bonne à rien ! Quand il rentre de son travail, je suis rongée d'inquiétude. Ah ! si vous pouviez avoir un peu d'influence sur lui ! Il a besoin de quelqu'un qui le modère un peu : on ne peut pas venir en aide au monde entier…

— Mais on peut essayer, dit-il, en me regardant. C'est pour cela que l'on est sur terre. Pour cela seul. » Je me sentis pénétré jusqu'à la moelle par cette injonction. Pourtant, depuis que ma décision était prise j'étais capable de soutenir le regard de Condor.

Je me levai, avec la conviction d'avoir prêté un serment. À peine l'aveugle eut-elle entendu remuer mon siège, qu'elle leva les yeux.

« Devez-vous déjà partir ? dit-elle sur un ton de regret sincère. Quel dommage, quel dommage ! Mais vous reviendrez bientôt, n'est-ce pas ? »

J'éprouvai un sentiment étrange. Qu'y a-t-il donc en moi, me disais-je, que tous me manifestent leur confiance, que cette aveugle lève amicalement vers moi ses yeux vides, que cet homme, pour qui je suis presque un étranger, me pose affectueusement son bras sur l'épaule ? En descendant les marches, je ne comprenais déjà plus ce qui m'avait amené là, une heure auparavant. Pourquoi avais-je voulu fuir, en fait ? Parce qu'un supérieur hargneux m'avait injurié ? Parce qu'une pauvre créature se mourait d'amour pour ma personne ? Parce que quelqu'un voulait s'appuyer sur moi ? Comme si venir en aide n'était pas la chose la plus admirable qui soit… Ce raisonnement me poussait à faire de ma propre volonté ce que, la veille, je considérais comme un sacrifice insupportable : montrer ma reconnaissance à un être humain de l'amour brûlant qu'il éprouvait pour moi.

Huit jours ! – depuis que Condor m'avait fixé ce délai, je me sentais de nouveau sûr de moi. Je ne craignais plus que l'heure, ou plutôt la minute, où je reverrais Edith. Je savais qu'une complète froideur n'était plus possible, après un aveu aussi sauvage et que son premier regard après son baiser ardent me demanderait nécessairement : m'as-tu pardonné ? et peut-être même : souffres-tu que je t'aime et répondras-tu à mon amour ? Ce regard rougissant, plein d'impatience contenue et pourtant irrésistible, serait, je le sentais, le plus dangereux pour moi et en même temps le plus difficile à supporter. Une parole maladroite, un geste déplacé pouvait trahir ce que je devais taire – et alors se produirait l'incident contre lequel Condor m'avait mis si expressément en garde. Mais si je soutenais fermement ce regard, j'étais sauvé et je la sauvais elle aussi, pour toujours, peut-être.

Pourtant dès que j'eus franchi, le lendemain, le seuil de la maison, je remarquai que, poussée par le même souci, Edith avait pris des dispositions pour ne pas se trouver seule en face de moi. Du hall, j'entendais des voix de femmes causant gaiement. À cette heure où d'ordinaire jamais personne ne troublait nos tête-à-tête, elle avait donc invité des amis pour surmonter grâce à eux le premier moment critique.

Avant même que j'eusse pénétré dans le salon, Ilona (envoyée par Edith ou de son propre chef ?) se précipita à ma rencontre avec une fougue étonnante, m'introduisit et me présenta à la femme du capitaine de gendarmerie et à sa fille, une créature chlorotique, au visage couvert de taches de rousseur, agaçante, et dont je savais qu'Edith ne pouvait la souffrir. Cette présentation eut pour effet de détourner de moi le regard que je redoutais tant, puis Ilona me conduisit à la table. On but du thé et l'on bavarda. J'engageai une conversation animée avec l'énervante oie provinciale, tandis qu'Edith s'entretenait avec la mère. Grâce à cette répartition des tâches nullement fortuite, le contact secret entre elle et moi n'était pas direct. Je pouvais éviter de la regarder, quoique je sentisse parfois ses yeux inquiets se poser sur moi. Et lorsque les deux dames se levèrent enfin, l'adroite Ilona régla les choses avec rapidité :

« Je reconduis ces dames, fit-elle. Vous pouvez entre-temps commencer votre partie d'échecs. J'ai encore à m'occuper des préparatifs du voyage, mais dans une heure je serai à vous.

— Avez-vous envie de jouer ? demandai-je à Edith.

— Mais oui », répondit-elle en baissant les yeux, tandis que les autres quittaient le salon.

Elle garda les yeux baissés tandis que j'installais l'échiquier et y disposais avec grand soin les pièces, pour gagner du temps. D'habitude, nous respections l'usage traditionnel aux échecs pour décider qui serait l'attaquant, de cacher dans ses poings un pion noir et un pion blanc, derrière son dos. Mais pour trancher, il aurait fallu tout de même se parler, et dire « à gauche » ou « à droite » ; d'un commun accord, nous fîmes en sorte d'éviter cela et je mis tout en place d'emblée. Surtout, ne pas prononcer un mot ! Enfermer nos pensées dans le champ de ces soixante-quatre cases… Regarder seulement les pièces, éviter même les doigts qui les déplacent ! Nous jouâmes ainsi avec une prétendue concentration d'esprit, comme ne l'ont réellement que les champions d'échecs les plus acharnés, en oubliant le monde entier, autour d'eux, absorbés corps et âme par la partie en cours.

Mais bientôt, le jeu lui-même révéla le caractère trompeur de notre attitude. Au cours de la troisième partie Edith se montra incapable de continuer. Elle se trompa en jouant et je compris au tremblement de ses doigts qu'elle ne pouvait plus supporter ce silence mensonger. Au milieu du jeu, elle repoussa l'échiquier.

« J'en ai assez ! Donnez-moi une cigarette ! »

Je lui tendis la boîte en argent ciselé et craquai gentiment une allumette. Lorsque la lumière jaillit, je ne pus éviter de la regarder. Ses yeux étaient figés et absents, comme pétrifiés de froide colère ; au-dessus d'eux tremblait l'arc tendu de ses sourcils : la fameuse annonce d'une inévitable explosion des nerfs.

« Non ! fis-je effrayé. Non, je vous en prie ! »

Mais elle se rejeta en arrière. Je vis le tremblement s'étendre à tout son corps et ses doigts s'accrocher de plus en plus fort aux bras du fauteuil.

« … Non, non ! » suppliai-je encore. Je ne trouvais pas d'autres mots pour conjurer l'orage menaçant. Cependant les pleurs refoulés avaient déjà éclaté. Ce n'étaient pas des sanglots sauvages, bruyants, mais – chose plus terrible – des pleurs émouvants, silencieux, des pleurs dont elle avait honte et qu'elle ne pouvait pas contenir.

« Non ! Je vous en prie, non ! » répétai-je. Et, me penchant vers elle, je posai pour l'apaiser la main sur son bras. Ses épaules tressaillirent comme sous le coup d'une décharge électrique, puis une espèce de déchirement traversa tout son corps recroquevillé.

Soudain le tremblement cessa, elle ne bougea plus. On eût dit que le corps attendait, épiait pour comprendre ce que signifiait ce contact. Si c'était de l'affection, de l'amour ou seulement de la pitié. Cette attente immobile, le souffle arrêté de ce corps aux aguets était terrible. Je n'eus pas le courage d'éloigner ma main qui avait si merveilleusement endigué les sanglots, prêts à jaillir, et pas la force non plus d'obliger mes doigts au geste de tendresse qu'espérait impatiemment sa peau brûlante – je le sentais bien. Je laissai ma main inerte, sur son bras, avec la sensation qu'à cet endroit tout son sang affluait vers moi.

Ma main resta posée, sans volonté, sans bouger… longtemps ? je l'ignore, car pendant ces minutes le temps me semblait suspendu, aussi immobile que l'air de la pièce. Bientôt je sentis un léger effort dans les muscles de la jeune fille. Sans me regarder elle la tira doucement vers elle, plus près de son cœur. Ensuite ses deux mains – la gauche s'était jointe craintivement à la droite – prirent tendrement ma grosse et lourde patte d'homme et commencèrent à la caresser avec timidité. Tout d'abord ses doigts tendres se promenèrent curieusement autour de ma paume, effleurant seulement la peau, puis avec leurs légers attouchements tentateurs, ils s'aventurèrent peu à peu avec précaution des articulations jusqu'au bout des doigts, en en palpant à plusieurs reprises les formes intérieures et extérieures. Ils s'arrêtèrent comme effrayés aux ongles durs, qu'ils contournèrent en tâtonnant, redescendirent en longeant les veines jusqu'aux poignets, pour glisser à nouveau de bas en haut et de haut en bas. C'était une sorte de reconnaissance superficielle et gênée de ma main, qu'ils ne s'enhardissaient jamais jusqu'à saisir et presser vraiment. Cette caresse qui s'approchait, naïve et hésitante, heureuse et honteuse, ne me faisait penser qu'au jeu de la vague qui vous baigne. Et cependant je sentais que dans cette partie abandonnée de moi-même, la jeune fille m'étreignait tout entier. Sa tête s'était renversée comme pour jouir avec plus d'intensité de ce léger contact. Les yeux fermés, les lèvres largement ouvertes, on eût dit qu'elle dormait et rêvait, un calme complet détendait et faisait rayonner son visage, tandis qu'avec un ravissement qui se répétait, ses doigts tendres glissaient le long de ma main, du poignet jusqu'au bout des ongles. Il n'y avait pas de passion dans cet attouchement, seulement un bonheur calme et émerveillé de pouvoir enfin posséder pendant un instant quelque chose de moi et de lui témoigner un amour incommensurable. En aucun baiser de femme, même le plus ardent, je n'ai senti depuis lors une tendresse plus émouvante que dans ce jeu subtil et aussi doux qu'un rêve.

Je ne sais combien de temps cela dura. De tels événements sont en dehors du temps. Il y avait dans cette caresse timide quelque chose d'étourdissant, de fascinant, d'hypnotisant, qui me secouait et me bouleversait plus que le baiser subit et brûlant de l'autre jour. Je ne trouvais toujours pas la force de retirer ma main. « Je ne te demande que de tolérer mon amour », m'avait-elle écrit. Dans une sorte de torpeur à demi rêveuse, je trouvai délicieux ces effleurements incessants de ma peau, et je laissai faire, impuissant et honteux au fond de moi-même d'être ainsi aimé au-delà de toute mesure et de ne rien éprouver, de mon côté, qu'une crainte confuse, une horreur embarrassée.

Peu à peu cependant, mon immobilité me devint insupportable. Ce n'est pas tant la caresse elle-même qui me fatiguait, ce tendre va-et-vient des doigts, mais le fait que ma main était là comme morte, comme si elle ne m'appartenait plus et que cet être qui la caressait m'était pour ainsi dire étranger. Je savais, comme on entend dans un demi-sommeil sonner les cloches d'une église, que je devais réagir à cette caresse d'une manière ou d'une autre – résister ou répondre. Mais je n'avais pas l'énergie de faire ni l'un ni l'autre. Je désirais seulement mettre fin à ce jeu dangereux, et c'est ainsi que doucement, lentement, en espérant qu'elle ne s'en apercevrait pas, je repris possession de mes muscles et commençai à dégager ma main de la légère étreinte ! Mais la sensible jeune fille remarqua aussitôt, avant même que je m'en fusse réellement rendu compte, ce mouvement de retraite. D'un seul coup, comme effrayée, elle la lâcha. Ses doigts se détachèrent brusquement, leur chaleur ruisselante quitta ma peau. Un peu gêné, je retirai ma main. Car en même temps le visage d'Edith s'était assombri, et de nouveau le crispement coléreux de sa bouche commençait.

« Non, non ! lui chuchotai-je sans trouver d'autre mot à dire, Ilona va rentrer. » Et comme ces paroles molles et vides étaient sans force, que tout son corps se mettait à trembler, je fus encore pris de pitié. Je me penchai au-dessus d'elle et posai sur son front un baiser rapide.

Pourtant, ses yeux me fixèrent durement, comme s'ils voulaient lire mes pensées. Je n'avais pas réussi à tromper son sentiment clairvoyant. Elle savait qu'en reprenant ma main, je m'étais soustrait à sa tendresse et que mon baiser hâtif n'exprimait pas l'amour, mais l'embarras et la pitié.

Ce fut là ma faute, en ces jours malheureux, ma faute irréparable et impardonnable, de n'avoir pu malgré tous mes efforts trouver la patience et la force de feindre jusqu'au bout. En vain je raffermissais ma résolution de surveiller mes moindres paroles, mes regards et mes gestes pour qu'elle ne se doute pas combien sa tendresse me pesait. Sans cesse je rappelais à ma conscience l'avertissement de Condor qui avait tant insisté sur ma responsabilité et le danger de la situation, si je blessais cette âme sensible. En vain me répétai-je : laisse-la t'aimer, dissimule, feins pendant ces huit jours pour ménager sa fierté. Ne fais rien qui lui permette de supposer que tu la trompes, que tu la trompes doublement en lui parlant en même temps avec une joyeuse assurance de sa guérison prochaine, alors qu'à ce sujet tu trembles au fond de toi-même de peur et de honte. Sois naturel, tout à fait naturel. Essaie de donner à ta voix de la gaieté, à tes mains de la douceur et de la tendresse.

Mais entre une femme qui a un jour révélé à un homme la passion qu'elle a pour lui et ce dernier, règne toujours une atmosphère particulière : brûlante, mystérieuse, dangereuse. La personne qui aime a une clairvoyance extraordinaire des sentiments de la personne aimée ; et comme l'amour, en vertu de sa nature, exige toujours l'infini, tout ce qui est mesure, modération, lui répugne instinctivement. Dans la moindre réserve de l'autre elle voit de la résistance, dans le refus de se donner complètement une inimitié cachée. C'est ainsi que tous mes efforts s'avéraient impuissants contre sa vigilance. Je n'arrivais pas à la convaincre. Elle sentait trop que ce qu'elle désirait de moi – que je réponde à son amour –, je le lui refusais. Parfois, au milieu de la conversation, et justement quand je m'efforçais avec le plus de zèle de gagner sa confiance, elle levait vers moi ses yeux gris et perspicaces, et alors j'étais obligé de baisser les miens. C'était comme si elle m'eût enfoncé une sonde jusqu'au fond du cœur, pour le connaître.

Trois jours se passèrent de cette façon, trois jours de torture pour elle et pour moi. Sans cesse je devinais une attente passionnée dans ses regards, dans son silence. Puis – le quatrième jour, je crois – commença cette étrange hostilité que je ne compris pas tout d'abord. J'étais venu comme d'habitude au début de l'après-midi et je lui avais apporté des fleurs. Elle les prit sans bien les regarder, les mit négligemment à côté d'elle, pour me souligner par cette indifférence qu'il ne fallait pas que j'espère me libérer par des cadeaux. Après un presque méprisant : « Ah ! à quoi bon de si belles fleurs ? », elle se retrancha dans un silence ostensiblement hostile. J'essayai d'engager la conversation. Elle ne répondit que par des « ah ! », des « vraiment », des « bizarre, bizarre », me montrant clairement, d'une façon blessante, que ma conversation ne l'intéressait pas le moins du monde. À dessein elle me marquait aussi son indifférence par des gestes :

elle jouait avec un livre, le feuilletait, le déposait à sa droite ou à sa gauche ou s'amusait avec toutes sortes d'objets. Elle bâilla même ouvertement une ou deux fois, puis, pendant que je parlais, appela le domestique pour lui demander s'il avait bien empaqueté la fourrure de chinchilla ; ce n'est qu'après qu'il eut répondu par l'affirmative qu'elle se retourna vers moi avec un « Continuez », qui signifiait nettement : « Votre bavardage est pour moi sans valeur. »

Je finis par sentir mon courage faiblir. Je regardais la porte de plus en plus souvent, dans l'espoir que quelqu'un vienne enfin me délivrer de cet éprouvant monologue, Ilona ou Kekesfalva. Ces regards bien sûr ne lui échappèrent pas. Sur un ton de prévenance sarcastique, elle s'enquit : « Que cherchez-vous ? Désirez-vous quelque chose ? » et à ma grande confusion, je ne pus que balbutier bêtement : « Non, non, ce n'est rien. » Le plus raisonnable, certes, eût été d'engager franchement la lutte et de lui dire : « Que me voulez-vous en vérité ? Pourquoi me torturez-vous ainsi ? Je peux m'en aller, si vous préférez. » Mais j'avais promis à Condor d'éviter toute brusquerie et toute provocation. Au lieu de rejeter d'un seul coup le poids de ce silence malveillant, je laissai stupidement la conversation se perdre dans les sables pendant deux longues heures, jusqu'à ce qu'enfin Kekesfalva apparût, timide comme toujours ces derniers temps, et peut-être encore plus embarrassé que jamais : « Si nous dînions ? »

Nous prîmes donc place autour de la table. Edith en face de moi. Pas une seule fois, elle ne leva les yeux ni n'adressa la parole à l'un de nous. Nous sentions tous les trois ce qu'il y avait d'obstiné, d'offensant et d'agressif dans son mutisme. Je m'efforçai avec d'autant plus d'énergie d'égayer l'atmosphère. Je parlai de notre colonel qui, comme un ivrogne se soûlant par période, avait tous les ans, en juin et juillet, sa « maladie des manœuvres ». Je contai qu'au fur et à mesure que se rapprochait la date desdites manœuvres, il devenait de plus en plus agité, de plus en plus hargneux. Pour étoffer mon récit, je l'ornai, quoique je sentisse mon col m'étrangler, de détails insipides. Mais seuls les autres riaient, d'une façon contrainte, s'efforçant visiblement par là de couvrir le silence pénible d'Edith, qui pour la troisième fois bâilla ouvertement. Il faut pourtant continuer de parler, me dis-je. Et je racontai que nous étions maintenant à tel point bousculés que nous ne savions plus où donner de la tête. Quoique hier deux uhlans fussent tombés de cheval, frappés d'insolation, notre bourreau nous entreprenait chaque jour plus vigoureusement. Une fois à cheval, nous ne pouvions plus prévoir quand nous en descendrions, car dans sa rage de manœuvres il nous faisait répéter vingt fois, trente fois le moindre exercice. Avec peine j'avais réussi aujourd'hui à m'en aller à temps, mais j'ignorais si je pourrais venir le lendemain à l'heure habituelle, seul Dieu le savait et notre colonel, qui, pour le moment, se considérait comme son représentant sur terre !

C'étaient là, certes, des paroles innocentes qui ne pouvaient blesser personne et que j'avais adressées sur un ton détaché, presque gai, à Kekesfalva, sans même regarder Edith (je ne pouvais plus supporter ses yeux qui regardaient dans le vide). Brusquement quelque chose cliqueta. Elle avait jeté sur son assiette le couteau avec lequel elle jouait nerveusement depuis le début du dîner et elle nous fit peur à tous, en lançant :

« Eh bien ! si cela vous cause tant de tracas, restez à la caserne ou au café. Ça ne nous gênera pas tant ! »

Ce fut comme si quelqu'un venait de tirer un coup de fusil à travers la fenêtre, tellement nous étions interloqués.

« Voyons, Edith, balbutia Kekesfalva, la gorge sèche.

— C'est vrai, dit-elle, railleuse, en se rejetant contre le dossier de sa chaise, on ne peut qu'avoir pitié d'un homme si bousculé ! Pourquoi ne prendrait-il pas une journée de congé, le lieutenant ? Pour ma part, je la lui accorde volontiers. »

Kekesfalva et Ilona s'étaient regardés, tout consternés. Ils sentaient chacun l'irritation accumulée que cachait cette agression absurde. À la façon anxieuse dont ils se tournèrent ensuite vers moi, je devinai leur crainte que je ne réponde avec hauteur à cette provocation. Je fis donc un effort sur moi-même :

« En somme vous avez raison, Edith, dis-je de l'air le plus cordial que je pus, malgré le martèlement que j'avais dans les tempes. Je ne suis pas un compagnon agréable quand j'arrive ici éreinté. Je me suis très bien rendu compte que je vous ai ennuyée aujourd'hui ! Mais vous devriez être plus généreuse. Songez que bientôt je ne pourrai plus venir chez vous, vous serez tous partis, la maison sera vide. Je ne puis pas me faire à l'idée que nous n'avons plus que quatre jours à nous voir, trois jours et demi, même. »

Mais un rire aigu, strident comme une étoffe qui se déchire, éclata en face de moi.

« Ha ! trois jours et demi ! Ha ! ha ! Il sait exactement dans combien de temps il sera enfin débarrassé de nous ! Il compte jusqu'aux demi-journées. Il a sans doute acheté tout exprès un calendrier et souligné à l'encre rouge : vendredi, départ ! Mais faites attention ! Peut-être avez-vous calculé trop vite ! Ha ! trois jours et demi, trois et un demi, un demi…

Elle riait de plus en plus fort, et en riant elle nous regardait d'un air méchant, tout son corps tremblait. C'était plutôt comme une mauvaise fièvre qui la secouait – pas de la gaieté ! On voyait qu'elle eût voulu se redresser et sortir, et c'eût été le mouvement le plus naturel, le plus normal. Mais avec ses jambes paralysées impossible de quitter son fauteuil ! Cette immobilité forcée donnait à sa colère quelque chose de la férocité et de l'impuissance tragique d'un fauve en cage.

« Attends, je vais aller chercher Joseph », lui chuchota toute pâle Ilona, habituée depuis longtemps à deviner chacun de ses désirs, cependant que le père s'approchait d'elle, plein d'appréhensions. Mais celles-ci étaient inutiles, car lorsque le serviteur entra, Edith se laissa emmener docilement par lui et Kekesfalva. Elle quitta la pièce sans un mot d'adieu ni d'excuse. À notre stupéfaction, elle s'était cependant aperçue du trouble qu'elle avait causé.

Je restai seul avec Ilona. J'étais comme un homme tombé d'un aéroplane et qui se relève, tout étourdi par sa chute sans bien savoir ce qui lui est arrivé.

« Vous devez comprendre, me dit Ilona, elle ne dort plus. La pensée du voyage l'agite terriblement et… vous ne savez pas…

— Si, Ilona, je sais. Je sais tout, dis-je. Et c'est justement pourquoi je reviendrai demain. »

Il faut tenir ! Etre ferme ! me dis-je énergiquement lorsque, tout ému par cette scène, je rentrai à la caserne. Etre ferme à tout prix ! Tu l'as promis à Condor, ta parole est engagée. Ne te laisse pas égarer par ses accès de nervosité et de mauvaise humeur. Ne perds pas de vue que cette hostilité apparente n'est en fait que le désespoir de quelqu'un qui t'aime, alors que tu n'as pour elle que froideur et dureté de cœur. Reste ferme jusqu'au dernier moment... dans trois jours, trois jours et demi l'épreuve sera terminée, tu pourras te détendre, respirer pendant des semaines et des mois ! Patience encore, patience – c'est la dernière ligne droite, juste encore trois jours !

Condor ne s'était pas trompé. Ce qui nous effraie surtout, c'est l'illimité, car nous ne le concevons pas, tandis qu'une épreuve circonscrite, précise agit sur nous comme un défi qui mobilise nos forces. Plus que ce dernier effort. Je sentais que j'en étais capable et cette certitude me donnait du courage. Le lendemain je fis mon service d'une façon impeccable, ce qui signifiait beaucoup, car cette fois nous dûmes nous rendre une heure plus tôt que d'habitude sur le terrain d'exercices et manœuvrer furieusement jusqu'à ce que la sueur nous en coulât du front et mouillât notre col. À ma surprise j'arrachai même à notre féroce colonel un involontaire : « C'est bien ! » L'orage ne s'en abattit que plus violemment cette fois sur le comte Steinhü-bel. Fou de chevaux comme il l'était, il avait acheté l'avant-veille une nouvelle bête aux longues jambes fines, un jeune pur-sang plein de fougue ; mais, trop confiant dans ses talents de cavalier, il avait imprudemment négligé de l'essayer à fond. Pendant le rapport, la bête effrayée par l'ombre d'un oiseau s'était déjà cabrée. Au cours de la charge elle s'était tout bonnement emballée, et si Steinhübel n'avait pas été un aussi fameux cavalier, tout le front des troupes eût assisté à un beau désarçonnement. Ce ne fut qu'après une lutte presque acrobatique qu'il réussit à dompter l'animal furieux, exploit de maître qui fut loin pourtant de lui valoir des compliments du colonel. Il interdisait, une fois pour toutes, grogna-t-il, pareils exercices de cirque sur le champ de manœuvres. Si monsieur le comte n'entendait rien aux chevaux, il n'avait qu'à les faire dresser au manège et ne pas se rendre aussi ridicule devant les hommes.

Cette remarque malveillante avait chagriné le capitaine Steinhübel au-delà de toute mesure. Pendant le retour à la caserne et à table, il ne cessait de ruminer les paroles injustes qui lui avaient été adressées. Le cheval avait encore trop de sève. On verrait pourtant quelle allure splendide il aurait, une fois bien débourré ! Mais plus il s'excitait, plus les camarades le picotaient. Il s'était fait rouler, lui disaient-ils, ce qui le mettait hors de lui. Au milieu du débat qui devenait de plus en plus animé, une ordonnance s'approcha derrière moi. « On vous appelle au téléphone, mon lieutenant. »

Mû par un mauvais pressentiment, je bondis. Ces dernières semaines le téléphone, les télégrammes et les lettres ne m'ont apporté que des ennuis, des énervements... Que me veut-elle encore ? Je referme soigneusement sur moi la porte capitonnée de la cabine téléphonique, comme pour couper ainsi tout contact entre la sphère de la caserne et l'autre. Je décroche l'appareil. C'est Ilona.

« Je voulais juste vous dire (j'ai l'impression qu'elle parle d'un ton légèrement embarrassé) qu'il serait préférable que vous ne veniez pas aujourd'hui. Edith ne se sent pas très bien...

— Rien de sérieux ?

— Non, non... Mais je crois qu'il vaut mieux que nous la laissions se reposer et puis... (elle hésita bizarrement, trop longtemps) et puis... maintenant nous n'en sommes pas à un jour près... Nous devrons... nous allons ajourner le voyage.

— Ajourner ? » Le son de ma voix devait exprimer la crainte, car elle ajouta vite :

« Oui... mais nous espérons, seulement pour quelques jours... Du reste nous en parlerons demain ou après-demain... Peut-être vous téléphonerai-je entre-temps... Je voulais seulement vous dire cela tout de suite... Ainsi donc aujourd'hui il est préférable de ne pas venir... et... et... bonne journée et au revoir !

— Mais... » bredouillai-je. Plus de réponse. J'écoute encore quelques secondes. Rien. Elle a raccroché. Etonnant... Cela doit cacher quelque chose. Et pourquoi a-t-elle mis fin si vite à la conversation ? Comme si elle avait peur que je lui pose encore des questions. Pourquoi cet ajournement ? La date du départ avait pourtant été bien fixée. Huit jours, m'a dit Condor. Huit jours. Je m'y étais préparé, j'étais fait à cette idée. Et maintenant il faudrait... Impossible... impossible... Je n'y résisterais pas... ces éternels tiraillements... En somme, moi aussi j'ai des nerfs… Il faut que cela ait une fin…

Fait-il vraiment si chaud dans la cabine ? J'ouvre en hâte la porte capitonnée, avec l'impression d'étouffer, et je reviens tout titubant à ma place. Personne, je pense, n'a remarqué mon absence. Les autres continuent à se moquer de Steinhübel, et derrière ma chaise vide l'ordonnance se tient debout, attendant patiemment avec le plat du rôti. D'un geste machinal, pour me débarrasser de lui, j'en mets une ou deux tranches dans mon assiette, mais je ne prends ni ma fourchette ni mon couteau, car mes tempes battent violemment, comme si sans répit l'on ciselait au marteau dans mon crâne les mots : « Ajourné. Voyage ajourné ! » Pour quelle raison ? Il a dû se passer quelque chose. Est-elle tombée sérieusement malade ? L'ai-je offensée ? Pourquoi tout d'un coup ne veut-elle plus partir ? Condor m'a promis que je n'aurais à tenir que huit jours, et cinq sont passés… Mais plus de huit jours je ne peux pas… je ne peux pas !

« Oh ! mais qu'est-ce que tu fabriques, Toni ? Notre petit rôti n'a pas l'air de te plaire, on dirait… Hé, voilà ce que c'est, quand on prend l'habitude des mets les plus délicats ! C'est bien ce que je pense, rien n'est plus assez fin pour lui ! »

C'est encore ce maudit Ferencz, avec son bon rire un peu lourd, et toujours ces allusions écœurantes qui sous-entendent que je me la coule douce, là-bas !

« Va au diable, fiche-moi la paix avec tes sales blagues ! » lui lançai-je. Ma voix a dû trahir ma rage accumulée, car deux enseignes, assis en face de nous, lèvent les yeux, ébahis.

« Ecoute un peu, Toni, menace-t-il, je ne supporte pas ce ton ! On a bien le droit de plaisanter, vu la boustifaille… Que tu aies trouvé mieux ailleurs, cela ne me regarde pas, c'est ton affaire, tu as raison ! Mais à notre table, je peux tout de même remarquer que tu ne vides pas ton assiette ! »

Les voisins de table nous observent, l'air intéressé. Les claquements des couverts ont baissé d'un seul coup. Même le commandant fait des petits yeux scrutateurs. Je comprends qu'il me faut réparer d'urgence ma vivacité.

« Et toi, Ferencz, dis-je en me forçant à rire, tu me permettras, j'espère, d'avoir une fois mal à la tête et de ne pas me sentir très bien. »

Ferencz se radoucit aussitôt. « Oh ! pardon, Toni ! Et qu'est-ce qu'il t'arrive ? C'est vrai que tu n'as pas l'air en forme. Depuis plusieurs jours d'ailleurs, tu me fais cette impression… Mais, allez… tu vas te reprendre, n'est-ce pas, je ne m'inquiète pas trop pour toi. »

L'incident est clos, tout va bien. Pourtant ma colère bouillonne encore. À quoi jouent-ils là-bas, sur mon dos ? Une chose, puis une autre… le chaud, puis le froid… Non, je ne vais pas me laisser tourner en bourrique ! J'ai dit : trois jours et demi – pas une heure de plus ! Qu'ils ajournent ou qu'ils n'ajournent pas, ça m'est égal… Je ne me laisserai pas briser les nerfs ni tourmenter encore par cette satanée pitié. Cela finira par me rendre fou !

Il faut que je me domine pour ne pas trahir l'agitation qui s'est emparée de moi. J'ai envie de prendre mon verre et de le briser dans mes doigts ou de frapper du poing sur la table. J'ai absolument besoin de faire quelque chose de violent pour calmer mes nerfs. Tout, plutôt que rester assis sans rien faire, à attendre bêtement qu'ils m'écrivent ou qu'ils me téléphonent en me disant s'ils ajournent – ou s'ils ont encore changé d'avis ! Je n'en peux plus !

Autour de moi on discute toujours avec la même animation sur le cheval de Steinhübel.

« Je te dis qu'on t'a roulé, raille le maigre Jozci. Je m'y entends en chevaux et je te dis qu'avec cette charogne tu n'arriveras à rien, personne d'ailleurs.

— Ce n'est pas mon avis, fis-je brusquement. Moi, je parie qu'on peut en venir à bout, de ce bourrin. Dis donc Steinhübel, veux-tu que je prenne ta bête une heure ou deux, et que je te la mette au pas tout de suite ? »

Je ne sais pas comment cette idée m'était venue, mais le besoin de décharger ma colère contre quelqu'un ou quelque chose était si fort que j'avais sauté sur la première occasion. Tous me regardèrent, étonnés.

« À la bonne heure, dit Steinhübel en souriant, si tu as cette audace, tu me rendras même service. J'en ai attrapé une crampe dans les doigts à force de tirer sur les rênes de cette sale bête. Si quelqu'un de moins fatigué que moi pouvait l'entreprendre, ce serait bien. Si tu veux, nous pouvons aller le détacher tout de suite ! En avant ! »

Tous bondissent de table avec l'idée qu'ils vont bien s'amuser. Nous allons à l'écurie chercher César – Steinhübel s'est peut-être trop hâté de donner ce nom éloquent à son fougueux cheval – qui s'inquiète tout de suite de voir rassemblé autour de lui une bande aussi bruyante. Il renifle, rue et piaffe dans son box étroit, il tire si fort sur son licou qu'on entend comme un craquement. Non sans peine, nous conduisons la bête rétive au manège.

Je n'étais d'ordinaire qu'un cavalier moyen, nullement comparable dans ce domaine à Steinhübel, le fou des chevaux. Cependant il n'eût pu trouver ce jour-là mieux que moi, ni l'indomptable César adversaire plus dangereux. La colère me raidissait les muscles ; une envie mauvaise de régler son compte à quelqu'un et d'être le vainqueur me faisait éprouver une sorte de plaisir sadique à montrer tout au moins à cet animal récalcitrant (faute de pouvoir m'en prendre à ce qui restait pour moi hors d'atteinte) que ma patience était à bout. Le vaillant César eut beau se lancer à droite et à gauche comme une fusée, ruer contre les murs, se cabrer et essayer de me désarçonner par de brusques sauts sur le côté, j'étais en pleine forme et je tirai sans pitié sur le bridon, comme si je voulais lui briser les dents, en même temps que je lui enfonçais mes talons dans les côtes. Avec ce traitement, il se déchaînait tant et plus. Sa résistance m'excitait, m'aiguillonnait, m'enthousiasmait, cependant que me stimulaient les remarques enthousiastes des officiers : « Tonnerre de Dieu, il lui en fait voir ! » ou « Regardez un peu, ce Hofmiller ! ». La réussite d'un exploit physique vous donne toujours une certaine assurance morale. Au bout d'une demi-heure de lutte impitoyable, je me tenais victorieusement en selle, – et sous moi écumait, domptée, la bête mouillée de sueur comme si elle sortait d'une douche chaude. Son cou et sa bride étaient couverts d'une mousse blanche, ses oreilles restaient docilement baissées ; à peine une nouvelle demi-heure s'était-elle écoulée que l'invincible César était devenu doux et obéissant. Je n'avais même plus besoin de le presser du genou, et je pouvais à présent mettre tranquillement pied à terre pour recevoir les félicitations de mes camarades. Mais mon humeur batailleuse n'était pas calmée, et je me sentais si bien, dans cet état d'excitation, que je priai Steinhübel de me laisser encore son César une heure ou deux, le temps d'aller faire un tour jusqu'au champ de manœuvres, au trot, naturellement, pour permettre à l'animal de se sécher.

« Volontiers, acquiesce Steinhübel en riant. Je sais que tu me le ramèneras dans un état impeccable. Maintenant il ne me jouera plus de vilains tours. Bravo, Toni ! Tous mes respects ! »

Je sors du manège, sous les applaudissements fougueux des camarades, je conduis l'animal vaincu, en lui tenant la bride très courte, à travers la ville, puis je gagne la campagne. Le cheval va d'un pas léger et apaisé, et moi-même je me sens léger et apaisé. Toute ma colère, toute mon irritation je l'ai passée durant cette heure d'efforts sur l'animal récalcitrant. À présent César trotte donc sagement, sans s'énerver. Steinhübel a raison : il a une allure splendide. On ne peut courir d'une façon plus belle, plus légère, plus souple. Peu à peu, ma mauvaise humeur a fait place à un plaisir presque rêveur. La promenade dure une bonne heure. Il est quatre heures et demie, je décide de rentrer. Nous en avons, César et moi, assez pour la journée. En un trot agréable, bien rythmé, nous regagnons la ville, par la chaussée qui m'est familière, comme un peu somnolents. Tout à coup, derrière moi, un coup de trompe strident. Aussitôt le nerveux animal pointe les oreilles et commence à trembler. Mais je sens à temps le frisson qui s'empare de lui, je serre les rênes et par une pression vigoureuse du genou, je le dirige sur un arbre au bord de la route, pour que l'auto puisse passer facilement.

Elle doit avoir un chauffeur plein d'égards, qui comprend la raison de mon écart prudent, car elle s'avance tout doucement. À peine entend-on le bruit du moteur. Il n'était pas besoin en fait que je prisse tant de précautions, car lorsque la voiture passe à côté de nous, le cheval est tout à fait calme. Je peux donc regarder tranquillement. Mais au moment où je relève les yeux, je m'aperçois que de l'intérieur quelqu'un me fait un signe, et je reconnais la tête ronde et chauve de Condor près de celle, presque aussi chauve et en forme d'œuf, de Kekesfalva.

Est-ce le cheval qui tremble sous moi, ou est-ce moi qui tremble ?… je ne sais… Qu'est-ce que cela veut dire ? Condor est ici et il ne m'a pas prévenu ? Il sort de chez les Kekesfalva, puisque le vieillard est avec lui. Mais pourquoi ne s'arrêtent-ils pas pour me saluer ? Et comment se fait-il que Condor soit tout à coup ici ? De deux à quatre, c'est pourtant l'heure de sa consultation, à Vienne. Ils doivent l'avoir appelé d'urgence, ce matin de bonne heure. Certainement sa présence est en rapport avec le coup de téléphone que m'a donné Ilona et l'ajournement du voyage. Il s'est sûrement passé un fait que l'on me cache. Peut-être s'est-elle livrée à quelque acte de désespoir ? Elle avait du reste hier un air décidé et une assurance ironique qu'on ne voit que chez ceux qui couvent un projet

405

dangereux ! Oui, ce doit être cela ! Si je galopais derrière Condor, peut-être le rattraperais-je à la gare ?

Mais, pensai-je aussitôt, il ne s'en va sans doute pas.
Si c'est vraiment grave, il ne partira pas sans m'avertir.
Peut-être m'a-t-il laissé un mot à la caserne. Il ne fera
rien sans moi, contre moi. Cet homme-là ne m'aban-
donnera pas. Rentrons vite ! Certainement un mot de
lui m'attend chez moi ou bien vais-je l'y trouver lui-
même. Allons, vite !

Arrivé à la caserne, je conduis le cheval dans son
box et, pour éviter tout bavardage, toute félicitation,
je monte chez moi en courant par l'escalier contigu.
Devant la porte de ma chambre, Kusma m'attend, en
effet. À son visage anxieux, à ses épaules baissées, je
comprends tout de suite qu'il y a quelque chose. Un
monsieur en civil attend dans ma chambre, annonce-
t-il avec une certaine appréhension. Il n'a pas osé le
renvoyer, tellement il insistait. Or Kusma a l'ordre
formel de ne laisser entrer personne chez moi. D'où
sa crainte, laquelle fait bientôt place à l'étonnement,
lorsqu'au lieu de le réprimander, je lance un jovial :
« C'est bien ! » et j'ouvre vite la porte. Dieu soit loué !
Condor est venu. Il me racontera tout.

La porte ouverte, je vois se dresser une silhouette
à l'autre bout de la pièce obscure (Kusma a tiré les
persiennes à cause de la chaleur). Déjà je m'avance
d'un air cordial, lorsque tout à coup je m'aperçois que
ce n'est pas Condor. C'est un autre, et précisément
l'homme que je me serais le moins attendu à voir là :
Kekesfalva. Même si l'obscurité avait été plus grande,
je l'aurais reconnu entre mille à sa façon timide de se

lever et de s'incliner. Et lorsqu'il tousse tout d'abord légèrement avant de commencer à parler, je prévois déjà le ton humble, ému, de sa voix.

« Excusez-moi, mon lieutenant, me dit-il, d'avoir pénétré ainsi chez vous, sans m'annoncer. Mais le docteur Condor m'a chargé de vous transmettre ses salutations et de vous prier de lui pardonner de n'avoir pas fait arrêter la voiture... Il avait tout juste le temps d'arriver à la gare pour prendre le rapide de Vienne... et il doit ce soir... c'est pourquoi il m'a prié de vous faire savoir combien il a regretté... C'est pour cela... que je me suis permis de monter chez vous... »

Il est debout devant moi, la tête inclinée comme sous un joug invisible. Dans l'ombre brille son crâne osseux. La servilité tout à fait inutile de son attitude commence à m'énerver. J'éprouve comme un vague malaise : derrière ces phrases embarrassées il y a sans nul doute une intention très précise. Un vieillard affligé d'une maladie de cœur ne grimpe pas trois étages pour le seul plaisir de transmettre des salutations insignifiantes. Il aurait pu aussi bien me les communiquer par téléphone ou attendre jusqu'au lendemain. Attention, me dis-je, ce Kekesfalva veut encore quelque chose de toi. Une fois déjà, il a surgi ainsi de l'ombre. Il commence comme un mendiant pour finir par t'imposer sa volonté, comme le djinn de ton rêve au jeune homme compatissant. Il ne faut pas lui céder, ne pas te laisser prendre ! Ne lui demande rien, ne lui pose aucune question et renvoie-le le plus vite possible !

Mais l'homme qui est là devant moi est un vieillard humblement courbé. Je vois la raie mince dans ses cheveux blancs, et comme en rêve, je me souviens de celle de ma grand-mère quand elle se penchait vers nous, les frères et sœurs, et qu'elle nous racontait des histoires, tout en tricotant. On ne peut pourtant pas éconduire impoliment ce vieil homme malade. Aussi, malgré les expériences antérieures, je lui dis :

« Vous êtes trop aimable, monsieur de Kekesfalva, de vous être dérangé. Vraiment trop aimable ! Asseyez-vous donc. »

Il ne répond pas. Sans doute n'a-t-il pas bien entendu. Mais il a compris du moins mon geste. Timidement il s'assoit sur le bord de la chaise que je lui ai offerte. C'est ainsi, pensai-je aussitôt, qu'il devait se tenir dans sa jeunesse, quand il était chez des étrangers. Et c'est ainsi que lui, le millionnaire, reste assis sur mon pauvre fauteuil de rotin branlant. Lentement, avec cérémonie, il enlève ses lunettes, puis tire son mouchoir et se met à en essuyer les verres… Mais, mon cher, je suis déjà fixé, je connais tes façons de faire, je suis au courant de tes trucs. Je sais que tu fais cela pour gagner du temps ! Tu veux que j'engage la conversation, que je te pose des questions, et je sais même lesquelles. Tu désires que je te demande si Edith est vraiment malade et pourquoi on a dû ajourner le voyage. Mais je resterai sur mes gardes. Commence donc, si tu veux me parler ! Je ne ferai pas un pas vers toi. Non, tu ne m'auras pas, cette fois – en voilà assez de cette maudite pitié. Assez de ces éternelles exigences ! Assez de ces ruses et de ces hypocrisies ! Si tu veux quelque chose de moi, dis-le vite et franchement, mais ne te cache pas derrière ce nettoyage de lunettes par trop niais. Je ne donne pas dans le panneau, j'en ai assez de ma pitié !

Comme s'il avait lu dans ma pensée, le vieillard pose enfin ses lunettes. Il sent que je ne veux pas l'aider et qu'il lui faut commencer. La tête opiniâtrement baissée, il se met à parler sans me regarder. On dirait qu'il s'adresse à la table, comme s'il espérait obtenir du bois dur et rugueux plus de pitié que de moi.

« Je sais, mon lieutenant, commence-t-il d'un ton oppressé, que je n'ai aucun droit, aucun, de vous prendre votre temps. Mais que dois-je faire, que devons-nous faire ? Je n'en peux plus, nous n'en pouvons plus… Dieu sait comment cela lui a pris, impossible de lui parler, elle n'écoute plus personne. Et cependant elle ne le fait pas par méchanceté, je le sais, elle est malheureuse, terriblement malheureuse… ce n'est que par désespoir qu'elle nous inflige tout cela… croyez-moi, rien que par désespoir… »

J'attends. Que veut-il donc dire ? Qu'est-ce qu'elle leur inflige ? Explique-toi ! Pourquoi parles-tu avec tant de détours, pourquoi ne dis-tu pas ouvertement ce qui se passe ?

Mais le vieillard continue de regarder la table. « … Et pourtant tout était entendu, tout déjà préparé. Les wagons-lits étaient loués, les meilleures chambres retenues, et hier après-midi encore elle avait hâte de s'en aller ! Elle avait choisi les livres qu'elle devait emporter, essayé ses nouvelles robes et la fourrure que j'ai fait venir de Vienne. Et tout d'un coup, je ne sais comment, cela lui a pris après le dîner. Vous vous souvenez comme elle était nerveuse. Ilona ni moi ni personne ne comprend son attitude subite. Elle dit et crie et jure qu'à aucun prix elle ne partira, et qu'aucune force de la terre ne pourra la faire partir.

Elle restera là, elle restera… Et même si la maison prenait feu. Elle ne marche pas dans cette duperie, dit-elle, on ne la trompera pas. Ce traitement, ce n'est qu'un moyen de l'éloigner, de se débarrasser d'elle. Mais nous nous leurrons tous. Elle ne partira pas, elle restera, elle restera… »

Un frisson me secoue. C'était donc cela que cachait le rire coléreux de la veille ! A-t-elle remarqué que je n'en peux plus, ou est-ce seulement une mise en scène pour que je lui promette d'aller la voir en Suisse ?

Mais ne t'engage pas, me dis-je. Ne lui montre pas ton émotion, ni que cela te déchire les nerfs d'apprendre qu'elle reste. Je fais la bête et déclare d'un ton assez froid :

« Ah ! Cela s'arrangera ! Vous savez mieux que quiconque comme elle est lunatique. Du reste, Ilona m'a dit au téléphone qu'il ne s'agit que d'un ajournement de quelques jours. »

Le vieillard soupire et ce soupir sort de sa gorge comme un vomissement. On dirait que ce hoquet violent lui arrache ses dernières forces.

« Mon Dieu, si c'était vrai ! Mais ce qu'il y a de terrible, c'est que je crains… nous craignons tous qu'elle ne veuille vraiment plus partir du tout… Je ne sais pas, je n'y comprends rien… Le traitement lui est devenu tout à coup indifférent, la question de la guérison ne l'intéresse plus. "On ne me torturera pas plus longtemps, s'écrie-t-elle, je n'accepterai plus qu'on essaie des traitements nouveaux sur moi, tout cela n'a aucun sens !" Oh ! elle dit de telles choses qu'à les entendre, votre cœur s'arrête de battre. "J'en ai assez d'être trompée, sanglote-t-elle, je vois tout, je sais tout… tout !" »

Je réfléchis très vite : au nom du ciel ! Aurait-elle remarqué… ? me serais-je trahi ? Condor a-t-il commis une imprudence ? Quelque remarque innocente a-t-elle pu lui faire soupçonner que tout n'est pas normal dans la cure en Suisse ? Sa clairvoyance terriblement méfiante lui a-t-elle fait comprendre en fin de compte que ce voyage est inutile ?

« Je ne comprends pas, dis-je prudemment. Mlle Edith avait pourtant une confiance absolue dans le docteur Condor, et s'il lui a recommandé si instamment cette cure… alors, je ne comprends vraiment pas…

— Oui, mais justement !… C'est là qu'est la folie : elle ne veut plus suivre de traitement du tout, elle *ne veut plus guérir* ! Savez-vous ce qu'elle a dit ? "Je ne partirai pour rien au monde… j'en ai assez de ces hypocrisies… Je préfère rester l'infirme que je suis… je ne veux plus de guérison, je n'en veux plus, tout cela n'a plus aucun sens pour moi !"

— Aucun sens ? » répétai-je tout perplexe.

Mais le vieillard baisse un peu plus la tête, je ne vois plus ses yeux noyés, ses lunettes ont disparu. Et c'est seulement au mouvement de ses épaules que je m'aperçois qu'un violent tremblement s'est emparé de lui. Puis il murmure d'une façon presque inintelligible.

« "Cela n'a plus aucun sens que je guérisse, dit-elle, en sanglotant, puisqu'… il…" »

Le vieillard respire profondément comme s'il s'apprêtait à faire un grand effort. Puis il achève enfin : « "puisqu'il… n'a pour moi que de la pitié." »

J'ai une sueur froide en l'entendant prononcer ce « il ». Jamais le vieillard ne m'a fait allusion aux sentiments de sa fille. Depuis longtemps déjà, il était visible qu'il m'évitait, qu'il osait à peine me regarder, alors qu'auparavant, il me manifestait tant d'affection, parfois même d'une façon gênante. Mais je savais que c'était la honte qui lui faisait garder ses distances. C'était terrible pour lui de savoir que son enfant s'était offerte à un homme qui la fuyait. Ses aveux secrets avaient dû le torturer effroyablement, et la passion avouée de sa fille le rendait honteux au-delà de toute mesure. Il avait comme moi perdu son naturel. Tout homme qui cache ou doit cacher quelque chose ne peut plus avoir le regard franc et ouvert.

Mais à présent c'est dit, et le même coup nous a frappés tous deux au cœur. Tous deux, ce mot une fois prononcé, nous restons muets et évitons de nous regarder. Un silence s'établit, qui semble figé comme l'air aussi au-dessus de la table, dans l'étroit espace qui nous sépare. Puis peu à peu ce silence s'étend ; comme un gaz noir, il monte jusqu'au plafond et emplit toute la pièce. D'en haut, d'en bas, de tous les côtés, il nous oppresse, et à la respiration précipitée du vieillard je me rends compte qu'il lui serre la gorge. Un instant encore, et il va nous étouffer tous les deux, à moins que l'un de nous ne se dresse et le brise d'un mot, ce vide oppressant et destructeur.

Soudain, alors, quelque chose se produit : je vois que le vieillard a fait un mouvement, un mouvement étonnamment lourd et maladroit. Et puis, qu'il s'écroule comme une masse sur le plancher. Derrière lui la chaise tombe elle aussi avec bruit. Une attaque, voilà ma première pensée, une attaque d'apoplexie, car je sais qu'il est cardiaque, Condor me l'a dit. Horrifié, je me précipite pour l'aider, le relever et l'étendre sur le divan. Mais à ce moment je m'aperçois que le vieillard n'est pas du tout tombé de sa chaise. Il s'est jeté à terre. Il s'est mis à genoux (je ne m'en suis pas rendu compte d'abord, en me précipitant vers lui), et comme je veux le relever il se traîne vers moi, prend mes mains et supplie :

« Il faut que vous l'aidiez… vous seul pouvez l'aider… Condor aussi le dit : vous seul et personne d'autre !… Je vous en supplie, ayez pitié !… cela ne peut pas continuer ainsi… elle se tuera… »

Quoique mes mains tremblent violemment, j'empoigne avec vigueur le vieillard par les épaules pour le remettre debout de force. Mais lui s'agrippe à mes bras, je sens dans ma chair la pression désespérée de ses doigts – le djinn, le djinn de mon rêve, qui fait violence au jeune homme pitoyable ! « Aidez-la, gémit-il, pour l'amour du ciel, aidez-la !… On ne peut pas la laisser dans cet état… C'est pour elle une question de vie ou de mort, je vous le jure… Vous ne pouvez pas vous imaginer ce qu'elle dit dans son désespoir. Il faut qu'elle disparaisse, sanglote-t-elle, afin que vous retrouviez votre repos et que tous, nous soyons débarrassés d'elle… Et cela n'est pas chez elle simple façon de parler, c'est terriblement sérieux… à deux reprises déjà elle a voulu mourir, une première fois en s'ouvrant les veines, et une autre en prenant des cachets. Quand elle a quelque chose dans la tête, personne ne peut l'en détourner, personne… Vous seul, à présent, pouvez la sauver, vous seul… Je vous le jure, vous seul…

— Mais c'est entendu, monsieur de Kekesfalva…
Je vous en prie, calmez-vous… Je ferai tout ce qui sera
en mon pouvoir. Si vous voulez, nous irons chez vous
et j'essaierai de la convaincre. Oui, je vous accompagne tout de suite. Dites-moi ce qu'il faut que je lui
dise, ce que je dois faire… »

Il lâcha soudain mon bras et me regarda fixement.
« Ce que vous devez faire ?… Ne comprenez-vous
donc vraiment pas ? Ou ne voulez-vous pas comprendre ? Elle vous a cependant tout avoué, elle s'est offerte
à vous… et elle en est mortellement honteuse, à présent ! Elle vous a écrit et vous ne lui avez pas répondu ;
jour et nuit elle se torture en se disant que vous la
faites partir, que vous voulez vous débarrasser d'elle
parce que vous la méprisez… que vous… que vous
avez de la répugnance pour elle… parce qu'elle…
parce qu'elle… Ne savez-vous donc pas que faire attendre ainsi un être si fier, si passionné, c'est le tuer ?
Pourquoi vous taisez-vous ? Pourquoi ne lui dites-vous
pas un mot qui l'apaiserait, pourquoi êtes-vous si cruel,
si inhumain avec elle ? Pourquoi tourmentez-vous
cette innocente, cette malheureuse ?

— Mais j'ai cependant tout fait pour la calmer. Je
lui ai dit…

— Rien ! Vous ne lui avez rien dit ! Vous devez
pourtant bien vous apercevoir que votre silence la rend
folle, qu'elle n'attend qu'une chose… le mot que vous
ne lui dites pas et que toute femme attend de l'homme
qu'elle aime… Elle n'aurait jamais osé rien espérer
aussi longtemps qu'elle ne croyait pas à sa guérison…
Mais maintenant qu'il est certain qu'elle guérira tout
à fait, et dans peu de temps, pourquoi n'espérerait-elle

pas la même chose que toute autre jeune fille… oui, pourquoi pas ?… Elle vous a même montré, elle vous l'a dit, avec quelle impatience elle attend un seul mot de vous… Elle ne *peut* pourtant pas faire plus que ce qu'elle a fait… elle ne peut pas vous supplier… Mais vous ne dites rien, vous ne dites pas le seul mot qui la rendrait heureuse… Est-ce que cela vous est vraiment si difficile !… Vous auriez tout ce qu'un homme peut avoir sur terre. Je suis un vieillard malade. Tout ce que je possède vous appartiendra, le château, le domaine, et les six ou sept millions que j'ai amassés en quarante années de travail… tout sera vôtre… demain déjà vous pourrez avoir tout cela, à tout moment, à toute heure. Moi je n'ai plus besoin de rien… je désire seulement que quelqu'un veille sur elle quand je ne serai plus. Et je sais, vous êtes un homme généreux et honnête, que vous la ménagerez, que vous serez bon pour elle ! »

Le souffle lui manqua. Epuisé, sans forces, le vieillard retomba sur sa chaise. Mais moi aussi, mes forces étaient à bout, j'étais épuisé : je tombai sur l'autre siège. Et nous restâmes là, comme un moment auparavant, l'un en face de l'autre, sans mot dire, sans nous regarder. On n'entendait, par intervalles, que le léger tremblement de la table à laquelle il s'accrochait, provenant du frisson qui secouait son corps. Puis, au bout d'un certain temps, je perçus un bruit sec, comme quand un corps dur tombe sur un autre corps dur. Son front s'était affalé sur la table. Je compris toute la souffrance de cet homme et j'éprouvai un besoin infini de le consoler.

« Monsieur de Kekesfalva, dis-je en me penchant sur lui, ayez confiance en moi... nous réfléchirons à tout cela, calmement... je vous le répète, je suis à votre entière disposition... je ferai tout ce qui est en mon pouvoir... Seulement cela... à quoi vous avez fait allusion tout à l'heure... c'est... c'est impossible... tout à fait impossible. »

Il tressaillit faiblement, comme un animal abattu recevant le coup de grâce. Ses lèvres remuèrent avec effort, mais je ne lui laissai pas le temps de parler.

« Ce n'est pas possible, monsieur de Kekesfalva, je vous en prie, n'en parlons plus. Réfléchissez une seconde... que suis-je donc ? Un petit lieutenant sans fortune, qui n'a que sa solde pour vivre. On ne peut pas se lancer comme cela dans l'existence, avec des moyens aussi limités, on ne peut pas nourrir deux personnes avec... »

Il voulut m'interrompre :

« Oui, je sais ce que vous allez me dire, monsieur de Kekesfalva ; l'argent n'a pas d'importance, et vous en avez bien assez. Je le sais, vous êtes riche et... je peux tout vous demander... Mais c'est justement cette différence de situation entre vous et moi, qui rend la chose impossible... Vous devez le sentir. Tout le monde penserait que je ne me suis décidé qu'à cause de l'argent, que je me suis... et Edith elle-même, croyez-moi, ne pourrait s'empêcher toute sa vie de soupçonner que je ne l'ai prise que pour sa fortune... et malgré... malgré les circonstances particulières... Croyez-moi, monsieur de Kekesfalva, quelque estime que j'aie pour votre fille et quelle que soit mon amitié pour elle, il faut que vous le compreniez... »

Le vieillard restait immobile. Tout d'abord je pensai qu'il ne m'avait pas compris. Mais peu à peu son corps sans forces dessina un mouvement. À grand-peine, il leva la tête, cependant que ses yeux regardaient dans le vide. Ensuite il saisit des deux mains le rebord de la table et je vis qu'il voulait se redresser. Deux fois, trois fois il échoua. Enfin il réussit à se mettre debout, quoique l'effort qu'il venait d'accomplir fît encore vaciller cette ombre dans l'ombre de la pièce. Puis il dit, d'un ton tout à fait bizarre, effroyablement neutre, comme si sa propre voix était morte en lui :

« Alors… alors tout est fini. »

Ce ton, ce renoncement avait quelque chose d'affreux. Le regard toujours fixé dans le vide, sa main tâtonna sur la table à la recherche de ses lunettes. Il ne les posa pas devant ses yeux pétrifiés – à quoi bon voir encore, à quoi bon vivre ? – mais les fourra maladroitement dans sa poche. Cinq doigts bleuâtres (où Condor avait vu les signes de la mort) se promenèrent encore sur la table jusqu'à ce qu'ils eussent trouvé son chapeau noir tout froissé. Alors il se tourna pour s'en aller et murmura, sans me regarder :

« Excusez-moi de vous avoir dérangé. »

Il avait mis son chapeau de travers. Ses jambes lui obéissaient mal, il s'avançait en titubant vers la porte comme un somnambule. Puis, comme mû par une brusque pensée, il ôta son chapeau, s'inclina et répéta :

« Excusez-moi de vous avoir dérangé. »

Il songeait encore à s'incliner, le vieil homme malheureux ! Ce geste de politesse au milieu de sa détresse me bouleversa. Soudain je sentis de nouveau en moi cette chaleur, ce jaillissement, qui m'envahissait et me montait jusqu'aux yeux, et en même temps cet amollissement que je connaissais trop bien : la pitié avait encore eu raison de moi. Je ne pouvais pas laisser partir ainsi vers le désespoir, vers la mort ce vieillard qui était venu m'offrir sa fille, son bien le plus précieux, – et l'abandonner à lui-même, lui arracher la vie. Il fallait que je lui dise un mot de consolation, d'apaisement. Je me précipitai derrière lui.

« Monsieur de Kekesfalva, je vous en prie, ne donnez pas à mes paroles un sens qu'elles n'ont pas... Vous ne pouvez pas vous en aller comme cela et lui dire... ce serait terrible pour elle en ce moment... et... et ce ne serait pas vrai non plus. »

J'étais de plus en plus ému, car je voyais que le vieillard ne m'écoutait pas. Vraie statue du désespoir, il était là figé dans l'ombre, tel un mort vivant. J'éprouvai de plus en plus fort le besoin de le tranquilliser.

« Ce ne serait pas vrai, monsieur de Kekesfalva, je vous le jure... et rien ne me serait plus pénible que de savoir... que j'ai offensé votre fille... ou de laisser croire à Edith que je n'ai pas pour elle un sentiment sincère... personne ne peut l'aimer plus que moi, je vous le jure... ce serait vraiment une folie de sa part de penser que... qu'elle m'est indifférente... au contraire... au contraire, je voulais seulement dire que cela n'aurait pas de sens si aujourd'hui... si maintenant je disais... pour le moment il n'y a qu'une chose qui compte... c'est qu'elle se ménage... qu'elle guérisse !...

— Mais ensuite... quand elle sera guérie... ? »

Il s'était brusquement tourné vers moi. Ses pupilles, sans vie un instant plus tôt, étaient devenues phosphorescentes dans la pénombre.

La peur me saisit. Je sentis le danger. Faire une promesse là, sur-le-champ, c'était à jamais m'engager. Mais je me repris vite et me dis que ce qu'elle espérait était illusoire. Elle ne guérira pas tout de suite. Cela pouvait durer encore des années et des années. Il ne fallait pas penser trop loin, a dit Condor, il s'agissait seulement de la calmer maintenant, de la consoler. Pourquoi ne pas lui donner quelque espoir, ne pas la rendre heureuse pendant quelque temps ? Je répondis :

« Oui, quand elle sera guérie, alors, bien entendu… Je viendrai chez vous… de moi-même. »

Il me regarda. Un tremblement l'agita. Une force intérieure semblait le pousser sans qu'il s'en aperçût.

« Puis-je… puis-je lui dire cela ? »

De nouveau je vis le danger. Mais je n'avais plus la force de résister à son regard suppliant.

« Oui, fis-je d'un ton ferme, dites-le-lui. » Et je tendis la main au vieillard.

Ses yeux brillèrent, se remplirent de larmes de remerciement. Tel dut être le regard de Lazare lorsqu'il sortit de la tombe et que, tout étourdi, il revit le ciel et sa sainte lumière. Sa main tremblait dans la mienne, tremblait de plus en plus. Puis il pencha le front, fortement. Je me souvins à temps qu'une fois déjà il s'était incliné de la sorte et m'avait embrassé la main. Je la retirai vite et redis :

« Oui, faites-lui-en part, je vous en prie : qu'elle soit sans crainte. Et avant tout qu'elle guérisse rapidement, pour elle et pour nous tous !

— Oui, répéta-t-il, extatique, qu'elle guérisse, qu'elle guérisse bientôt. À présent elle va partir tout de suite, oh ! j'en suis sûr. Elle partira et guérira, par vous, pour vous... Je l'ai su tout de suite : c'est Dieu qui vous a envoyé vers moi... Mes remerciements ne comptent pas... Dieu vous récompensera... Je m'en vais... Non, restez, ne vous dérangez pas, je m'en vais. »

Et d'un pas tout autre que celui que je lui connaissais, un pas léger, élastique, il se dirigea vers la porte suivi de ses basques flottantes. Elle se ferma derrière lui avec un bruit clair, presque joyeux. Je restai seul, légèrement étourdi, comme chaque fois qu'on a fait quelque chose de décisif, sans y avoir réfléchi tout d'abord. Mais ce que j'avais promis dans le mouvement de ma faiblesse, avec toutes les responsabilités que cela entraînait, je n'en eus vraiment conscience qu'une heure plus tard, lorsque mon ordonnance, frappant doucement à la porte, me tendit une lettre dont le format et le papier bleu m'étaient bien connus :

« Nous partons après-demain. Je l'ai promis solennellement à papa. Pardonnez mon attitude de ces derniers jours, mais j'étais tout à fait bouleversée par la crainte d'être pour vous une charge. À présent je sais pourquoi et pour qui je dois guérir. À présent, je ne crains plus rien. Venez demain le plus tôt possible. Jamais je ne vous aurai attendu avec plus d'impatience. Toujours vôtre. E. »

« Toujours. » Un brusque frisson me secoue à ce mot qui vous lie irrévocablement et de façon éternelle à quelqu'un. Mais il n'y avait plus de retour possible en arrière. Une fois de plus, ma pitié avait été plus

420

forte que ma volonté. Je m'étais donné. Je ne m'appartenais plus.

Ressaisis-toi, me dis-je. C'est la dernière chose qu'ils t'ont arrachée : cette demi-promesse qui d'ailleurs ne se réalisera jamais. Encore un jour de patience où tu dois te prêter à cet amour insensé, deux, tout au plus, puis ils partiront et tu seras libre. Mais plus l'après-midi du lendemain s'avançait, plus mon malaise s'accroissait, plus torturante était la pensée d'avoir à soutenir le regard tendre et confiant de la jeune fille, avec un mensonge de plus dans le cœur. En vain m'efforçai-je au café de bavarder sur un ton léger avec mes camarades, le tic-tac de mes tempes, le tremblement de mes nerfs me rappelaient trop à la réalité, et aussi une brusque sécheresse dans le gosier, comme si en moi couvait et fumait un incendie. Sans réfléchir, je commandai un cognac et l'avalai. La sécheresse continuait de me serrer la gorge. J'en commandai un autre, mais ce n'est qu'au troisième que je compris mon but inconscient : je buvais pour me donner du courage, pour ne pas être lâche ou sentimental, là-bas. Il y avait en moi une chose que je voulais endormir auparavant : peut-être la peur, peut-être la honte, un très bon ou un très mauvais sentiment. Oui, c'était cela, rien que cela – c'est aussi pourquoi juste avant l'assaut, on accorde double ration d'eau-de-vie aux soldats –, je voulais m'étourdir afin de me cacher les difficultés et, qui sait, les dangers auxquels je m'exposais. Mais le premier effet de ces trois verres fut que je sentis mes jambes s'alourdir et quelque chose bourdonner et forer dans ma tête comme l'appareil d'un dentiste avant le choc douloureux. Ce n'était pas un homme sûr de lui, à la tête claire, et surtout pas un homme joyeux qui s'engagea le cœur battant sur la longue route (elle me parut cette fois interminable) menant à la maison redoutée.

Tout se passa pourtant bien mieux que je ne l'avais pensé. Un autre étourdissement m'attendait, une ivresse plus élevée, plus pure que celle cherchée dans l'alcool grossier. Car la vanité, elle aussi, étourdit, de même que la reconnaissance et la tendresse vous enivrent. Déjà, à la porte le brave et vieux Joseph s'écrie tout heureux à ma vue : « Oh ! monsieur le lieutenant ! » L'émotion l'étrangle, il se balance sur le pied droit, sur le gauche et me regarde avec dévotion. « Que monsieur le lieutenant veuille bien passer dans le salon ! Mlle Edith l'attend depuis longtemps déjà ! » me chuchote-t-il sur le ton ému d'un enthousiasme contenu.

Je m'étonnai ; pourquoi cet étranger, ce vieux domestique, me regarde-t-il d'un air si ravi ? Pourquoi me montre-t-il tant d'affection ? Est-ce que cela rend vraiment les hommes bons et heureux de voir chez les autres de la bonté et de la pitié ? Si oui, Condor aurait raison : celui qui vient en aide même à une seule personne aurait donné par là un sens à sa vie, alors cela vaudrait vraiment la peine de se dévouer pour un autre jusqu'à la limite de ses forces et même au-delà. Alors tous les sacrifices seraient raisonnables et même un mensonge, s'il rend quelqu'un heureux, aurait plus d'importance que toutes les vérités.

Mais voici Ilona qui s'avance à ma rencontre, le visage radieux. Son regard m'enveloppe, plein de tendresse. Jamais elle ne m'a serré la main avec tant d'effusion. « Merci », dit-elle. Sa voix a la douceur d'une chaude pluie d'été. « Vous ne savez pas ce que vous avez fait pour la pauvre enfant. Vous l'avez sauvée, aussi vrai qu'il y a un Dieu ! Vite, je ne peux pas vous dire avec quelle impatience elle vous attend. »

Entre-temps, l'autre porte s'est ouverte doucement. J'avais le sentiment que quelqu'un était derrière, aux aguets. Le vieillard entre, il n'y a plus dans ses yeux cet effroi, cette fixité de la veille, mais un tendre rayonnement. « Que c'est bien d'être venu ! Vous allez être étonné de voir à quel point elle est transformée. Jamais encore au cours de toutes ces années de malheur, je ne l'ai vue si gaie, si joyeuse. C'est un miracle, un véritable miracle ! O Dieu ! que vous êtes bon pour elle, que vous êtes bon pour nous ! »

C'était plus fort que lui : il avalait ses sanglots et avait honte de cette émotion, qui peu à peu me gagnait. Car qui eût pu rester insensible devant une telle gratitude et un pareil enthousiasme ? Je ne pense pas avoir jamais été un homme infatué de soi, quelqu'un qui s'admire ou se surestime, et encore aujourd'hui je ne crois ni à ma bonté ni à mon énergie. Mais devant cette manifestation une chaude vague d'assurance passait irrésistiblement en moi, emportant toute crainte, toute lâcheté. Pourquoi me refuserais-je à cet amour, si cela pouvait rendre tout ce monde si heureux ? J'étais devenu presque impatient de passer dans la pièce que j'avais quittée si désespéré l'avant-veille.

Dans le fauteuil était assise une jeune fille que je reconnus à peine, tant étaient grandes la joie et la lumière qui émanaient d'elle. Elle portait une robe de soie bleu pâle, qui la faisait paraître encore plus jeune. Dans ses cheveux roux brillaient des fleurs blanches – étaient-ce des myrtes ? – et près d'elle on voyait toute une rangée de corbeilles de fleurs, un vrai buisson coloré. Elle savait sans doute depuis quelques instants que j'étais dans la maison, et elle avait dû entendre, aux aguets dans sa fébrilité, que j'arrivais et saluais les autres. Pourtant, elle n'avait pas cette fois ce regard scrutateur et méfiant qu'en temps ordinaire, ses yeux à demi ouverts dirigeaient sur moi quand j'entrais dans le salon. Elle se tenait droite et légère sur son siège. J'oubliai cette fois complètement que la couverture masquait une infirmité et que le fauteuil profond était en fait une prison ; je regardai avec étonnement cette jeune fille presque inconnue dont la joie faisait une enfant, mais la beauté une femme. Elle remarqua mon mouvement de surprise et l'accueillit comme un cadeau. Le ton de notre période de camaraderie confiante réapparut dans sa voix, lorsqu'elle s'écria :

« Enfin ! Enfin ! Veuillez vous asseoir, là, à côté de moi. Et, je vous en prie, taisez-vous. J'ai des choses extrêmement importantes à vous dire. »

Je m'assis avec un sentiment de parfait naturel. Car comment être troublé, embarrassé, quand on vous parle sur un ton si cordial, si amical ?

« Ecoutez-moi juste une minute. Et surtout, ne m'interrompez pas, d'accord ? (Je sentis qu'elle avait réfléchi à chacun de ses mots.) Je sais tout ce que vous avez dit à mon père. Je sais ce que vous voulez faire pour moi. À présent croyez chaque mot de ce que je vais vous promettre : jamais je ne vous demanderai – vous entendez, jamais ! – pourquoi vous avez agi comme vous l'avez fait, si c'est pour mon père ou pour moi. Si c'était par pitié ou non... ne m'interrompez pas : je *ne veux pas* le savoir, je ne veux pas... je ne veux plus me casser la tête avec cela, me torturer et torturer les autres. Il me suffit de savoir que je ne vis que grâce à vous, que j'ai seulement *commencé à vivre* hier et que si je guéris, je ne le devrai qu'à vous, à vous seul ! »

Elle hésita un moment, puis poursuivit : « Et maintenant, écoutez encore la promesse que je vous fais, de mon côté. Cette nuit j'ai bien réfléchi à tout. J'ai réfléchi pour la première fois comme une personne normale, non pas comme autrefois, lorsque j'étais encore inquiète, en proie à l'impatience et à l'énervement. C'est merveilleux, je m'en rends compte à présent, de penser sans peur, merveilleux de pouvoir sentir, vivre comme un être raisonnable, et c'est vous, vous seul qui avez fait cette chose. C'est pourquoi je ferai tout ce que les médecins me prescriront, tout, tout, pour guérir, n'être plus le monstre que je suis. Je ne lâcherai pas prise, et je m'acharnerai, maintenant que j'ai un but. Je me battrai de toutes mes forces, avec toutes les ressources de mon corps et de mon sang, et je crois que si l'on veut quelque chose avec une énergie aussi farouche, Dieu n'a qu'à s'incliner et vous l'accorder... Mais si cela ne devait pas réussir... je vous en prie, ne m'interrompez pas... ou si cela ne réussissait pas *entièrement*, si je ne guérissais pas tout à fait, si je ne devenais pas aussi normale, aussi mobile, que les autres – alors ne craignez rien. J'en porterai le poids toute seule. Je sais qu'il est des sacrifices qu'on ne doit pas accepter, surtout de l'homme qu'on aime.

Si par conséquent le traitement en lequel je mets tout mon espoir devait échouer, alors vous n'entendrez plus jamais parler de moi, jamais plus vous ne me reverrez. Je ne vous serai jamais à charge, je vous le jure, car je ne veux plus être à charge à personne, surtout à vous. Voilà, c'est tout. Et maintenant plus un mot là-dessus… Il ne nous reste plus que quelques heures à passer ensemble, dans les jours qui vont suivre. Je voudrais essayer de les passer dans la joie. »

C'était avec une tout autre voix qu'elle parlait maintenant, une voix d'adulte. C'étaient de tout autres yeux, non plus les yeux inquiets de l'enfant, ni les yeux dévorants et exigeants de la malade. Son amour n'était plus celui du début, tourmenté, désespéré. Et moi non plus, je ne la regardais plus de la même façon ; la pitié pour l'incurable ne m'oppressait plus, je n'avais plus besoin désormais d'être prudent et craintif, mais seulement cordial et naturel. Sans bien m'en rendre compte, j'éprouvais à présent une nouvelle et véritable tendresse pour cette faible jeune fille au visage éclairé par le rayonnement d'un bonheur inespéré. Sans réfléchir, je m'approchai d'elle pour lui prendre la main, et ce contact ne provoqua plus comme l'autre fois un tremblement sensuel. Calme et consentant, le mince poignet froid s'offrit à ma pression et je constatai, tout heureux, que le pouls battait avec calme.

Puis nous nous entretînmes sans aucune contrainte du voyage et de faits insignifiants, nous parlâmes de ce qui s'était passé à la ville et à la caserne. Je me demandais comment j'avais pu me tourmenter, alors que tout était si simple ; il suffisait de s'asseoir à côté de quelqu'un et de lui tendre la main, de ne plus se contracter ni se cacher, de montrer qu'on n'avait l'un pour l'autre que des sentiments cordiaux, d'accepter sans honte et avec gratitude la tendresse que l'on vous offrait.

Puis nous nous mîmes à table. Les girandoles d'argent étincelaient à la lumière des chandelles, et les fleurs montant des vases faisaient penser à des flammes multicolores. Les glaces se renvoyaient la lumière du lustre de cristal, cependant qu'au-dehors, comme une coquille enveloppant sa perle brillante, la maison se taisait. Parfois je croyais entendre la respiration paisible des arbres et le souffle chaud et voluptueux du vent sur la prairie, dont le parfum pénétrait par les fenêtres ouvertes. Tout était plus beau, plus enchanteur que jamais. Le vieillard droit et solennel sur son siège avait l'air d'un prêtre. Jamais je n'avais vu Edith ni Ilona si gaies et si jeunes, jamais le plastron du domestique n'avait brillé d'une blancheur si éclatante, jamais la peau lisse des fruits n'avait resplendi de couleurs si variées. Et nous mangions, buvions, parlions et nous réjouissions de la concorde retrouvée. Comme un gazouillis d'oiseaux les rires voletaient de l'un à l'autre, la gaieté montait et descendait comme une vague joueuse. C'est seulement quand le domestique emplit les verres de champagne et que je levai le mien vers Edith en disant : « À votre santé ! » que tous devinrent brusquement silencieux.

« Oui, il faut guérir, dit-elle en me regardant avec confiance, comme si mon souhait avait pouvoir de vie et de mort. Guérir pour toi.

— Dieu le veuille ! » fit le père. Il s'était levé, il ne pouvait plus rester en place. Les larmes mouillaient ses lunettes, il les ôta et les essuya longuement. Je m'aperçus que ses mains, qu'il s'efforçait de retenir, désiraient me toucher, et je ne m'y refusai pas. Moi aussi j'éprouvais le besoin de lui montrer ma reconnaissance, je m'approchai de lui et le pris dans mes bras, de sorte que sa barbe effleura ma joue. Lorsque je le lâchai, je remarquai qu'Edith me regardait. Ses lèvres à demi ouvertes tremblaient légèrement. Je compris qu'elles désiraient elles aussi mon contact. Aussi me penchai-je rapidement vers elle et je baisai sa bouche.

C'étaient les fiançailles. Mon baiser n'était pas réfléchi, mais dicté par l'émotion. C'était arrivé sans que j'en eusse eu bien conscience et sans que je l'eusse voulu, mais je ne le regrettai pas. Car elle ne colla pas sauvagement, comme la fois précédente, sa poitrine contre la mienne, elle ne me retint pas contre elle. Humblement, comme on reçoit un grand cadeau, ses lèvres prirent les miennes. Les autres se taisaient. À ce moment provint d'un angle de la pièce un bruit timide. Il nous sembla tout d'abord que c'était un toussotement embarrassé, mais lorsque nous levâmes les yeux, nous vîmes que c'était le domestique qui sanglotait doucement. Il avait posé sa bouteille et s'était vite détourné. Nous fîmes semblant de ne pas remarquer son émotion intempestive, mais chacun de nous sentait ces larmes étrangères picoter ses propres yeux. Soudain la main d'Edith se posa sur la mienne : « Laisse-la-moi un instant. »

Je ne savais pas ce qu'elle voulait faire. Elle glissa quelque chose de froid et de lisse à mon annulaire. C'était un anneau. « Pour que tu penses à moi quand je serai partie », dit-elle en manière d'excuse. Je ne regardai pas l'anneau, mais je pris sa main et l'embrassai.

Ce soir-là j'étais Dieu. J'avais créé le monde, et il était bon et juste. J'avais donné la vie à un être humain, son front brillait, pur comme le matin, et dans ses yeux se reflétait l'arc-en-ciel du bonheur. J'avais couvert la table de richesses, de mets délicieux, de vins, de fruits, de fleurs. Magnifiquement présentés, ces témoins de ma générosité étaient pour moi autant de présents, ils s'avançaient vers moi dans des plats resplendissants et des corbeilles pleines, et le vin coulait, les fruits étincelaient, ils s'offraient doux et délicieux à ma bouche. J'avais apporté de la joie dans la pièce et de la lumière dans le cœur des hommes. Dans les verres scintillait le soleil du lustre, la nappe de damas brillait comme de la neige, et je voyais avec fierté que les hommes aimaient la lumière qui sortait de moi, et j'acceptais leur amour et je m'en enivrais. Ils m'offraient du vin, et je le buvais jusqu'au fond du verre ; ils m'offraient des fruits et des plats, et leurs dons me réjouissaient. Ils me montraient du respect et de la gratitude, et j'accueillais leurs hommages comme j'acceptais les mets et les boissons.

Ce soir-là j'étais Dieu. Mais je ne jetais pas, de mon trône élevé, un regard indifférent sur mon œuvre. Je me tenais doux et bienveillant au milieu de mes créatures et je voyais leur visage à travers les nuages argentés de mon imagination. À ma gauche était assis un vieillard. La grande lumière de la bonté qui émanait de moi avait lissé les plis de son front raviné et fait disparaître les ombres de ses yeux. J'avais éloigné de lui la mort et il parlait d'une voix de ressuscité, reconnaissant du miracle que j'avais accompli. À côté de moi se tenait une jeune fille qui avait été une malade, enchaînée et asservie à ses souffrances, empêtrée dans les complications de son âme, mais que baignait à présent de son éclat la lumière de la guérison. Du souffle de mes lèvres, je l'avais tirée de l'enfer de l'angoisse et portée dans le ciel de l'amour, et son anneau brillait à mon doigt comme l'étoile du matin. En face d'elle je voyais une autre jeune fille, elle aussi souriant avec reconnaissance, car j'avais mis de la beauté sur son visage et dans la sombre et odorante forêt de sa chevelure d'où se dégageait un front luisant. Tous, je les avais comblés et exaltés par le miracle de ma présence, tous portaient ma lumière dans les yeux. Quand ils se regardaient, j'étais le flambeau qui brillait dans leur regard. Quand ils parlaient, j'étais le sens de leurs paroles, et quand nous nous taisions, j'occupais seul leurs pensées. Car moi seul j'étais le commencement, le centre et la cause de leur bonheur. Quand ils se glorifiaient, c'est moi qu'ils glorifiaient, et quand ils s'aimaient, c'est moi qu'ils aimaient comme le créateur de leur amour. Et moi j'étais là au milieu d'eux, content de mon œuvre, et je voyais qu'elle était bonne. Et tout en buvant leur vin, je buvais leur amour, tout en me réjouissant de leurs offrandes, je goûtais leur bonheur.

Ce soir-là, j'étais Dieu. J'avais apaisé les eaux de l'inquiétude et chassé de ces cœurs l'obscurité. Mais en moi-même aussi j'avais banni la crainte, mon âme était calme comme jamais elle ne l'avait été. Pourtant à la fin de la soirée, lorsque je me levai de table, une légère tristesse s'empara de moi, la tristesse éternelle de Dieu le septième jour, lorsqu'il eut terminé son œuvre – et cette mélancolie se refléta sur tous les visages. Le moment de la séparation était venu. Nous étions tous étrangement émus, comme si nous savions que quelque chose d'unique prenait fin, une de ces rares heures délivrées de tout souci qui, semblables aux blancs nuages, passent et ne reviennent pas. Même j'étais ennuyé de quitter la jeune fille. Comme un amoureux, je retardais le moment de prendre congé d'elle, qui m'aimait. Comme ce serait bien, pensais-je, de rester auprès de son lit, de caresser sa timide et tendre main, et de voir encore ce rose sourire du bonheur éclairer son visage. Mais il se faisait tard. Je l'embrassai rapidement sur la bouche. Je sentis alors qu'elle retenait son souffle comme si elle eût voulu garder en elle la chaleur du mien. Puis je me dirigeai vers la porte, accompagné du père. Un dernier regard encore, un dernier salut, et je m'en allai, libre et sûr de moi, comme on se sent toujours après l'accomplissement d'une œuvre, d'une action méritoire.

Je fis quelques pas dans le hall, où le domestique attendait déjà avec mon képi et mon sabre. Que ne suis-je parti tout de suite, que n'ai-je eu moins d'égards ! Mais Kekesfalva ne pouvait pas encore me laisser partir. Il me prenait le bras, le caressait, le reprenait et le caressait encore pour me répéter sans cesse combien il m'était reconnaissant de ce que j'avais fait pour lui. Maintenant il pouvait mourir tranquille, son enfant guérirait, tout était bien, et cela grâce à moi, uniquement grâce à moi ! Ces marques d'affection m'étaient de plus en plus pénibles en présence du domestique, qui restait là, attendant patiemment et la tête baissée. À plusieurs reprises déjà, j'avais serré la main du vieillard pour prendre congé, mais il ne me lâchait pas. Et moi, imbécile, prisonnier de ma pitié, je restais. Je ne trouvais pas la force de m'arracher à lui, quoiqu'au fond de moi une voix me pressât de partir : va t'en ! me disait-elle. C'est assez, c'est trop déjà !

Soudain j'entendis un bruit confus derrière la porte. Je prêtai l'oreille. On eût dit qu'une dispute avait éclaté dans la pièce voisine ; je percevais nettement des répliques violentes qui s'échangeaient. Et je reconnus avec effroi les voix d'Ilona et d'Edith. L'une paraissait vouloir quelque chose, dont l'autre s'efforçait de la détourner. « Je t'en prie ! implorait la voix d'Ilona, reste là. – Non, laisse-moi, laisse-moi ! » répondait la dure voix d'Edith en colère. De plus en plus inquiet, j'écoutais sans plus faire attention au bavardage du vieillard. Que se passait-il derrière cette porte ? Pourquoi la paix était-elle rompue, ma paix, la trêve du Dieu de ce jour ? Que voulait si impérieusement Edith, que désirait empêcher l'autre ? Et tout à coup j'entendis l'affreux toc toc des béquilles. Pour l'amour du ciel ! elle ne voudrait pas me suivre sans l'aide de Joseph… Mais déjà le bruit précipité se rapprochait : toc toc, droite, gauche, droite, gauche (dans mon esprit je voyais les oscillations de son corps) ; elle devait être maintenant tout près de nous. Puis un fracas, une poussée, comme si une masse s'était jetée contre la porte, un souffle haletant et le bruit sec, comme d'une noix qu'on casse, du bouton violemment pressé.

Vision effroyable ! Appuyée au battant de la porte apparut Edith, épuisée par l'effort. Elle s'y accrochait furieusement de la main gauche, cependant que dans sa droite elle tenait ses béquilles. Derrière elle, Ilona, désespérée, qui la soutenait et essayait en même temps de la retenir. « Laisse-moi, laisse-moi, lui criait Edith, le regard étincelant d'impatience et de colère. Je n'ai besoin de personne… J'y arriverai seule. »

Et, avant que Kekesfalva ou le domestique eussent pu se rendre compte de la situation, l'incroyable arriva. Se mordant les lèvres, dans un immense effort, les yeux grands ouverts et brûlants fixés sur moi, elle décolla, comme un nageur de la rive, d'un seul coup, pour venir vers moi, librement, sans appui. Un instant elle vacilla, comme si elle allait tomber dans le vide, mais vite elle leva les mains, la droite libre et la gauche tenant les béquilles, pour trouver son équilibre. Puis elle poussa un pied en avant, glissa l'autre. Ce mouvement saccadé de marionnette à droite et à gauche déchirait tout son corps. Mais elle marchait ! Elle marchait comme si elle se tenait à un fil invisible, ses yeux extatiques dirigés sur moi, les dents enfoncées dans ses lèvres, les traits convulsivement tirés ! Elle marchait, ballottée comme un bateau par la tempête, mais elle marchait, seule, sans béquilles et sans aide. Un prodige de volonté avait réveillé ses jambes mortes. Aucun médecin n'a jamais pu m'expliquer comment la paralytique avait pu, cette unique fois, arracher ses jambes à leur immobilité et à leur faiblesse, et je suis impuissant à le décrire… Tous, nous la fixions, pétrifiés, nous contemplions ses yeux extasiés ; Ilona en oublia de la suivre, pour l'aider. Ainsi Edith avança, elle fit ces quelques pas, comme emportée par un courant intérieur. À vrai dire ce n'était pas une marche, c'était plutôt un vol à ras du sol, le vol tâtonnant d'un oiseau aux ailes coupées ; mais la volonté, ce « démon » du cœur, la poussait de plus en plus loin ; déjà elle était tout près de nous ; dans le triomphe du succès, elle avançait vers moi ses bras, ses traits se détendaient pour faire place à un sourire de joie. Encore deux pas, non, un seulement, et le miracle était accompli : déjà sa bouche ouverte me faisait sentir son haleine – lorsque l'effroyable se produisit. Par suite du mouvement violent avec lequel elle avait tendu les bras, elle perdit l'équilibre. Comme si on les eût fauchées, ses jambes s'effondrèrent soudain. Elle s'écroula à mes pieds, en même temps que ses béquilles tombaient avec fracas sur le dur carrelage. Et, effrayé, je reculai instinctivement, au lieu de faire la chose qui s'imposait, la plus naturelle : l'aider à se relever.

Mais Kekesfalva, Ilona et Joseph avaient bondi vers la jeune fille gémissante. C'est à peine si je les vis l'emporter. Je n'entendis que les sanglots étouffés de sa colère désespérée et les pas glissants qui s'éloignaient prudemment avec leur charge. Dans cette seconde se déchira le rideau de l'enthousiasme qui durant toute la soirée avait voilé mon regard. Je vis tout avec une clarté cruelle ; je sus que jamais la malheureuse ne guérirait complètement ! Le miracle, qu'ils attendaient tous de moi, ne s'était pas produit. Je n'étais plus Dieu, mais un petit homme insignifiant, qui faisait du mal avec sa faiblesse, avec sa pitié malsaine et destructrice.

Et je me rendais compte, terriblement compte, de mon devoir : c'était le moment ou jamais de lui témoigner ma fidélité. Aujourd'hui ou jamais je devais me porter à son secours, me précipiter derrière les autres, m'asseoir près de son lit, l'apaiser et lui mentir en lui disant qu'elle avait magnifiquement marché et qu'à coup sûr elle guérirait. Mais je n'avais plus la force de me livrer à ce mensonge désespéré. La peur s'empara de moi, une peur atroce de ses yeux suppliants et exigeants, de l'impatience de ce cœur sauvage, la peur de cette détresse que je n'étais pas en état de maîtriser. Et sans réfléchir à ce que je faisais, je saisis mon sabre et mon képi. – Pour la troisième et la dernière fois, je m'enfuis de cette maison comme un criminel.

De l'air maintenant, une gorgée d'air ! J'étouffe… La nuit est-elle si lourde entre les arbres ou est-ce l'effet du vin, que j'ai bu en abondance ? Ma tunique me serre effroyablement, j'ouvre le col, et j'ai envie de me débarrasser de mon manteau, tellement il me pèse sur les épaules. De l'air, une gorgée d'air ! C'est comme si le sang voulait sortir de la peau ; mes oreilles bourdonnent et font toc toc, toc toc. Est-ce encore le bruit horrible des béquilles ou bien mes tempes qui battent ainsi ? Et pourquoi suis-je en train de courir ? Qu'est-il donc arrivé ? Il faut que j'essaie de penser. Que s'est-il passé, en fait ? Oui, réfléchissons lentement, soyons calme, n'écoutons pas ce toc toc, toc toc ! Donc, je me suis fiancé… non, on m'a fiancé… je ne voulais pas, je n'y avais jamais songé… et pourtant je suis fiancé, à présent je suis lié… Mais non… ce n'est pas vrai… j'ai dit au vieux : quand elle sera

435

guérie, et jamais elle ne guérira... Ma promesse vaut seulement... non, elle ne vaut rien du tout ! Il ne s'est rien passé, absolument rien. Mais alors pourquoi l'ai-je embrassée, embrassée sur la bouche ?... Je ne le voulais pas... Ah ! cette pitié, cette maudite pitié ! Ils m'ont toujours attrapé avec cela, et me voilà prisonnier. Je me suis fiancé selon toutes les règles, ils étaient là tous les deux, le père et l'autre, et le domestique... Et je ne veux pas, je ne le veux pas... que dois-je faire ?... Réfléchissons. Ah ! ce toc toc odieux ! Toujours ce bruit me poursuivra désormais, me martèlera le crâne, toujours elle courra derrière moi avec ses béquilles... C'est arrivé, irrévocablement arrivé. Je l'ai trompée, et ils m'ont trompé. Je me suis fiancé... On m'a fiancé.

Qu'est-ce qui se passe ? Pourquoi les arbres titubent-ils ainsi l'un contre l'autre ? Et les étoiles, comme elles dansent ! Mes yeux doivent être troubles. Et comme j'ai la tête lourde ! Ah ! cette chaleur étouffante ! Il faudrait que je me rafraîchisse le front quelque part, pour que mes pensées redeviennent claires. Ou que je boive, ne fût-ce qu'un peu d'eau, afin de chasser de ma gorge ce goût nauséeux... N'y avait-il pas là quelque part – je suis passé si souvent devant, à cheval – une fontaine sur la route ? Non, je l'ai dépassée depuis longtemps, je dois avoir couru comme un fou, d'où le battement de mes tempes, ce terrible battement qui ne veut pas cesser. Oui, il faut que je boive ! Ensuite je pourrai mieux penser. Enfin... aux premières maisons basses, derrière une vitre à moitié voilée, brille la lumière jaune d'une lampe à pétrole. Ah ! je me rappelle, c'est le bistro du faubourg, où les rouliers viennent se réchauffer le matin en avalant vite un schnaps. Si j'y entrais pour demander un verre d'eau ou boire un alcool ? Oui, entrons et buvons n'importe quoi. Sans plus réfléchir, avec l'avidité de quelqu'un qui meurt de soif, je pousse la porte.

Une odeur de mauvais tabac m'assaille et me suffoque, venant de cet antre obscur. Dans le fond j'aperçois le comptoir avec ses bouteilles ; par-devant se trouve une table où des ouvriers sont assis et jouent aux cartes. Le dos tourné de mon côté, un uhlan est appuyé au comptoir et plaisante avec la patronne. Il sent le courant d'air, mais à peine s'est-il retourné que sa bouche s'ouvre toute grande de frayeur : aussitôt il se redresse et claque des talons. Pourquoi est-il si effrayé ? Ah ! oui ! il croit sans doute que je suis un officier venu inspecter l'estaminet, et depuis longtemps il devrait être rentré et au lit. La patronne, elle aussi, regarde inquiète de mon côté, les ouvriers s'arrêtent un moment de jouer. Quelque chose en moi attire sûrement leur attention. Et tout d'un coup, trop tard, je comprends : c'est un de ces endroits où ne fréquentent que les soldats. En tant qu'officier je ne dois pas y pénétrer. Je veux faire demi-tour.

Mais la bistrote s'est avancée et me demande respectueusement ce que je désire. Il faut que je m'excuse de ma venue dans ce lieu. Je ne suis pas très bien, dis-je. Peut-elle me servir un soda et une Slibowitz ? « Mais certainement », fait-elle avec déférence. Et déjà elle s'éloigne d'un pas léger. Mon intention est de boire vite au comptoir et de m'en aller. Mais voilà que soudain la lampe à pétrole se met à vaciller, les bouteilles à remuer sur leurs rayons, sous mes pieds le carrelage cède et bascule au point que j'en titube. Assieds-toi, me dis-je. Et rassemblant mes dernières forces, je me dirige en chancelant vers une table vide. On m'apporte les consommations commandées. Je vide le soda d'un trait. C'est froid et bon. J'ai la bouche moins amère. La Slibowitz avalée, je veux me lever pour partir, mais impossible… C'est comme si mes pieds étaient entrés dans le sol et ma tête bourdonne sourdement. Je commande une autre Slibowitz. Puis je sors une cigarette… et je m'en irai sans tarder !

Je l'allume. Restons encore là un moment. Et la tête entre les mains, je réfléchis à tout ce qui s'est déroulé là-bas cet après-midi. Ainsi donc, je me suis fiancé… on m'a fiancé… mais cela ne compte pas pour le moment… non, pas d'échappatoire, cela compte, oui cela compte… je l'ai embrassée sur la bouche, volontairement. Mais rien que pour l'apaiser, et parce que je sais qu'elle ne guérira jamais… N'est-elle pas tombée comme un sac ?… on ne *peut* pourtant pas épouser un être pareil, ce n'est pas une femme, c'est… mais ils ne me lâcheront pas, je ne pourrai pas me débarrasser du vieux, le djinn, au bon visage mélancolique et aux lunettes d'or… sans cesse il s'accrochera à moi, il s'agrippera à ma maudite pitié. Demain ils raconteront la chose dans toute la ville, ils la publieront dans le journal, et il n'y aura pas de recul possible… Ne serait-il pas préférable d'avertir dès maintenant ma famille afin que ma mère, mon père ne l'apprennent pas par d'autres ou par les journaux ? Leur expliquer pourquoi et comment je me suis fiancé, et que le mariage n'est pas pour tout de suite, qu'il est aléatoire et que c'est seulement par pitié que je me suis laissé embarquer dans cette affaire… Ah ! cette pitié, cette maudite pitié ! Mais au régiment ils ne comprendront pas cela, pas un seul de mes camarades ne le comprendra. Qu'est-ce que Steinhübel a dit de Balinkay : « Quand on se vend, il faut au moins se vendre cher… » Dieu, qu'est-ce qu'ils vont dire ? Je ne comprends pas bien moi-même comment j'ai pu me fiancer avec cette… avec cette créature qui ne tient pas debout… Et quand la tante Daisy l'apprendra… elle est maligne, on ne lui en fait pas accroire, elle ne connaît pas la plaisanterie. On ne lui en conte pas en fait de noblesse et de châteaux, elle feuillettera aussitôt le Gotha, et au bout de deux jours elle saura que Kekesfalva s'appelait autrefois Lämmel Kanitz et qu'Edith est une demi-juive, et rien ne lui serait plus odieux que l'idée d'avoir des juifs dans la famille… Avec ma mère, ça ira, l'argent a une influence sur elle – six millions, sept millions, a-t-il dit… Mais moi, je me fiche de son argent, je n'ai pas du tout l'intention d'épouser sa fille, même pas pour tout l'or du monde… J'ai bien dit quand elle sera guérie, seulement alors… Mais comment leur expliquer cela ?… Tous au régiment sont déjà prévenus contre le vieux, et dans ces sortes d'affaires ils sont terriblement pointilleux… l'honneur du régiment, je connais… Même à Balinkay, ils ne le lui ont pas pardonné. Il s'est vendu, disent-ils en ricanant… vendu à cette vieille toupie de Hollandaise. Et quand ils verront les béquilles… non je préfère ne rien écrire chez moi, pour le moment personne ne doit rien savoir ! Je ne veux pas que tout le monde se moque de moi ! Mais comment échapper à leurs railleries ? Si j'allais en Hollande, chez Balinkay ? Je n'ai pas encore refusé, à n'importe quel moment je peux partir pour Rotterdam, Condor boira le vin qu'il a tiré… Il verra lui-même comment il doit arranger cette affaire, c'est lui qui est responsable de tout… Tiens, je ferais bien d'aller le trouver et de lui expliquer… que je ne peux plus, tout simplement… C'était terrible de la voir tomber comme un sac d'avoine… on ne *peut* pourtant pas épouser cela… oui, je vais dire tout de suite à Condor que je pars… je me rends chez lui immédiatement… Cocher ! Cocher !… Mais où donc habite-t-il ? Ah ! oui, Florianigasse… Quel numéro ? Quatre-vingt-dix-sept… Et vite, tu auras un pourboire… vite, dépêche-toi !… Nous y voilà, je reconnais la maison pitoyable où il demeure, je reconnais le sale escalier tournant. Heureusement qu'il est raide !… Elle ne pourra pas me suivre avec ses béquilles, elle ne montera pas, je suis sûr au moins de ne pas entendre son toc toc… Quoi ?… La flasque servante est déjà devant la porte ?… Est-elle donc tout le temps là, cette maritorne ? « Le docteur est-il chez lui ? – Non, non, mais entrez donc, il va venir tout de suite. » Espèce de souillon de Bohême ! Eh bien ! asseyons-nous et attendons. Il faut toujours l'attendre… jamais il n'est chez lui ! Dieu, pourvu que l'aveugle avec son pas traînant ne se montre pas… je ne pourrai pas endurer sa présence cette fois, mes nerfs en ont assez de ces égards éternels… Jésus-Marie, la voilà déjà… j'entends son pas à côté… Non, Dieu soit loué, non, ce ne peut pas être elle, elle n'a pas un pas aussi ferme, ce doit être quelqu'un d'autre, qui avance là et parle… Mais je connais cette voix… Comment ?… Comment ?… mais c'est… c'est la voix de tante Daisy, et… comment est-ce possible ?… comment la tante Bella est-elle là aussi, tout d'un coup, et maman et mon frère et ma belle-sœur ?… Je déraisonne… c'est impossible… je suis chez le docteur Condor, Florianigasse… personne de notre famille ne le connaît, comment se seraient-ils tous donné rendez-vous chez lui ? Mais pourtant ce sont bien eux, je distingue la voix aiguë de la tante Daisy… Pour l'amour du ciel, où me cacher ?… ils se rapprochent… la porte s'ouvre… elle s'est ouverte toute seule, les deux battants… et – grand Dieu !… les voici tous en demi-cercle comme chez le photographe, et ils me regardent : maman a sa robe de taffetas noir ornée de ruches blanches qu'elle portait au mariage de Ferdinand, et la tante Daisy est en manches bouffantes, le lorgnon d'or fiché sur son nez pointu et hautain, ce répugnant nez pointu que je haïssais déjà quand j'avais quatre ans ! Mon frère en frac… pourquoi porte-t-il le frac, en plein jour ?… et ma belle-sœur, Franzi, avec son visage joufflu… Ah ! écœurant, écœurant ! Comme ils me regardent, et quelle malice dans le sourire de la tante Bella !… On dirait qu'elle attend quelque chose… mais tous sont là debout en demi-cercle comme à une audience, tous attendent et attendent… mais quoi donc ?

« Félicitations ! » dit mon frère. Et il s'avance solennellement, son haut-de-forme à la main… Je crois que le drôle a dit cela d'un ton quelque peu ironique. « Félicitations ! » répètent les autres… Mais comment… comment le savent-ils déjà… et comment sont-ils tous ensemble… la tante Daisy est pourtant brouillée avec Ferdinand... et je n'ai rien dit à personne.

« Vraiment on peut te féliciter, bravo, bravo !... Sept millions, ça c'est un coup... fortiche !... Sept millions, il y en aura pour toute la famille », disent-ils en ricanant. « Bravo, bravo, dit la tante Bella, cela permettra à Franzi de poursuivre ses études. Un bon parti ! » « Et de plus c'est une noble », chevrote mon frère derrière son haut-de-forme. Mais déjà la tante Daisy l'interrompt avec sa voix de cacatoès : « Oh ! pour ce qui est de la noblesse, il faudra que nous examinions cela de près. » Et à présent ma mère s'approche et murmure timidement : « Mais ne veux-tu pas nous la présenter, enfin, ta fiancée ? »... La présenter ?... Il ne manquerait plus que cela, pour que tous voient les béquilles et dans quelle affaire je me suis embarqué par ma stupide pitié... je m'en garderai bien... et puis – comment pourrais-je la présenter, ne sommes-nous pas chez Condor, Florianigasse, au troisième étage ?... de sa vie la malheureuse ne pourrait monter les quatre-vingts marches... Mais pourquoi se retournent-ils tous maintenant, comme s'il y avait quelque chose dans la pièce à côté... Moi-même je sens un courant d'air dans le dos... derrière nous on doit avoir ouvert la porte... quelqu'un d'autre doit-il venir ? Oui, j'entends un bruit... comme un gémissement le bruit se rapproche, on entend souffler avec effort... puis toc toc, toc toc... pour l'amour du ciel, ce n'est tout de même pas elle !... elle ne va tout de même pas me rendre ridicule avec ses béquilles... je m'enfoncerais sous terre pour échapper aux railleries de la bande malicieuse... Mais, malheur ! c'est vraiment elle, ce ne peut être qu'elle... toc toc, toc toc... je connais la musique... toc toc, toc toc, toujours plus près... dans un instant elle sera là... Si je fermais la porte... Mais voilà que mon frère soulève son haut-de-forme et s'incline. Devant qui s'incline-t-il donc, et pourquoi si profondément ?... Et soudain ils se mettent tous à rire avec une force telle que les vitres en tremblent. « Ah ! c'est *ça* ! c'est *ça* ! c'est *ça* ! A-ha... a-ha !... c'est ça les sept millions, les sept millions... A-ha... a-ha !... et les béquilles en plus comme dot, a-ha... a-ha !... »

Je sursaute... Où suis-je ? Je regarde d'un air effaré et effrayé autour de moi. Mon Dieu ! Je dois m'être endormi dans cette minable gargote... Se sont-ils aperçus de quelque chose ? La patronne lave ses verres d'un air impassible, le uhlan me montre opiniâtrement son large dos vigoureux. Peut-être n'ont-ils rien remarqué. Je ne peux m'être assoupi qu'une minute ou deux, tout au plus, car le bout de ma cigarette brûle encore dans le cendrier. Mais ce rêve confus a chassé de mon corps le feu qui y couvait. Brusquement, en même temps qu'un frisson me parcourt, la conscience me revient : je me rappelle clairement ce qui est arrivé. Mais vite, allons-nous-en de ce bouge ! Je jette l'argent sur la table, me dirige vers la porte et aussitôt le uhlan se met au garde-à-vous. Je sens juste encore le regard étonné que les ouvriers me jettent par-dessus leurs cartes, et je sais que dès que j'aurai fermé la porte, ils se mettront à bavarder sur l'original en uniforme d'officier, que je suis à leurs yeux. À partir d'aujourd'hui, tous les gens ricaneront derrière mon dos. Tous,

tous, tous – et personne n'aura pitié de la pauvre victime de sa pitié !

Maintenant où aller ? Pas chez moi, en tout cas ! Pas dans ma chambre vide, seul avec ces horribles pensées ! Si je buvais encore quelque chose, quelque chose de froid et de fort, car je sens de nouveau dans ma gorge cet odieux goût de fiel. Peut-être sont-ce ces pensées atroces que je voudrais étouffer, chasser, faire disparaître, vomir. Ah ! quel horrible sentiment ! Entrons en ville ! Parfait : le café de la place de l'Hôtel-de-Ville n'est pas fermé. La lumière y brille à travers les interstices dans les rideaux. Allons-y… J'ai besoin de boire quelque chose, n'importe quoi !

Une fois la porte ouverte, je vois qu'ils sont encore tous à la table réservée : Ferencz, Jozci, le comte Steinhübel, le major, toute la bande. Mais pourquoi Jozci me regarde-t-il avec un tel air de stupéfaction, pourquoi pousse-t-il son voisin du coude et pourquoi tous ces regards identiques, braqués sur moi ? Pourquoi la conversation s'arrête-t-elle subitement ? Ils étaient pourtant plongés dans une discussion animée, ils faisaient même un tel vacarme que je les entendais du dehors. Maintenant qu'ils m'ont aperçu, ils sont tous muets et semblent embarrassés. Que se passe-t-il ?

Mais il est trop tard pour que je revienne sur mes pas, car ils m'ont vu. Je m'approche d'eux de l'air le plus naturel possible. Je ne me sens pas très à l'aise, car je n'ai pas la moindre envie de plaisanter ou de bavarder. Et puis, je sens comme une tension dans l'air. D'ordinaire ils m'accueillent par un salut de la main ou me lancent un « Servus ! » qui claque comme un coup de cymbale dans une bonne partie de la salle. Aujourd'hui ils restent tous assis là, muets et immobiles comme des écoliers pris sur le fait. Dans mon stupide embarras je dis, tout en approchant une chaise :

« Vous permettez ? »

Jozci me regarde d'un air étrange. « Eh bien ! qu'en pensez-vous ? dit-il aux autres. Il nous demande si l'on permet ? Avez-vous jamais vu de pareilles cérémonies ? Eh oui ! Hofmiller en est aujourd'hui aux cérémonies ! »

Ce doit être une plaisanterie méchante du personnage, car les autres sourient ouvertement, ou tentent de dissimuler un sourire lourd de sous-entendus. Que se passe-t-il donc ? D'habitude, quand l'un de nous arrive après minuit, ils lui posent toutes sortes de questions, d'où il vient, pourquoi si tard, et assaisonnent leurs moqueries de toutes sortes de suppositions audacieuses. Aujourd'hui, par contre, personne n'en fait rien, ils ont vraiment tous l'air gêné. Je dois être tombé au milieu d'eux comme une pierre dans une mare. Enfin Jozci se renverse sur son siège, cligne à demi la paupière gauche comme pour tirer à la cible et demande :

« Eh bien ! est-ce qu'on peut te féliciter ?

— Me féliciter ? De quoi ?... » Je suis tellement ahuri que je ne vois vraiment pas, d'abord, ce qu'il veut dire.

« Mais... le pharmacien, qui vient de s'en aller, nous a raconté que le domestique du château lui a téléphoné que tu es fiancé avec la... avec la... eh bien ! disons : avec la jeune fille de la maison. »

Tous maintenant me dévisagent. Deux, quatre, six, huit, dix, quatorze yeux regardent ma bouche. Je sais que si je dis que c'est vrai, ce sera une grande explosion, des blagues, des quolibets, des rires et des félicitations ironiques. Non, je ne peux pas l'avouer. Impossible devant tous ces sacrés railleurs !

« Absurdités ! » grognai-je pour gagner du temps. Mais cette réponse dilatoire ne leur paraît pas suffisante. Le bon Ferencz, sincèrement curieux, me frappe sur l'épaule.

« Dis, Toni, j'ai bien raison, hein, – ce n'est pas-vrai ? »

Les intentions du brave garçon étaient excellentes, mais il n'aurait pas dû faciliter de la sorte mes dénégations. Un dégoût insurmontable me prend devant cette curiosité moqueuse et sans-gêne. Je me rends compte combien il serait absurde de vouloir expliquer à cette table de café ce que, dans le fond, je ne parviens pas à m'expliquer à moi-même. Sans bien réfléchir je réponds, avec mauvaise humeur :

« Pas le moins du monde. »

Un instant de silence. Ils se regardent, surpris et un peu déçus, me semble-t-il. Je leur ai manifestement gâté une bonne plaisanterie. Mais, tout fier, Ferencz appuie ses coudes sur la table et hurle d'un ton triomphant :

« Eh bien ! Que vous avais-je dit ? Je connais mon Hofmiller comme ma poche ! J'ai compris tout de suite que c'était un mensonge, un sale mensonge du pharmacien. Demain, je lui apprendrai à vivre, à cette canaille de droguiste qui se permet avec nous de pareilles blagues ! En voilà du culot ! Il faudra qu'il s'explique et même il pourrait bien recevoir une mornifle ! Non mais, pour qui se prend-il ? L'air de rien, ruiner comme ça la réputation d'un honnête homme ! Répandre à la légère une telle infamie sur l'un d'entre nous ! J'en étais sûr : Hofmiller est incapable de faire cela. Jamais il ne se vendra, lui qui est si bien bâti, même pour une mine d'or ! »

Il se tourne vers moi, pose encore amicalement sa lourde patte sur mon épaule et dit :

« Toni, je suis rudement content que cela ne soit pas vrai. C'eût été d'ailleurs une honte, et pour toi et pour nous et pour le régiment.

— Et quelle honte ! fait le comte Steinhübel. On ne prend pas pour femme la fille d'un vieil usurier, qui, dans le temps, avait cassé les reins à notre brave Neuendorff avec ses histoires de traites. C'est déjà assez scandaleux que des gaillards de la sorte puissent faire leur pelote, et acheter des châteaux et des titres de noblesse. Vous ne le voyez pas décrochant encore un officier pour sa fille ! Ce salaud ! Il sait bien pourquoi il m'évite dans la rue ! »

Le tumulte croissant a pour effet d'exciter l'humeur de Ferencz. « Ce cochon de pharmacien, ma parole, j'ai envie d'aller le sonner en pleine nuit et de lui appliquer une paire de claques. Ça dépasse les bornes ! Oser raconter une pareille ignominie, parce que l'un de nous a pu passer deux ou trois soirées là-bas ! »

C'est maintenant au tour du baron Schönthaler, le maigre lévrier aristocratique.

« Vois-tu, Hofmiller, je n'ai rien voulu te dire – *chacun son goût !* Mais à présent, si tu veux avoir mon opinion, cela ne m'a pas plu du tout quand j'ai appris que tu étais tout le temps fourré chez eux. Nous autres, nous devons bien faire attention à qui nous faisons l'honneur de nos visites. Quelles sont les affaires que celui-ci fait ou a faites, je n'en sais rien et me refuse à le savoir… Ça ne me regarde pas. Mais tu vois avec quelle facilité se répandent les cancans. Un homme de notre rang doit toujours veiller à rester propre, bien propre – et rien qu'en se frottant un peu, on peut se salir. Allons ! Je suis content que tu ne te sois pas laissé embarquer trop loin. »

Ils bavardent avec animation, se déchaînent contre le vieillard, déballent les plus vilaines histoires, raillent son « avorton » de fille. Et de temps à autre l'un d'eux se tourne vers moi pour me féliciter de ne pas m'être fourvoyé avec ces « gens-là ». Et je suis là immobile et muet, acceptant leurs louanges qui pourtant m'écœurent et me torturent. J'ai envie de leur hurler : « Assez ! La canaille, c'est moi ! Le pharmacien a dit la vérité. C'est moi qui suis un menteur. Un lâche, un misérable menteur ! » Mais je sais qu'il est trop tard ! Je ne peux plus les arrêter, les contredire. Je ne peux plus rien réparer, je ne peux plus nier. Et je reste là sans ouvrir la bouche, le regard fixé dans le vide, la cigarette éteinte entre mes dents serrées, terriblement conscient en même temps de la trahison ignoble et criminelle dont je me rends coupable par mon silence à l'égard de gens malheureux et innocents. Ah ! que ne puis-je me cacher sous terre ! Fuir ! Disparaître ! Je ne sais où diriger les yeux ni que faire de mes mains dont le tremblement pourrait me dénoncer. Prudemment je les ramène à moi et les joins nerveusement, au point de me faire mal, espérant maîtriser mon inquiétude pendant quelques instants encore, par ce mouvement convulsif.

Mais au moment où mes doigts se pressent ainsi les uns contre les autres, je sens quelque chose de dur, d'étranger. C'est l'anneau qu'Edith m'a mis au doigt en rougissant, il y a une heure. L'anneau de fiançailles que j'ai reçu consentant ! Je n'ai plus assez de forces pour enlever cette preuve éclatante de mon mensonge. Du geste lâche d'un voleur, je tourne la pierre avant de tendre la main à mes camarades pour prendre congé.

La place de l'Hôtel-de-Ville est d'une blancheur fantomale sous l'éclat glacé du clair de lune, chaque arête du pavé bien découpée, chaque ligne des maisons nettement tirée jusqu'au toit. La même clarté règne en moi. Jamais je n'ai pensé d'une façon plus nette qu'en ce moment : je sais ce que j'ai fait et ce qui me reste à faire. Je me suis fiancé à dix heures du soir, et trois heures après, j'ai nié lâchement ces fiançailles, devant sept témoins : un capitaine de cavalerie, deux lieutenants, un médecin-major, deux sous-lieutenants et un enseigne, alors que j'avais l'anneau de fiançailles au doigt ; j'ai accepté les félicitations que me valait mon mensonge odieux. J'ai perfidement compromis une jeune fille qui m'aime avec passion, un être faible, malade, innocent ; sans protester, j'ai laissé insulter son père et traiter de menteur une personne qui avait dit la vérité. Demain le régiment entier connaîtra ma honte, et alors ce sera la fin de tout. Les mêmes qui aujourd'hui me frappaient cordialement sur l'épaule refuseront de me tendre la main et de me saluer. Démasqué, je serai indigne de porter l'épée. Et chez les autres non plus, les trahis, les calomniés, je ne pourrai plus retourner. Il ne faut même pas que je compte sur Balinkay à présent. Ces trois minutes de lâcheté ont brisé ma vie : il n'y a plus pour moi d'autre issue que le revolver.

Déjà, tout à l'heure à la table, je m'étais rendu compte qu'il n'y avait plus que ce moyen de sauver mon honneur. Ce à quoi je réfléchissais maintenant, tout en déambulant seul à travers les rues, ce n'était plus qu'aux détails de mon projet. Les pensées s'ordonnaient très clairement dans ma tête, comme si la blanche lumière de la lune y avait pénétré à travers mon képi ; avec la même indifférence que s'il s'agissait de démonter une carabine, j'organisais les deux ou trois heures qui allaient suivre, les dernières que j'avais encore à vivre. Il fallait tout régler convenablement, ne rien oublier ! D'abord envoyer une lettre à mes parents, pour m'excuser du chagrin que j'allais leur causer. En écrire une deuxième à Ferencz pour lui dire de laisser en paix le pharmacien, l'affaire étant réglée par ma mort ; puis une troisième au colonel, pour le prier d'étouffer tout scandale, lui exprimer mon désir d'être enterré de préférence à Vienne, sans délégations, sans couronnes. J'enverrais quelques mots à Kekesfalva, pour lui demander d'assurer Edith de mes sentiments les plus affectueux et la prier de ne pas penser de mal de moi. Ensuite il s'agissait de mettre tout en ordre dans ma chambre, d'inscrire sur un bout de papier mes petites dettes, de donner l'autorisation de vendre mon cheval afin de les rembourser.

Je n'avais rien à léguer. Ma montre et le peu de linge que je possédais iraient à mon ordonnance. Ah ! oui, l'anneau et l'étui à cigarettes en or devaient être renvoyés à M. de Kekesfalva.

Quoi encore ?... Très juste !... Brûler les deux lettres d'Edith, et du reste tous les papiers et photographies ! Ne rien laisser derrière moi, pas un souvenir, pas une trace. Disparaître de la façon la plus discrète possible, aussi discrètement que j'avais vécu. De toute manière j'en avais pour deux ou trois heures, car chaque lettre devait être écrite comme il faut, pour que personne ne pût dire que j'avais eu peur ou que j'étais troublé. Puis la dernière chose, la plus facile : m'étendre sur mon lit, mettre sur ma tête deux ou trois couvertures et le lourd édredon par-dessus, afin qu'on n'entende ni à côté ni dans la rue le bruit de la détonation. C'est ainsi qu'a fait le capitaine de cavalerie Felber. Il s'est suicidé à minuit, personne n'a rien entendu. Ce n'est qu'au matin qu'on l'a trouvé le crâne fracassé. Une fois sous les couvertures il n'y a qu'à presser le canon contre ma tempe. Mon revolver est sûr, avant-hier encore, par hasard, je l'ai graissé. Et je sais que ma main ne tremblera pas.

Jamais encore, je le répète, je n'avais rien réglé d'une façon plus claire, plus précise, plus méticuleuse que ma mort à ce moment-là. Tout était calculé, établi minute par minute, détaillé comme dans les archives, lorsqu'au bout d'une heure d'allées et venues apparemment sans but, j'arrivai devant la caserne. Mon pas n'avait cessé d'être calme pendant tout ce temps, mon pouls normal et je me rendis compte avec une certaine fierté à quel point ma main était restée sûre en mettant la clé dans la serrure de la petite porte latérale que les officiers utilisaient toujours quand ils rentraient après minuit. Elle avait plongé directement dans l'étroite ouverture. Il ne me restait plus qu'à traverser la cour et à monter les trois étages. Je serais seul alors avec moi-même, et je pourrais commencer et finir à la fois. Mais au moment où, de la cour illuminée par le clair de lune, je m'avançais vers l'escalier obscur, je vis remuer une silhouette. Que le diable l'emporte ! pensai-je en moi-même. Sans doute un camarade, qui vient de rentrer et veut me dire bonsoir, un bonsoir qui le fera bavarder indéfiniment. Mais l'instant d'après je reconnais, avec ennui, à ses larges épaules, le colonel Bubencic, qui quelques jours auparavant, m'avait si grossièrement réprimandé. Il semblait s'être posté là à dessein. Je savais que ce maniaque du règlement n'aimait pas que nous rentrions tard. Mais, en vérité, qu'est-ce que cela peut bien me faire ? Demain je figurerai au rapport pour un tout autre motif. Aussi je suis bien résolu à passer comme si je ne le voyais pas. Mais le voilà qui brusquement sort de l'ombre. Sa voix grinçante m'interpelle avec violence :

« Lieutenant Hofmiller ! »

Je m'approche et me mets au garde-à-vous. Il me toise des pieds à la tête :

« Nouvelle mode des jeunes gens d'aujourd'hui de porter le manteau à moitié déboutonné ! Croyez-vous que vous puissiez ainsi vous promener comme une truie qui laisse pendre son pis ? Bientôt vous irez le pantalon ouvert. Pas de cela ! Même après minuit, mes officiers doivent avoir une tenue correcte. Compris ? »

Je claque les talons. « À vos ordres, mon colonel. »

Il se détourne, méprisant, et sans un mot gagne l'escalier d'un pas lourd. Je vois son large dos se déplacer pesamment au clair de lune. Mais la colère me prend tout à coup, en pensant que le dernier mot que j'aurai entendu avant de mourir aura été une injure. À ma propre surprise, tout à fait inconsciemment, je me précipite derrière lui. Je sais que ce que je fais là est complètement absurde. À quoi bon, une heure avant la toute dernière, vouloir encore expliquer quelque chose à cette tête dure comme un caillou ? Mais c'est une absurdité commune à presque tous ceux qui se suicident que, dix minutes avant de se tuer, ils cèdent encore à la vanité de quitter la vie de façon impeccable (cette vie que les autres poursuivront sans eux), et qu'avant de se tirer une balle dans la tête, qui fera d'eux un corps défiguré, ils se rasent (pour qui ?) et mettent du linge propre (pour quoi ?). Je me rappelle même avoir entendu parler d'une femme qui, voulant se jeter du quatrième étage, se fit onduler, se farda et se parfuma avec le parfum Coty le plus réputé. C'est ce sentiment tout à fait inexplicable, d'un point de vue logique, qui actionna mes muscles et me fit courir derrière le colonel, et non pas du tout – je l'affirme explicitement – une crainte de la mort ou une lâcheté soudaine ; cet unique et absurde instinct de propreté qui pousse à ne pas disparaître dans le néant avec une quelconque tache sur soi.

Le colonel m'avait entendu, sans doute. Il se retourna brusquement, ses petits yeux perçants sous les sourcils touffus me regardèrent avec stupéfaction. Il était clair qu'il ne pouvait pas comprendre cette inconvenance inouïe d'un inférieur qui se permettait de le suivre sans y avoir été invité. Je m'arrêtai à deux pas de lui, portai la main au képi et dis – d'une voix aussi blanche que le clair de lune – en soutenant avec calme son dur regard :

« Excusez-moi, mon colonel, mais pourrais-je vous parler un instant ? »

Les sourcils broussailleux se tendent : « Quoi ? Maintenant ? À une heure et demie du matin ? »

Il est prêt à me mordre. Il s'apprête à m'insulter ou à me renvoyer à plus tard. Mais peut-être a-t-il vu sur mon visage un signe qui l'arrête ? Ses yeux pénétrants m'examinent pendant une minute. Puis il grogne :

« Je vais en entendre de belles ! Enfin, si tu y tiens, monte chez moi et fais vite ! »

Ce colonel Svetozar Bubencic, que je suivis alors, telle une ombre sans forces, par des escaliers et des couloirs vides, éclairés par la lueur falote des lampes à pétrole et encore habités par l'odeur des soldats, était un militaire de la plus pure espèce, et le plus redouté de tous nos supérieurs. Les jambes courtes, un cou de taureau, le front bas, des sourcils en bataille qui dissimulaient deux yeux brillants que l'on avait rarement vus pétiller de joie. Son corps trapu, son allure massive et pesante révélaient à coup sûr des origines paysannes (il venait du Banat). Mais avec ce front de buffle et sa tête dure comme du bois, il avait fait son chemin, lentement mais sûrement, jusqu'à devenir colonel. Son inculture crasse, ses propos brusques et ses jurons – joints à son physique peu imposant – avaient conduit le Ministère à lui donner depuis des années le commandement de diverses garnisons de province, et dans les hautes sphères il était clair qu'il conserverait encore longtemps les épaulettes bleues avant d'obtenir ses galons rouges de général. Pourtant, malgré sa rudesse et sa vulgarité, il n'avait pas son pareil à la caserne et au champ de manœuvres. Il connaissait plus en détail les paragraphes du règlement qu'un puritain écossais sa Bible, et ce n'étaient pas pour lui des lois souples, susceptibles d'être améliorées ou harmonisées, mais des commandements presque religieux dont un soldat n'avait pas à commenter le sens ou le non-sens. Il vivait dans sa fonction de chef comme un croyant vit en Dieu ; il ne s'intéressait pas aux femmes, ne fumait ni ne buvait ; à peine avait-il, une fois dans sa vie, été au théâtre ou au concert, et tout comme François-Joseph, le chef suprême de son armée, il n'avait jamais rien lu d'autre que le règlement militaire et le journal des troupes. Il n'existait rien sur terre, en dehors de l'armée impériale et royale, rien dans cette armée en dehors de la cavalerie, et dans la cavalerie il n'y avait rien que les uhlans, et seuls ceux de son régiment. Qu'à l'intérieur de ce régiment tout se passe mieux que dans n'importe quel autre, était depuis toujours l'unique but de sa vie.

Un homme d'esprit borné est une plaie difficile à supporter où que ce soit, s'il exerce une autorité, mais c'est pis que tout, à l'armée. Pour la troupe, le service est constitué par des centaines de directives extrêmement pointilleuses, et pour la plupart surannées, fossilisées ; seul un fanatique de l'armée peut les connaître en détail, et seul un fou en exiger l'application à la lettre – de sorte qu'à la caserne, personne ne se sentait en sécurité devant ce dévot du Saint Réglement. À cheval, son personnage replet inspirait la terreur d'être pris en défaut ; à table, il trônait en inspectant tout de son regard scrutateur ; il impressionnait grandement les cantines et les bureaux. Le vent froid de l'épouvante soufflait dès qu'il était annoncé quelque part, et quand le régiment se présentait à la revue et que Bubencic, sur son valaque fauve, passait lentement devant les troupes, la tête un peu penchée comme un taureau prêt à charger, les rangs se figeaient, comme si l'artillerie adverse se montrait et mettait en joue. On savait que la première salve n'allait pas tarder, qu'elle était inévitable, irrépressible, et nul ne pouvait dire qu'il ne serait pas lui-même visé. Même les chevaux ne bronchaient plus, pas une oreille ne frémissait, pas un éperon ne sonnait, tous retenaient leur souffle. Et sans hâte, jouissant manifestement de la crainte qu'il inspirait, le tyran approchait sur son cheval, pointant l'index sur l'un, puis sur l'autre, qu'il désignait d'un regard acéré auquel rien n'échappait. Il voyait tout, ce regard métallique du service : il trouvait le képi posé un pouce trop bas, le bouton mal astiqué, la moindre tache de rouille sur le sabre, la moindre trace de boue sur le cheval. Et à peine avait-il surpris la plus minime infraction au règlement, qu'un ouragan – ou plutôt un véritable déluge de mots orduriers – s'abattait. Sous l'étroit col d'officier, la pomme d'Adam, apoplectique, gonflait comme une tumeur ; sous les cheveux rasés, le front s'empourprait, avec de grosses veines bleues sillonnant les tempes. Alors sa voix râpeuse et rauque se déchaînait, déversait sur la victime à demi innocente des flots d'immondices – et parfois la grossièreté de ses propos devenait si gênante que les officiers, irrités, fixaient le sol, en se sentant honteux devant leurs hommes.

La troupe le craignait comme le diable en personne, car pour un rien il vous gratifiait des arrêts, et parfois dans sa fureur, il vous collait en plus son poing dans la figure. Un jour – tandis que « le crapeau-buffle » (comme nous l'appelions parce que son cou gras se gonflait à éclater dans ses accès de furie) se déchaînait déjà dans le box d'à côté –, je vis à l'écurie un soldat ruthène qui se signait comme le font les Russes et se mettait à murmurer une prière, les lèvres tremblantes. Bubencic épuisa le pauvre type en le houspillant tant et plus, lui fit craquer bruyamment les jointures des bras à force d'exercices de maniement de sa carabine et monter plusieurs chevaux rétifs jusqu'à ce que ceux-ci aient les jambes en sang. Mais, chose étonnante, les braves paysans, qui étaient ses victimes, aimaient leur tyran, à leur manière sourde et craintive, sans doute mieux que les officiers, plus raffinés et plus distants. On eût dit qu'un instinct leur faisait percevoir cette dureté comme résultant d'une volonté étrangement bornée, selon un ordre voulu par Dieu. En outre, ces pauvres diables se consolaient en voyant que les officiers ne s'en tiraient pas mieux, car les hommes acceptent plus facilement, même le plus impitoyable des jougs, quand ils savent qu'il tombe aussi sur les reins de leurs voisins. Cette justice fait mystérieusement équilibre à cette violence… Ainsi les soldats se plaisaient à ressasser l'histoire du jeune prince W., apparenté de près à la maison impériale, et qui croyait pour cette raison pouvoir se permettre toutes sortes de fantaisies. Or Bubencic lui colla quinze jours d'arrêts avec sa sévérité habituelle, tout comme au fils d'un journalier – malgré toutes les Excellences qui téléphonèrent de Vienne ! Il ne fit pas grâce d'un seul jour de sa peine au délinquant de marque, ce qui, du reste, à l'époque, lui coûta son avancement.

Et, plus étrange encore, même nous autres officiers conservions pour lui un certain attachement. Son honnêteté manifeste jusque dans la plus dure intransigeance, et surtout sa solidarité absolue envers les autres officiers, voilà qui nous en imposait. De la même façon qu'il ne supportait pas le moindre grain de poussière sur une uhlanka ni une tache de boue sur la selle d'un soldat, il ne tolérait pas la plus petite injustice. Tout scandale dans le régiment signifiait pour lui une offense commise envers son honneur personnel. Nous faisions partie de sa vie et nous savions pertinemment que si l'un d'entre nous avait fait une bêtise, il avait tout intérêt à aller le trouver. Il commencerait bien sûr par vous incendier mais, après, il se décarcasserait pour vous tirer du pétrin. S'il s'agissait d'obtenir de l'avancement ou bien de faire débloquer une avance de fonds exceptionnelle pour un officier qui se retrouvait dans la panade, il ne mollissait pas, partait tout droit au Ministère et, grâce à son opiniâtreté, emportait le morceau. Il avait beau nous agacer et nous tracasser, nous sentions tous par une intuition secrète que cette espèce de paysan du Banat, à sa façon épaisse et bornée, défendait mieux le sens et la tradition de l'armée, et lui restait plus sincèrement fidèle que tous les officiers de la noblesse – fidèle à cette invisible aura qui pour nous autres, les officiers subalternes, comptait en réalité bien plus que notre solde.

Voilà qui était ce colonel Svetozar Bubencic, le grand tourmenteur de notre régiment, derrière qui je montais l'escalier à présent. C'était d'ailleurs avec la même étroitesse d'esprit bien virile, avec le même stupide sens de l'honneur qu'il exigeait de nous, qu'il faisait aussi ses propres choix. Durant la campagne de Serbie, tandis qu'après la déroute de Potiorek seuls quarante-neuf uhlans, sur tout son régiment bien équipé, étaient revenus vivants en traversant la Save, il était resté le dernier sur la rive adverse. Constatant la panique de cette retraite, qu'il trouvait honteuse pour l'honneur de l'armée, il fit ce dont très peu de chefs et d'officiers supérieurs se montrèrent capables pendant la Grande Guerre : il prit son lourd revolver réglementaire et se tira une balle dans la tête, pour n'être pas témoin du déclin de l'Autriche, qu'il avait déjà pressenti obscurément dans le spectacle affreux de ce régiment prenant la fuite.

Le colonel ouvrit sa porte. Nous entrâmes dans une chambre qui ressemblait plus, dans sa sobriété spartiate, à celle d'un étudiant qu'à celle d'un officier supérieur : un lit de campagne en fer (il ne voulait pas dormir dans un meilleur lit que François-Joseph à la Hofburg), deux lithographies en couleur, représentant à droite l'empereur, à gauche l'impératrice, quatre ou cinq photographies de revues ou de fêtes du régiment, dans des cadres à bon marché, quelques sabres en panoplie et deux pistolets turcs – c'était tout. Pas de livres. Pas de fauteuil : rien que quatre chaises de paille autour d'une table vide.

Le colonel Bubencic se lissa vigoureusement la moustache, une fois, deux fois, trois fois. Nous connaissions tous ce geste : c'était chez lui la marque la plus nette d'irritation. Enfin il dit d'une traite et sans m'offrir un siège :

« Pas de chichis, accouche ! Des histoires d'argent, des fariboles avec les femmes ? »

Il m'était pénible de devoir parler debout, et en outre je me sentais sous l'éclat de la lumière, trop exposé à son regard impatient. Je lui dis vite qu'il ne s'agissait nullement d'argent.

« Alors de femmes ! Encore ! C'est terrible que vous ne puissiez pas vous tenir tranquilles, vous autres ! Comme s'il n'y avait pas assez de femmes avec qui les choses se passent d'une façon sacrément simple ! Mais vas-y maintenant, et sans détour. Où gît le lièvre ? »

Je lui dis de la manière la plus brève possible que je m'étais fiancé le jour même avec la fille de M. de Kekesfalva et que trois heures plus tard, j'avais carrément nié le fait. Mais il ne fallait pas qu'il crût que je désirais atténuer le déshonneur de ma conduite. Au contraire, je n'étais là que pour lui communiquer, comme à mon supérieur mais à titre privé, que j'avais pleinement conscience des suites qu'en tant qu'officier je devais donner à mon attitude. Je connaissais mon devoir et saurais le remplir.

Bubencic me regarda d'un air stupide, sans comprendre.

« Qu'est-ce que tu racontes là comme foutaises ? Déshonneur, suites de ce déshonneur ! Comment ? Pourquoi ? Mais ce n'est rien du tout. Tu t'es fiancé, dis-tu, avec la fille de Kekesfalva. Je l'ai vue une fois – drôle de goût ! C'est une personne tout à fait folle et mal fichue. Et puis tu as réfléchi. Mais il n'y a rien de grave à cela. Je connais quelqu'un à qui la même chose est arrivée et ce n'était pas pour autant une canaille. Ou peut-être… (il se rapprocha) as-tu poussé ton flirt un peu loin et il est arrivé quelque chose… ? Alors, vraiment, ce serait une affaire désagréable. »

J'étais fâché et embarrassé. La façon désinvolte et légère, peut-être à dessein, avec laquelle il donnait à mes paroles un sens qu'elles n'avaient pas m'irritait. Aussi dis-je en claquant des talons :

« Mon colonel, permettez-moi d'attirer respectueusement votre attention : le mensonge grossier dont je me suis rendu coupable en affirmant que je ne m'étais pas fiancé, je l'ai dit devant sept officiers du régiment à la table réservée du café. Par gêne et lâcheté j'ai menti à mes camarades. Demain le sous-lieutenant Havlitchek demandera des explications au pharmacien qui lui a rapporté la nouvelle véridique de mes fiançailles. Et demain la ville entière connaîtra mon mensonge et ma malhonnêteté, qui sont indignes de mon grade. »

Il semblait maintenant ennuyé. Son lourd cerveau avait enfin saisi. Son visage s'assombrit peu à peu.

« Où était-ce, dis-tu ?

— À notre table réservée, au café.

— Devant les camarades, dis-tu ? Et tous t'ont entendu ?

— Tous, mon colonel.

— Et le pharmacien sait que tu as nié ?

— Il l'apprendra demain. Lui et toute la ville. »

Le colonel roula et tirailla très fort sa grosse moustache comme s'il voulait l'arracher. On voyait que sa tête travaillait. Il se mit à aller et venir d'un air mécontent, les mains derrière le dos, une fois, deux fois, cinq fois, dix fois, vingt fois. Le parquet craquait sous son pas nerveux ; ses éperons cliquetaient doucement. Enfin il s'arrêta devant moi.

« Et que veux-tu faire, dis-tu ?

— Il n'y a qu'une issue, vous le savez bien, mon colonel. Je suis venu pour prendre congé de vous et vous prier avec respect de faire en sorte qu'il n'y ait pas de scandale. Il ne faut pas que ma honte retombe le moins du monde sur le régiment.

— Absurde ! murmura-t-il. Absurde ! Pour une chose pareille, un bel homme comme toi, honnête et en bonne santé... pour ce genre d'avorton ! Sans doute le vieux renard et sa fille t'ont roulé et tu n'as pas pu t'en tirer... D'eux, d'ailleurs, je m'en moque, je n'ai rien à voir avec eux ! Mais il y a les camarades et aussi que ce pouilleux de pharmacien soit au courant : ça c'est une sale affaire, bien sûr ! »

Il se remit à marcher nerveusement, avec plus d'emportement encore. L'effort de la réflexion le fatiguait. Chaque fois qu'il revenait sur ses pas, le rouge de son visage était d'un ton plus prononcé ; les veines de ses tempes rappelaient d'épaisses racines noires. Enfin il s'arrêta d'un air résolu.

« Alors, écoute-moi. Il faut que ça s'arrange vite. Si ça s'ébruitait, on ne pourrait vraiment plus rien faire. Tout d'abord, qui des nôtres était là ? »

Je donnai les noms. Le colonel Bubencic sortit de sa poche un petit carnet rouge, le fameux carnet qu'il tirait comme une arme chaque fois qu'il prenait l'un de nous en défaut. Celui qui y était inscrit pouvait faire une croix sur sa permission. À la façon paysanne, il mouilla tout d'abord son crayon entre les lèvres avant d'y écrire les sept noms de ses doigts épais et aux larges ongles.

« C'est tout ?

— Oui, mon colonel.

— Bien sûr ?

— Oui, mon colonel.

— Bon ! »

Il remit le carnet dans sa poche comme un sabre dans son fourreau. Son « bon » en avait aussi la vibration.

« Allez, nous réglerons ça. Demain je les convoquerai tous les sept, l'un après l'autre, avant qu'ils partent pour le terrain d'exercices, et il fera bien d'appeler Dieu à son secours, celui qui par après osera se souvenir de ce que tu as dit ! Le pharmacien, je l'entreprendrai à part. Je lui servirai une blague, compte sur moi, je trouverai bien quelque chose… Peut-être avais-tu l'intention de me demander mon autorisation avant de rendre les choses officielles, ou… ou attends un peu (il se rapprocha tout à coup si près de moi que je sentis son haleine et il me plongea son regard perçant dans les yeux) dis-moi franchement, mais tout à fait franchement : n'avais-tu pas bu un peu trop avant, je veux dire avant de commettre cette imbécillité ? »

J'étais gêné. « Oui, mon colonel, à vrai dire, avant de me rendre au château j'avais bu quelques cognacs et là-bas à… ce dîner, j'ai bu assez abondamment… Mais… »

J'attendais un sifflement coléreux. Au lieu de cela son visage s'épanouit soudain. Il frappa dans ses mains et se mit à rire bruyamment, content de lui.

« Parfait, parfait ! J'ai trouvé ! Avec ça nous sortirons le chariot de l'ornière. C'est clair comme de l'eau de roche ! Je leur ferai admettre à tous que tu étais saoul comme un cochon et ne savais pas ce que tu disais. Tu n'as pas donné ta parole d'honneur ?

— Non, mon colonel.

— Alors tout va bien. Tu étais à moitié saoul, leur dirai-je. Le cas s'est déjà produit, même avec un archiduc. Tu étais complètement ivre, tu n'avais pas la moindre idée de ce que tu disais, tu n'as pas bien entendu, tu as mal compris ce qu'ils te demandaient. C'est pourtant logique ! Et au pharmacien, je lui raconterai que je t'ai engueulé parce que tu es entré au café dans un tel état d'ivresse. Ainsi, le premier point sera réglé ! »

J'étais de plus en plus furieux qu'il se refusât de me comprendre. Cela m'irritait que cet homme à la tête dure, mais bienveillant au fond, voulût absolument me tenir l'étrier. Il pensait sans doute que je m'étais adressé à lui par lâcheté, pour qu'il me tirât de ce mauvais pas. Pourquoi diable ne voulait-il pas saisir ? Aussi repris-je :

« Mon colonel, permettez-moi de vous faire remarquer humblement que par là, l'affaire n'est pas du tout réglée pour moi. Je sais ce que j'ai fait, et je sais que je ne peux plus désormais regarder en face un honnête homme. Et je ne veux pas vivre dans ces conditions-là…

— Ferme ça ! fit-il. Pardon… laisse-moi donc réfléchir avec calme, ne m'interromps pas… je sais moi aussi ce que j'ai à faire et n'ai pas besoin de leçons d'un blanc-bec comme toi. Crois-tu qu'il ne s'agisse que de toi ? Non, mon cher, c'était seulement le premier point ; à présent vient le deuxième, c'est-à-dire que demain matin tu disparais, je ne veux plus de toi ici. Il faut laisser repousser l'herbe sur cette histoire. Tu ne peux pas rester ici un jour de plus, sinon les bavardages et les questions iront leur train, et ça ne me convient pas. Quiconque fait partie de mon régiment ne doit pas être suspecté ni regardé de travers par personne. Cela je ne le veux pas… À partir de demain tu es transféré aux cadres de recrutement à Czaslau… je rédigerai l'ordre de transfert et je te donnerai une lettre pour le lieutenant-colonel. Ce qu'elle contiendra ne te regarde pas. Il te suffit de t'éclipser, et le reste, c'est mon affaire. Cette nuit, arrange tout avec ton ordonnance, et demain tu sortiras de la caserne assez tôt pour que personne ne te voie. À midi, au rapport, on annoncera simplement que tu es parti en mission urgente pour que les autres n'inventent rien de plus. La façon dont tu régleras ensuite l'histoire avec le vieux et la jeune fille, je m'en moque. Cuis ta soupe comme tu voudras. Mon seul souci est que ça ne fasse pas de mauvaises odeurs pour le régiment… Ainsi c'est réglé : à cinq heures et demie ici, je te remettrai la lettre, et ensuite en avant ! Compris ? »

J'hésitais. Ce n'était pas pour cela que j'étais venu. Je ne voulais pourtant pas échapper à mon destin ! Bubencic remarqua mon hésitation et répéta d'un ton presque menaçant :

« Compris ?

— À vos ordres, mon colonel », répondis-je froidement sur le ton militaire. Mais en moi-même je me disais : Laisse ce vieux fou parler comme il l'entend ! Je n'en ferai pas moins ce qui est mon devoir.

« Bon, et maintenant c'est fini. Demain matin, cinq heures et demie. »

Je restai là, raide. Il vint vers moi.

« C'est malheureux que ce soit justement toi qui fasses de telles bêtises ! Ce n'est pas de bon cœur que je t'envoie chez ceux de Czaslau. De tous les jeunes officiers d'ici, tu m'as toujours été le plus sympathique. »

Je devinais qu'il se demandait s'il devait me tendre la main. Son regard était devenu moins dur.

« Que désires-tu encore ? Si je peux t'aider, ne te gêne pas, je le ferai volontiers. Je ne voudrais pas qu'on croie que tu es à l'index, ou abandonné. Tu n'as besoin de rien ?

— Non, mon colonel. Je vous remercie respectueusement.

— Tant mieux ! Alors, à Dieu vat ! Et à demain matin, cinq heures et demie.

— À vos ordres, mon colonel. »

Je le regardai comme on regarde quelqu'un pour la dernière fois. C'est le dernier homme auquel j'aurai parlé sur terre. Demain ce sera le seul qui connaîtra toute la vérité. Je claque les talons, je redresse les épaules et fais demi-tour.

Mais il y avait sans doute quelque chose d'étrange en moi, dans mon regard ou dans mon allure, qui n'a

466

pas échappé à cet homme pourtant borné, car il me crie brusquement : « Hofmiller, ici ! »

Je me retourne. Il redresse les sourcils, me toise sévèrement, puis grogne, à la fois hargneux et bienveillant :

« Toi, mon garçon, tu ne me plais pas, tu as une drôle de binette. Il me semble que tu veux me rouler, que tu t'apprêtes à commettre une stupidité. Mais je ne le veux pas, surtout pour une pareille affaire… que tu penses à ton revolver ou à autre chose… je ne veux pas de cela… m'entends-tu ?

— À vos ordres, mon colonel.

— Non, pas d' "à vos ordres !" On ne me trompe pas, moi. Je suis un vieux lapin. (Sa voix s'adoucit.) Donne-moi la main. »

Je la lui tends. Il la tient fortement serrée.

« Et à présent (il me regarde fixement dans les yeux), Hofmiller, donne-moi ta parole d'honneur que cette nuit tu ne feras pas de bêtise ! Ta parole d'honneur que tu viendras ici demain à cinq heures et demie et que tu partiras pour Czaslau. »

Je ne pus soutenir son regard.

« Ma parole d'honneur, mon colonel.

— Alors, c'est bien. Vraiment, j'ai eu comme une impression que dans ta première folie tu allais faire l'idiot. Avec des jeunes gens fougueux comme vous, on ne sait jamais… vous êtes tout de suite prêts à tout, même à recourir au revolver… Après, tu deviendras tout à fait raisonnable. On finit par surmonter cela. Tu verras, Hofmiller, que cette affaire s'arrangera. Je m'en charge. Et tu ne recommenceras pas. Maintenant, va-t'en ! C'eût été dommage pour un garçon comme toi ! »

Nos décisions dépendent, dans une beaucoup plus grande mesure que nous ne sommes disposés à l'admettre, de notre situation et de notre milieu. Une part considérable de notre pensée ne fait que transmettre les impressions reçues et les influences subies, et en particulier celui qui dès sa jeunesse a été élevé dans la discipline de l'armée cède à la fascination d'un ordre comme à une contrainte irrésistible. Tout commandement militaire a sur lui un pouvoir absolu, tout à fait incompréhensible du point de vue de la logique. Dans la camisole de force de l'uniforme il exécute, même convaincu de leur absurdité, d'une façon presque inconsciente, sans résistance, les ordres qu'il reçoit, comme un hypnotisé obéit à la volonté de l'hypnotiseur.

Ainsi moi qui, sur mes vingt-cinq ans d'existence, en avais passé quinze – et les plus déterminants – dans une école militaire et dans les casernes, à la seconde même où je reçus l'ordre du colonel, je cessai de penser ou d'agir par moi-même. Je ne fis plus qu'obéir. Mon cerveau ne savait plus qu'une chose : je devais être prêt à partir, à cinq heures et demie du matin, et d'ici là, faire mes préparatifs sans rien oublier. Je réveillai mon ordonnance, lui communiquai brièvement que nous devions filer le lendemain pour Czaslau, et avec son aide j'empaquetai mes affaires, pièce par pièce. Nous eûmes tout juste le temps, et à l'heure dite, je me trouvai chez le colonel pour y recevoir les papiers de service. Sans être remarqué, comme il en avait décidé, je quittai la caserne.

Cette paralysie de la volonté, quasi hypnotique, dura juste aussi longtemps que je me trouvai dans la sphère de la vie militaire et que l'ordre reçu n'avait pas été entièrement exécuté. Mais dès le premier mouvement de la locomotive qui fit s'ébranler le train, mon engourdissement tomba. J'étais à peu près dans le cas de celui qui, ayant été renversé par le déplacement d'air résultant d'une explosion, se relève et s'aperçoit tout étonné qu'il est sain et sauf. Ma première réflexion fut : je vis encore. La seconde : je suis dans un train en marche, arraché à mon existence quotidienne et habituelle. Et à peine eus-je commencé à me souvenir, que les pensées affluèrent fébrilement. J'avais voulu en finir et quelqu'un m'avait arraché le revolver de la main. Le colonel avait déclaré qu'il voulait tout arranger. Mais seulement, me dis-je tout bouleversé, pour ce qui concernait le régiment et ma réputation d'officier. En ce moment peut-être, les camarades sont déjà devant lui et bien entendu ils lui promettent sous serment de garder le silence sur cette affaire. Mais intérieurement ils pensent ce qu'ils veulent, personne ne peut les en empêcher, et ils doivent tous se dire que je me suis enfui lâchement. Le pharmacien se laissera peut-être tromper au début, mais Edith, le père, et les autres ? Qui leur donnera des explications ?... Sept heures du matin : elle se réveille et sa première pensée est pour moi. Tout à l'heure elle regardera du haut de la terrasse – ah ! cette terrasse, pourquoi ai-je un frisson quand j'y songe ! – avec le télescope dans la direction du champ de manœuvres. Elle verra notre régiment trotter et ne se doutera pas qu'il y manque quelqu'un. Mais l'après-midi elle commencera à attendre et je ne viendrai pas, et personne ne lui aura rien dit. Je ne lui ai pas écrit une ligne. Elle téléphonera, on lui répondra que je suis parti en mission et elle ne comprendra pas. Ou, chose plus terrible, elle comprendra, et alors… Soudain je vois le regard menaçant de Condor derrière ses verres qui lancent des éclairs, je l'entends qui me crie : « Ce serait un crime, un assassinat ! » Et déjà une autre image se superpose à la première : je vois la jeune fille se lever de son fauteuil et se jeter contre la balustrade, la mort déjà dans le regard.

Il faut absolument que je télégraphie de la gare, n'importe quoi ! Il faut l'empêcher de se livrer à un acte de désespoir. Mais, m'a recommandé Condor, il ne faut rien faire de brusque, d'irréparable, et si quelque chose de grave arrive, il faut le mettre tout de suite au courant. Je le lui ai promis, et la parole donnée, c'est une question d'honneur. Heureusement, à Vienne j'aurai deux heures d'arrêt. Le train ne repart que dans l'après-midi. Peut-être aurai-je le temps de le voir. Il *faut* que je le voie.

À l'arrivée je laisse les bagages à mon ordonnance en lui disant de se rendre à la gare du Nord-Ouest et de m'y attendre. Puis je file en voiture chez Condor et fais en moi-même une prière (je ne suis pourtant pas pieux d'ordinaire) : Dieu, faites qu'il soit chez lui, surtout, qu'il soit là ! C'est à lui seul que je peux tout expliquer, lui seul peut me comprendre et venir à mon aide.

Mais la servante, la tête enveloppée d'un fichu de couleur, m'annonce d'un air nonchalant, avec son accent tchèque, que le docteur n'est pas chez lui.

« Est-ce que je peux l'attendre ? — Il ne rentrera pas avant midi. — Sait-elle où il est ? — Non, ça ch'ais pas. Y va chez beaucoup de gens. — Et est-ce que je peux parler à madame ? » Elle va aller voir, et s'éloigne en se dandinant.

J'attends. La même pièce, la même attente que l'autre jour, et bientôt – Dieu soit loué ! – j'entends à côté le même pas glissant.

La porte s'ouvre doucement. Comme l'autre fois on dirait qu'un courant d'air l'a poussée, mais la voix est bienveillante et cordiale.

« C'est vous, lieutenant ?

— Oui, dis-je, en m'inclinant devant l'aveugle (toujours la même absurdité !).

— Ah ! mon mari va regretter ! Oui, je sais qu'il regrettera beaucoup. Mais j'espère que vous pourrez l'attendre. Il sera de retour au plus tard à une heure.

— Hélas ! non… je ne peux pas. Mais… c'est très important… ne me serait-il pas possible de le joindre par téléphone chez un de ses malades ? »

Elle soupire « Je ne pense pas. Tout d'abord je ne sais pas où il est… et puis… les gens qu'il soigne n'ont pas le téléphone, d'ordinaire. Mais peut-être pourrais-je… »

Elle se rapproche, une expression de timidité passe rapidement sur son visage. Elle voudrait dire quelque chose, mais je vois qu'elle n'ose pas. Mais enfin, elle prend son élan :

« Je… comprends… je sens bien que c'est très urgent… et s'il y avait la moindre chance, je vous dirais… je vous indiquerais bien sûr où vous pouvez le joindre. Mais… mais peut-être puis-je lui transmettre

471

un message dès son retour… c'est probablement à propos de cette pauvre jeune fille, n'est-ce pas, pour qui vous êtes toujours si bon… Si vous le désirez, je me charge très volontiers de… »

Alors il m'arrive cette chose insensée que je n'ose pas la regarder dans les yeux, ses yeux aveugles. J'ai le vague sentiment qu'elle sait déjà tout, qu'elle a tout deviné. Je l'interromps et bredouille :

« Vous êtes trop aimable, chère madame, mais… je ne voudrais pas vous importuner. Si vous le permettez, je vais lui communiquer par écrit l'essentiel. Mais est-ce bien sûr qu'il rentrera avant deux heures ? Car le train qui va là-bas part peu après… et il faut qu'il y aille, c'est… c'est absolument nécessaire, croyez-moi, je n'exagère pas. »

Je sens que je l'ai convaincue. Elle se rapproche encore et je vois sa main qui ébauche sans le vouloir un geste pour me rassurer et me tranquilliser.

« Bien entendu que je vous crois. Et soyez sans crainte, il fera ce qu'il pourra.

— Et vous permettez que je lui laisse un mot ?

— Bien sûr, mettez-vous ici pour lui écrire. »

Avec l'étrange assurance de quelqu'un qui connaît les moindres objets dans la pièce, elle s'avance. Dix fois par jour sans doute, elle doit tâter et mettre en ordre son bureau, de ses mains vigilantes, car elle fait un geste précis comme une personne qui voit, et sort du tiroir de gauche trois ou quatre feuilles de papier, qu'elle pose sur le sous-main. « Vous trouverez là des plumes et de l'encre », me dit-elle en montrant l'endroit de chaque chose.

J'écris d'un seul trait cinq pages. Je supplie Condor d'aller là-bas *immédiatement*, je souligne trois fois le dernier mot. Je lui raconte tout de la façon la plus rapide et la plus sincère. Je n'ai pas pu tenir jusqu'au bout, j'ai nié les fiançailles devant mes camarades. La peur des autres, la peur ridicule des bavardages a été la cause de ma faiblesse, – il l'aura deviné. Je ne lui cache pas que je voulais me tuer et que le colonel m'a sauvé malgré moi. Mais je n'avais pensé qu'à moi jusqu'à cet instant et c'est à présent que je me rends compte du tourment que je cause à une innocente. Il fallait qu'il partît *immédiatement*, il comprendrait à quel point c'était urgent – de nouveau je soulignai le mot « immédiatement » – pour leur dire la vérité, toute la vérité. Il ne devait rien cacher. Il ne devait pas me montrer meilleur que je n'étais, ni essayer de me disculper. Si malgré cela ils me pardonnaient, je considérerais mes fiançailles comme plus sacrées que jamais, et, si Edith le permettait, je l'accompagnerais *sur-le-champ* en Suisse, je quitterais le service, je resterais auprès d'elle, quel que soit le résultat du traitement médical : qu'elle guérisse bientôt ou plus tard, ou jamais. J'étais prêt à tout faire pour réparer mon mensonge, ma lâcheté. Désormais ma vie n'avait plus qu'un but : lui prouver que ce n'était pas elle, mais les autres que j'avais trompés, lui montrer que je me sentais plus engagé vis-à-vis d'elle qu'à l'égard de tous les autres, de mes camarades… qu'envers l'armée. Elle seule devait me juger. C'était à elle de décider si elle pouvait me pardonner. Il fallait absolument qu'il laissât tout en plan – c'était une question de vie ou de mort… – et qu'il prenne le train de midi. Il fallait qu'il fût là-bas à quatre heures et demie, pas plus tard, c'est-à-dire à l'heure où elle m'attendait d'habitude. C'était une prière ultime que je lui adressais : qu'il me vînt en aide, ce serait la dernière fois ! Il ne devait pas hésiter à partir *immédiatement* – je soulignai quatre fois le mot – sinon, tout serait perdu.

Lorsque je posai la plume, je sentis que pour la première fois j'avais pris moi-même une décision irré-vocable et honnête. En écrivant, j'avais pris conscience de ce qu'il fallait faire. J'étais reconnaissant au colonel de m'avoir sauvé. Et je savais que désormais ma vie était vouée à un seul être, à cette jeune fille qui m'aimait.

Je remarquai alors que l'aveugle était restée debout, immobile, près de moi. J'éprouvai de nouveau le sen-timent insensé qu'elle savait tout, et, plus fort encore, qu'elle avait lu chaque mot de ma lettre.

« Pardonnez mon impolitesse, dis-je en me levant aussitôt, j'avais tout à fait oublié, mais... c'était si important que j'ai mis le docteur entièrement au cou-rant... »

Elle me sourit.

« Ne vous excusez pas... Je reste volontiers un peu debout... L'essentiel, c'est le reste... Mon mari fera sûrement le nécessaire... J'ai senti... je connais les vibrations de sa voix... qu'il a pour vous une estime particulière... Et n'ayez crainte (sa voix devenait de plus en plus chaude) ne vous tourmentez pas, tout s'arrangera.

— Dieu le veuille ! » dis-je plein d'un espoir sin-cère. (Ne dit-on pas que les aveugles prévoient l'ave-nir ?)

Je m'inclinai et baisai sa main. Lorsque je levai les yeux sur elle, je ne compris pas comment cette femme aux cheveux gris, aux lèvres un peu crispées et à l'air triste à cause de ses yeux éteints avait pu tout d'abord me paraître laide, tant son visage rayonnait d'amour et de sympathie. Il me semblait que ces yeux, qui ne reflètent jamais que les profondeurs obscures, savaient plus sur la réalité de la vie que ceux qui regardent le monde, clairs et vivants.

Je pris congé, comme apaisé. Le fait que je venais de m'engager une nouvelle fois et pour toujours devant une autre victime du sort ne me parut plus un sacrifice. Ce ne sont pas les êtres bien portants, sûrs d'eux-mêmes, gais, fiers et joyeux qui aiment vraiment, – ils n'ont pas besoin de cela ! Quand ils acceptent d'être aimés, c'est d'une façon hautaine et indifférente, comme un hommage qui leur est dû. Le don d'autrui n'est pour eux qu'une simple garniture, une parure dans leurs cheveux, un bracelet à leur poignet, et non le sens et le bonheur de leur existence. Seuls ceux que le sort a désavantagés, les humiliés, les laids, les déshérités, les réprouvés, on peut les aider par l'amour. Et quand on leur consacre son existence, on les dédommage seulement de ce dont la vie les a privés. Et eux seuls savent aimer et se laisser aimer comme il faut : humblement et avec reconnaissance.

Mon ordonnance m'attend fidèle au poste, dans le hall de la gare. « Viens », lui dis-je en souriant. Tout m'est devenu étonnamment facile. Un sentiment de soulagement que je n'ai encore jamais connu me dit que j'ai enfin pris la décision qu'il fallait. Je me suis sauvé et j'ai sauvé quelqu'un en même temps. Et je ne regrette même plus ma lâcheté absurde de la nuit précédente. Au contraire, je me dis que c'est *mieux* ainsi. Il est préférable que ces gens qui m'ont fait confiance sachent que je ne suis pas un héros, un saint, un Dieu qui du haut de son trône daigne appeler à lui une pauvre jeune fille malade. Si j'accepte maintenant son amour, ce n'est plus un sacrifice. Et c'est à moi de lui demander pardon, à elle de me l'accorder. Tout est mieux à présent.

Jamais je ne me suis senti si sûr de moi. Un soupçon d'angoisse vient cependant encore m'ébranler, quand, à Lundenburg, un gros monsieur se précipite dans mon compartiment, et, se laissant tomber sur la banquette, s'écrie tout haletant : « Je l'ai eu, Dieu merci, mais sans ses six minutes de retard, je le ratais, ce train ! »

Cela me donna un coup. Et si Condor n'était pas rentré chez lui pour déjeuner ? S'il était rentré trop tard pour prendre le train de l'après-midi ? Alors tout était fichu. Et elle attendrait et attendrait… Aussitôt surgit de nouveau devant moi l'image terrifiante de la terrasse : je revois la jeune fille accrochée des deux mains à la balustrade et déjà penchée au-dessus du vide. Pour l'amour du ciel, pourvu qu'elle apprenne à temps combien je regrette ma trahison ! Avant que le désespoir se soit emparé d'elle et qu'arrive la chose effroyable ! Quand le train s'arrêtera, je ferais bien de télégraphier quelques mots qui la tranquilliseront au cas où Condor n'aurait pu la prévenir.

A Brünn la station suivante, je saute du train et cours au bureau de télégraphe. Mais que se passe-t-il ?

Devant la poste de la gare se presse une foule indescriptible, des personnes en proie à une vive agitation et qui lisent une affiche. Il faut que je joue brutalement des coudes pour pouvoir passer la porte d'entrée de la poste et atteindre le guicher. Vite, vite un formulaire ! Quoi écrire ? Pas trop ! « Edith de Kekesfalva. Kekesfalva. Mille salutations en cours de route et fidèles souvenirs. Ordre de service. Reviens bientôt. Condor expliquera tout. Ecrirai aussitôt arrivé. Affections. Anton. »

Je remets le télégramme. Que l'employée est lente, que de questions elle me pose ! Et le train qui part dans deux minutes ! De nouveau, je suis obligé d'employer la force pour me frayer un chemin à travers la foule de curieux, plus dense encore, postés devant l'affiche… Que se passe-t-il donc ? Je voudrais questionner quelqu'un, mais déjà retentit le signal du départ. J'ai juste le temps de sauter dans le wagon. Dieu soit loué ! J'ai fait le nécessaire, elle n'a plus de raisons d'être méfiante ou inquiète. À présent seulement, je m'aperçois à quel point ces deux journées pleines d'émotions et ces deux nuits blanches m'ont épuisé. Arrivé le soir à Czaslau, je fais appel à mes dernières forces pour monter en titubant l'escalier qui mène à ma chambre d'hôtel. Puis je plonge dans le sommeil comme on se jette dans un précipice.

Je crois bien m'être endormi à l'instant même où je m'affalais dans le lit. C'était une sorte de chute, insensible, dans un flot sombre et profond, un abîme de complète autodissolution, que je n'avais encore jamais connu. Beaucoup plus tard je me mis à rêver. Je ne sais pas comment commençait ce rêve. Je me rappelle seulement que je me trouvais encore dans un salon d'attente, celui de Condor, je pense, lorsque tout à coup j'entendis de nouveau ce bruit rythmique de béquilles qui depuis deux jours me martelait le crâne, cet effroyable toc toc, toc toc. Tout d'abord il venait de très loin, comme de la rue, puis il se rapprocha : toc toc, toc toc, pour s'avancer ensuite plus près encore : toc toc, toc toc, puis je l'entendis si près de moi que je me réveillai en sursaut.

Mes yeux grands ouverts fixaient l'obscurité de cette chambre étrangère : toc toc ! Mais je ne rêve plus, quelqu'un a frappé. Quelqu'un cogne à ma porte. Je saute du lit et j'ouvre en hâte. Je vois le portier de nuit.

« Mon lieutenant, on vous appelle au téléphone. »

Je le regarde d'un air ahuri. Moi ? Au téléphone ? Où… où suis-je donc ? Cette chambre, ce lit… ah ! oui, je suis à… je suis à Czaslau. Mais je ne connais personne ici, qui peut donc m'appeler au milieu de la nuit ? Stupide ! Il doit être au moins minuit. Le portier me presse… « Je vous en prie, vite, mon lieutenant, c'est une communication téléphonique de Vienne. Je n'ai pas bien entendu le nom. »

De Vienne ! Je recouvre aussitôt mes sens : ce ne peut être que Condor. Il veut me donner des nouvelles. Elle m'a pardonné. Tout est arrangé. Je dis au portier :

« Vite, descendez ! Annoncez que je viens tout de suite. »

L'homme disparaît, je jette mon manteau sur ma chemise de nuit et descends derrière lui. Le téléphone se trouve dans le coin du bureau, au rez-de-chaussée, le portier tient l'écouteur à l'oreille. Impatient je l'écarte, quoiqu'il me dise que la communication est coupée. Je prends l'écouteur.

Mais rien... rien. Seul un bourdonnement lointain... sff... sff... srr, comme l'aile bruissante d'un moustique métallique « Allô ! allô ! » Pas de réponse. J'attends, j'attends. Toujours rien que ce bourdonnement insensé et, dirait-on, ironique. Je frissonne. Est-ce de froid, parce que je n'ai rien sur moi, que mon manteau, ou est-ce de peur ? Peut-être a-t-on raccroché ! Ou peut-être... j'attends, le cercle d'ébonite collé à l'oreille. Enfin krss... krss... et la voix de la téléphoniste :

« Avez-vous votre communication ?

— Non.

— Mais vous l'aviez à l'instant, un appel de Vienne !... Une seconde. Je vais voir. »

Krss... krss... Ça grince, grésille, glougloute, gargouille, siffle, vibre, puis tous ces bruits s'affaiblissant petit à petit, de nouveau le susurrement, le bourdonnement des fils. Soudain une voix dure et brusque :

« Ici Prague, commandant de la place. Suis-je en communication avec le ministère de la Guerre ?

— Non, non », criai-je désespéré. J'entends encore quelques paroles indistinctes qui se perdent dans le vide, s'éteignent. Les vibrations recommencent, suivies d'un nouveau bruit confus de voix lointaines, incompréhensibles. Puis la téléphoniste me dit :

« Excusez-moi, la communication a été interrompue. Une conversation de service urgente. Je vous rappellerai aussitôt que l'abonné vous redemandera. Veuillez raccrocher en attendant. »

Je raccroche, épuisé, déçu, furieux. Rien de plus absurde que d'avoir capté une voix dans le lointain et de ne pas pouvoir la garder. Mon cœur bat dans ma poitrine comme si j'avais escaladé trop rapidement une montagne élevée. Qui était-ce ? Condor, sûrement. Mais pourquoi me téléphone-t-il à minuit et demi ?

Le portier s'approche avec politesse et murmure : « Mon lieutenant, vous pouvez remonter dans votre chambre. Je vous appellerai quand on vous demandera. »

Mais je refuse. Je ne veux pas rater la communication une seconde fois, ni perdre une minute de plus. Il faut que je sache ce qui est arrivé, car il est arrivé quelque chose là-bas, à des kilomètres… Seul Condor a pu téléphoner ou les autres, là-bas, à qui il a donné l'adresse de l'hôtel. En tout cas ce doit être grave, ce doit être urgent pour que l'on m'arrache du lit au milieu de la nuit. Mes nerfs me disent qu'on a besoin de moi, que la vie ou la mort de quelqu'un est en jeu. Non, il ne faut pas que je m'en aille, il faut rester là, pour ne pas perdre un seul instant.

Je m'assieds sur la dure chaise de bois que m'apporte le portier, un peu étonné, et j'attends, les jambes nues cachées sous mon manteau, le regard fixé sur l'appareil. J'attends un quart d'heure, une demi-heure, en frissonnant d'inquiétude et peut-être de froid, en essuyant de temps en temps avec ma manche de chemise la sueur qui perle à mon front. Enfin – rrr –

une sonnerie. Je me précipite, je décroche : je vais tout savoir.

Mais je me suis bêtement trompé, comme le portier me le signale. Ce n'était pas le téléphone, mais la porte d'entrée : le portier ouvre à un couple attardé. Un capitaine de cavalerie, accompagné d'une jeune fille, passe rapidement, non sans jeter un regard étonné dans la loge sur cet homme étrange aux jambes nues qui n'a pour tout costume qu'un manteau d'officier. Il salut et disparaît avec sa compagne dans l'escalier à demi éclairé.

À présent je ne peux plus supporter cette attente. Je tourne la manivelle et demande à la téléphoniste :

« Vous n'avez pas encore l'appel ?

— Quel appel ?

— De Vienne… je crois… il y a plus d'une demi-heure…

— Je vais redemander. Un instant. »

L'instant dure longtemps. Enfin la sonnerie :

« Rien, m'annonce la téléphoniste. Attendez encore quelques minutes : je vous appellerai. »

Attendre ! Attendre quelques minutes ! Et combien de temps encore, alors qu'en une seule seconde un homme peut mourir, un destin se décider, un monde s'écrouler ! C'est de la folie, cette torture que l'on m'inflige ! La pendule marque déjà une heure et demie. Il y a déjà une heure que je suis là à frissonner et à me morfondre.

Enfin, la sonnerie retentit à nouveau. J'écoute, tous les sens tendus, mais la téléphoniste me dit seulement :

« On vient de me répondre que la communication est décommandée. »

Décommandée ? Qu'est-ce que ça veut dire, « décommandée » ? « Un instant, mademoiselle ! » Mais elle a déjà raccroché.

Pourquoi, décommandée ? Pourquoi alors m'appellent-ils à minuit et demi, si c'est pour annuler ? Il a dû se passer un événement qu'il faut pourtant que je connaisse ! Quelle horreur de ne pouvoir percer la distance, le temps ! Vais-je à mon tour appeler Condor ? Non, pas maintenant, en pleine nuit ! Sa femme s'effraierait. Lui-même a probablement jugé que c'était trop tard et il a préféré remettre au lendemain.

Impossible de décrire la fin de cette nuit. Un flot de pensées absurdes se pressaient en images confuses dans mon cerveau, cependant que, fatigué et surexcité à la fois, les nerfs tendus, je prêtais l'oreille au moindre pas dans l'escalier ou le corridor, au moindre bruit de la rue. Enfin, épuisé, éreinté, n'en pouvant plus, je sombrai dans un sommeil profond, beaucoup trop profond, beaucoup trop long, infini comme la mort, sans fond comme le néant.

Lorsque je me réveille, il fait grand jour dans la chambre. Un regard sur ma montre : dix heures et demie. Bon Dieu ! et moi qui devais me présenter tout de suite au lieutenant-colonel ! Avant que j'aie pu commencer à penser à mes affaires personnelles, le respect du service et le militaire agissent encore en moi. Je m'habille en toute hâte et descends l'escalier quatre à quatre. Le portier veut me retenir. Je ne l'écoute pas. Non – on verra plus tard, pour le reste ! Au rapport tout d'abord, comme j'en ai donné ma parole au colonel.

La jugulaire au menton, je monte aux bureaux de la caserne. Il n'y a là qu'un petit sous-officier aux cheveux roux, qui, en me voyant, me regarde d'un air apeuré.

« Je vous en prie, mon lieutenant, descendez vite au rapport ! Le lieutenant-colonel a ordonné expressément que tous les officiers et soldats de la garnison soient rassemblés en bas à onze heures précises. Je vous en prie, faites vite. »

Je descends rapidement dans la cour du quartier. Toute la garnison est là. J'ai juste le temps de me placer à côté de l'aumônier avant qu'apparaisse le chef de division. Il marche avec une lenteur étrange et solennelle, déroule une feuille de papier et commence d'une voix qui résonne au loin :

« Un crime effroyable vient d'être commis, qui remplit d'horreur l'Autriche-Hongrie tout entière et le monde civilisé. (Quel crime ? pensai-je effrayé. Je commence à trembler, comme si j'en étais l'auteur.) …Le perfide assassinat (quel assassinat ?) commis sur la personne de notre bien-aimé héritier du trône, Son Altesse Impériale et Royale, l'archiduc François-Ferdinand, et sa haute épouse… (Comment ? on a assassiné l'héritier du trône ? Et quand ? Ah ! C'était donc cela, hier, à Brünn, qu'il y avait une telle foule devant cette affiche !) a plongé notre auguste maison impériale dans une douleur et une consternation profondes. Mais c'est avant tout à l'armée impériale et royale de… »

Le reste ne me parvient pas distinctement. Les mots « crime », « assassinat » m'ont frappé au cœur. Si j'avais été le meurtrier, je n'aurais pas été plus bouleversé. « Ce serait un crime, un assassinat », a dit Condor. Et maintenant je n'entends plus rien de ce que cet homme en bleu avec son plumet et ses décorations sur la poitrine raconte devant moi d'une voix tonnante. Je me souviens de l'appel téléphonique de cette nuit. Au fait, pourquoi Condor ne m'a-t-il pas donné de nouvelles, ce matin ? Serait-il réellement arrivé quelque chose ? Sans plus me soucier du lieutenant-colonel, je profite du désarroi général qui suit le rapport pour retourner en toute hâte à l'hôtel : peut-être entre-temps y a-t-il eu un autre appel ?

Le portier me tend un télégramme. Il est arrivé le matin, m'explique-t-il, mais je suis passé si vite devant lui qu'il n'a pas pu me le remettre. Je l'ouvre. Sur le moment je ne comprends rien. Pas de signature. Un texte obscur. Puis je saisis : ce n'est que l'avis de la poste que mon télégramme d'hier, déposé à trois heures cinquante-huit à Brünn, n'a pu être remis au destinataire.

Pourquoi cela ? Je relis le texte. Un télégramme adressé à Edith de Kekesfalva n'a pu être remis au destinataire ? Elle est pourtant connue là-bas. Impossible de supporter plus longtemps cette tension. Je fais demander Vienne par le téléphone et le docteur Condor. « Urgent ? » questionne le portier. « Oui, urgent. »

Au bout de vingt minutes j'obtiens la communication et – miracle de mauvais augure – Condor est chez lui et vient à l'appareil. En trois minutes je sais tout. Au téléphone on n'a guère le temps de parler avec ménagement. Un hasard diabolique a fait que la malheureuse n'a rien su de mon repentir sincère ni de ma décision. Toutes les dispositions prises par le colonel pour étouffer l'affaire se sont révélées vaines. En quittant le café, Ferencz et les camarades n'étaient pas rentrés à la caserne, mais étaient encore allés à la taverne. Là, par malheur encore, ils avaient rencontré le pharmacien au milieu d'une nombreuse société et Ferencz, cette brave buse, par amitié pour moi, avait aussitôt foncé sur lui. Devant tout le monde, il lui avait demandé des explications en lui reprochant de faire courir sur mon compte des mensonges aussi ignobles. Un scandale effroyable en était résulté et dès le lendemain toute la ville avait été au courant. Car le pharmacien, profondément blessé dans son amour-propre, était accouru de bon matin à la caserne pour faire appel à mon témoignage, et à l'annonce suspecte de ma disparition, avait immédiatement pris une voiture pour se rendre chez les Kekesfalva. Là, il avait assailli le vieillard de questions, demandé si oui ou non l'on s'était moqué de lui avec ce stupide coup de téléphone et hurlé au point que les fenêtres en tremblaient : en vieil habitant de cette ville, il saurait réagir énergiquement contre les bravades de cette bande insolente d'officiers, d'ailleurs ce n'était sûrement pas une plaisanterie, il devait en effet y avoir une raison si j'avais pris la fuite aussi honteusement. Il y avait là une riche canaillerie de ma part, mais même s'il lui fallait aller jusqu'au ministère de la Guerre, il éclaircirait cette affaire et ne permettrait pas que de pareils blancs-becs viennent l'insulter impunément dans des endroits publics.

À grand-peine, on avait réussi à calmer et à renvoyer l'homme déchaîné. Cependant, Kekesfalva au milieu de son effroi, avait espéré qu'Edith n'entendrait rien de ces furieuses accusations. Mais malheureusement les croisées du bureau étaient restées ouvertes et, traversant la cour, chaque mot avait nettement retenti jusqu'aux fenêtres du salon où elle était assise. Sans doute avait-elle pris aussitôt la décision qu'elle projetait depuis longtemps, mais elle sut bien la dissimuler. Elle se fit apporter les robes qu'on venait de lui acheter, plaisanta avec Ilona, se montra joyeuse et amicale avec son père, s'enquit de mille détails concernant le voyage, demandant si tout était bien préparé et empaqueté. En secret, elle avait toutefois chargé Joseph de téléphoner à la caserne pour demander quand je reviendrais et si je n'avais pas laissé un mot pour elle. Lorsqu'elle apprit que j'étais parti en mission pour un temps indéterminé et que je n'avais rien laissé pour personne, ce fut le coup décisif. Dans l'impatience de son cœur, elle ne voulut pas attendre un seul jour, une seule heure. Je l'avais trop déçue, blessée trop cruellement pour qu'elle voulût encore me faire confiance, et ma faiblesse la rendit affreusement forte.

Après le déjeuner elle se fit conduire sur la terrasse où, comme guidée par un sombre pressentiment et rendue inquiète par son étrange gaieté, Ilona ne la quittait pas. À quatre heures et demie, juste au moment où je venais d'ordinaire, et une demi-heure avant que mon télégramme et Condor arrivassent presque en même temps, Edith avait prié sa cousine d'aller lui chercher un livre. Imprudence fatale ! Ilona déféra à ce désir innocent. Et c'est durant ce court intervalle que la malheureuse, qui ne pouvait pas dompter son cœur, avait exécuté sa fatale décision. Du haut de la terrasse, comme elle m'en avait naguère averti et comme je l'avais vue dans mes cauchemars, elle avait accompli la chose effroyable, elle s'était jetée dans le vide.

Condor la trouva encore en vie. D'une façon incompréhensible, car on l'avait relevée sans connaissance, son corps léger ne décelait aucune blessure extérieure grave. On la transporta en ambulance à Vienne. Jusque tard dans la nuit, les médecins avaient espéré pouvoir la sauver, et c'est ainsi qu'à huit heures du soir, Condor m'avait téléphoné de l'hôpital. Mais dans cette nuit du 29 juin qui suivit l'assassinat de l'héritier du trône d'Autriche, toutes les administrations de l'empire étaient en ébullition et les lignes téléphoniques sans cesse accaparées par les autorités civiles et militaires. Pendant quatre heures, Condor espéra en vain m'avoir au bout du fil. Ce n'est qu'après minuit, lorsque les médecins eurent abandonné tout espoir, qu'il décommanda la communication. Une demi-heure après, Edith était morte.

Sur les centaines de milliers d'hommes qui furent appelés à la guerre durant les journées d'août, très peu, j'en suis sûr, sont partis avec la même indifférence, j'oserais dire avec la même impatience que moi. Non pas que je fusse animé de sentiments bellicistes, mais c'était pour moi une issue, une sorte de salut : je me réfugiai dans la guerre comme un criminel dans la nuit. Les quatre semaines qui s'écoulèrent jusqu'à la décision finale, je les avais passées dans un état de trouble, de désespoir, de dédain de la vie, dont je me souviens encore aujourd'hui avec plus d'horreur que des heures les plus terribles sur les champs de bataille. Car j'étais convaincu que par ma faiblesse, ma pitié d'abord attirante, puis fuyante, j'avais tué un être humain, et de plus, le seul qui m'aimât passionnément. Je n'osais plus sortir, je m'enfermai dans ma chambre, je me fis porter malade. J'avais écrit à Kekesfalva pour lui exprimer mes sentiments de condoléances, il ne répondit pas. J'inondai Condor d'explications pour me justifier ; il ne répondit pas. De mes camarades, pas une ligne, de mon père non plus (en réalité parce que durant ces semaines critiques, il était surchargé de besogne dans son ministère). Mais je vis dans ce silence général une réprobation unanime. Je m'enfonçai de plus en plus dans cette folle croyance que tous m'avaient condamné, comme je m'étais moi-même condamné, et que, parce que je me considérais comme un assassin, tous me considéraient comme tel. Pendant que l'empire tremblait d'émotion, qu'autour de nous dans l'Europe bouleversée les fils télégraphiques transportaient à tous les échos des nouvelles terrifiantes, que les bourses oscillaient, que les pays mobilisaient et que les gens prudents faisaient leurs malles, je ne pensais qu'à ma lâche trahison, à ma culpabilité. C'est pourquoi partir signifiait pour moi une libération. La guerre, qui a causé la mort de millions d'innocents, m'a sauvé du désespoir, moi qui étais coupable (mais je ne la glorifie pas pour autant).

User de grands mots me répugne. Aussi ne déclarerai-je pas que j'ai cherché la mort. Je me contenterai de dire que je ne l'ai pas redoutée, en tout cas moins que la plupart des soldats, car à certains moments un retour à l'arrière, où je savais que se trouvaient ceux qui connaissaient mon crime, me paraissait plus effroyable que toutes les atrocités du front. Et d'ailleurs, où serais-je allé ? Qui avait besoin de moi, qui m'aimait encore, pour qui et pour quoi devais-je vivre ? Dans la mesure où être brave signifie seulement ne pas avoir peur, je puis sincèrement prétendre m'être conduit avec bravoure sur le champ de bataille, car je n'étais même pas effrayé à l'idée que je pouvais revenir mutilé, chose qui pourtant semblait pire que la mort aux yeux des plus virils de mes camarades. J'aurais même probablement considéré comme une juste punition du ciel de devenir infirme, objet de la pitié générale, parce que la mienne avait été trop faible, trop lâche. Si je n'ai pas trouvé la mort, ce n'est donc pas ma faute, car je suis allé au-devant d'elle des dizaines de fois avec froideur et indifférence. Là où il y avait à accomplir une mission particulièrement difficile, où l'on faisait appel à des volontaires, je me présentais. Là où il y avait du danger, j'étais à mon aise. Après une première blessure, je demandai mon transfert dans une compagnie de mitrailleuses et plus tard dans l'aviation. Il me semble que vraiment j'ai réussi pas mal de choses sur nos misérables appareils. Mais chaque fois que dans un ordre du jour je trouvais le mot « courage » accolé à mon nom, j'avais le sentiment d'être un escroc. Et quand quelqu'un regardait trop fixement mes décorations, je m'éloignais vite.

Lorsque ces quatre années interminables furent enfin écoulées, je découvris à ma propre surprise que je pouvais malgré tout vivre de nouveau dans le monde d'autrefois. Car nous qui revenions de l'enfer, nous pesions toutes choses avec de nouveaux poids. Avoir sur la conscience la mort d'un être humain n'était plus considéré par le soldat de la guerre mondiale de la même façon que par l'homme d'avant-guerre. Ma faute personnelle s'était dissoute dans le marécage sanglant de la faute générale. À Limanova mes mains n'avaient-elles pas manœuvré la mitrailleuse, fauché devant nos tranchées la première vague de l'infanterie russe ? Et avec mes jumelles, n'avais-je pas vu ensuite les yeux épouvantés de ceux que je venais de tuer, de ceux que je venais de blesser et qui pendant des heures avaient gémi dans les fils de fer barbelés avant de mourir misérablement ? Devant Goritza, n'avais-je pas abattu un avion ennemi qui, à trois reprises, s'était retourné sur lui-même avant d'aller s'écraser, au milieu d'un jaillissement de flammes, sur les rochers du Karst et n'avais-je pas ensuite, moi-même, cherché les plaques d'identité sur les cadavres à demi calcinés qui fumaient encore épouvantablement ? Et des milliers et des milliers d'autres à mes côtés avaient usé tantôt du fusil, tantôt de la baïonnette, du lance-flamme, de la mitrailleuse, du poignard, cependant que des centaines de milliers et des millions d'hommes de ma génération, en France, en Russie et en Allemagne faisaient la même chose. Quelle importance pouvait encore avoir un meurtre isolé, une faute personnelle, à côté de cette destruction en masse de la vie humaine, la plus effroyable que l'histoire ait jamais connue ?

Et puis – nouveau soulagement – dans ce monde de l'arrière, qui eût pu témoigner contre moi ? Personne ne pouvait reprocher sa lâcheté d'autrefois à l'homme décoré pour sa bravoure exceptionnelle sur le champ de bataille, personne ne pouvait me traiter de menteur et de lâche. Kekesfalva n'avait survécu que peu de jours à son enfant, Ilona était maintenant l'épouse d'un petit notaire de village en Yougoslavie, le colonel Bubencic s'était suicidé sur la Save ; mes camarades étaient morts ou avaient oublié depuis longtemps cette affaire insignifiante, au cours de ces quatre années apocalyptiques, tout l'« autrefois » était devenu aussi futile et sans valeur que l'ancienne monnaie. Personne ne pouvait plus m'accuser ou me juger. J'étais comme un assassin qui a enterré le cadavre de sa victime dans un bois, où la neige lourde et épaisse s'est mise ensuite à tomber. Il sait que pendant des mois cette enveloppe protectrice couvrira son crime et qu'après, toute trace en sera à jamais effacée. Aussi repris-je courage et recommençai-je à vivre. Comme personne ne me la rappelait, moi-même j'oubliai peu à peu ma faute. Car lorsqu'il en a réellement besoin, le cœur est capable d'oubli, d'un oubli profond et radical.

Un seul jour pourtant le souvenir reflua vers moi, de l'autre rive. J'étais assis à l'orchestre, à l'Opéra de Vienne où l'on jouait l'*Orphée* de Gluck, dont la mélancolie pure et contenue m'émeut toujours plus que toute autre musique. J'occupais une place au bout du dernier rang. L'ouverture s'achevait. Pendant la courte pause qui suivit, on n'alluma pas, mais on permit aux retardataires de gagner leurs places dans l'obscurité. Deux d'entre eux s'approchèrent de ma rangée : un monsieur et une dame.

« Excusez-moi », dit le monsieur en s'inclinant poliment. Sans le regarder, je me levai pour le laisser passer. Mais au lieu d'occuper tout de suite la place vide à côté de moi, il poussa tout d'abord prudemment devant lui, avec des gestes tendres, la dame qui l'accompagnait. Il la dirigeait, lui ouvrait le chemin, puis il abaissa avec attention le siège qu'il lui avait choisi, avant de la faire s'asseoir. Cette sollicitude était trop extraordinaire pour ne pas attirer mon attention. Une aveugle, pensai-je, et involontairement je tournai les yeux de son côté d'un air apitoyé. Mais quand le monsieur replet se fut assis à mon côté, je sentis une brusque commotion au cœur : j'avais reconnu Condor ! Le seul homme qui savait tout, qui me connaissait jusqu'au tréfonds de l'âme, était assis juste à côté de moi, celui dont la pitié n'avait pas été comme la mienne une faiblesse meurtrière, mais une force dévouée – le seul qui pouvait me juger et devant qui je pouvais avoir honte ! Lorsque les lustres s'allumeraient à l'entracte, sûrement il me reconnaîtrait aussitôt !

Je commençai à trembler et mis vite la main devant mon visage, pour me protéger tout au moins dans l'obscurité. De ma musique préférée je n'entendis plus une seule mesure, tellement mon cœur battait avec violence. La proximité de cet homme, le seul sur terre qui savait à quoi s'en tenir à mon sujet, m'oppressait. Il me semblait que j'étais là, assis tout nu au milieu de ces gens convenables et bien habillés, et je frémissais en pensant au moment où la lumière allait révéler ma présence. Aussi, une fois le premier acte terminé, alors que le rideau commençait à descendre, je profitai de ce bref intervalle entre l'obscurité et la lumière pour m'enfuir, tête baissée, par la travée du milieu… assez vite, je crois, pour que Condor ne pût discerner mes traits. Mais depuis ce moment, je sais de nouveau qu'aucune faute n'est oubliée tant que la conscience s'en souvient.

Postface

Dès l'automne 1936, au retour d'une triomphale tournée de conférences en Amérique du Sud, Stefan Zweig s'était attelé à la rédaction d'un « grand roman autrichien ». Il voulait « ressusciter pour un public international notre Autriche de l'avant-guerre, condamnée à ne jamais se relever dans sa forme de culture particulière, avec tout son charme, sa sentimentalité et son raffinement ». Ce fut de fait aussitôt l'un de ses plus grands succès aux Etats-Unis et en Angleterre, où le roman fut sélectionné en 1940 par le Club du livre de la Readers Union.

En allemand, La Pitié dangereuse *parut en 1939 au Bermann-Fischer Verlag A. B. (Stockholm) et a fait l'objet de multiples rééditions, par exemple en 1949 (Vienne et Amsterdam), puis en 1963 (Frankfurt/ Main). Il s'agit du seul « roman » – désigné comme tel en sous-titre – que Zweig ait achevé (deux autres, au moins, n'ont pas abouti et furent édités à titre posthume :* Ivresse de la métamorphose *[Belfond, 1984] et* Clarissa *[Fischer, 1990]). Pourtant, certains traits plus spécifiques de la nouvelle s'y retrouvent. Outre le nombre assez réduit de personnages (compte tenu de la longueur du texte), on peut noter la quasi-unité de lieu et surtout d'action, qui est l'expression d'un conflit unique : les apparentes « sous-actions » relèvent, en réalité, de la technique du récit enchâssé et remplissent essentiellement une fonction de miroir de l'action principale. À ce propos, signalons que le court chapitre qui introduit l'œuvre – et qui manquait jusqu'ici dans la traduction française – est analogue au « cadre » de plusieurs nouvelles de Zweig, et notamment des récits-confessions où un héros-narrateur, souvent avec le recul de nombreuses années, s'oblige à un douloureux effort de lucidité et en tire parfois un bénéfice cathartique* (Amok, Vingt-quatre heures de la vie d'une femme).

Une autre similitude vient renforcer cette impression de continuité. Alors que le chapitre d'exposition a pour toile de fond la période précédant le déclenchement de la Deuxième Guerre mondiale, le récit proprement dit se situe avant la Première, comme si Zweig avait voulu le rapprocher de l'expérience qu'avait faite, dans La Nuit fantastique, *un autre officier de l'armée austro-hongroise avant d'être pris (volontairement lui aussi ?) dans la tourmente de la guerre de 1914-1918. Le « monde d'hier » serait donc, au moins dans la perspective nostalgique de l'auteur, un des liens unissant ce roman à certaines nouvelles antérieures.*

Le retour sur le passé prend ici la forme d'une sorte de roman d'apprentissage à la première personne, à ceci près que le jeune homme semble ne jamais rien apprendre. À maints égards, Hofmiller donne l'impression d'être un éternel Parsifal, ce célèbre « fol » qui, en guise de remerciement, avait oublié de poser à son hôte royal la *question, puis s'était vu contraint de quitter précipitamment le château. Une telle parenté, curieusement, s'avère très profonde : de même que, pour Hofmiller, l'expérience de l'autre passe par celle de sa souffrance, de même le héros médiéval n'avait achevé sa quête qu'une fois « rendu conscient par la pitié ». Si on limite la comparaison à l'univers de Zweig, on peut et on doit mentionner également la démarche suivie par Virata. Ce parallèle semble d'ailleurs plaider en faveur de la bonne foi de Hofmiller, lequel attribue ses continuels faux pas à sa maudite balourdise et à ce que Zweig appelle l'« impatience du cœur ». Rappelons, par parenthèse, que cette expression a fourni à l'œuvre son titre original. Il faut aussi noter que celui retenu pour la version française,* La Pitié dangereuse *(traduction d'A. Hella, Grasset, 1939, réimprimée en 1983), s'il représente une sorte d'équivalent à la citation placée en épigraphe, sur les deux sortes de pitié, fait disparaître l'« impatience du cœur », ce trait de caractère marquant chez plusieurs personnages (Hofmiller, Kekesfalva, Edith) et par là même réduit la problématique d'ensemble à celle du seul héros.*

Le point de vue du héros, au demeurant, prédomine pour la simple raison que c'est celui du narrateur. Mais il se trouve en quelque sorte modulé par la résistance que lui opposent Edith, Kekesfalva et le médecin Condor : par le retour à la réalité qu'ils essaient de provoquer, tous trois font contrepoids aux efforts d'autojustification, continuels mais rarement crédibles, d'un Hofmiller décidément bien faible, presque enfantin. Sous certains aspects, sa position évoque parfois celle d'Edgar, le jeune narrateur de Brûlant Secret, *face à* des adultes aux projets si éloignés des siens. Cela dit, le lecteur n'a même plus besoin au bout d'un moment de ce point de vue contradictoire, car le héros, à force d'étaler avec une certaine complaisance les scrupules et les remords qui le torturent, a fini par faire soupçonner leur caractère ambivalent.

En effet, même si l'on constate chez Hofmiller une indéniable « confusion des sentiments », la lucidité qu'il manifeste dans la longue autocritique qu'est son récit, et qui d'ailleurs incite à la sympathie, lui permet d'entrevoir par instants – et de faire entrevoir au lecteur – un aspect inquiétant de son rapport à autrui. Le héros comprend que la pitié qu'il éprouve est « à double tranchant », et lorsque, après avoir décrit le plaisir presque sadique qu'il vient de prendre à mater un cheval rétif, il évoque, vers la fin de l'ouvrage, l'instant où il a imaginé le suicide d'Edith, on est bien près de penser que sa pitié est une sorte de défense contre son désir de mort à l'égard de la jeune fille. On mesure alors tout ce qui le sépare de Virata, et même si le passage, mis en épigraphe, sur les deux sortes de pitié prend rétrospectivement toute sa valeur de préparation dramatique, le lecteur n'en ressent pas moins un malaise grandissant. Le besoin qu'éprouve Hofmiller, non seulement de se confier, mais aussi de comprendre, vient à point nommé, comme aussi l'aveu de la faute sur lequel il débouche à deux reprises (auprès de Condor, puis du colonel). Mais ni le caractère presque psychanalytique de l'échange – essentiellement avec le médecin –, ni la dimension paternelle des deux confidents n'empêchent Hofmiller de répéter compulsivement son erreur, erreur qui, pour reprendre un titre que Zweig voulait donner à son *roman, aboutit à un « meurtre par pitié » (Mord durch Mitleid).*

Ajoutons, pour terminer, que cette œuvre riche en rebondissements où, comme pour enrichir le suspense, Zweig décrit les redoutables effets physiques produits par la mauvaise conscience – le passage (p. 328-329) où le héros est assailli par des pensées qui, telles des chauves-souris ou des rats, s'attaquent à ses « sens affaiblis », rappelle la mort de Boris Godounov – a donné lieu à un film, tourné en 1946 par le réalisateur anglais Maurice Elvey sous le titre Beware of Pity *(Amour tragique), avec Lilli Palmer et Albert Lieven.*

VINGT-QUATRE HEURES DE LA VIE D'UNE FEMME, Stock ;
    Le Livre de Poche.
LE VOYAGE DANS LE PASSÉ, Grasset ; Le Livre de Poche.
VOYAGES, Belfond ; Le Livre de Poche.
WONDRAK, Belfond ; Le Livre de Poche.

Essais, biographies et écrits autobiographiques

AMERIGO, Belfond ; Corps 16 ; Le Livre de Poche.
L'AMOUR INQUIET, *Correspondance 1912-1942 avec Fride-rike Zweig*, Des Femmes ; 10-18.
BALZAC, Albin Michel ; Le Livre de Poche.
LE BRÉSIL, TERRE D'AVENIR, Éditions de l'Aube ; Le Livre
    de Poche.
LE COMBAT AVEC LE DÉMON, Belfond ; Le Livre de
    Poche.
CONSCIENCE CONTRE VIOLENCE, Castor Astral ; Le Livre
    de Poche.
CORRESPONDANCE 1897-1919, Grasset ; Le Livre de
    Poche.
CORRESPONDANCE 1920-1931, Grasset ; Le Livre de
    Poche.
CORRESPONDANCE 1932-1942, Grasset ; Le Livre de
    Poche.
CORRESPONDANCE 1931-1936 *avec Richard Strauss*, Flam-marion.
CORRESPONDANCE *avec Émile et Marthe Verhaeren*,
    Labor.
CORRESPONDANCE *avec Sigmund Freud*, Rivages.
EMILE VERHAEREN, *sa vie, son œuvre*, Belfond ; Le Livre
    de Poche.
ERASME, Grasset, « Cahiers Rouges » ; Le Livre de Poche.
ESSAIS, Le Livre de Poche, « La Pochothèque ».
FOUCHÉ, Grasset ; Le Livre de Poche.

LES GRANDES VIES, Grasset, « Bibliothèque Grasset ».

LA GUÉRISON PAR L'ESPRIT, Belfond ; Le Livre de Poche.

HOMMES ET DESTINS, Belfond ; Le Livre de Poche.

JOURNAUX, Belfond ; Le Livre de Poche.

MAGELLAN, Grasset ; Le Livre de Poche.

MARIE-ANTOINETTE, Grasset ; Le Livre de Poche.

MARIE STUART, Grasset ; Le Livre de Poche.

LE MONDE D'HIER, Belfond ; Le Livre de Poche.

MONTAIGNE, PUF.

NIETZSCHE, Stock ; Le Livre de Poche.

PAYS, VILLES, PAYSAGES, Belfond ; Le Livre de Poche.

ROMAIN ROLLAND, Belfond ; Le Livre de Poche.

SIGMUND FREUD, Le Livre de Poche.

SOUVENIRS ET RENCONTRES, Grasset, « Cahiers Rouges ».

LES TRÈS RICHES HEURES DE L'HUMANITÉ, Belfond ; Le Livre de Poche.

TROIS MAÎTRES, Belfond ; Le Livre de Poche.

TROIS POÈTES DE LEUR VIE : STENDHAL, CASANOVA, TOLSTOÏ, Belfond ; Le Livre de Poche.

Composition réalisée par PCA

Achevé d'imprimer en avril 2012 en France par
CPI BRODARD ET TAUPIN
La Flèche (Sarthe)
N° d'impression : 68848
Dépôt légal 1re publication : mai 2012
LIBRAIRIE GÉNÉRALE FRANÇAISE
31, rue de Fleurus – 75278 Paris Cedex 06

31/6747/5